Het
oneindige
verhaal

Michael Ende

Het oneindige verhaal

Van A tot Z
geïllustreerd door
Roswitha
Quadflieg

DOE
WAT JE
WILT

Uitgeverij Piramide Amsterdam/Antwerpen

Voor meer informatie: kijk op **www. boekenwereld.com**

Achttiende druk

Oorspronkelijke titel *Die unendliche Geschichte*
© 1979 Thienemanns Verlag, Stuttgart
© Nederlandse vertaling A.W. Sijthoff's Uitgeversmaatschappij bv,
1982, 1992
© 1999, 2002 uitgeverij Piramide, Amsterdam/Antwerpen
Alle rechten voorbehouden
Vertaling Johan van Nieuwenhuizen
Typografie Kees Kelfkens
Omslagontwerp Edd, Amsterdam
Omslagillustratie Vince Ruarus

ISBN 90 245 4929 9
NUR 283/284

ANTIQUARIAAT
Karel Konraad Koriander

Dit opschrift bevond zich op de glazen deur van een winkeltje, maar het zag er natuurlijk alleen maar zo uit als je vanuit de schemerachtige ruimte door de ruit naar de straat keek.

Buiten was het een grijze, koude novemberochtend en de regen viel in stromen neer. Langs het glas en over de krulletters liepen de druppels omlaag. Het enige wat je nog door de ruit kon zien was een muur met regenplekken aan de overkant.

Plotseling werd de deur zo onbesuisd opengeduwd dat een trosje koperen belletjes dat er boven hing, opgewonden begon te klingelen en een tijdlang niet meer tot rust kon komen.

Degeen die dit tumult veroorzaakte was een kleine, dikke jongen van misschien een jaar of tien, elf. Drijfnatte, donkerbruine haren hingen voor zijn ogen; zijn jas was doorweekt en druppels vielen op de grond. Aan een riem over zijn schouder droeg hij een schooltas. Hij zag wat witjes en was buiten adem. Maar hoewel hij daarnet nog zo'n haast had gehad, stond hij nu als aan de grond genageld in de deuropening.

Voor hem strekte zich een lange, smalle, steeds donkerder wordende ruimte uit. Tegen de muren stonden rekken die tot aan het plafond reikten en volgestouwd waren met boeken van alle mogelijke vormen en afmetingen. Op de vloer torenden stapels grote folianten en op een paar tafels hoopten zich bergen kleinere boeken op, in leer gebonden en goud op snee. Achter een manshoge muur van boeken die aan het andere einde van het vertrek oprees, was het schijnsel van een lamp te zien. En in dit schijnsel stegen af en toe kringeltjes rook op, die groter werden en dan verder omhoog in het duister oplosten. Ze leken op signalen waarmee Indianen elkaar van berg tot berg boodschappen

5

sturen. Kennelijk zat daar iemand. En inderdaad hoorde de jongen nu van achter de boekenmuur een stem nogal bars zeggen: 'U kunt binnen of buiten kijken, maar doe wel de deur dicht. Het tocht.'
De jongen gehoorzaamde en sloot zachtjes de deur. Vervolgens liep hij naar de muur toe en gluurde voorzichtig om het hoekje. Daar zat in een hoge, versleten leunstoel een zware, gedrongen man. Hij had een verkreukeld zwart pak aan dat een stoffige indruk maakte. Zijn buik werd in toom gehouden door een gebloemd vest. Zijn hoofd was kaal. Alleen boven zijn oren stak aan beide kanten een plukje wit haar omhoog. Hij had een rood gezicht dat deed denken aan een bijtgrage buldog. Een gouden brilletje rustte op zijn knolvormige neus. Daarbij rookte de man uit een kromme pijp die uit één mondhoek hing en zijn mond scheeftrok. Op zijn knieën hield hij een boek, dat hij blijkbaar juist had zitten lezen, want bij het dichtklappen had hij de dikke wijsvinger van zijn linkerhand tussen de bladzijden gehouden – als bladwijzer zogezegd.

Nu deed hij met zijn rechterhand zijn bril af en liet zijn blik over het dikke jongetje gaan dat druppelend voor hem stond. Hij kneep zijn ogen halfdicht, wat de bijtgrage indruk nog vergrootte en mompelde: 'Ach, knulletje!' Toen sloeg hij zijn boek weer open en ging verder met lezen.

De jongen wist niet goed wat hij doen moest. Daarom bleef hij gewoon staan en keek de man met grote ogen aan. Eindelijk deed deze zijn boek weer dicht – net als daarvoor met zijn vinger tussen de bladzijden – en bromde: 'Nu moet je goed luisteren, jongen, ik kan kinderen niet velen. Het is vandaag de dag dan wel de gewoonste zaak van de wereld dat iedereen zich enorm druk over jullie maakt, maar mij niet gezien! Ik ben helemaal geen kindervriend. Voor mij zijn kinderen niet anders dan vervelende schreeuwlelijken, pestkoppen, die alles vernielen, de boeken volsmeren met jam en de bladzijden stukscheuren en die het niets kan schelen of volwassenen misschien ook hun zorgen en verdriet hebben. Ik zeg het je maar, dan weet je meteen waar je aan toe bent. Bovendien heb ik hier geen kinderboeken en andere boeken verkoop ik je niet!'

Hij had dit allemaal gezegd met de pijp in zijn mond. Nu sloeg hij zijn boek weer open en ging verder met lezen.

De jongen knikte zwijgend en wilde weer vertrekken. Om de een of andere reden vond hij echter dat hij deze toespraak niet zomaar voor lief kon nemen. Vandaar dat hij zich weer omdraaide en zacht zei: 'Kinderen zijn niet *allemaal* zo.'

De man keek langzaam op en deed zijn bril weer af. 'Ben je er nu nòg? Kun je me vertellen hoe een mens van zo iemand als jij afkomt? Wat had je nu voor buitengewoon belangrijks te zeggen?'

'Niks belangrijks,' antwoordde de jongen nog zachter. 'Ik wou alleen – niet alle kinderen zijn zoals u zegt.'

'Nee, maar!' De man trok met gespeelde verbazing zijn wenkbrauwen op. 'Dan ben jij zelf zeker de grote uitzondering?'

De dikke jongen wist niet wat hij antwoorden moest. Hij haalde zijn schouders op en wilde weer weggaan.

'En manieren,' hoorde hij de stem achter zich brommen, 'manieren heb je nog voor geen cent. Anders zou je je tenminste eerst hebben voorgesteld.'

'Ik heet Bastiaan,' zei de jongen, 'Bastiaan Balthazar Boeckx.'

'Een nogal merkwaardige naam,' gromde de man, 'met die drie b's. Nou, ja, daar kun je ook niks aan doen. Die heb je jezelf niet gegeven. Ik heet Karel Konraad Koriander.'

'Dat zijn drie k's,' zei de jongen ernstig.

'Hmm,' bromde de oude man, 'dat klopt, ja!'

Hij pafte wat wolkjes de lucht in. 'Ach, het maakt ook weinig uit hoe we heten. We zien elkaar toch niet meer terug. Maar één ding wil ik nog weten: waarom ben je zo even halsoverkop mijn winkel binnen komen vallen? 't Leek wel of je achterna gezeten werd. Is dat zo?'

Bastiaan knikte. Zijn ronde gezicht werd opeens nog bleker en zijn ogen nog groter.

'Waarschijnlijk heb je de kassa van een winkel leeggehaald,' veronderstelde meneer Koriander, 'of een oude vrouw neergeslagen of wat jullie soort vandaag de dag nog meer uithaalt. Zit de politie achter je aan, kind?'

Bastiaan schudde zijn hoofd.

'Kom ermee voor de draad,' zei meneer Koriander, 'voor wie ben je op de loop?'

'Voor de anderen.'

'Voor welke anderen?'

'De kinderen uit mijn klas.'

'Waarom?'

'Ze... ze laten me niet met rust.'

7

'Wat doen ze dan?'

'Ze staan me voor de school op te wachten.'

'En verder?'

'Dan schreeuwen ze zomaar dingen. Ze duwen tegen me aan en lachen me uit.'

'En dat laat jij gewoon over je kant gaan?' Meneer Koriander keek de jongen even afkeurend aan en vroeg toen: 'Waarom geef je ze niet gewoon een klap voor d'r kop?'

Met grote ogen keek Bastiaan naar hem op. 'Nee – daar houd ik niet van. En bovendien – ik kan niet goed boksen.'

'En hoe staat het met worstelen?' wilde meneer Koriander weten. 'Met hardlopen, zwemmen, voetballen, met gymnastiek? Kun je daar helemaal niets van?'

De jongen schudde zijn hoofd.

'Met andere woorden,' zei meneer Koriander, 'jij bent dus een zwakkeling.'

Bastiaan haalde zijn schouders op.

'Maar praten kun je wel,' vond meneer Koriander. 'Waarom zet je het ze niet betaald, als ze de draak met je steken?'

'Heb ik een keer gedaan...'

'En toen?'

'Toen hebben ze me in een vuilnisvat gestopt en het deksel vastgebonden. Ik heb uren moeten roepen voordat iemand me hoorde.'

'Hmm,' bromde meneer Koriander, 'en nu durf je het niet meer?'

Bastiaan knikte.

'Dus ben je ook nog een bangerd,' constateerde meneer Koriander.

Bastiaan boog zijn hoofd.

'Je bent waarschijnlijk een echte uitslover, hè? De beste van de klas met alleen maar tienen en de lieveling van alle meesters. Is het niet zo?'

'Nee,' zei Bastiaan, nog steeds naar de grond kijkend, 'ik ben vorig jaar blijven zitten.'

'Lieve God!' riep meneer Koriander. 'Overal laat je het dus afweten!'

Bastiaan zei niets, stond er alleen maar, de armen slap langs zijn lijf, in zijn druppelende jas.

'Wat roepen ze dan, als ze de draak met je steken?' wilde meneer Koriander weten.

'Nou – van alles.'

'Bijvoorbeeld?'

'Wispo! Wispo! Zat op zijn pispo! Pispo brak en Wispo sprak: 't Komt door mijn zware zitvlak.'

'Niet bepaald geestig,' vond meneer Koriander. 'Wat nog meer?'

Bastiaan aarzelde even voor hij opsomde: 'Fantast, windei, opschepper, bedrieger...'

'Fantast? Waarom?'

'Ik loop soms in mezelf te praten.'

'Wat praat je dan?'

'Ik bedenk verhalen en verzin namen en woorden die nog niet bestaan en zo.'

'En dat vertel je je zelf? Waarom?'

'Nou, verder is er toch niemand die zich voor zoiets interesseert.'

Meneer Koriander zweeg even en dacht na.

'Wat vinden je vader en moeder hiervan?'

Bastiaan antwoordde niet meteen. Pas na een poosje mompelde hij: 'Vader zegt niks. Die zegt nooit wat, trekt zich nergens wat van aan.'

'En je moeder?'

'Die – is er niet meer.'

'Zijn je ouders gescheiden?'

'Nee,' zei Bastiaan, 'ze is dood.'

Op dat moment rinkelde de telefoon. Meneer Koriander stond met enige moeite op uit zijn leunstoel en slofte een kamertje in dat achter de winkel lag. Hij nam de hoorn op en Bastiaan hoorde vaag hoe meneer Koriander zijn naam noemde. Nu ging de deur van het kamertje dicht en was er niet anders te horen dan een vaag gemompel.

Daar stond Bastiaan. Hij begreep niet goed wat hem overkomen was en waarom hij dat allemaal gezegd en toegegeven had. Hij vond het ontzettend zo uitgehoord te worden. Woedend bedacht hij plotseling dat hij veel te laat op school zou komen. Ja, hij moest echt voortmaken, hollen – maar hij bleef staan waar hij stond en kon geen besluit nemen. Er was iets dat hem weerhield, maar wat het was wist hij niet.

Uit het kamertje klonk nog steeds het vage stemgeluid. Het was een lang telefoongesprek.

Het drong tot Bastiaan door dat hij al een hele tijd naar het boek staarde dat meneer Koriander in zijn handen gehouden had en dat nu op de leunstoel lag. Hij kon zijn ogen er gewoon niet van af houden.

Het leek wel of er een magnetische kracht van uitging, die hem onweerstaanbaar aantrok.

Hij liep naar de stoel, strekte langzaam zijn hand uit, raakte het boek aan – en opeens was er bij hem van binnen iets dat 'klik!' zei, alsof er een val was dichtgeklapt. Bastiaan had het vage gevoel dat er door deze aanraking iets onherroepelijks begonnen was, dat nu zijn natuurlijke loop zou nemen.

Hij tilde het boek op en bekeek het van alle kanten. De band was van koperrode stof en glansde wanneer hij het boek heen en weer bewoog. Toen hij het vluchtig doorbladerde, zag hij dat de tekst in twee verschillende kleuren gedrukt was. Plaatjes schenen er niet in te staan, maar wel heel mooie grote beginhoofdletters. Toen hij de band nauwkeuriger bekeek ontdekte hij er twee slangen op, een lichte en een donkere, die elkaar in de staart beten en zo een ovaal vormden. En in dit ovaal stond de titel:

Het oneindige verhaal

De heimelijke verlangens van de mens zijn raadselachtig. Bij kinderen is het al niet anders dan bij volwassenen. Degenen die ermee te maken krijgen, kunnen ze niet verklaren. En zij die nog nooit zoiets beleefd hebben, kunnen ze niet begrijpen. Er zijn mensen die hun leven wagen om een bergtop te bedwingen. Niemand, niet eens zijzelf, weet echt waarom. Anderen offeren alles op om het hart van een medemens te veroveren, die niets van hen weten wil. Weer anderen storten zich in het verderf omdat zij de genietingen van de tong niet kunnen weerstaan – of die van de fles. Sommigen geven al hun bezittingen weg om te winnen in het kansspel of hebben alles over voor een waanidee dat nooit werkelijkheid kan worden. Enkele mensen menen alleen gelukkig te kunnen worden als zij ergens anders waren dan zij zijn en trekken hun hele leven de wereld door. En anderen vinden geen rust voordat zij macht gekregen hebben. Kortom, er zijn zo veel verschillende verlangens als er verschillende mensen zijn.

Voor Bastiaan Balthazar Boeckx waren het boeken.

Heb je nooit hele middagen met rode oren en verwarde haren over een boek gebogen gezeten, lezend, lezend en de wereld om je heen vergetend, zodat je niet meer merkte dat je honger kreeg of het koud had –

Heb je nooit heimelijk bij het schijnsel van een zaklantaarn onder de dekens gelezen, omdat je vader of moeder, of misschien iemand anders die zich bezorgd maakte, goedbedoeld het licht had uitgedaan, redenerend dat je nu moest gaan slapen omdat je immers morgen weer zo vroeg uit de veren moest –

Heb je nooit openlijk of in het verborgene bittere tranen vergoten omdat een prachtig verhaal was afgelopen en je afscheid moest nemen van figuren met wie je zoveel avonturen had beleefd, van wie je hield en die je bewonderde, voor wie je bang was geweest en voor wie je gebeden had en zonder wier gezelschap het leven je leeg en zinloos voorkwam –

Wie niets van dit alles uit eigen ervaring kent, nou, die zal waarschijnlijk niet begrijpen wat Bastiaan nu deed.

Hij staarde naar de titel van het boek en hij voelde zich afwisselend warm en koud worden. Dit was nu precies waarvan hij al vaak gedroomd had en wat hij, sinds de hartstocht zich van hem meester had gemaakt, gewild had: een verhaal dat nooit afgelopen zou zijn! Het boek der boeken!

Hij moest dit boek hebben, het koste wat het wil!

Het koste wat het wil? Dat was gemakkelijk gezegd! Zelfs als hij meer dan die drie gulden en vijftien cent zakgeld die hij bij zich had zou kunnen aanbieden – had die onvriendelijke meneer Koriander niet duidelijk te verstaan gegeven dat hij hem geen enkel boek zou verkopen? En het hem cadeau doen zou hij al helemaal niet. Het was hopeloos.

En toch wist Bastiaan dat hij zonder het boek niet weg kon gaan. Hij begreep nu dat hij enkel en alleen om dit boek hier naar toe was gekomen. Op een geheimzinnige manier had het hem geroepen, omdat het naar hem toe wilde, omdat het eigenlijk altijd al van hem was!

Bastiaan luisterde naar het gemompel dat nog in het kamertje te horen was.

En toen, voor hij er op bedacht was, had hij opeens razend vlug het boek onder zijn jas gestopt. Met beide armen drukte hij het tegen zich aan. Zonder ook maar het minste geluid te maken liep hij achteruit naar de winkeldeur, terwijl hij de andere deur, die van het kamertje, angstvallig in het oog hield. Voorzichtig drukte hij de kruk naar beneden. Hij wilde voorkomen dat de koperen belletjes geluid maakten, daarom deed hij de glazen deur net voldoende open om er zich doorheen te wringen. Zachtjes deed hij van buiten de deur weer dicht.

Toen pas begon hij te hollen.

De schriften, schoolboeken en potloden in zijn tas dansten en rammelden. Hij kreeg steken in zijn zij, maar hij holde verder.

De regen stroomde langs zijn gezicht en liep van achteren zijn kraag in. Kou en vocht drongen door zijn jas naar binnen, maar Bastiaan voelde het niet. Hij had het warm, maar dat kwam niet van het rennen.

Zijn geweten, dat eerder in de boekwinkel geen kik had gegeven, was nu plotseling wakker geworden. Alle overwegingen die daarnet zo overtuigend geleken hadden, kwamen hem nu opeens ongeloofwaardig voor. Ze smolten weg als sneeuwpoppen in de adem van een vuurspuwende draak.

Hij had gestolen. Hij was een dief!

Wat hij gedaan had was zelfs nog erger dan een gewone diefstal. Dit boek was vast uniek en onvervangbaar. Het was vast en zeker meneer Korianders grootste schat geweest. Een violist zijn uitzonderlijke viool ontstelen, of een koning zijn kroon, was nog wel wat anders dan geld uit een kassa pakken.

Terwijl hij voortholde drukte hij het boek onder zijn jas tegen zich aan. Hij wilde het niet meer kwijt, hoe duur het hem ook zou komen te staan. Het was alles wat hij op deze wereld nog had.

Want terug naar huis kon hij nu natuurlijk niet meer.

Hij probeerde zich zijn vader voor de geest te roepen, werkend in de grote kamer die als laboratorium was ingericht, met om zich heen tientallen gipsafgietsels van menselijke gebitten, want hij was tandtechnicus. Bastiaan had zich nog nooit afgevraagd of zijn vader dat werk eigenlijk met plezier deed. Het kwam nu voor het eerst bij hem op, maar hij zou hem er nooit meer naar kunnen vragen.

Ging hij nu naar huis, dan zou zijn vader in zijn witte jas uit het laboratorium komen, misschien wel met een gipsgebit in de hand, en hem vragen: 'Al terug?' – 'Ja,' zou Bastiaan antwoorden. – 'Geen school vandaag?' – Hij zag het stille, trieste gezicht van zijn vader voor zich en hij wist dat hij hem onmogelijk zou kunnen voorliegen. Maar hij kon hem ook de waarheid niet zeggen. Nee, het enige wat hij doen kon was weggaan, ergens naar toe, ver weg. Zijn vader mocht er nooit achterkomen dat zijn zoon een dief was geworden. Misschien merkte hij wel niet eens dat Bastiaan er niet meer was. Die gedachte troostte hem, gek genoeg, een beetje.

12

Bastiaan holde niet meer. Hij liep nu langzaam en zag aan het eind van de straat het schoolgebouw. Ongemerkt had hij de gewone weg naar school genomen. De straat kwam hem opvallend stil voor, hoewel er hier en daar wel mensen liepen. Maar voor iemand die veel te laat komt, lijkt de wereld buiten de school immers altijd uitgestorven. En Bastiaan voelde bij elke stap zijn angst groter worden. Hij was toch al bang voor school, de plaats van zijn dagelijkse nederlagen, bang voor de leraren die soms vriendelijk op zijn geweten probeerden te werken, en dan weer hun boosheid op hem afreageerden, bang voor de andere kinderen die de draak met hem staken en geen gelegenheid voorbij lieten gaan om hem te bewijzen hoe onhandig en weerloos hij was. Altijd al had hij de school een eindeloos lange gevangenisstraf gevonden, die duren zou tot hij groot was en die hij alleen maar zwijgend en berustend kon uitzitten.

Maar toen hij door de hol klinkende gang liep, waar het naar boenwas en natte jassen rook, toen de dreigende stilte in het gebouw plotseling als proppen watten zijn oren verstopte en toen hij tenslotte voor de deur van zijn klas stond, die in dezelfde oude spinaziekleur geverfd was als de muren er omheen, toen werd het hem duidelijk dat hij van nu af aan ook hier niets meer te zoeken had. Hij moest er immers toch vandoor? Dan kon hij net zo goed meteen weggaan.

Maar waarheen?

Bastiaan had in zijn boeken verhalen gelezen over jongens die op een schip aanmonsterden en de wijde wereld introkken om hun fortuin te zoeken. Sommigen werden ook wel zeerovers of helden, maar anderen keerden vele jaren later als rijke mannen in hun vaderland terug, zonder dat iemand er achter kwam wie ze waren.

Maar dat vond Bastiaan niets voor zichzelf. Hij kon zich trouwens ook niet voorstellen dat ze hem als scheepsjongen in dienst zouden nemen. Bovendien had hij er geen flauw idee van hoe hij in een havenstad moest komen, waar de juiste schepen voor zulke gedurfde ondernemingen lagen.

Waarheen dan?

En plotseling schoot hem de goede plek te binnen, de enige plek waar men hem – voorlopig althans – niet zoeken en niet vinden zou.

De zolder was groot en donker. Het rook er naar stof en motteballen. Geen geluid was er te horen, behalve het zachte geroffel van de regen op het plaatkoper van het reusachtige dak. Kolossale, door ouderdom zwart geworden balken rezen op gelijkmatige afstanden uit de plankenvloer op, kwamen boven samen met andere balken van de dakstoel en verdwenen ergens in het duister. Hier en daar hingen spinnewebben zo groot als hangmatten; ze gingen zachtjes en spookachtig heen en weer in de luchtstroom. Van boven, waar een dakvenster was, viel een melkkleurig lichtschijnsel naar beneden.

Het enige levende wezen in deze omgeving, die stil scheen te staan in de tijd, was een muisje dat over de plankenvloer huppelde en uiterst kleine sporen achterliet in het stof. Waar het zijn staartje liet hangen liep tussen de pootafdrukken een dunne streep. Plotseling richtte het zich op en luisterde aandachtig. En vervolgens verdween het – vliegensvlug – in een gaatje tussen de planken.

Er was het geluid van een sleutel in een groot slot te horen. Langzaam en knarsend ging de deur van de zolder open. Even gleed er een lange lichtstreep door de ruimte. Bastiaan glipte naar binnen. Daarop sloot de deur zich weer knarsend en viel dicht. Hij stak een grote sleutel aan de binnenkant in het slot en draaide hem om. Vervolgens schoof hij er nog een grendel voor en slaakte een zucht van verlichting. Hij was nu werkelijk onvindbaar. Hier zou niemand hem komen zoeken. Hoogst zelden maar kwam er iemand hierheen – dat wist hij vrij zeker. En zelfs als het toeval wilde dat uitgerekend vandaag of morgen iemand hier moest zijn, dan zou die iemand de deur op slot vinden. En de sleutel was er niet meer. En als ze de deur toch op de een of andere manier open zouden krijgen, bleef er voor Bastiaan nog tijd genoeg om zich tussen alle oude rommel die er stond te verstoppen.

Geleidelijk raakten zijn ogen gewend aan het halfduister. Hij kende deze plek. Een halfjaar geleden had de conciërge van de school hem opgedragen mee te helpen bij het overbrengen van een grote wasmand vol oude formulieren en paperassen die naar de zolder moesten. Hij had toen ook gezien waar de sleutel van de zolderdeur bewaard werd: in een muurkastje dat naast het bovenste trapportaal hing. Sindsdien had hij er nooit meer aan gedacht. Maar nu had hij het zich weer herinnerd.

Bastiaan begon het koud te krijgen, want zijn jas was doornat en het was erg kil hier boven. Vóór alles moest hij een plaatsje zoeken waar hij het zich een beetje behaaglijk kon maken. Tenslotte zou hij hier lange tijd moeten blijven. Hoe lang – daar dacht hij voorlopig maar niet over na, en ook dat hij al gauw honger en dorst zou krijgen, wilde hij vergeten.

Hij liep een beetje rond.

Her en der lag allerlei oude rommel, planken vol met mappen en sinds lang niet meer gebruikte formulieren, op elkaar gestapelde schoolbanken met inktvlekken op de lessenaars, een rek waaraan een tiental verouderde landkaarten hing, verscheidene schoolborden waar de zwarte verf van af sprong, verroeste ijzeren kachels, onbruikbaar geworden gymnastiektoestellen, zoals bijvoorbeeld een bok waarvan de leren bekleding zo gescheurd was dat de vulling eruit hing, gesprongen atletiekballen, een stapel oude vuile turnmatten, en verder een paar opgezette dieren, die half door de motten opgevreten waren, waaronder een uil, een steenarend en een vos, allerlei retorten en glazen flessen met barsten, een elektriseermachine, een menselijk skelet dat aan een soort staande kapstok hing, en vele kisten en dozen vol oude schriften en schoolboeken. Uiteindelijk besloot Bastiaan de stapel oude turnmatten als zitplaats te kiezen. Als je je daarop uitstrekte leek het wel wat op een divan. Hij sleepte ze tot onder het dakraam waar het het lichtst was. In de buurt ervan lag een stapel grijze paardedekens, weliswaar erg stoffig en gescheurd, maar nog heel bruikbaar. Bastiaan ging ze halen. Hij trok zijn natte jas uit en hing die naast het geraamte aan de standaard. De knokenman slingerde wat heen en weer, maar Bastiaan was niet bang voor hem. Misschien wel omdat hij dergelijke dingen van huis uit gewend was. Ook zijn doorweekte laarzen trok hij uit. Op kousevoeten ging hij in kleermakerszit op de matten zitten en trok als een Indiaan de grijze dekens om zijn schouders. Naast hem lag zijn tas – en het koperrode boek.

Hij bedacht dat de anderen beneden in de klas nu juist Taal hadden. Misschien moesten ze wel een opstel schrijven over een of ander ontzettend vervelend onderwerp.

Bastiaan bekeek het boek.

'Ik zou best weleens willen weten,' zei hij hardop, 'wat er eigenlijk in een boek gebeurt zolang het nog dicht is. Natuurlijk zijn er alleen maar letters in die op papier zijn gedrukt, maar toch – iets moet er toch gebeuren, want als ik het opendoe dan is er opeens een heel verhaal. Er zijn mensen die ik nog niet ken en er komen alle mogelijke avonturen en handelingen en gevechten in voor – en soms zijn er

15

stormen op zee en kom je in vreemde landen en steden. Dat zit er toch op de een of andere manier allemaal in, in een boek. Je moet het lezen om het te beleven, dat is duidelijk. Maar van te voren is het er al in. Ik zou best weleens willen weten hoe?'

En plotseling raakte hij in een haast feestelijke stemming.

Hij ging rechtop zitten, pakte het boek, sloeg de eerste bladzij op en begon

Het oneindige verhaal

te lezen.

[A]

Fantásië in gevaar

ALLE dieren in het Heulebos schoten weg in hun holen, nesten en schuilhoeken. Het was middernacht en in de toppen van de eeuwenoude reusachtige bomen gierde de stormwind. De torendikke stammen kraakten en steunden. Opeens gleed er een zwak lichtschijnsel zigzag door het geboomte, bleef hier en daar trillend staan, schoot dan omhoog, zette zich op een tak en snelde meteen daarop weer verder. Het was een lichtgevend bolletje, ongeveer zo groot als een tennisbal. Met grote sprongen huppelde het verder, raakte af en toe de grond en zweefde dan weer omhoog. Maar een bal was het niet.

Het was een dwaallicht. En het was de weg kwijt. Dit was dus een verdwaald dwaallicht en dat komt zelfs in Fantásië vrij zelden voor. Gewoonlijk zijn het de dwaallichten die anderen juist laten verdwalen.

Binnen in het ronde schijnsel was een uiterst beweeglijk figuurtje te zien, dat naar hartelust sprongen maakte en rondholde. Het was geen mannetje en geen vrouwtje want dergelijke verschillen bestaan bij dwaallichten niet. In zijn rechterhand had het een kleine witte vlag, die achter hem aan fladderde. Het betrof dus een afgezant of een onderhandelaar.

Gevaar dat het bij zijn verre zweefsprongen in het donker tegen een boomstam zou botsen, was er niet, want dwaallichten zijn ongelooflijk handig en knap en in staat om midden in een sprong van richting te veranderen. Vandaar ook dat zigzaggende bewegen, maar over het algemeen bewoog het zich steeds in een bepaalde richting.

Tot het moment dat het in de buurt van een vooruitspringende rots kwam en geschrokken terugdeinsde. Uithijgend als een hondje zat het in een holle boom en dacht even na voordat het weer te voorschijn durfde te komen en voorzichtig om de hoek van de rots gluurde.

Voor hem was een open plek in het bos en daar zaten bij het schijnsel van een kampvuur drie figuren die naar uiterlijk en afmeting erg verschillend waren. Een reus van bijna drie meter lang, die er uitzag

19

alsof alles aan hem uit grijze steen bestond, lag uitgestrekt op zijn buik. Hij steunde met zijn bovenlichaam op zijn ellebogen en staarde in het vuur. In zijn verweerde stenen gezicht, dat vreemd klein op zijn kolossale schouders stond, stak zijn gebit ver naar buiten als een rij stalen beitels. Het dwaallicht zag dat hij tot de familie van de rotsbijters behoorde. Dat waren wezens die onvoorstelbaar ver van het Heulebos in een berggebied woonden – maar zij wóónden niet alleen in die bergen, ze lééfden er ook van, want ze aten ze langzamerhand op. Ze voedden zich met rotsen. Gelukkig waren ze erg matig en konden ze met een enkele hap van deze voor hen uiterst voedzame kost weken, ja maandenlang toe. Nu waren er niet veel rotsbijters en bovendien was dat bergland erg groot. Maar aangezien deze wezens er al heel lang woonden – zij werden veel ouder dan de meeste andere schepselen in Fantásië – had het gebergte in de loop der tijd toch een heel bijzonder aanzicht gekregen. Het leek op een reusachtige Emmentaler kaas, vol gaten en holen. Daarom heette het waarschijnlijk ook de Gangenberg.

Maar de rotsbijters voedden zich niet alleen met gesteente, zij maakten er ook alles van wat zij nodig hadden: meubels, hoeden, schoenen, gereedschappen, ja zelfs koekoeksklokken. En dus was het ook niet zo verwonderlijk meer dat deze rotsbijter hier een soort fiets achter zich had staan, die helemaal uit rotssteen bestond en twee wielen had die er uitzagen als enorme molenstenen. Het geheel had meer weg van een stoomwals met pedalen.

De tweede figuur, die rechts van het vuur zat, was een kleine nachtalf. Hij was hoogstens twee maal zo groot als het dwaallicht en leek op een pikzwarte, met een pels overtrokken rups die rechtop stond. Als hij sprak gebaarde hij druk met twee kleine roze handjes en daar waar zich onder de zwarte ongekamde haren vermoedelijk zijn gezicht bevond, gloeiden twee grote ronde ogen als manen.

Overal in Fantásië vond je nachtalfen van de meest uiteenlopende vorm en grootte en vandaar dat je aanvankelijk niet kon zeggen of deze hier van dichtbij of van ver gekomen was. Overigens scheen ook hij op reis te zijn want het bij nachtalfen gebruikelijke rijdier, een grote vleermuis, hing achter hem aan een tak, de kop omlaag in haar vleugels gewikkeld, als een opgevouwen paraplu.

De derde figuur, aan de linkerkant van het vuur, ontdekte het dwaallicht pas na een poosje, want die was zo klein dat je hem van deze afstand maar moeilijk onderscheiden kon. Hij behoorde tot de familie van de minusculen. Het was een buitengewoon fijn gebouwd kereltje in een veelkleurig pakje en met een rode hoge hoed op. Over minusculen wist het dwaallicht zo goed als niets. Hij had alleen eens horen vertellen dat ze hele steden op de takken van bomen bouwden, waarbij de huisjes onderling door trapjes, touwladders en glijbanen verbonden zouden zijn. Maar deze wezens woonden in een ander deel van het onbegrensde Fantásische rijk, nog veel, veel verder van hier verwijderd dan de rotsbijters. Daarom was het des te verbazingwekkender dat het rijdier dat de hier aanwezige minuscuul bij zich had, uitgerekend een slak was. Deze zat achter hem. Op zijn roze huisje glinsterde een zilveren zadel en ook het tuig en de teugels die aan zijn voelhoorntjes bevestigd waren, glansden als zilverdraad.

Het dwaallicht verwonderde zich er over dat nu juist deze drie zo uiteenlopende wezens hier eendrachtig bij elkaar zaten, want gewoonlijk was het in Fantásië bepaald niet zo dat alle volken in vrede en eendracht met elkaar samenleefden. Vaak was er strijd en oorlog; ook waren er eeuwenlange twisten tussen bepaalde soorten en bovendien waren er niet enkel eerlijke en goede schepsels, maar ook roofzuchtige, kwaadaardige en wrede. Het dwaallicht behoorde immers zelf tot een familie waarop, wat geloofwaardigheid en betrouwbaarheid betrof, wel wat aan te merken was.

Pas nadat het enige tijd het tafereel in het schijnsel van het kampvuur had gadegeslagen viel het het dwaallicht op dat elk van de drie figuren hetzij een wit vlaggetje bij zich had, of dwars over de borst een witte sjerp droeg. Zij waren dus ook afgezanten of onderhandelaars, en dat verklaarde natuurlijk waarom ze zich zo vreedzaam gedroegen.

Zouden zij misschien voor dezelfde aangelegenheid op pad zijn als het dwaallicht zelf?

Wat ze zeiden was door de gierende wind die in de boomtoppen te keer ging op deze afstand niet te verstaan. Maar omdat zij elkaar over en weer als afgezanten respecteerden, zouden ze misschien ook het dwaallicht als zodanig erkennen en het niets doen. En het moest toch iemand de weg vragen. Er zou zich hier midden in het bos en midden in de nacht nauwelijks een betere gelegenheid voordoen. Dus trok het de stoute schoenen aan, kwam uit zijn schuilplaats te voorschijn, zwaaide met het witte vlaggetje en bleef toen trillend in de lucht staan.

De rotsbijter, die immers met zijn gezicht naar hem toe gekeerd lag, zag hem het eerst.

'Heel wat verkeer hier vannacht,' zei hij met krakende stem. 'Daar komt er nog een aan.'

'Oehoe, een dwaallicht!' mompelde de nachtalf en zijn maneögen gloeiden op. 'Mooi zo, mooi zo!'

De minuscuul kwam overeind, liep een paar stapjes in de richting van de nieuwaangekomene en piepte: 'Als ik het goed zie bent u ook in de hoedanigheid van afgezant hier?'

'Ja,' zei het dwaallicht.

De minuscuul nam zijn rode hoge hoed af, maakte een buiginkje en tjilpte: 'O, kom toch dichterbij, alstublieft. Ook wij zijn afgezanten. Neemt u plaats in onze kring.'

En uitnodigend wees hij met zijn hoedje naar de vrije plaats bij het vuur.

'Dank u wel,' zei het dwaallicht en kwam schuchter dichterbij, 'ik bèn zo vrij. Mag ik me even voorstellen: mijn naam is Bloeb.'

'Het is me een genoegen,' antwoordde de minuscuul. 'Ik heet Ukkuk.'

De nachtalf maakte zittend een buiginkje. 'Mijn naam is Wóésjwoesoel.'

'Aangenaam!' knarste de rotsbijter. 'Ik ben Pjeurnragzark.'

Alle drie namen ze het dwaallicht op, dat zich verlegen afwendde. Dwaallichten vinden het uiterst vervelend als men ze onverholen bekijkt.

'Wilt u niet gaan zitten, beste Bloeb?' vroeg de minuscuul.

'Ik ben eigenlijk erg gehaast,' antwoordde het dwaallicht, 'en wilde u alleen maar vragen of u mij misschien kunt zeggen hoe ik van hier uit naar de Ivoren Toren kan komen.'

'Oehoe!' zei de nachtalf, 'u wilt naar de Kleine Keizerin?'

'Ja, zo is het,' zei het dwaallicht. 'Ik moet haar een belangrijke boodschap brengen.'

'Wat voor een?' knarste de rotsbijter.

'Wel' – het dwaallicht ging van het ene been op het andere staan – 'het is een geheime boodschap.'

'Wij drieën hebben hetzelfde doel als u – oehoe!' antwoordde de nachtalf. 'U bent onder collega's.'

'Het is mogelijk dat wij zelfs dezelfde boodschap hebben,' opperde

22

Ukkuk, de minuscuul.

'Ga zitten en vertel op!' zei Pjeurnragzark knarsend.

Het dwaallicht ging op de vrije plaats zitten.

'De streek waar ik thuishoor,' begon het na even met zichzelf over-legd te hebben, 'ligt tamelijk ver van hier – ik weet niet of een van de aanwezigen die kent. Hij heet het Molmmoer.'

'Oehoe!' zuchtte de nachtalf verrukt, 'een prachtige streek!'

Het dwaallicht glimlachte.

'Ja, hè?'

'Nou, en?' knerste Pjeurnragzark. 'Waarom ben je op stap, Bloeb?'

'Bij ons in het Molmmoer,' ging het dwaallicht hortend verder, 'is er wat gebeurd – iets onbegrijpelijks – ik bedoel, het gebeurt eigenlijk nog steeds – het is moeilijk te beschrijven – het begon ermee dat – nou, in het oosten van ons gewest is er een meer – of liever, dat *was* er – het heette het Dampdiep. En het begon er dus mee dat het Dampdiep er op een dag niet meer was – gewoon weg, begrijpen jullie?'

'Wilt u zeggen,' wilde Ukkuk weten, 'dat het opgedroogd was?'

'Nee,' antwoordde het dwaallicht, 'dan zou daar nu een opge-droogd meer zijn. Maar dat is niet het geval. Daar waar het meer was, is nu totaal niets meer – gewoon helemaal niks, begrijpen jullie?'

'Een gat?' gromde de rotsbijter.

'Nee, ook geen gat,' – het dwaallicht maakte een steeds hulpelozer indruk – 'een gat is immers nog wat. Maar daar is Niets.'

De drie andere afgezanten keken elkaar aan.

'Hoe ziet dat er dan uit – dat Niets?' vroeg de nachtalf.

'Dat is juist zo moeilijk te beschrijven,' zei het dwaallicht bedroefd. 'Het ziet er eigenlijk helemaal niet uit. Het is – het is als – ach, er is geen woord voor!'

'Het is,' opperde de minuscuul, 'als je naar die plek kijkt of je blind bent, hè?'

Het dwaallicht staarde hem met open mond aan.

'Dat is de juiste formulering!' riep het. 'Maar vanwaar – ik bedoel, hoezo – of kennen jullie dit ook – ?'

''n Ogenblikje!' kwam de rotsbijter knarsend tussenbeide. 'Is het bij die ene plek gebleven? Zeg op!'

'Eerst wel, ja,' verduidelijkte het dwaallicht, 'dat wil zeggen dat de plek geleidelijk groter werd. Op de een of andere manier ontbrak er steeds meer aan de streek. De oervuurpad Oempf, die met haar volk

23

in het Dampdiep leefde, was op een keer plotseling gewoon weg. Andere inwoners gingen op de vlucht. Maar langzamerhand begon het ook op andere plaatsen in het Molmmoer. Soms was het in het begin maar heel klein, een Nietsje zo groot als het ei van een waterhoentje. Maar die plekken werden steeds groter. Als iemand er bij vergissing met zijn voet instapte, dan was ook die voet weg – of een hand – of wat er anders bij toeval in terecht was gekomen. Het doet overigens geen pijn – alleen is de betrokkene opeens een stuk kwijt. Sommigen hebben er zich zelfs met opzet in laten vallen toen ze te dicht bij het Niets waren. Het oefent een onweerstaanbare aantrekkingskracht uit, die des te sterker is naarmate de plek groter is. Niemand van ons kon bedenken wat dit verschrikkelijke kon zijn, waar het vandaan kwam en wat men er tegen moest doen. En omdat het niet vanzelf weer verdween, maar zich steeds meer uitbreidde, werd uiteindelijk besloten een afgezant naar de Kleine Keizerin te sturen om van haar raad en hulp te krijgen. En die afgezant ben ik.'

De andere drie tuurden zwijgend voor zich uit.

'Oehoe!' liet na een poosje de nachtalf horen. 'Daar waar ik vandaan kom, is het precies hetzelfde. En ik ben met hetzelfde doel op weg – oehoe!'

De minuscuul richtte zich tot het dwaallicht. 'Ieder van ons,' piepte hij, 'komt uit een andere streek van Fantásië. Heel toevallig hebben we elkaar hier ontmoet. Maar ieder brengt de Kleine Keizerin hetzelfde bericht.'

'En dat betekent,' zei de rotsbijter, 'dat heel Fantásië in gevaar is.'

Dodelijk geschrokken keek het dwaallicht van de een naar de ander.

'Maar dan,' riep het, terwijl het opsprong, 'mogen wij geen moment verliezen!'

'Wij wilden toch juist opbreken,' verduidelijkte de minuscuul. 'We hadden alleen wegens de ondoordringbare duisternis hier in het Heulebos onze rust genomen. Maar nu, nu u bij ons bent, Bloeb, kunt u ons immers bijlichten.'

'Onmogelijk!' riep het dwaallicht. 'Ik kan niet op iemand gaan wachten die op een slak rijdt. 't Spijt me zeer!'

'Maar het is een renslak!' zei de minuscuul gekwetst.

'En bovendien – oehoe! –,' mompelde de nachtalf, 'zeggen wij je anders gewoon de goede richting niet!'

'Met wie práten jullie eigenlijk?' knorde de rotsbijter.

En inderdaad, het dwaallicht had de laatste woorden van de andere gezanten al niet meer gehoord, maar hipte reeds met lange sprongen weg door het bos.

'Ach,' vond Ukkuk, de minuscuul, en schoof zijn rode hoge hoed in zijn nek, 'voor verlichting onderweg was een dwaallicht misschien toch niet je ware geweest.'

Daarbij sprong hij in het zadel van zijn renslak.

'Mij zou het trouwens ook liever zijn,' zei de nachtalf en riep met een zacht oehoe! zijn vleermuis, 'als ieder van ons op eigen gelegenheid reist. Ik vlieg tenslotte!'

En ssjjoeee! Weg was hij.

De rotsbijter doofde het kampvuur door gewoon een paar keer met de vlakke hand er op te slaan.

'Ik heb het ook liever,' hoorde je hem in het donker knarsen, 'dan hoef ik ook niet op te letten dat ik niets minuscuuls platwals.'

Daarop hoorde je hem met geraas en gekraak op zijn enorme stenen fiets pardoes het geboomte inrijden. Af en toe botste hij met een doffe klap tegen een reusachtige boom en dan hoorde je hem knarsen en grommen. Langzaam verwijderde het lawaai zich in het duister.

Ukkuk, de minuscuul, bleef alleen achter. Hij greep de teugels van fijn zilverdraad en zei: 'Ach, we zullen wel zien wie het eerst aankomt. Vort, ouwe jongen, vort, vort!'

En hij klakte met de tong.

En toen was er niets meer te horen dan de stormwind die in de toppen van het Heulebos gierde.

De torenklok in de buurt sloeg negen.

Bastiaans gedachten keerden slechts met tegenzin terug naar de werkelijkheid. Hij was blij dat Het oneindige verhaal daarmee niets te maken had.

Hij hield niet van boeken waarin hem op een slechtgeluimde manier de heel alledaagse voorvallen uit het heel alledaagse leven van zomaar heel alledaagse mensen verhaald werden. Daar had hij immers in werkelijkheid al genoeg van, waarom moest hij er dan ook nog over lezen? Bovendien vond hij het vervelend als hij merkte dat iemand hem tot iets aan wilde zetten. En in dit soort boeken probeerden ze je altijd, meer of minder duidelijk, tot iets te brengen.

Bastiaan had een voorliefde voor boeken die spannend waren of

25

grappig of waarbij je weg kon dromen, boeken waarin verzonnen figuren fabelachtige avonturen beleefden en waarbij je je van alles kon voorstellen.

Want dat kon hij – misschien was dat het enige dat hij werkelijk kon: zich iets voorstellen, en wel zo duidelijk dat hij het bijna zag en hoorde. Wanneer hij zichzelf zijn verhalen vertelde, vergat hij soms alles om zich heen en werd hij pas aan het slot weer wakker, als uit een droom. En dit boek hier was precies zo als zijn eigen verhalen! Tijdens het lezen had hij niet alleen het kreunen van de dikke boomstammen en het gieren van de wind in de toppen gehoord, maar ook de zo verschillende stemmen van die vier grappige afgezanten. Ja, hij verbeeldde zich zelfs de geur van mos en bosgrond te ruiken.

Beneden in de klas begon nu gauw de biologieles, die hoofdzakelijk bestond uit het opsommen van bloeiwijzen en het tellen van meeldraden. Bastiaan was blij hier boven in zijn schuilhoek te zitten en te kunnen lezen. Het was precies het goede boek voor hem, vond hij, precies het goede!

Een week later bereikte Wóésjwoesoel, de kleine nachtalf, als eerste het doel. Of beter gezegd: hij was ervan overtuigd de eerste te zijn omdat hij immers door de lucht gekomen was.

Het was tegen zonsondergang en de wolken aan de avondhemel leken vloeibaar goud toen hij gewaar werd dat zijn vleermuis al boven het Labyrint zweefde. Zo luidde de naam van een wijde vlakte, die van horizon tot horizon reikte en die niet anders was dan één grote bloementuin vol verwarrende geuren en sprookjesachtige kleuren. Tussen struiken en hagen, gazons en perken met de vreemdste en zeldzaamste bloemen liepen brede wegen en smalle paden in een zo kunstig en rijkvertakt patroon dat het geheel een doolhof vormde van een onvoorstelbare uitgestrektheid. Natuurlijk was deze doolhof enkel voor spel en vermaak aangelegd, niet om iemand, zeg maar, ernstig in gevaar te brengen of om aanvallers te weerstaan. Daar zou hij niet voor deugen, en een dergelijke bescherming had de Kleine Keizerin ook helemaal niet nodig. In het hele onbegrensde Fantásische rijk was er niemand tegen wie zij zich zou hoeven te beschermen. Daar was een reden voor die wij weldra zullen vernemen.

Terwijl de kleine nachtalf op zijn vleermuis volstrekt geluidloos voortzweefde over deze bloemendoolhof, kon hij ook allerlei zeld-

26

zame dieren zien. Op een open plekje tussen een vlierstruik en een goudenregen speelde een groepje jonge eenhoorns in de avondzon en op een bepaald moment dacht hij zelfs onder een blauwe reuzen-campanula de beroemde vogel Phoenix op zijn nest te zien, maar heel zeker daarvan was hij niet. En omkeren en opnieuw gaan kijken wilde hij ook niet, want er was geen tijd te verliezen. Voor hem in het midden van het Labyrint doemde immers al, glinsterend in een tover-achtig wit, de Ivoren Toren op, het hart van Fantásië en de woon-plaats van de Kleine Keizerin.

Het woord 'toren' zou bij iemand die deze plek nooit heeft gezien misschien een verkeerde voorstelling wekken, bijvoorbeeld van een kerktoren of een toren op een kasteel. De Ivoren Toren was zo groot als een hele stad. Uit de verte leek hij op een hoge, kegelvormige berg, die in elkaar gedraaid was als de windingen van een slakkehuis en waarvan het hoogste punt in de wolken lag. Pas als je dichterbij kwam kon je zien dat dit reusachtige suikerbrood samengesteld was uit talloze torens, torentjes, koepels, daken, erkers, terrassen, poorten, bogen, trappen en balustraden, die in en over elkaar geschoven waren. En dit alles bestond uit het allerwitste Fantásische ivoor. Elk onderdeel was zo prachtig uitgesneden, dat het op heel fijn kantwerk leek.

In deze gebouwen woonde de hofhouding die de Kleine Keizerin omringde: de kamerheren en hofdames, de wijze vrouwen en sterren-wichelaars, de magiërs en narren, de boden, koks en acrobaten, de koorddanseressen en de vertellers, de herauten, tuinlieden, schild-wachten, kleermakers, schoenmakers en alchemisten. En helemaal bovenaan, op de hoogste top van de enorme toren, woonde de Kleine Keizerin, in een paviljoen dat de vorm had van een witte magnolia-knop. In sommige nachten wanneer de volle maan bijzonder mooi aan de besterde hemel stond, gingen de ivoren bladeren wijd open en ontvouwden zich tot een prachtige bloem. En in het midden zat dan de Kleine Keizerin.

De nachtalf landde met zijn vleermuis op een van de lagere terras-sen, waar de stallen voor de rijdieren waren. De een of ander moest zijn komst hebben aangekondigd want vijf keizerlijke stalknechts stonden hem al op te wachten. Ze hielpen hem uit het zadel, maakten een buiging voor hem en reikten hem vervolgens zwijgend de cere-moniële welkomstdronk aan. Wóésjwoesoel nipte maar even, voor de vorm, van de ivoren beker en gaf hem toen weer terug. Elk van de knechts nam ook een slok, daarna bogen zij nog eens en brachten de vleermuis naar de stallen. En dit gebeurde allemaal zonder dat er een woord werd gesproken.

Toen de vleermuis op de plaats was gekomen die voor haar bestemd was, raakte zij drank noch voedsel aan, maar rolde zich onmiddellijk in elkaar, ging met de kop omlaag aan haar duimen hangen en viel uitgeput in een diepe slaap. De kleine nachtalf had wel een beetje veel van haar gevraagd. De knechts lieten haar met rust en gingen op hun tenen weg.

In deze stal waren overigens nog vele andere rijdieren: een roze en een blauwe olifant, een reusachtige griffioen, die van voren op een adelaar leek en van achteren op een leeuw, voorts een wit gevleugeld paard waarvan de naam vroeger ook buiten Fantásië bekend was maar nu vergeten is, een paar vliegende honden, ook enkele andere vleermuizen, ja zelfs libellen en vlinders voor bijzonder kleine ruiters. In andere stallen bevonden zich nog verschillende rijdieren die niet vlogen, maar liepen, kropen, sprongen of zwommen. En elk rijdier had speciale knechts die voor hem zorgden en op hem pasten.

Normaal zou je hier eigenlijk een behoorlijke warboel van stemmen hebben moeten horen: brullen, krijsen, fluiten, piepen, kwaken en snateren. Maar er heerste een volkomen stilte.

De kleine nachtalf stond nog steeds op de plaats waar de knechts hem achtergelaten hadden. Opeens voelde hij zich terneergeslagen en moedeloos, zonder goed te weten waarom. Ook hij was erg vermoeid door de lange, lange reis. En zelfs het feit dat hij als eerste aangekomen was monterde hem niet op.

'Hallo!' hoorde hij plotseling een piepend stemmetje zeggen, 'is dit niet vriend Wóésjwoesoel? Wat mooi dat u hier ook eindelijk bent.'

De nachtalf keek om zich heen en zijn maneögen gloeiden op van verwondering, want op een balustrade, achteloos tegen een ivoren bloempot geleund, stond de minuscuul Ukkuk en zwaaide met zijn rode hoge hoed.

'Oehoe!' zei de nachtalf helemaal in de war en na een poosje nog eens: 'Oehoe!' Hij kon gewoon niet op iets verstandigers komen.

'De beide anderen,' zei de minuscuul, 'zijn tot nu toe nog niet aangekomen. Ik ben hier al sinds gisterenmorgen.'

'Hoe – oehoe! – hoe hebt u dat gedaan?' vroeg de nachtalf.

'Ach,' zei de minuscuul en glimlachte een beetje neerbuigend, 'ik heb u toch gezegd dat ik een renslak heb.'

De nachtalf krabde met zijn roze handje in de zwarte warrige haren op zijn hoofd.

'Ik moet dadelijk naar de Kleine Keizerin,' zei hij huilerig.

De minuscuul keek hem peinzend aan.

'Hm,' zei hij, 'ach, ik heb me gisteren al aangediend.'

'Aangediend?' vroeg de nachtalf. 'Kun je dan niet onmiddellijk naar haar toe?'

'Ik vrees van niet,' piepte de minuscuul. 'Je moet lang wachten. Er is – hoe zal ik het zeggen – een geweldige toevloed aan afgezanten hier.'

'Oehoe,' jammerde de nachtalf, 'hoe dat zo?'

''t Is beter,' tjilpte de minuscuul, 'dat u het zelf eens gaat bekijken. Kom mee, beste Wóésjwoesoel, kom mee!'

Samen gingen zij op weg.

De hoofdstraat, die in een steeds nauwer wordende spiraal om de Ivoren Toren naar boven liep, was overvol met een dichte menigte van de meest vreemdsoortige figuren. Kolossale met tulbanden getooide djinns, piepkleine kobolden, driehoofdige trollen, baardige dwergen, licht uitstralende feeën, faunen met bokkepoten, bosvrouwtjes met een goudgekrulde pels, glinsterende sneeuwgeesten en talloze andere wezens wandelden de straat op en neer, stonden in groepjes bij elkaar zachtjes te praten of zaten zwijgend gehurkt op de grond en staarden ongelukkig voor zich uit.

Toen Wóésjwoesoel hen in de gaten kreeg, bleef hij staan.

'Oehoe!' zei hij, 'wat is hier aan de hand? Wat doen die allemaal hier?'

'Dit zijn allemaal afgezanten,' zei Ukkuk zachtjes, 'afgezanten uit alle streken van Fantásië. En ze hebben ook allemaal dezelfde boodschap als wij. Ik heb al met velen van hen gepraat. Overal schijnt hetzelfde onheil te zijn uitgebroken.'

De nachtalf liet een lange jammerende zucht horen.

'En weet iemand dan,' vroeg hij, 'wat het is en waar het vandaan komt?'

'Ik vrees van niet, nee. Niemand kan het verklaren.'

'En de Kleine Keizerin zelf?'

'De Kleine Keizerin –' zei de minuscuul zachtjes, 'is ziek, erg, erg

29

ziek. Misschien is dat de reden van het onbegrijpelijk onheil dat over Fantásië gekomen is. Maar tot nu toe heeft geen van de vele dokters die binnen het paleiscomplex daar boven bij het magnoliapaviljoen verzameld zijn, ontdekt waaraan zij lijdt en wat men er tegen doen kan. Niemand kent een geneesmiddel.'

'Maar dat is,' zei de nachtalf mat, '– oehoe! – een ramp!'

'Ja,' antwoordde de minuscuul, 'dat is het.'

Onder deze omstandigheden zag Wóésjwoesoel er voorlopig van af zich bij de Kleine Keizerin te laten aandienen.

Twee dagen later arriveerde ook het dwaallicht Bloeb, dat natuurlijk de verkeerde kant op was gegaan en daardoor een reusachtige omweg had gemaakt.

En tenslotte – nog eens drie dagen later – verscheen ook de rotsbijter Pjeurnragzark. Te voet kwam hij aangestampt want hij had bij een plotselinge aanval van verschrikkelijke honger zijn stenen fiets opgegeten – als proviand zogezegd.

Tijdens de lange tijd dat zij moesten wachten, raakten de vier zo uiteenlopende afgezanten innig bevriend en ook later bleven ze bij elkaar.

Maar dat is een ander verhaal en moet een andere keer maar eens worden verteld.

[B]

Het beroep op Atréjoe

BERAADSLAGINGEN die het wel en wee van Fantásië betroffen werden in de regel in de grote troonzaal van de Ivoren Toren gehouden, die binnen het eigenlijke paleis enkele verdiepingen lager dan het magnoliapaviljoen lag.

Nu was deze witte, cirkelronde ruimte gevuld met gedempt geroezemoes van stemmen. De vierhonderdnegenennegentig beste dokters uit het hele Fantásische rijk waren hier bijeen en spraken fluisterend of zacht mompelend in kleine of grotere groepjes met elkaar. Elk van hen had bij de Kleine Keizerin een visite gemaakt – enkelen al enige tijd, anderen pas kort geleden – en elkeen had getracht haar met zijn kundigheid te helpen. Maar geen was er in geslaagd. Geen kende haar ziekte of de oorzaak ervan en geen wist hoe men haar genezen kon. En de vijfhonderdste, de beroemdste van alle dokters in Fantásië, van wie het verhaal ging dat er geen geneeskrachtig kruid, geen tovermiddel en geen geheim in de natuur bestond dat hij niet kende, was nu al uren bij de patiënt en allen wachtten in spanning op de uitslag van zijn onderzoek.

Nu mag je je een dergelijke bijeenkomst natuurlijk niet voorstellen als een artsencongres bij de mensen. Weliswaar bestonden er in Fantásië erg veel wezens die in hun uiterlijk voorkomen min of meer menselijk waren, maar er bestonden er minstens even veel die op dieren of op volkomen andersoortige schepsels leken. Zo onderling verschillend als de menigte afgezanten was die buiten rondliep, zo onderscheiden was ook het gezelschap hier in de zaal. Er waren dwergendokters met witte baarden en bochels, er waren vrouwelijke feeëndokters in blauwzilver glanzende gewaden en met fonkelende sterren in het haar, er waren watermannen met dikke buiken en zwemvliezen aan hun handen en voeten (voor hen waren er speciaal zitbaden geplaatst) maar er waren ook witte slangen, die zich op de lange tafel in het midden van de zaal ineengekronkeld hadden en bijenelfen, ja zelfs heksenmeesters, vampiers en spoken, die in het algemeen niet voor bijzonder heilzaam en gunstig voor de gezondheid doorgaan. Om de aanwezigheid van deze laatsten te begrijpen, moet men wel weten dat de Kleine Keizerin weliswaar – zoals haar titel al zegt – als de heerseres gold over alle ontelbare streken van het onbegrensde Fantásische rijk, maar dat zij in werkelijkheid veel meer was dan een heerseres, of beter gezegd: zij was iets heel anders.

Zij regeerde niet en ook had zij nooit van geweld gebruik gemaakt of haar gezag doen gelden. Zij gaf geen bevelen en veroordeelde nooit iemand. Nooit greep zij in en zij behoefde zich nooit tegen een aanvaller te weer te stellen. Want niemand zou op het idee zijn gekomen tegen haar op te staan of haar iets aan te doen. Alle wezens waren voor haar gelijk.

Zij was er slechts, maar zij was er op een bijzondere wijze: zij was het middelpunt van al het leven in Fantásië.

En ieder wezen, goed of slecht, mooi of lelijk, opgewekt of ernstig, dwaas of wijs, allen, allen waren er alleen doordat zij er was. Zonder haar kon niets bestaan, zo min als een menselijk lichaam bestaat dat geen hart meer heeft.

Niemand was in staat haar geheim volledig te begrijpen, maar allen wisten dat het zó was. En daarom werd zij door alle wezens in het rijk even diep geëerbiedigd en allen maakten zich even grote zorgen om haar leven. Want haar dood zou voor hen allen het eind hebben betekend, de ondergang van het onmetelijke rijk Fantásië.

Bastiaans gedachten dwaalden af.

In zijn herinnering zag hij plotseling weer de lange gang in het ziekenhuis waar zijn moeder geopereerd was. Met zijn vader had hij vele uren voor de operatiezaal gezeten en gewacht. Dokters en zusters hadden maar heen en weer gelopen en toen zijn vader informeerde hoe het met zijn moeder ging, had hij steeds alleen ontwijkende antwoorden gekregen. Niemand scheen erg goed te weten hoe zij het maakte. Toen was er tenslotte een man met een kaal hoofd en een witte jasschort gekomen, die er moe en bedroefd uitzag. Hij had hun verteld dat alle inspanningen tevergeefs geweest waren en dat hij het heel erg vond. Hij had hun beiden de hand gedrukt en 'gecondoleerd' gemompeld.

Daarna was alles anders geworden tussen Bastiaan en zijn vader. Niet uiterlijk. Bastiaan had alles wat hij zich maar wensen kon. Hij

34

had een fiets met drie versnellingen, een elektrische trein, veel vita-minetabletjes, driehonderdvijftig boeken, een goudhamster, een aquarium met tropische vissen, een klein fototoestel, zes patentzak-messen en wat al niet. Maar hij deed er eigenlijk niets mee.

Bastiaan herinnerde zich dat zijn vader vroeger graag grapjes met hem uithaalde. Soms had hij zelfs verhalen verteld of voorgelezen. Maar daarna was dat voorbij. Hij kon met zijn vader niet praten. Het was alsof er een onzichtbare muur om hem heen stond, waar niemand doorheen kon dringen. Nooit kreeg Bastiaan een standje en nooit werd hij geprezen. Ook toen Bastiaan was blijven zitten had zijn vader niets gezegd. Hij had hem alleen op die afwezige en bezorgde manier aangekeken en Bastiaan had het gevoel gehad er gewoon niet te zijn. Dit gevoel had hij meestal ten aanzien van zijn vader. Wanneer zij 's avonds samen voor de televisie zaten, dan merkte Bastiaan dat zijn vader helemaal niet keek, maar met zijn gedachten weg, heel ver weg was, waar hij hem niet bereiken kon. Of soms, wanneer zij beiden met een boek zaten, zag Bastiaan dat zijn vader helemaal niet las, omdat hij urenlang naar een en dezelfde bladzijde staarde zonder om te slaan.

Bastiaan begreep dat zijn vader verdrietig was. Zelf had hij inder-tijd vele nachten lang liggen huilen en soms zo erg dat hij door het snikken moest overgeven – maar dat was langzamerhand overgegaan. En hij was er toch nog. Waarom praatte zijn vader nooit met hem, niet over zijn moeder en niet over belangrijke dingen – alleen maar over het hoognodige?

'Wisten wij maar,' zei een lange, magere vuurgeest met een baard van rode vlammen, 'waaruit haar ziekte bestáát. Ze heeft geen koorts, er is niets opgezet, ze heeft geen uitslag, geen ontsteking. Het lijkt wel of ze aan het wegkwijnen is – en we weten niet waarom.'

Wanneer hij sprak stegen er uit zijn mond na iedere zin kleine rookwolkjes op die figuren vormden. Dit keer was het een vraagteken.

Een oude, bijna kale raaf, die leek op een grote aardappel waarin iemand hier en daar wat zwarte veren had gestoken, antwoordde met krassende stem (hij was een verkoudheidsspecialist): 'Ze hoest niet, ze niest niet, het is bepaald geen ziekte in medische zin.'

Hij verplaatste de grote bril op zijn snavel en keek de omstanders uitdagend aan.

35

'Een ding schijnt me in ieder geval voor de hand te liggen,' zoemde een scarabee (een kever die soms ook 'pillendraaier' genoemd wordt), 'tussen haar ziekte en de vreselijke dingen die de boden uit heel Fantásië ons berichten, bestaat een geheimzinnige samenhang.'

'Ach, u,' kwam een inktmannetje spottend tussenbeide, 'u ziet toch altijd en overal geheimzinnige samenhangen!'

'En u kijkt nooit over de rand van uw inktpotje!' snorde de scarabee kwaad.

'Maar mijne heren collega's!' jammerde een spook met ingevallen wangen dat een lang wit hemd droeg er tussendoor, 'wij willen toch niet in onzakelijke en persoonlijke ruzies terechtkomen. En bovendien – praat toch wat zachter!'

Zulke en soortgelijke gesprekken hadden overal in de grote troonzaal plaats. Misschien mag het wonderlijk schijnen dat zo verschillende wezens toch met elkaar praten konden. Maar in Fantásië beheersten bijna alle wezens, ook de dieren, minstens twee talen: in de eerste plaats hun eigen taal die zij alleen met soortgenoten spraken en die geen buitenstaander verstond, en dan ook nog een algemene, die Hoogfantásisch, of de Grote Taal werd genoemd. Die kende iedereen, ofschoon sommigen hem op een wat merkwaardige manier gebruikten.

Opeens werd het stil in de zaal en aller ogen richtten zich op de grote vleugeldeur die geopend werd. Naar binnen kwam Caíron, de vermaarde en legendarische meester der geneeskunst.

Hij was wat men in vroeger tijden een centaur noemde. Hij had tot aan de heupen een menselijk voorkomen en de rest van zijn lichaam was dat van een paard. Maar Caíron was een zogenaamde zwarte centaur. Hij was uit een ver verwijderde streek gekomen, die heel ver in het zuiden lag. Daarom had zijn menselijk deel de kleur van ebbehout – alleen zijn hoofdhaar en zijn baard waren wit en krullend – maar zijn paardelichaam was gestreept zoals bij een zebra. Hij had een vreemde hoed van gevlochten biezen. Om zijn hals droeg hij aan een ketting een grote, gouden amulet, waarop twee slangen te zien waren, een lichte en een donkere, die elkaar in de staart beten en een ovaal vormden.

Verrast stopte Bastiaan met lezen. Hij klapte het boek dicht – niet zonder uit voorzorg een vinger tussen de bladzijden te laten – en keek nog eens heel goed naar de band. Daar had je toch die beide slangen die elkaar in de staart beten en een ovaal vormden! Wat kon dit merkwaardige teken toch betekenen?

In heel Fantásië wist iedereen wat dit medaillon betekende: het was het onderscheidingsteken van degene die een opdracht van de Kleine Keizerin had en in haar naam kon handelen alsof zij zelf aanwezig was.

Men zei dat het de drager geheimzinnige krachten verleende, ofschoon niemand precies wist welke. De naam ervan kende iedereen: AURYN.

Maar veel lieden die er voor terugdeinsden die naam uit te spreken, noemden het 'het Kleinood', of ook wel 'het Pantakel' of heel eenvoudig 'de Glans'.

Dus ook het boek droeg het teken van de Kleine Keizerin!

Er ging een gefluister door de zaal en er waren enkele uitroepen van verbazing te horen. Het was al heel lang niet meer voorgekomen dat iemand het Kleinood toevertrouwd was.

Caíron stampte een paar keer met zijn hoeven tot het geroezemoes verstomde en zei toen met zware stem: 'Vrienden, verwondert u niet al te zeer: ik draag AURYN slechts voor korte tijd. Ik ben slechts de bezorger. Spoedig zal ik "de Glans" aan een die waardiger is overdragen.'

In de zaal was er een ademloze stilte gevallen.

'Ik zal niet proberen onze nederlaag met mooie woorden te verdoezelen,' ging Caíron verder. 'Wij weten geen van allen meer wat wij aan de ziekte van de Kleine Keizerin kunnen doen. Wij weten alleen dat de vernietiging van Fantásië tegelijk met deze ziekte ontstaan is. Meer weten we niet. Niet eens of het wel een medische behandeling is die haar zou kunnen redden. Maar het is mogelijk – en ik hoop dat dit geen van u beledigt als ik het openlijk zeg – het is mogelijk dat wij, zoals wij hier bijeen zijn, niet *alle* kennis, niet *alle* wijsheid bezitten. Het is zelfs mijn laatste en enige hoop dat er ergens in dit onbegrensde rijk een wezen is dat wijzer is dan wij, dat ons raad en hulp zou kunnen geven. Maar dit is uiterst onzeker. Waarin de mogelijkheid van een redding ook mag bestaan – één ding staat vast: het zoeken

37

ernaar vraagt om een spoorzoeker die wegen in het ongebaande weet te ontdekken en voor geen gevaar en geen inspanning terugschrikt, in één woord: een held! En de Kleine Keizerin heeft mij de naam genoemd van die held die zij haar en ons lot in handen geeft. Hij heet Atréjoe en hij woont in het Grazige Meer achter de Zilveren Bergen. Aan hem zal ik AURYN overdragen en hem zeggen het Grote Zoeken op zich te nemen. Nu weten jullie alles.'

Daarop verliet de oude centaur met veel gerucht de zaal.

De achterblijvers keken elkaar verward aan.

'*Hoe* was de naam van die held ook weer?' vroeg er een.

'Atréjoe, of zo iets,' zei een ander.

'Nooit van gehoord!' beweerde een derde. En alle vierhonderdnegenennegentig dokters schudden bezorgd het hoofd.

De torenklok sloeg tien. Bastiaan verbaasde zich erover hoe snel de tijd verstreken was. Tijdens de les leek elk uur hem in de regel een eeuwigheid te duren. Beneden in de klas hadden ze nu Geschiedenis, van meneer Dreun, een magere, meestal slechtgehumeurde man, die er plezier in leek te hebben om Bastiaan waar iedereen bij was belachelijk te maken omdat hij de jaartallen van veldslagen en de geboortedatum en regeringsperiode van wie dan ook gewoon niet onthouden kon.

Het Grazige Meer, dat achter de Zilveren Bergen lag, was vele, vele dagreizen van de Ivoren Toren verwijderd. Het betrof een weidegebied dat zo uitgestrekt en groot en vlak was als een meer. Sappig gras groeide er manshoog en wanneer de wind er overheen streek trokken er golven over de vlakte als op zee en ruiste het er als water.

Het volk dat hier woonde heette de 'de Grasmensen' of ook wel 'de Groenhuiden'. Ze hadden blauwzwart haar en hun huid had een donkergroene, een beetje naar bruin neigende kleur – zoals die van olijven. Ze leidden een sober, streng en hard bestaan en hun kinderen, zowel de jongens als de meisjes, werden opgevoed tot dapperheid, grootmoedigheid en trots. Zij moesten hitte, kou en grote ontberingen leren verdragen en proeven afleggen van hun moed. Dit was noodzakelijk, want de Groenhuiden waren een volk van jagers. Alles wat ze voor hun levensonderhoud nodig hadden vervaardigden zij uit het stugge, vezelige prairiegras, of het kwam van de purperbuffels die

38

in reusachtige kudden over het Grazige Meer trokken.

Deze purperbuffels waren ongeveer twee maal zo groot als gewone stieren en koeien. Ze hadden een lange, zijdeglanzende, purperrode vacht en enorme hoorns waarvan de punten scherp en hard waren als dolken. In het algemeen waren zij vreedzaam, maar wanneer zij gevaar roken of zich bedreigd voelden, dan konden ze angstaanjagend worden als een natuurramp. Niemand zou het durven wagen op deze dieren te jagen, behalve de Groenhuiden, en die joegen dan bovendien nog alleen met pijl en boog. Zij verkozen de eerlijke strijd en daarom gebeurde het vaak dat niet het dier, maar de jager er het leven bij inschoot. De Groenhuiden hielden van de purperbuffels en vereerden ze en zij meenden slechts dan het recht te hebben ze te doden als ze bereid waren zelf door de dieren te worden gedood.

In deze streek was het nieuws over de ziekte van de Kleine Keizerin en het lot dat heel Fantásië boven het hoofd hing nog niet doorgedrongen. Al heel lang waren er geen reizigers meer in de tentenkampen van de Groenhuiden geweest. Het gras groeide sappiger dan ooit tevoren, de dagen waren helder en de nachten vol sterren. Alles scheen goed te zijn.

Maar op een dag verscheen er een oude zwarte centaur met wit haar in het tentenkamp. Zijn huid was nat van het zweet. Hij scheen dodelijk vermoeid en zijn bebaarde gezicht was mager en uitgeteerd. Op zijn hoofd droeg hij een vreemde hoed van gevlochten biezen en om zijn hals een ketting met een grote gouden amulet eraan. Het was Caíron.

Hij stond midden in de open ruimte waar de tenten van het kamp in steeds wijdere kringen omheen stonden en waar de oudsten voor hun vergaderingen bijeenkwamen en op feestdagen werd gedanst en gezongen. Hij wachtte af en keek rond, maar om hem heen verdrongen zich alleen heel oude vrouwen en mannen en heel jonge kinderen, die hem nieuwsgierig aanstaarden. Ongeduldig stampte hij met de hoeven.

'Waar zijn de jagers en de jaagsters?' sprak hij snuivend. Toen nam hij zijn hoed af en droogde zijn voorhoofd.

Een vrouw met wit haar en een baby op de arm antwoordde: 'Ze zijn allemaal op jacht. Ze komen pas over een dag of drie, vier terug.'

'Is Atréjoe ook bij hen?' vroeg de centaur.

'Ja, vreemdeling, maar waar kent u hem van?'

39

'Ik ken hem niet. Ga hem halen!'

'Vreemdeling,' antwoordde een oude man op krukken, 'hij zal niet veel zin hebben om te komen, want vandaag is het *zijn* jacht. Die begint met zonsondergang. Weet u wat dat betekent?'

Caíron schudde zijn manen en stampte met zijn hoeven.

'Nee, dat weet ik niet. Het doet er ook niet toe, want hij heeft nu iets belangrijkers te doen. U kent het merkteken dat ik draag. Ga hem dus halen!'

'We zien het Kleinood,' zei een jong meisje, 'en weten dat u van de Kleine Keizerin komt. Maar wie bent u?'

'Mijn naam is Caíron,' bromde de centaur, 'dokter Caíron, als dat jullie iets zegt.'

Een gekromde vrouw drong zich naar voren en riep: 'Ja, dat is waar. Ik herken hem. Ik heb hem al eens eerder gezien, toen ik nog jong was. Hij is de beroemdste en grootste dokter in heel Fantásië!'

De centaur knikte haar toe. 'Dank je, vrouw,' zei hij. 'En wil dan nu iemand van jullie misschien zo vriendelijk zijn eindelijk die Atréjoe te gaan halen. Het is dringend. Het leven van de Kleine Keizerin staat op het spel.'

'Ik zal het doen!' riep een meisje, dat misschien vijf of zes jaar oud was.

Ze holde weg en een paar seconden later zag men haar tussen de tenten op een ongezadeld paard weggalopperen.

'Eindelijk!' bromde Caíron en zakte bewusteloos in elkaar.

Toen hij weer bijkwam, wist hij eerst niet waar hij was, want het was donker om hem heen. Pas langzamerhand drong het tot hem door dat hij zich in een grote tent bevond en op zachte huidendekens lag. Het scheen nacht te zijn want door een spleet in het voorgordijn drong het flakkerende schijnsel van vuur naar binnen.

'Heilige hoefnagel!' mompelde hij, terwijl hij probeerde overeind te komen. 'Hoe lang lig ik hier al zo?'

Een hoofd keek door het voorgordijn naar binnen en trok zich weer terug. Iemand zei: 'Ja, hij schijnt wakker te zijn.'

Daarop werd het gordijn opzij getrokken en een jongen van een jaar of tien stapte naar binnen. Hij droeg een lange broek en schoenen van buffelleer. Zijn bovenlijf was bloot, alleen om zijn schouders hing een purperrode mantel, die kennelijk geweven was van buffelhaar, tot op de grond. Zijn lange, blauwzwarte haren waren achter zijn hoofd met

40

een leren koordje samengebonden. Op de olijfgroene huid van zijn voorhoofd en wangen waren met witte verf een paar eenvoudige versieringen geschilderd. Zijn donkere ogen keken ontstemd naar de indringer, maar verder was er in zijn trekken geen enkele emotie te ontdekken.

'Wat wilt u van me, vreemdeling?' vroeg hij. 'Waarom bent u in mijn tent gekomen? En waarom hebt u me van mijn jacht beroofd? Als ik vandaag de grote buffel had gedood – en mijn pijl lag al op de snaar toen ik geroepen werd – dan was ik morgen een jager geweest. Nu moet ik weer een heel jaar wachten. Waarom?'

Van zijn stuk gebracht staarde de oude centaur hem aan.

'Moet dit soms beduiden,' vroeg hij uiteindelijk, 'dat jij deze Atréjoe bent?'

'Ja, vreemdeling.'

'Is er misschien niet nog iemand, een volwassen man, een ervaren jager van die naam?'

'Nee, Atréjoe ben ik en geen ander.'

De oude Caíron liet zich weer terugzakken op het bed en zei snuivend: 'Een kind! Een kleine jongen! De besluiten van de Kleine Keizerin zijn waarlijk moeilijk te begrijpen.'

Atréjoe deed er het zwijgen toe en wachtte onbewogen af.

'Vergeef me, Atréjoe,' zei Caíron, die maar met moeite zijn gevoelens beteugelen kon, 'het was niet mijn bedoeling je te kwetsen, maar het was gewoon zo verrassend voor me. Eerlijk gezegd, ik ben helemaal van streek! Ik weet niet meer wat ik denken moet! Ik vraag me in alle ernst af of de Kleine Keizerin wel echt wist wat ze deed toen ze een kind als jij uitkoos. Dit is klinkklare onzin! En als zij het echt zo bedoelde, dan... dan...'

Hij schudde zijn hoofd heftig heen en weer en brulde: 'Nee! Nee! Als ik geweten had naar wie ze mij stuurde, dan had ik gewoon geweigerd je haar opdracht over te brengen. Ik zou geweigerd hebben!'

'Welke opdracht?' vroeg Atréjoe.

'Het is gewoon afschuwelijk!' riep Caíron, die nu door zijn verontwaardiging werd meegesleept. 'Het vervullen van haar opdracht zou zelfs voor de grootste en meest ervaren held iets onmogelijks zijn, maar voor jou... Zij stuurt je in het ongewisse op zoek naar iets dat niemand kent. Niemand kan je helpen, niemand kan je raad geven, niemand kan voorzien wat je te wachten staat. En toch moet je onmid-

41

dellijk beslissen, nu meteen, hier, of je de opdracht aanvaardt, of niet. Er is geen moment meer te verliezen. Ik ben in tien dagen en tien nachten zonder te stoppen in galop hier naar toe gekomen om je te bereiken. Maar nu–nu zou ik bijna willen dat ik hier nooit aangekomen was. Ik ben erg oud, ik ben aan het eind van mijn krachten. Geef me alsjeblieft wat te drinken!'

Atréjoe haalde een kruik met vers bronwater. De centaur nam een paar diepe teugen. Hij droogde zijn baard en zei toen wat rustiger: 'Hè, dankjewel, dat doet me goed! Nu voel ik me al iets beter. Luister, Atréjoe, je hoeft deze opdracht niet te aanvaarden. De Kleine Keizerin laat het helemaal aan jouzelf over. Ze geeft je geen bevel. Ik zal het haar uitleggen en dan zal zij een ander vinden. Ze kan niet geweten hebben dat jij een kleine jongen bent. Ze moet je met iemand anders verward hebben–dat is de enige verklaring.'

'Wat houdt de opdracht in?' wilde Atréjoe weten.

'Het geneesmiddel voor de Kleine Keizerin te vinden,' antwoordde de oude centaur, 'en Fantásië te redden.'

'Is ze dan ziek?' vroeg Atréjoe verwonderd.

Caíron begon te vertellen hoe de Kleine Keizerin er aan toe was en wat de afgezanten uit alle delen van Fantásië waren komen melden. Atréjoe stelde steeds meer vragen en de centaur bracht hem zo goed hij kon op de hoogte. Het werd een lang, nachtelijk gesprek. En naarmate Atréjoe de hele omvang van het noodlottig gebeuren dat over Fantásië was uitgebroken beter begreep, tekende zich op zijn aanvankelijk stuurse gezicht duidelijke ontsteltenis af.

'En van dit alles,' mompelde hij tenslotte met bloedeloze lippen, 'heb ik niets geweten.'

Vanonder zijn borstelige, witte wenkbrauwen keek Caíron de jongen ernstig en bezorgd aan.

'Nu weet je hoe het er voor staat en misschien begrijp je nu waarom ik helemaal van streek raakte toen ik jou zag. En toch heeft de Kleine Keizerin jouw naam genoemd. "Ga en zoek Atréjoe!" zei ze tegen me. "In hem stel ik al mijn vertrouwen," zei ze. "Vraag hem of hij voor mij en Fantásië het Grote Zoeken wil verrichten." Ik weet niet waarom haar keuze op jou gevallen is. Mogelijk kan alleen een kleine jongen als jij deze onmogelijke opdracht tot een goed einde brengen. Ik weet het niet, ik kan je geen raad geven.'

Atréjoe zat met gebogen hoofd en zweeg. Hij begreep dat hij hier voor een proeve stond die veel, veel groter was dan zijn jacht. Zelfs de grootste jager en de beste spoorzoeker kon die nauwelijks volbrengen. Voor hem was ze veel te zwaar.

'En?' informeerde de oude centaur zachtjes, 'wil je het doen?'

Atréjoe tilde zijn hoofd op en keek hem aan. 'Ja, ik wil het doen.'

Caíron knikte langzaam, nam vervolgens de ketting met de gouden amulet van zijn hals en hing die Atréjoe om.

'AURYN geeft je grote macht,' zei hij plechtig, 'maar je mag die niet gebruiken. Want ook de Kleine Keizerin maakt nooit gebruik van haar macht. AURYN zal je beschermen en leiden, maar je mag nooit ingrijpen, wat je ook te zien mocht krijgen, want je eigen mening geldt van nu af aan niet meer. Daarom ook moet je zonder wapens reizen. Je moet laten gebeuren wat er gebeurt. Alles moet voor jou hetzelfde zijn, het goede en het slechte, het mooie en het lelijke, het dwaze en het wijze, zoals dat ook geldt voor de Kleine Keizerin. Je mag slechts zoeken en vragen, maar niet oordelen volgens je eigen mening. Vergeet dat nooit, Atréjoe!'

'AURYN!' herhaalde Atréjoe vol eerbied, 'ik wil bewijzen het Kleinood waardig te zijn. Wanneer moet ik vertrekken?'

'Nu, onmiddellijk,' antwoordde Caíron. 'Niemand weet hoe lang jouw Grote Zoeken duren zal. Best mogelijk dat nu elk uur telt. Ga afscheid nemen van je ouders en je broers en zusters!'

'Die heb ik niet,' antwoordde Atréjoe. 'Mijn beide ouders zijn door een buffel gedood, kort nadat ik geboren werd.'

'Wie heeft je dan opgevoed?'

'Alle vrouwen en mannen samen. Daarom noemden ze mij Atréjoe, wat in de woorden van de Grote Taal "de zoon van allen" betekent.'

Geen ander dan Bastiaan kon beter begrijpen wat dit betekende. Hoewel zijn vader toch nog leefde. En Atréjoe had geen vader èn geen moeder. Vandaar dat Atréjoe door alle mannen en vrouwen samen opgevoed en 'de zoon van allen' was, terwijl hij, Bastiaan, eigenlijk helemaal niemand had – hij was eerder 'de zoon van niemand'. Niettemin vond Bastiaan het fijn dat hij hierin enigszins op Atréjoe leek, want verder had hij, jammer genoeg, weinig met hem gemeen – noch zijn moed en vastberadenheid, noch zijn uiterlijk. En toch was ook hij, Bastiaan, met een Groot Zoeken bezig, waarvan hij niet wist waarheen het hem voeren zou en hoe het zou eindigen.

'Dan is het beter dat je zonder afscheid vertrekt,' vond de oude centaur. 'Ik zal hier blijven en hun alles uitleggen.'

Atréjoe's gezicht werd nog smaller en harder.

'Waar moet ik beginnen?' vroeg hij.

'Overal en nergens,' antwoordde Caíron. 'Van nu af aan ben je alleen en kan niemand je raad geven. En zo zal het blijven tot het einde van het Grote Zoeken–hoe het ook aflopen zal.'

Atréjoe knikte.

'Het ga u goed, Caíron!'

'Het ga je goed, Atréjoe! En – veel geluk!'

De jongen keerde zich om en wilde de tent al verlaten toen de centaur hem nog éénmaal terugriep. Toen zij tegenover elkaar stonden, legde de oude hem beide handen op de schouders, keek hem met een eerbiedig lachje in de ogen en zei langzaam: 'Ik geloof dat ik begin te begrijpen waarom de keuze van de Kleine Keizerin op jou gevallen is, Atréjoe.'

De jongen fronste zijn voorhoofd en liep toen snel naar buiten.

Buiten voor de tent stond Artax, zijn paard. Het was klein en gevlekt als een wild paard, met stevige, korte benen. Toch was het in de verre omtrek het snelste paard en het had het grootste uithoudingsvermogen. Het stond nog gezadeld en getuigd zoals het met Atréjoe van de jacht was gekomen.

'Artax,' fluisterde Atréjoe en klopte het dier op de hals, 'we moeten er vandoor. We moeten weg, heel ver weg. Niemand weet of en wanneer we terugkomen.'

Het paardje knikte en snoof zachtjes.

'Ja, meester,' antwoordde het, 'en wat gebeurt er nu met je jacht?'

'Wij gaan op een veel grotere jacht,' antwoordde Atréjoe en sprong in het zadel.

'Ho, meester!' snoof het paardje, 'je hebt je wapens vergeten. Wil je zonder pijl en boog vertrekken?'

'Ja, Artax,' antwoordde Atréjoe, 'want ik draag "de Glans" en moet ongewapend zijn.'

'Ho!' riep het paardje. 'En waar gaan we naar toe?'

'Waarheen je maar wilt, Artax,' antwoordde Atréjoe. 'Van nu af aan zijn we bezig met het Grote Zoeken.'

En toen draafden ze weg en werden opgenomen in het nachtelijk duister.

Terzelfder tijd gebeurde er op een andere plek in Fantásië iets dat niemand zag en waarvan Atréjoe of Artax of Caíron niet het geringste vermoeden hadden.

Op een ver afgelegen nachtelijke heide trok de duisternis zich samen tot een grote, vage vorm. Het duister verdichtte zich tot het zelfs in de sterrenloze nacht van die heide verscheen als een reusachtige zwarte gestalte. De omtrekken waren nog niet duidelijk maar het stond op vier poten en de ogen in zijn kolossale ruige kop gloeiden als groen vuur. Nu tilde het zijn snuit hoog in de lucht en snoof. Lange tijd bleef het zo staan. En toen, plotseling, scheen het de geur die het zocht gevonden te hebben, want een diep, triomfantelijk gebrul kwam uit zijn keel. Het begon te hollen. In lange, geluidloze sprongen raasde het schaduwwezen voort in de sterrenloze nacht.

De torenklok sloeg elf. Nu begon de lange pauze. Uit de gangen kwam het geschreeuw omhoog van de kinderen die naar de speelplaats renden.

Bastiaan, die nog altijd in kleermakerszit op de turnmatten zat, voelde dat zijn benen sliepen. Hij was nu eenmaal geen Indiaan. Hij kwam overeind, haalde uit zijn schooltas zijn brood en een appel en begon wat heen en weer te lopen op de zolder.

Daarna klauterde hij op de bok en ging daar schrijlings op zitten. Hij verbeeldde zich dat hij Atréjoe was die op de rug van Artax door de nacht galoppeerde. Hij boog zich voorover naar de hals van zijn paardje. 'Hoei!' schreeuwde hij. 'Rennen, Artax! Hoi, hoi!'

Opeens schrok hij op. Het was erg onvoorzichtig om zo hard te schreeuwen. Stel dat iemand hem gehoord had? Hij wachtte een poosje en luisterde. Maar alleen het veelstemmige geschreeuw van de speelplaats drong tot de zolder door.

Wat beschaamd klom hij weer van de bok. Hij gedroeg zich echt als een klein kind!

Hij nam het brood uit het papier en wreef de appel glimmend aan zijn broek. Maar voor hij er in beet, stopte hij.

'Nee,' zei hij hardop, 'ik moet mijn proviand zorgvuldig verdelen. Wie weet hoelang ik ermee moet doen.'

Met een bezwaard hart pakte hij het brood weer in en stopte het met de appel terug in zijn schooltas. Toen ging hij met een zucht op de matten zitten en greep weer naar het boek.

45

[C]

De Oeroude Morla

C AÍRON, de oude, zwarte centaur, liet zich weer terug-
vallen op zijn bed van zachte buffelhuiden toen hij het
hoefgeklop van Atréjoe's paard hoorde wegsterven. De
grote inspanning had zijn krachten uitgeput. De vrouwen
die hem de volgende dag in Atréjoe's tent vonden, vrees-
den voor zijn leven.

Ook toen een paar dagen later de jagers terugkeerden, ging het nog
nauwelijks beter met hem, maar hij was toch in staat hun uit te leggen waarom Atréjoe vertrokken was en niet zo gauw weer terug zou
komen. En omdat ze de jongen allemaal graag mochten gedroegen zij
zich van toen af aan ernstig en dachten zeer bezorgd aan hem. Tegelijkertijd waren ze ook trots dat de Kleine Keizerin nu juist hem het
Grote Zoeken had opgedragen – ofschoon niemand het helemaal begrijpen kon.

De oude Caíron keerde trouwens nooit weer naar de Ivoren Toren
terug. Maar hij stierf ook niet en bleef ook niet bij de Groenhuiden in
het Grazige Meer. Zijn lot zou hem een heel andere, volmaakt onver-
moede weg wijzen. Maar dat is een ander verhaal en moet een andere
keer maar eens worden verteld.

Atréjoe reed diezelfde nacht nog naar de voet van de Zilveren Bergen. Het liep al tegen de morgen toen hij ging rusten. Artax graasde
wat en dronk water uit een helder bergbeekje. Atréjoe wikkelde zich
in zijn rode mantel en ging een paar uur slapen. Maar toen de zon
opkwam waren zij alweer op weg.

Die eerste dag trokken zij de Zilveren Bergen door. Ieder paadje
was hun hier bekend en zij schoten vlug op. Toen hij honger begon te
krijgen at de jongen een stuk gedroogd buffelvlees en twee kleine
graszaadkoeken die hij in een zak aan zijn zadel bewaard had – eigenlijk voor zijn jacht.

'Zie je wel!' zei Bastiaan, 'af en toe moet een mens gewoon wat eten.'
Hij haalde het brood uit de tas, pakte het uit en brak het zorgvuldig in twee stukken. Het ene pakte hij weer in en borg hij weg. Het andere at hij op.

De pauze was voorbij. Bastiaan bedacht wat er nu in de klas aan de beurt zou komen. Ach, natuurlijk, Aardrijkskunde bij juffrouw Karge. Je moest rivieren en zijrivieren opsommen, steden en inwonersaantallen, bodemschatten en industrieën. Bastiaan trok zijn schouders op en las verder.

Toen de zon onderging lagen de Zilveren Bergen achter hem en hielden ze weer rust. Die nacht droomde Atréjoe van purperbuffels. Hij zag ze in de verte door het Grazige Meer trekken en probeerde op zijn paard dichter bij ze te komen. Maar tevergeefs. Ze bleven steeds even ver van hem vandaan, hoezeer hij zijn paardje ook aanzette.

De tweede dag kwamen ze door het Land van de Zingende Bomen. Elke boom had een ander uiterlijk, andere bladeren, een andere schors. Maar de reden dat dit land zo heette was dat men het groeien kon horen als zachte tonen die van dichtbij en van verre opklonken en zich verenigden tot een machtig geheel, dat in schoonheid met niets anders in Fantásië te vergelijken was. Het gold als niet geheel ongevaarlijk door deze streek te trekken, want menigeen was als betoverd blijven zitten en was alles vergeten. Ook Atréjoe ervoer de macht van deze wondermooie klanken, maar hij liet zich niet tot halt houden verleiden.

In de daarop volgende nacht droomde hij weer van de purperbuffels. Dit keer was hij te voet en trokken ze in een grote kudde aan hem voorbij. Maar zij waren buiten het bereik van zijn boog en toen hij naderbij wilde sluipen, merkte hij dat zijn voeten als met de aarde vergroeid waren en hij kon ze niet optillen. Hij spande zich zo in om ze los te trekken dat hij er wakker van werd. Het was nog voor zonsopgang maar hij ging meteen weer op weg.

De derde dag zag hij de Glazen Torens van Eribo, waarin de bewoners van die streek het sterrenlicht opvingen en bewaarden. Daarvan maakten zij prachtig versierde voorwerpen, waar buiten henzelf niemand in Fantásië van wist waar ze eigenlijk voor dienden.

Hij ontmoette zelfs een paar van deze mensen, kleine schepsels die er uitzagen of zij zelf uit glas geblazen waren. Ze zorgden buitenge-

48

woon vriendelijk voor hem en gaven hem eten en drinken, maar na zijn vraag wie er iets over de ziekte van de Kleine Keizerin zou kunnen weten, verzonken ze in een bedroefd en radeloos zwijgen.

Ook in de daarop volgende nacht droomde Atréjoe weer dat de kudde purperbuffels aan hem voorbij trok. Hij zag hoe een van de dieren, een uitzonderlijk grote, imposante stier, zich uit de groep losmaakte en op hem toe kwam – langzaam en zonder teken van angst of woede. En als alle echte jagers had ook Atréjoe de gave bij dit wezen dadelijk de plek te ontdekken die hij raken moest om het te doden. De purperbuffel ging zelfs zo staan dat hij hem die plek regelrecht als doelwit aanbood. Atréjoe legde de pijl aan en spande de sterke boog met alle kracht – maar hij kon niet schieten. Zijn vingers waren als vergroeid met de pees van de boog en lieten niet los.

En zo of ongeveer zo verging het hem tijdens de dromen in alle volgende nachten. Hij kwam steeds dichter bij de purperbuffel. Het was dezelfde die hij ook in werkelijkheid had willen doden. Hij herkende hem aan een witte vlek op het voorhoofd, maar om de een of andere reden kon hij de dodelijke pijl niet afschieten.

Overdag reisde hij verder, almaar verder, zonder te weten waarheen en zonder iemand te vinden die hem raad zou kunnen geven. De gouden amulet die hij droeg werd door alle wezens die hem tegenkwamen geëerbiedigd, maar antwoord op zijn vraag had niemand.

Op een keer zag hij uit de verte de Vlammende Straten van de stad Broesj, waar de wezens woonden wier lichaam uit vuur bestaat, maar daar ging hij liever niet naar binnen. Hij reed het wijde Hoogland van de Sassafraniërs door, die oud geboren worden en sterven wanneer zij zuigelingen geworden zijn. Hij kwam in de Oerwoudtempel van Moeamath, waarin een grote zuil van maansteen los in de lucht zweeft, en hij sprak met de monniken die daar woonden. Maar ook van hier moest hij zonder inlichtingen verder trekken.

Bijna een week had hij nu al van hot naar her rondgedwaald toen hij op de zevende dag en de daarop volgende nacht twee heel verschillende dingen beleefde, die zijn innerlijke gesteldheid en zijn uiterlijke toestand grondig veranderden.

Het verhaal van de oude Caíron over de verschrikkelijke gebeurtenissen die in alle delen van Fantásië plaatsvonden, had diepe indruk op hem gemaakt, maar tot nu toe was het voor hem alleen een verhaal geweest. Die zevende dag echter zou hij het met eigen ogen zien.

Het was rond het middaguur toen hij door een dicht, donker bos reed, dat uit buitengewoon forse, knoestige bomen bestond. Het was het Heulebos, waarin enige tijd geleden de vier afgezanten elkaar ontmoet hadden. In deze streek, wist Atréjoe, waren er schorstrollen. Men had hem verteld dat dit kolossale kerels en kerelinnen waren, die er zelf ook uitzagen als knoestige boomstammen. Als zij zich, zoals hun gewoonte was, roerloos hielden, kon je ze inderdaad voor bomen houden en ze argeloos voorbij rijden. Alleen wanneer ze zich bewogen zag je dat ze takachtige armen en kromme, wortelachtige benen hadden. Ze waren wel verschrikkelijk sterk, maar niet gevaarlijk – hoogstens haalden ze zo nu en dan met verdwaalde wandelaars streken uit.

Atréjoe had juist een bosweide ontdekt waar zich een beekje doorheen slingerde en was net afgestegen om Artax te laten drinken en grazen, toen hij plotseling achter zich in het geboomte een geweldig gekraak hoorde. Hij draaide zich om.

Uit het bos kwamen drie schorstrollen op hem toe, die hem de koude rillingen over de rug deden lopen. Bij de eerste trol ontbraken de benen en het onderlichaam, zodat hij op zijn handen moest lopen. De tweede had een reusachtig gat in zijn borst, waar je gewoon doorheen kon kijken. De derde hinkte op één – zijn rechter – been want zijn hele linkerhelft ontbrak, alsof hij middendoor was gesneden.

Toen ze de Amulet op Atréjoe's borst zagen, knikten ze naar elkaar en kwamen langzaam naderbij.

'Niet schrikken!' zei degene die op zijn handen liep en zijn stem klonk als het kreunen van een boom. 'Onze aanblik is stellig niet erg fraai, maar er is in dit deel van het Heulebos niemand meer behalve wij die je kon waarschuwen. Daarom zijn *wij* gekomen.'

'Waarschuwen?' vroeg Atréjoe. 'Waarvoor?'

'Wij hebben over je gehoord,' zuchtte de trol met de doorboorde borst, 'en men heeft ons verteld waarom je onderweg bent. Je mag hier niet verder rijden, anders ben je verloren.'

'Anders gebeurt jou hetzelfde wat ons gebeurd is,' steunde de gehalveerde. 'Bekijk ons maar eens goed – zou je dat ook willen?'

'Wat is er dan met jullie gebeurd?' wilde Atréjoe weten.

'De vernietiging breidt zich uit,' kreunde de eerste, 'wordt groter en groter en wordt elke dag meer – als je tenminste spreken kunt over *niets* dat meer wordt. Alle anderen zijn tijdig uit het Heulebos gevlucht, maar wij willen niet weg van onze geboortegrond. En toen heeft het ons in onze slaap verrast en van ons gemaakt wat je voor je ziet.'

'Doet het erg pijn?' vroeg Atréjoe.

'Nee,' antwoordde de tweede schorstrol, die met het gat in zijn borst, 'je voelt niks. Je bent alleen wat kwijt. En elke dag ben je wat meer kwijt, als je het eenmaal gekregen hebt. Weldra zullen wij er helemaal niet meer zijn.'

'Waar is de plek in het bos,' informeerde Atréjoe, 'waar het begonnen is?'

'Wil je die zien?' De derde trol, die nu nog maar half was, keek zijn lotgenoten vragend aan. Toen die knikten, vervolgde hij: 'We zullen je er zo ver heenbrengen dat je het zien kunt, maar je moet beloven er niet dichterbij te gaan. Anders word je er onweerstaanbaar door aangetrokken.'

'Goed,' zei Atréjoe, 'dat beloof ik jullie.'

De drie trollen keerden zich om en begaven zich naar de rand van het bos. Atréjoe nam Artax aan de teugel en volgde hen. Een poosje liepen ze kriskras tussen de reusachtige bomen door, toen bleven ze voor een bijzonder dikke stam staan. Vijf volwassen mannen hadden hem niet kunnen omspannen.

'Klauter zo hoog je maar kunt,' zei de trol zonder benen, 'en kijk dan naar waar de zon opkomt. Daar zul je het zien – of liever *niet* zien.'

Atréjoe trok zich aan de knoesten en bulten van de stam omhoog. Toen kwam hij bij de onderste takken. Hij trok zich op naar de volgende, wrong zich hoger en hoger tot hij het uitzicht naar beneden verloor. Hij klauterde verder. De stam werd dunner en de dwarstakken talrijker zodat hij steeds gemakkelijker vooruitkwam. Toen hij tenslotte in het hoogste puntje zat richtte hij zijn blik naar waar de zon opkomt en nu zag hij het.

De kronen van de andere bomen die nog heel dichtbij stonden waren groen, maar het loof van de bomen die daarachter lagen scheen alle kleur verloren te hebben, het was vaal. En nog een beetje verder weg scheen het op een merkwaardige manier doorzichtig, nevelig, of beter: gewoon steeds onwerkelijker te worden. En daarachter lag niets meer, absoluut niets. Het was geen kale plek, geen duisternis; het was ook geen helderheid, het was iets dat onverdraaglijk aan de ogen was en je het gevoel gaf dat je blind was geworden. Want geen oog houdt het uit in het volkomen Niets te kijken. Atréjoe hield zijn hand voor zijn gezicht en was bijna van de tak gevallen. Hij klemde zich vast en klom zo vlug hij kon weer naar beneden. Hij had genoeg gezien. Pas nu begreep hij ten volle het gevoel van ontsteltenis dat zich over Fantásië had verbreid.

Toen hij weer aan de voet van de reusachtige boom was aangekomen, waren de schorstrollen verdwenen. Atréjoe sprong op zijn paardje en joeg in galop in de richting die wegvoerde van dit zich langzaam, maar onstuitbaar uitbreidende Niets. Pas toen het al donker was en hij het Heulebos allang achter zich gelaten had rustte hij uit.

En in deze nacht wachtte hem het tweede voorval dat aan zijn Grote Zoeken een nieuwe richting zou geven.

Hij droomde namelijk weer – en nog veel duidelijker dan tot dusver – over de grote purperbuffel die hij had willen doden. Dit keer stond hij zonder pijl en boog tegenover hem. Hij voelde zich erg klein en het gezicht van het dier vulde de hele hemel. En hij hoorde dat het tot hem sprak. Hij kon niet alles begrijpen, maar het zei ongeveer het volgende.

'Als je mij gedood had, dan was je nu een jager. Maar je hebt ervan afgezien en daarom kan ik je nu helpen, Atréjoe. Luister goed! Er bestaat een wezen in Fantásië dat ouder is dan alle andere wezens. Ver, heel ver hier vandaan in het noorden liggen de Moerassen van de Droefheid. Te midden van die moerassen verheft zich de Hoornberg. Daar woont de Oeroude Morla. Ga op zoek naar de Oeroude Morla!'

En toen werd Atréjoe wakker.

De torenklok sloeg twaalf keer. Bastiaans klasgenoten gingen nu weldra voor de laatste les naar de gymnastiekzaal. Misschien zouden ze vandaag trefbal spelen, met de grote, zware turnbal waarmee Bastiaan zich altijd zo bijzonder onhandig gedroeg dat geen van beide ploegen hem erbij wilde hebben. Soms moesten ze het ook wel met een keihard slagballetje spelen, wat afschuwelijk pijn deed als het je raakte. En Bastiaan werd steeds en met alle kracht geraakt, doordat hij zo'n gemakkelijk doelwit was. Misschien kwamen vandaag ook de klimtouwen aan de beurt – een oefening die Bastiaan wel heel bijzonder verafschuwde. Terwijl de meeste anderen al helemaal boven waren bungelde hij in de regel tot hikkend vermaak van de hele klas met een vuurrood hoofd als een meelbaal aan het ondereind van het touw en kon geen meter hoger komen. En de gymnastiekleraar, meneer Menge, was niet zuinig met grappen ten koste van Bastiaan.

Bastiaan zou er heel wat voor over hebben gehad om zo te zijn als Atréjoe. Dan zou hij ze eens wat hebben laten zien!

Hij slaakte een diepe zucht.

Atréjoe reed naar het noorden, almaar naar het noorden. Hij gunde zichzelf en zijn paardje alleen nog de allernoodzakelijkste rustperioden voor slaap en eten. Hij reed dag en nacht, door hitte en regen, door stormen en onweersbuien. Voor niets had hij meer oog en niemand vroeg hij meer wat.

Hoe verder hij naar het noorden kwam des te donkerder werd het. Een loodgrijze schemer, die steeds dezelfde bleef, vulde de dagen. 's Nachts speelde het noorderlicht aan de hemel.

Op een morgen dat in het donkere schemerlicht alle tijd scheen te zijn blijven stilstaan, ontwaarde hij uiteindelijk vanaf een heuvel de Moerassen van de Droefheid. Mistflarden trokken er over heen en hier en daar staken groepjes bomen omhoog waarvan de stammen zich naar onderen in vier, vijf of meer kromgetrokken staken verdeelden, zodat zij er uitzagen als grote kreeften die op vele poten in het zwarte water stonden. Uit het bruine gebladerte hingen overal luchtwortels naar beneden, die op roerloze vangarmen leken. Het was bijna niet mogelijk vast te stellen op welke plaatsen de grond tussen de poelen stevig was en waar hij slechts uit een laag waterplanten bestond.

Artax snoof zachtjes van ontzetting.

'Moeten we daar in, meester?'

'Ja,' antwoordde Atréjoe, 'want we moeten de Hoornberg vinden die midden in deze moerassen ligt.'

Hij zette Artax aan en het paardje gehoorzaamde. Stap voor stap testte het met zijn hoeven de stevigheid van de grond, en daarom kwamen zij maar heel langzaam vooruit. Tenslotte steeg Atréjoe af en voerde Artax aan de teugel achter zich aan. Een paar keer zakte het paardje weg, maar steeds weer lukte het hem eruit te komen. Hoe dieper zij echter in de Moerassen van de Droefheid doordrongen, des te moeizamer werden zijn bewegingen. Het liet zijn hoofd hangen en sleepte zich tenslotte voort.

53

'Artax,' zei Atréjoe, 'wat scheelt er aan?'

'Ik weet het niet, meester,' antwoordde het dier. 'Ik vind dat we moeten omkeren. Het heeft toch allemaal geen zin. We zijn naar iets op zoek waar jij alleen maar van gedroomd hebt. Maar we zullen niets vinden. Misschien is het toch ook al te laat. Misschien is de Kleine Keizerin al gestorven en is alles wat we doen zinloos. Laten we omkeren, meester.'

'Zo heb ik je nog nooit horen praten, Artax,' zei Atréjoe, verwonderd. 'Wat scheelt er aan? Ben je ziek?'

'Misschien,' antwoordde Artax. 'Bij elke stap die we verdergaan wordt de droefheid in mijn hart groter. Ik heb alle hoop verloren, meester. En ik voel me zo zwaar, zo zwaar. Ik geloof dat ik niet meer verder kan.'

'Maar we moeten verder!' riep Atréjoe. 'Kom, Artax!'

Hij trok aan de teugel, maar Artax bleef staan. Langzaam zakte hij weg en hij maakte geen aanstalten meer om eruit te komen.

'Artax!' schreeuwde Atréjoe. 'Je mag je niet laten gaan! Kom, kom eruit, anders verdrink je nog!'

'Laat me maar, meester,' antwoordde het paardje. 'Het lukt me niet. Ga maar alleen verder! Bekommer je niet om mij! Ik kan deze droefheid niet meer verdragen. Ik wil sterven.'

Atréjoe rukte vertwijfeld aan de teugel, maar het paardje zakte steeds verder weg. Hij kon er niets tegen beginnen. Toen uiteindelijk alleen het hoofd van het dier nog uit het zwarte water opstak, nam hij het in zijn armen.

'Ik zal je vasthouden, Artax,' fluisterde hij, 'ik laat je niet verdrinken.'

Het paardje hinnikte nog eens zachtjes.

'Je kunt me niet helpen, meester. Het is afgelopen met mij. We wisten geen van beiden wat ons hier te wachten stond. Nu weten we waarom de Moerassen van de Droefheid deze naam hebben. De droefheid is het die mij zo zwaar heeft gemaakt dat ik verdrinken moet. Er is geen ontkomen aan.'

'Maar ik ben toch ook hier,' zei Atréjoe, 'en ik voel niets.'

'Jij draagt de "Glans", meester,' antwoordde Artax. 'Jij bent beschermd.'

'Dan zal ik jou het teken omhangen,' riep Atréjoe uit, 'misschien beschermt het ook jou.'

Hij maakte aanstalten om de ketting van zijn nek te nemen.
'Nee,' snoof het paardje, 'dat mag je niet, meester. Het Pantakel is
aan jou gegeven en je hebt niet het recht het naar eigen goeddunken
door te geven. Je moet zonder mij verder zoeken.'
Atréjoe drukte zijn gezicht tegen de wang van het paard.
'Artax...' fluisterde hij verstikt, 'o, mijn Artax!'
'Zou je nog één ding voor mij willen doen, meester?' vroeg het dier.
Atréjoe knikte zwijgend.
'Dan vraag ik je weg te gaan. Ik zou niet willen dat je bleef staan
kijken nu het met mij afloopt. Wil je me dat genoegen doen?'
Langzaam kwam Atréjoe overeind. Het hoofd van het paardje lag
nu al half in het zwarte water.
'Vaarwel, Atréjoe, mijn meester!' zei het. 'En... veel dank!'
Atréjoe kneep zijn lippen op elkaar. Hij was niet bij machte iets
terug te zeggen. Nog één keer knikte hij Artax toe, toen keerde hij
zich om en ging verder.

Bastiaan snikte. Hij kon zich er niet tegen verzetten. Zijn ogen waren
helemaal betraand en hij kon niet doorlezen. Hij moest eerst zijn zak-
doek te voorschijn halen en zijn neus snuiten voor hij weer voort kon
gaan.

Hoelang hij verder, gewoon aldoor maar verder gewaad had wist
Atréjoe niet. Het was alsof hij blind en doof was. De mist werd steeds
dichter en Atréjoe had het gevoel al urenlang in een kring rond te
dolen. Hij lette er niet meer op waarheen zijn voet zich richtte en toch
zakte hij nooit dieper weg dan tot aan zijn knie. Op een voor hem
onbegrijpelijke wijze wees het Teken van de Kleine Keizerin hem de
goede weg.
En toen stond hij opeens voor een hoge, tamelijk steile berghelling.
Hij trok zich aan de gespleten rotsen omhoog en klauterde naar de
ronde top. In het begin merkte hij niet waaruit deze rotsen bestonden. Pas toen hij helemaal boven aankwam en de berg kon overzien,
zag hij dat het reusachtige hoornplaten waren met scheuren en sple-
ten waarin mos woekerde.
Hij had de Hoornberg gevonden!
Maar erg blij maakte deze ontdekking hem niet. Door de dood van
zijn trouwe paardje was hij bijna onverschillig geworden. Nu moest

hij nog zien uit te vinden wie en waar de Oeroude Morla was, die hier woonde.

Terwijl hij daar nog over nadacht, voelde hij opeens een zacht beven door de berg gaan en toen hoorde hij een ontzettend geblaas en gesmak en een stem die uit de diepste ingewanden van de aarde scheen te komen.

'Ga eens kijken, oudje, er kruipt wat op ons rond.'

Atréjoe rende naar het eind van de bergrug waar de geluiden vandaan waren gekomen. Maar hij gleed daarbij uit op een mospolletje en begon te glijden. Het lukte hem niet houvast te krijgen. Steeds sneller gleed hij en tenslotte viel hij naar beneden. Gelukkig kwam hij terecht op een van de bomen die onderaan de berg stonden, en de takken braken zijn val.

Nu zag Atréjoe voor zich een reusachtige holte in de berg, waarin het zwarte water spatte en golfde, want daar binnen bewoog iets dat langzaam naar buiten kwam. Het zag er uit als een rotsblok, zo groot als een huis. Pas toen het helemaal te voorschijn was gekomen zag Atréjoe dat het een kop was, die aan een lange geplooide hals zat, de kop van een schildpad. Haar ogen waren zo groot als zwarte poelen. Haar bek droop van modder en algen. Deze hele Hoornberg – dat begreep Atréjoe nu opeens – was een enkel monsterachtig dier, een geweldig grote moerasschildpad: de Oeroude Morla!

En toen was weer die blazende, rochelende stem te horen.

'Manneke, wat doe je daar?'

Atréjoe greep naar de Amulet op zijn borst en hield die zo dat haar als poelen zo grote ogen hem zien moesten.

'Kent u dit, Morla?'

Het duurde even voor zij antwoordde.

'Kom eens kijken, oudje – AURYN – we hebben het in lang niet meer gezien, het Teken van de Kleine Keizerin – in lang niet meer.'

'De Kleine Keizerin is ziek,' zei Atréjoe. 'Wist u dat?'

'Kan ons niks schelen, niet waar, oudje?' antwoordde Morla. Zij scheen op deze merkwaardige wijze met zich zelf te praten, misschien wel omdat zij geen andere gesprekspartner had – wie weet hoelang al niet.

'Als wij haar niet redden, zal ze sterven,' voegde Atréjoe er nog dringender aan toe.

'Ook goed,' antwoordde Morla.

56

'Maar met haar gaat ook Fantásië ten onder,' riep Atréjoe uit. 'De vernietiging verbreidt zich al overal. Ik heb het zelf gezien.'

Morla staarde hem met haar reusachtige, lege ogen aan.

'Daar hebben we niks tegen, niet waar, oudje?' rochelde ze.

'Dan zullen we allemaal vergaan!' schreeuwde Atréjoe. 'Wij allemaal!'

'Kijk eens, manneke,' antwoordde Morla, 'wat kan ons dat nog schelen? Voor ons is dat van geen belang meer. 't Maakt toch allemaal niks uit, helemaal niks.'

'Maar ook u zult vernietigd worden, Morla!' schreeuwde Atréjoe boos, 'ook u! Of denkt u dat u omdat u zo oud bent Fantásië zult overleven?'

'Kijk eens,' rochelde Morla, 'wij zijn oud, manneke, veel te oud. We hebben lang genoeg geleefd. We hebben te veel gezien. Voor iemand die zoveel weet als wij is niets belangrijk meer. Eeuwig herhaalt zich alles, dag en nacht, zomer en winter, de wereld is leeg en zonder zin. Alles draait in een kring. Wat ontstaat moet weer vergaan, wat geboren wordt moet sterven. Het een heft het ander op. Het goede en het slechte, het domme en het wijze, het mooie en het lelijke. Alles is leeg. Niets is echt. Niets is belangrijk.'

Atréjoe wist niet wat hij antwoorden moest. De reusachtige, donkere en lege blik van de Oeroude Morla verlamde al zijn gedachten. Na een poosje hoorde hij dat zij weer sprak.

'Jij bent jong, manneke. Wij zijn oud. Als jij zo oud zou zijn als wij, dan zou je weten dat er niets anders is dan droefheid. Kijk eens. Waarom zullen wij niet sterven, jij, ik, de Kleine Keizerin, alle, alle wezens? Alles is toch enkel schijn, enkel een spel in het Niets. Het maakt allemaal niks uit. Laat ons met rust, manneke, ga weg!'

Atréjoe spande zich met alle wilskracht in om zich tegen de verlamming die van haar blik uitging te verzetten.

'Als u zoveel weet,' zei hij, 'weet u dan ook wat de ziekte van de Kleine Keizerin is en of er een geneesmiddel voor haar bestaat?'

'Dat weten we, niet waar, oudje? Weten we toch,' antwoordde Morla hijgend. 'Maar het maakt niets uit of zij gered wordt of niet. Waarom zouden we het dus zeggen?'

'Als het u echt onverschillig is,' drong Atréjoe aan, 'dan kunt u het me net zo goed zeggen.'

'Kunnen we ook wel, oudje, niet waar?' gromde Morla. 'Maar we

57

hebben er geen zin in.'

'Maar dan,' riep Atréjoe, 'dan maakt het dus *wel* wat uit! Dan gelooft u zelf niet wat u zegt!'

Lang bleef het stil, toen hoorde hij een diep gerochel en geboer. Het moet wel een soort lachen zijn geweest, gesteld dat de Oeroude Morla nog lachen kon. In elk geval zei ze: 'Jij bent slim, manneke. Kijk eens aan. Slim ben je. Hebben al heel lang niet meer zo'n plezier gehad, hè, oudje? Kijk eens. We kunnen het je ook echt net zo goed zeggen. Maakt geen verschil. Zullen we het hem zeggen, oudje?'

Het werd nu een lange tijd stil. Gespannen wachtte Atréjoe op Morla's antwoord, zonder haar langzame en troosteloze gedachtengangen door vragen te onderbreken. Eindelijk sprak zij weer verder.

'Jij leeft kort, manneke. Wij leven lang. Al veel te lang. Maar wij wonen in de tijd. Jij kort. Wij lang. De Kleine Keizerin was er al vóór mij. Maar zij is niet oud. Zij is altijd jong. Zie maar. Haar bestaan wordt niet naar duur gemeten, maar naar namen. Zij heeft een nieuwe naam nodig, altijd weer een nieuwe. Ken jij haar naam, manneke?'

'Nee,' moest Atréjoe toegeven, 'die heb ik nog nooit gehoord.'

'Kun je ook niet,' antwoordde Morla. 'Zelfs wij hebben er geen herinnering aan. En toch heeft zij er al vele gehad. Maar ze zijn allemaal vergeten. Is allemaal voorbij. Zie maar. Maar zonder naam kan zij niet leven. Ze heeft alleen maar een andere naam nodig, de Kleine Keizerin, dan wordt zij weer gezond. Maar het maakt niks uit of zij dat wordt.'

Zij sloot haar ogen als poelen en begon langzaam haar kop terug te trekken.

'Wacht nog even!' riep Atréjoe. 'Waar krijgt ze die naam vandaan? Wie kan haar die naam geven? Waar vind ik die naam?'

'Niemand van ons,' hoorde hij Morla rochelen, 'geen enkel wezen in Fantásië kan haar een nieuwe naam geven. Daarom is alles tevergeefs. Stel je er niks van voor, manneke. 't Is allemaal niet belangrijk.'

'Wie dan wel?' schreeuwde Atréjoe helemaal buiten zichzelf. 'Wie kan haar die naam geven, die haar en ons allemaal zal redden?'

'Maak niet zo'n lawaai!' zei Morla. 'Laat ons met rust en ga weg. Wij weten ook niet wie het kan.'

'Als u het niet weet,' schreeuwde Atréjoe steeds harder, 'wie kan het dan weten?'

Nog een keer deed ze haar ogen open.

'Als jij de "Glans" niet zou dragen,' snoof ze, 'dan zouden we jou opvreten, dan hadden we weer rust.'

'Wie dan?' hield Atréjoe aan. 'Zeg me toch wie het weet en ik laat u voor altijd en eeuwig met rust!'

'Dat maakt toch niks uit,' antwoordde ze. 'Misschien Oeyoelála in het Zuidelijk Orakel. Die weet het misschien. Wat interesseert het ons.'

'En hoe kan ik daar komen?'

'Daar kun je helemaal niet komen, manneke. Zie je. In geen tienduizend dagreizen. Je leeft te kort. Je zou voor die tijd sterven. 't Is te ver. Helemaal in het zuiden. Veel te ver. Daarom is alles zinloos. Hebben we toch meteen al gezegd, niet waar, oudje? Vergeet het en geef het op, manneke. Maar voor alles, laat ons met rust!'

En met die woorden deed ze definitief haar lege ogen dicht en trok haar kop terug in de holte. Atréjoe begreep dat hij niets meer te weten zou komen.

Rond diezelfde tijd vond het Schaduwwezen dat zich uit het duister van de nachtelijke heide had samengetrokken Atréjoe's spoor en het ging op weg naar de Moerassen van de Droefheid. Niets en niemand in Fantásië zou het weer van deze weg afbrengen.

Bastiaan steunde met zijn hoofd op zijn hand en keek peinzend voor zich uit.

'Merkwaardig,' zei hij hardop, 'dat geen wezen in Fantásië de Kleine Keizerin een nieuwe naam kan geven.'

Als het er alleen maar op aan kwam een naam te verzinnen dan zou Bastiaan haar gemakkelijk hebben kunnen helpen. Daar was hij sterk in. Maar jammer genoeg was hij nu eenmaal niet in Fantásië waar aan zijn gaven behoefte bestond, waar die hem misschien zelfs sympathie of eer bezorgd zouden hebben. Aan de andere kant was hij ook weer erg blij daar niet te zijn, want in een gebied als de Moerassen van de Droefheid zou hij zich voor geen geld ter wereld gewaagd hebben. En dan dat griezelige Schaduwwezen door wie Atréjoe achtervolgd werd, zonder het te weten! Wat graag zou Bastiaan hem gewaarschuwd hebben, maar dat ging nu eenmaal niet. Er bleef niets anders over dan te hopen en verder te lezen.

59

Ygramoel, de Vele

DORST en honger begonnen Atréjoe te kwellen. Twee dagen geleden had hij de Moerassen van de Droefheid achter zich gelaten en sindsdien doolde hij door een rotswoestijn, waarin zich niets levends bevond. Het schaarse dat hij nog aan proviand had gehad was met Artax in het zwarte water ondergegaan. Tevergeefs groef Atréjoe met zijn handen tussen de stenen, om althans maar een wortel te vinden, maar er groeide hier niets, zelfs geen mos.

In het begin was hij blij geweest tenminste weer vaste grond onder de voeten te voelen, maar meer en meer moest hij toegeven dat zijn situatie eerder nog slechter geworden was. Hij was verdwaald. Hij kon niet eens meer bepalen welke richting hij uit ging, want het schemerige licht was naar alle kanten hetzelfde en verschafte hem geen aanknopingspunt. Onafgebroken woei er een koude wind om de rotspunten, die overal om hem heen verrezen.

Hij beklom bergruggen en -kammen, en klauterde dan weer naar beneden, maar nooit had hij een ander uitzicht dan op steeds verdere bergen, waarachter ook weer bergketens lagen. En er was geen enkel levend wezen, geen torretje en geen mier, niet eens gieren die anders een verdwaalde geduldig volgen tot hij ineen zakt.

Er bestond geen twijfel meer: het land waarin hij was verdwaald was dat van Dode Bergen. Maar enkelen hadden ze ooit gezien en vrijwel niemand was er ooit uit teruggekeerd. Maar in de sagen die men elkaar bij Atréjoe's volk vertelde, kwamen ze voor. Hij herinnerde zich het eerste couplet van een oud lied:

> Beter is het voor een jager
> in de Moerassen om te komen.
> In het land der Dode Bergen
> immers is een Diepe Afgrond –
> daar woont Ygramoel, de Vele,
> de verschrikk'lijkste verschrikking...

Zelfs als Atréjoe had geweten welke richting hij uit moest gaan om terug te keren, dan zou het niet meer mogelijk zijn geweest. Hij was al te ver doorgedrongen. Hij kon enkel nog verder gaan. Was het alleen om hemzelf gegaan dan was hij misschien gewoon in een spelonk gaan zitten en had hij daar de dood gelaten afgewacht, zoals de jagers van zijn volk in zulke gevallen plachten te doen. Maar hij was met het Grote Zoeken bezig; het ging om het leven van de Kleine Keizerin en om heel Fantásië. Het was hem niet geoorloofd op te geven.

Daarom ging hij almaar verder berg op en berg af, en soms drong het tot hem door dat hij een hele tijd als een slaapwandelaar gelopen had, terwijl zijn geest in andere regionen vertoefde en slechts met tegenzin terugkeerde.

Bastiaan schrok op. De torenklok sloeg één uur. Voor vandaag was de school afgelopen. Bastiaan luisterde naar het schreeuwen van de kinderen, die beneden uit de klaslokalen en door de gangen stormden. Op de trappen was het geklepper van vele voeten te horen. Daarna klonken nog een poosje verschillende kreten vanaf de straat en tenslotte werd het stil in het schoolgebouw.

De stilte legde zich op Bastiaan als een drukkende, zware deken, die hem dreigde te verstikken. Van nu af zou hij moederziel alleen in het grote schoolgebouw zijn – de hele dag, de komende nacht, wie weet hoelang. Van nu af werd het ernst.

De anderen gingen nú naar huis voor het middageten. Ook Bastiaan had honger en hij had het koud ondanks de paardedekens die hij om zich heen had geslagen. Opeens begaf alle moed hem, zijn hele plan kwam hem opeens volslagen idioot en zinloos voor. Hij wilde naar huis, nu meteen. Nu was er nog tijd. Tot nu toe kon zijn vader nog niets gemerkt hebben. Bastiaan hoefde hem niet eens te vertellen dat hij vandaag gespijbeld had. Natuurlijk zou het op een bepaald moment uitkomen, maar dat kon nog wel even duren. En die kwestie van het gestolen boek? Ja, ook daarmee zou hij een keer voor de dag moeten komen. Zijn vader zou het tenslotte wel slikken, zoals hij alle teleurstellingen slikte die Bastiaan hem bezorgd had. Er was geen reden om bang voor hem te zijn. Waarschijnlijk zou hij zonder wat te zeggen naar meneer Koriander gaan en alles in orde brengen.

Bastiaan reikte al naar het koperrode boek om het in zijn tas te stoppen, maar zag er vanaf.

'Nee,' zei hij plotseling ernstig, hardop in de stilte van de zolder. 'Atréjoe zou zo vlug niet opgeven, enkel omdat het wat moeilijk wordt. Als ik ergens mee begonnen ben moet ik het ook afmaken. Ik ben nu al te ver om nog om te keren. Ik kan alleen nog doorgaan, wat er ook van komt.'

Hij voelde zich erg eenzaam maar was er toch ook een beetje trots op dat hij sterk gebleven was en niet aan de verleiding had toegegeven.

Een heel klein beetje had hij toch wel met Atréjoe gemeen!

En toen was het moment aangebroken waarop Atréjoe echt niet meer verder kon. Vlak voor hem gaapte de Diepe Afgrond.

Het intens huiveringwekkende van de aanblik laat zich niet met woorden beschrijven. Dwars door het land van de Dode Bergen opende de aarde zich in een spleet die misschien wel vijfhonderd meter breed was. De diepte ervan was niet te zien.

Atréjoe lag op de rand van een uitspringende rots en staarde omlaag in de duisternis, die tot in het binnenste van de aarde scheen te reiken. Hij pakte een steen, wel zo groot als een hoofd, die hij onder handbereik had en wierp die zo ver weg als hij kon. De steen viel en viel en viel tot hij in het donker verdween. Atréjoe luisterde, maar hoe lang hij ook wachtte, het geluid van het neerploffen bereikte hem niet meer.

En toen begon hij het enige te doen wat hem nog te doen bleef: hij ging langs de rand van de Diepe Afgrond lopen. Hij verwachtte daarbij ieder ogenblik die 'verschrikkelijkste verschrikking' te zullen tegenkomen, waar het oude lied van sprak. Hij had geen idee om wat voor soort wezen het zou kunnen gaan, hij wist alleen dat zijn naam Ygramoel luidde.

De Diepe Afgrond had een grillig verloop door het rotsige land en natuurlijk was er geen weg langs de rand, maar verhieven zich ook hier rotspunten, waar hij op moest klimmen en die soms bedenkelijk onder hem wankelden. Ook gebeurde het dat zijn weg versperd werd door kolossale rotsblokken, waar hij dan met moeite omheen kwam, of dat er tot aan de afgrond grote hopen zwerfkeien lagen, die in beweging kwamen zodra hij daar overheen ging. Meer dan eens was hij op een haartje na naar beneden gestort.

Als hij geweten had dat een achtervolger hem op het spoor was en

63

met het uur dichter bij hem kwam, dan had hij zich misschien toch tot een onbedachtzaamheid laten verleiden die hem op zijn hachelijke weg duur te staan had kunnen komen. Het was dat Schaduwwezen, dat hem achtervolgde sinds hij weer op weg was gegaan. Inmiddels had zijn gestalte zich zo ver verdicht, dat men de omtrekken ervan nu duidelijk kon waarnemen. Het was een wolf, pikzwart en zo groot als een os. Met de neus steeds bij de grond volgde hij rennend Atréjoe's spoor door de rotswoestijn van de Dode Bergen. Zijn tong hing ver uit zijn bek en hij had de lippen opgetrokken zodat je zijn angstaanjagende gebit kon zien. De kracht van de geur die hij volgde zei hem dat nog maar enkele kilometers hem van zijn slachtoffer scheidden. En de afstand werd onverbiddelijk kleiner.

Maar Atréjoe had geen enkel vermoeden dat hij achtervolgd werd en zocht langzaam en voorzichtig zijn weg.

Juist toen hij zich in een grot bevond, die als een gedraaide buis door het rotsmassief liep, hoorde hij opeens een geraas dat hij niet verklaren kon, want het leek niet op enig ander geluid dat hij ooit eerder had gehoord. Het was een gebries en gebrul en gerammel. En op hetzelfde moment voelde Atréjoe hoe de hele rots waarin hij zich bevond beefde, en hij hoorde het geluid van opspringende rotsblokken die buiten bulderend van de hellingen stortten. Even wachtte hij of de aardbeving – of wat het ook mocht zijn – zou ophouden, maar toen het bleef aanhouden, kroop hij verder en bereikte tenslotte de uitgang, waar hij voorzichtig zijn hoofd naar buiten stak.

En wat zag hij? Boven het duister van de Diepe Afgrond hing, gespannen van de ene rand naar de andere, een kolossaal spinneweb. En in de kleverige draden van het web, die wel zo dik als touwen waren, kronkelde een grote, witte geluksdraak, die met zijn staart en klauwen om zich heen sloeg, maar zich daardoor steeds hopelozer verstrikte.

Geluksdraken behoren tot de zeldzaamste dieren in Fantásie. Zij hebben geen gelijkenis met gewone draken of drakenmonsters, die als reusachtige, weerzinwekkende slangen in diepe holen wonen, een afschuwelijke lucht verspreiden en de een of andere echte of veronderstelde schat bewaken. Dergelijke uitwassen van de chaos zijn meestal kwaadaardig en knorrig van aard, hebben vleermuisachtige huidvleugels waarmee zij zich met veel lawaai en log in de lucht kunnen bewegen en spugen vuur en rook. Geluksdraken daarentegen zijn lucht- en warmtewezens, wezens van ontembare vreugde, en ondanks hun

64

enorme afmetingen zo licht als een zomerwolkje. Daarom hebben zij ook geen vleugels nodig om te vliegen. Ze zwemmen in de hemelse atmosferen als vissen in het water. Vanaf de aarde gezien lijken ze op lange bliksemstralen. Het mooiste aan hen is hun zingen. Hun stem klinkt als de gouden dreunende galm van een grote klok en als ze zachtjes praten dan lijkt het of je dit klokgelui heel in de verte hoort. Wie het ooit vergund is zulk zingen te horen, vergeet het zijn leven lang niet meer en vertelt er nog over aan zijn kleinkinderen.

Maar de geluksdraak die Atréjoe nu zag, bevond zich bepaald niet in een situatie waarin hij lust tot zingen kon hebben. Het lange buigzame lijf, waarvan de parelmoerkleurige schubben roze en wit glinsterden, hing gekromd en gekluisterd in het reusachtige spinneweb. De lange baarden bij de muil van het dier, de welige manen en de franjes aan zijn lange staart en ledematen waren in de kleverige touwen verstrikt geraakt zodat het zich nog nauwelijks bewegen kon. Alleen de ogen in zijn leeuwachtige kop fonkelden robijnrood, en lieten zien dat hij nog leefde.

Het prachtige dier bloedde uit vele wonden, want er was nog wat anders, iets reusachtigs dat zich steeds opnieuw bliksemsnel op het witte drakenlijf liet vallen als een donkere wolk die voortdurend van gedaante veranderde. Nu eens leek het op een reuzenspin met lange poten, veel gloeiende ogen en een dik lijf dat bedekt was met een zwarte vervilte haardos, dan weer werd het één grote hand met lange nagels, die de geluksdraak probeerde te verwonden en het volgende moment veranderde het zich in een zwarte reuzenschorpioen, die met zijn giftige stekels naar zijn ongelukkige slachtoffer sloeg.

Het gevecht tussen de beide enorme wezens was verschrikkelijk. De geluksdraak verdedigde zich nog door blauw vuur te spuwen, dat de haren van het wolkenachtige wezen verschroeide. Er steeg rook op die in flarden door de rotsspleet wervelde. De stank benam Atréjoe bijna de adem. De geluksdraak slaagde er zelfs een keer in een van de lange poten van zijn tegenstander af te bijten. Maar het geamputeerde lichaamsdeel viel niet zoals je zou verwachten in de diepte van de afgrond, maar bewoog zich even los in de lucht en keerde vervolgens terug naar zijn oude plaats, waar het zich weer met het donkere wolkenwezen verenigde. En zo ging het steeds maar weer. De draak scheen telkens als hij een van de poten met zijn tanden grijpen kon in het niets te bijten.

65

Nu pas ontdekte Atréjoe wat hem tot dan toe niet opgevallen was: dit hele huiveringwekkende wezen bestond helemaal niet uit één vast lichaam, maar uit talloze staalblauwe insektjes die zoemden als woedende horzels en in een opeengepakte zwerm steeds weer nieuwe gedaanten vormden.

Het was Ygramoel en nu begreep Atréjoe ook waarom zij 'de Vele' werd genoemd.

Hij sprong uit zijn schuilhoek te voorschijn, greep naar het Kleinood op zijn borst en schreeuwde zo hard hij maar kon: 'Stop! In naam van de Kleine Keizerin! Stop!'

Maar in het gebrul en gesnuif van de vechtende wezens ging zijn stem verloren. Zelf hoorde hij hem nauwelijks.

Zonder na te denken holde hij over de kleverige touwen van het web naar de vechtenden. Het web schommelde onder zijn voeten. Hij verloor zijn evenwicht, viel door de mazen, hing nu alleen nog aan zijn handen boven de donkere diepte, maar trok zich weer op, bleef kleven, worstelde zich los en rende verder.

Ygramoel bemerkte opeens dat er iets op haar af kwam. Razendsnel draaide zij zich om en haar aanblik was afschuwelijk: ze was alleen nog maar een geweldig staalblauw gezicht met boven de neuswortel een enkel oog, dat met een loodrechte pupil vol onvoorstelbare kwaadaardigheid naar Atréjoe staarde.

Bastiaan uitte een zachte kreet van schrik.

Een kreet van schrik galmde door het ravijn en de echo werd heen en weer gekaatst. Ygramoel draaide haar oog van links naar rechts om te zien of er nog iemand bij gekomen was, want de jongen die als verlamd van afgrijzen voor haar stond kon het niet geweest zijn. Maar er was niemand.

'Zou het dan soms mijn schreeuw geweest zijn die zij gehoord heeft?' dacht Bastiaan diep verontrust. 'Maar dat kàn toch helemaal niet!'

En nu hoorde Atréjoe Ygramoels stemgeluid. Het was een heel hoge en wat hese stem, die niet in het minst bij haar enorme gezicht paste. Ook bewoog zij haar lippen niet als ze sprak. Het was het gesnor van een reusachtige zwerm horzels dat zich tot woorden vormde.

66

'Een Tweebeen!' hoorde Atréjoe. 'Na een zo lange, lange honger-
periode twee lekkere hapjes tegelijk! Wat een dag van geluk voor
Ygramoel!'

Atréjoe moest al zijn kracht verzamelen. Hij hield de 'Glans' voor
het enige oog van het monster en vroeg: 'Kennen jullie dit teken?'

'Kom dichterbij, Tweebeen!' zoemde het veelstemmige koor.
'Ygramoel ziet slecht.'

Atréjoe deed weer een stap verder naar het gezicht toe. Het deed nu
de mond open. In plaats van een tong had het talloze glinsterende
tasters, tangen en grijpers.

'Nog dichterbij!' snorde de zwerm.

Nog een keer deed hij een stap naar voren en stond nu zo dicht voor
het gezicht dat hij heel duidelijk de ontelbare staalblauwe afzonderlijke wezentjes zien kon die tollend door elkaar wervelden. En toch
bleef het afschuwelijke gezicht als geheel onbeweeglijk.

'Ik ben Atréjoe,' zei hij, 'en ik heb een opdracht van de Kleine
Keizerin.'

'Je komt ongelegen,' zei het kwaadaardige zoemen na een poosje.
'Wat wil je van Ygramoel? Zij heeft het erg druk, zoals je ziet.'

'Ik wil deze geluksdraak,' antwoordde Atréjoe, 'geef hem aan mij!'

'Waar heb je hem voor nodig, Atréjoe Tweebeen?'

'Ik heb mijn paard verloren in de Moerassen van de Droefheid. Ik
moet naar het Zuidelijk Orakel, want alleen Oeyoelála kan me vertellen wie de Kleine Keizerin een nieuwe naam kan geven. Krijgt zij die
niet dan moet zij sterven en heel Fantásië met haar – ook jullie, Ygramoel, die men de Vele noemt.'

'Zo!' sprak het gezicht op gerekte toon, 'is dat de reden van die
plekken waar niks meer is?'

'Ja,' antwoordde Atréjoe, 'jullie weten het dus ook, Ygramoel. Maar
het Zuidelijk Orakel ligt zo ver weg dat ik er tijdens mijn leven niet
kan komen. Daarom eis ik deze geluksdraak van jullie op. Als hij mij
door de lucht draagt, kan ik mijn doel misschien nog bereiken.'

In de dwarrelende zwerm die het gezicht vormde viel er nu iets te
horen dat een veelstemmig gegiechel kon zijn.

'Je vergist je, Atréjoe Tweebeen. Wij weten niks van een Zuidelijk
Orakel en niks van Oeyoelála, maar wij weten wel dat de draak je niet
meer dragen kan. En zelfs als hij niet gewond was zou jullie reis zo
lang duren dat de Kleine Keizerin inmiddels aan haar ziekte zou zijn

67

gestorven. Niet aan de duur van jouw leven, Atréjoe Tweebeen, moet je je Zoeken afmeten, maar aan die van haar.'

De blik uit het oog met de loodrechte pupil was nauwelijks te verdragen en Atréjoe boog zijn hoofd.

'Ja, dat is zo,' zei hij zachtjes.

'Bovendien,' vervolgde het gezicht, zonder zich overigens te bewegen, 'zit Ygramoels gif in het lichaam van de draak. Hij heeft hoogstens nog een uurtje te leven.'

'Maar dan,' mompelde Atréjoe, 'is alle hoop vervlogen, voor hem, voor mij en voor jullie, Ygramoel.'

'Wel,' zoemde de stem, 'Ygramoel zal tenminste nog eenmaal goed gegeten hebben. Maar het is helemaal nog niet gezegd dat het ook echt Ygramoels laatste maaltijd is. Ze zou ook nog wel een middel weten om jou in een handomdraai naar het Zuidelijk Orakel te transporteren. Maar of dit middel jou bevalt, Atréjoe Tweebeen, dat is de vraag.'

'Waar hebben jullie het over?'

'Dat is het geheim van Ygramoel. Ook de wezens van de Onderwereld hebben hun geheimen, Atréjoe Tweebeen. Tot nu toe heeft Ygramoel het nog aan niemand prijsgegeven. En ook jij moet zweren dat je het nooit zult verraden. Want Ygramoel zou er slecht bij varen, o, zeer slecht bij varen als het bekend werd.'

'Ik zweer het. Vertel op!'

Het staalblauwe, enorme gezicht boog zich nu een beetje naar voren en zoemde nauwelijks hoorbaar: 'Je moet je door Ygramoel laten bijten.'

Atréjoe deinsde ontzet terug.

'Ygramoels gif,' vervolgde de stem, 'doodt binnen een uur, maar het verleent degeen die het in zich draagt tevens de macht zich naar iedere plek in Fantásië te verplaatsen die hij wenst. Denk je eens in als dat bekend zou worden! Alle slachtoffers zouden aan Ygramoel ontsnappen!'

'Eén uur?' riep Atréjoe uit. 'Maar wat kan ik in een enkel uur voor elkaar brengen?'

'Nou...' zoemde de zwerm, 'altijd nog meer dan in alle uren die je hier nog resten. Neem een beslissing!'

Atréjoe had het moeilijk.

'Zullen jullie de geluksdraak vrijlaten als ik jullie in naam van de

Kleine Keizerin daarom vraag?' vroeg hij tenslotte.

'Nee,' antwoordde het gezicht, 'jij hebt het recht niet Ygramoel daarom te vragen, ook al draag je dan AURYN, de "Glans". De Kleine Keizerin laat ons allen in onze eigen waarde. Daarom buigt Ygramoel zich ook voor het Teken. En dat weet jij allemaal best.'

Atréjoe stond nog steeds met gebogen hoofd. Wat Ygramoel daar zei was de waarheid. En dus kon hij de witte geluksdraak niet redden. Zijn eigen wensen telden niet mee.

Hij hief zijn hoofd omhoog en zei: 'Doe wat jullie me hebt voorgesteld!'

Bliksemsnel stortte de staalblauwe wolk zich op hem en omhulde hem aan alle kanten. Hij voelde een razende pijn in zijn linkerschouder en dacht nog slechts: naar het Zuidelijk Orakel!

Toen werd het zwart voor zijn ogen.

Toen korte tijd later de wolf de plek bereikt had, zag hij het reusachtige spinneweb, maar verder niemand meer. Het spoor dat hij tot hiertoe gevolgd had hield plotseling op en hij kon het ondanks alle inspanning niet meer vinden.

Bastiaan stopte met lezen. Hij voelde zich ellendig, alsof hij zelf het gif van Ygramoel in zijn lichaam had zitten.

'Ik dank de hemel,' zei hij zachtjes, 'dat ik niet in Fantásië ben. Gelukkig bestaan er in werkelijkheid niet van zulke monsters. Dit is maar een verhaal.'

Maar was het echt maar een verhaal? Hoe was het dan mogelijk dat Ygramoel en waarschijnlijk ook Atréjoe Bastiaans kreet van schrik gehoord hadden?

Voor hem begon dit boek onderhand behoorlijk griezelig te worden.

[E]

De Uitgewekenen

E VEN maakte zich een verschrikkelijke twijfel van Atréjoe meester of Ygramoel hem niet toch bedrogen had.
Want toen hij weer bijkwam bevond hij zich nog steeds in
de rotswoestijn.
Hij kwam met moeite overeind. En nu zag hij dat hij misschien nog steeds in een woest rotsgebied was, maar wel in
een heel ander. Het land zag eruit of het helemaal uit grote
roestkleurige rotsplaten bestond, die op elkaar gestapeld
en over elkaar heen geschoven waren en zo allerlei merkwaardige torens en piramiden vormden. De grond daar
tussenin was bedekt met lage struiken en planten. Er heerste een verzengende hitte. Het landschap lag gedompeld in
een stralend, fel zonlicht, dat de ogen verblindde.

Atréjoe hield een hand boven zijn ogen en ontwaarde ongeveer ander-
halve kilometer van zich vandaan een onregelmatig gevormde rotspoort, die misschien wel dertig meter hoog was. De boog was gevormd uit horizontaal liggende stenen platen.
Zou dat de toegang tot het Zuidelijk Orakel zijn? Voor zover hij
kon zien lag er achter de poort niets dan een oneindige lege vlakte.
Geen gebouw, geen tempel, geen heilig woud – niets wat op een ora-
kelplaats leek.
Terwijl hij nog zat te bedenken wat hij doen zou, hoorde hij opeens
een diepe, zware stem.
'Atréjoe!' en toen nog een keer: 'Atréjoe!'
Hij draaide zich om en zag vanachter een van de roestkleurige rots-
torens de witte geluksdraak te voorschijn komen. Uit zijn wonden
druppelde bloed en hij was zo verzwakt dat hij zich nog maar met
moeite naar Atréjoe toe kon slepen. Niettemin knipoogde hij opgewekt met een van zijn robijnrode ogen en zei: 'Je moet je niet te erg
verbazen dat ik hier ook ben, Atréjoe. Ik was dan wel als verlamd toen

ik daar in het spinneweb hing, maar ik heb toch alles gehoord wat Ygramoel je vertelde. En toen dacht ik: ik ben tenslotte ook door haar gebeten, waarom zou ik dan ook niet gebruik maken van het geheim dat zij jou heeft toevertrouwd? En zo ben ik haar ontvlucht.'

Atréjoe was heel blij.

'Het was erg moeilijk voor me om jou aan Ygramoel af te staan,' zei hij, 'maar wat kon ik anders doen?'

'Niets,' antwoordde de geluksdraak. 'Je hebt me desondanks het leven gered – hoewel niet zonder mijn medewerking.'

En weer knipoogde hij, dit keer met het andere oog.

'Nou, het leven gered –' herhaalde Atréjoe. 'Ja, voor één uur, want meer rest er voor ons beiden niet. Iedere seconde voel ik het gif van Ygramoel sterker.'

'Voor elk gif bestaat een tegengif,' antwoordde de witte draak. 'Je zult zien dat alles nog goed komt.'

'Ik zou niet weten hoe,' gaf Atréjoe te kennen.

'Ik ook niet,' antwoordde de draak, 'maar dat is juist het mooie. Van nu af aan zul jij in alles slagen. Ik ben tenslotte een geluksdraak. Ook toen ik in dat web hing gaf ik de hoop niet op – en zoals je ziet, terecht.'

Atréjoe moest lachen.

'Je moet me toch eens zeggen waarom je je hierheen hebt verplaatst – en niet naar een andere, betere plek, waar je misschien genezing had kunnen vinden?'

'Mijn leven behoort aan jou,' zei de draak, 'als je het aanvaarden wilt. Ik dacht bij mezelf, jij zult voor het Grote Zoeken een rijdier nodig hebben. En je zult zien dat het heel wat anders is of je op twee benen door het landschap je weg zoekt, of zelfs op een goed paard er doorheen draaft, of dat je op de rug van een geluksdraak door hemelse atmosferen stuift. Afgesproken?'

'Afgesproken!' antwoordde Atréjoe.

'Mijn naam,' voegde de draak er aan toe, 'is overigens Foechoer.'

'Goed, Foechoer,' zei Atréjoe, 'maar terwijl we hier staan te praten verstrijkt de weinige tijd die ons nog rest. Ik moet wat gaan doen. Maar wat?'

'Geluk hebben,' antwoordde Foechoer, 'wat anders?'

Maar Atréjoe hoorde hem niet meer. Hij was in elkaar gezakt en lag roerloos ineengerold in de weke rondingen van het drakenlichaam.

Het gif van Ygramoel had zijn uitwerking.

Toen Atréjoe – wie weet hoeveel tijd later – zijn ogen weer opsloeg, zag hij eerst niets dan een hoogst vreemd gezicht dat zich over het zijne boog. Het was het meest rimpelige, meest gegroefde gezicht dat hij ooit gezien had – maar slechts ongeveer zo groot als zijn vuist. Het had een donkerbruine kleur als een gebakken appel en de oogjes erin fonkelden als sterren. Op het hoofd rustte een soort muts van verlepte bladeren.

Daarop voelde Atréjoe dat er een drinkbakje tegen zijn lippen gehouden werd.

'Mooie medicijn, goeie medicijn!' mompelden de rimpelige lipjes in het gegroefde gezichtje. 'Drink nu maar, mijn kind, drink maar. Zal je goed doen!'

Atréjoe nam een slokje. Het smaakte vreemd, een beetje zoet en toch ook bitter.

'Hoe is het met de witte draak?' bracht hij met moeite uit.

''t Gaat al weer,' antwoordde het murmelstemmetje. 'Maak je maar geen zorgen, mijn jongske, hij wordt weer beter. Jullie worden alle twee weer beter. Het ergste hebben jullie achter de rug. Drink nog maar eens, toe maar!'

Atréjoe nam nog een slok en viel toen onmiddellijk weer in slaap. Maar dit keer was het de diepe, verkwikkende slaap die beter maakt.

De torenklok sloeg twee uur.

Bastiaan kon het niet langer meer onderdrukken: hij moest dringend naar de w.c. Hij moest al een hele tijd, maar hij had gewoon niet kunnen ophouden met lezen. En bovendien was hij een beetje bang naar beneden, de school in te gaan. Hij zei flink tegen zichzelf dat daar geen reden toe was, het gebouw was immers leeg en niemand zou hem zien. Desondanks was hij bang, alsof het schoolgebouw zelf een wezen was dat hem in de gaten zou houden.

Maar dat hielp nu allemaal niet meer, hij móést gewoon!

Hij legde het boek met de opengeslagen kant op de turnmat, stond op en liep naar de deur van de zolder. Met kloppend hart stond hij een poosje te luisteren. Hij schoof de grendel terug en draaide langzaam de sleutel om. Toen hij op de kruk drukte ging de deur luid knarsend open.

Op kousevoeten glipte hij naar buiten en liet de deur achter zich open om niet nog eens onnodig lawaai te maken. Toen sloop hij de trap af naar de eerste verdieping. Voor zich zag hij de lange gang met de spinaziegroene deuren van de lokalen. De w.c. van de leerlingen was aan het andere eind. Bastiaan had hoge nood en rende dus zo vlug hij kon. Hij bereikte het verlossende plaatsje letterlijk op het uiterste moment.

Terwijl hij op de w.c. zat vroeg hij zich af waarom de helden in verhalen als deze eigenlijk nooit met zulke problemen te maken hadden. Op een keer – toen hij nog veel kleiner was – had hij tijdens de godsdienstles gevraagd of Jezus ook eigenlijk als een gewoon mens naar de w.c. zou hebben gemoeten, omdat hij toch ook als een gewoon mens gegeten en gedronken had. De klas had slap gelegen van het lachen en de godsdienstleraar had een aantekening 'onbehoorlijk gedrag' gemaakt in het klasseboek. Maar een antwoord had Bastiaan niet gekregen. En ook had hij zich heus niet onbehoorlijk willen gedragen.

'Waarschijnlijk,' zei Bastiaan nu, 'zijn dit soort dingen gewoon te ondergeschikt en onbelangrijk om ze in zulke verhalen te hoeven vermelden.'

Hoewel ze voor hem soms wanhopig en beschamend belangrijk konden zijn.

Hij was klaar, trok door en wilde net weggaan toen hij op de gang plotseling stappen hoorde. De deuren van de leslokalen werden een voor een geopend en weer gesloten en de stappen kwamen steeds dichterbij.

Bastiaans hart klopte in zijn keel. Waar moest hij zich verstoppen? Hij bleef als verlamd staan waar hij stond.

De deur naar de toiletten ging open, maar gelukkig zo dat hij Bastiaan verborg. De conciërge stapte naar binnen. Op de rij af wierp hij een blik in de hokjes. Toen hij bij de w.c. kwam waar het water nog liep en de trekker nog slingerde, bleef hij even staan. Hij bromde wat binnensmonds, maar toen hij merkte dat het water ophield met lopen haalde hij zijn schouders op en vertrok. Zijn stappen stierven weg op de trap.

Bastiaan had de hele tijd niet durven ademen; nu zuchtte hij diep. Toen hij naar buiten wilde gaan, merkte hij dat zijn knieën trilden.

Voorzichtig en zo vlug hij maar kon glipte hij door de gang met zijn spinaziekleurige deuren, toen de trap op terug naar de zolder. Pas

74

toen hij de deur weer op slot had gedaan en ook de grendel erop had, viel de spanning van hem af.

Met een diepe zucht zette hij zich weer op zijn bed van turnmatten, hulde zich in de paardedeken en greep naar het boek.

Toen Atréjoe voor de tweede maal wakker werd voelde hij zich weer helemaal fris en sterk. Hij kwam overeind.

Het was nacht, de maan stond hel aan de hemel en Atréjoe zag dat hij zich op dezelfde plek bevond waar hij naast de witte draak in elkaar was gezakt. Ook Foechoer lag er nog steeds, maar hij ademde rustig en diep en scheen vast in slaap te zijn. Al zijn wonden waren verbonden.

Atréjoe bemerkte dat zijn eigen schouder ook behandeld was – weliswaar niet met verband, maar met kruiden en plantenvezels.

Slechts een paar stappen van hem vandaan bevond zich in de rots een kleine grot. Uit de ingang kwam een zacht lichtschijnsel.

Zonder zijn linkerarm te bewegen ging Atréjoe voorzichtig staan en liep naar de lage ingang van de grot. Hij boog zich voorover en ontwaarde in de grot een vertrek dat er uitzag als een alchemistenkeuken in het klein. Op de achtergrond knetterde in een open haard een lustig vuurtje. Overal stonden en lagen smeltkroezen, potten en zonderling gevormde flessen. In een kast lagen bundels gedroogde planten van verschillende soorten opgestapeld. Het tafeltje in het midden en de andere meubels schenen van wortelstronken in elkaar geflanst te zijn. In zijn geheel maakte de verblijfplaats een uiterst behaaglijke indruk.

Pas toen hij gekuch hoorde ontdekte Atréjoe dat in een leunstoel voor de haard een klein mannetje zat. Op zijn hoofd droeg hij een soort hoed van wortelhout, die er uitzag als een omgekeerde pijpekop. Zijn gezicht was net zo donkerbruin en verschrompeld als dat wat Atréjoe boven zich gezien had toen hij voor de eerste keer wakker werd. Maar nu stond er een grote bril op de neus en de gelaatstrekken waren scherper en zorgelijker. Het mannetje las in een groot boek, dat op zijn schoot lag.

En toen kwam wat onzeker op de benen uit een ander, verder naar achteren liggend vertrek een tweede kleine gestalte binnen, in wie Atréjoe dadelijk het wezen herkende dat zich eerder over hem ontfermd had. Nu pas zag hij dat het een vrouwtje was. Behalve de muts van bladeren droeg het – net als het mannetje op de stoel bij de haard –

75

een soort monnikspij, die eveneens scheen te bestaan uit verlepte bladeren. Het vrouwtje neuriede een vrolijk wijsje, wreef zich in de handen en ging toen wat in een ketel roeren die boven het vuur hing. De twee wezentjes reikten nauwelijks tot Atréjoe's knie. Het was duidelijk dat ze tot de wijdverspreide familie van de kabouters behoorden, zij het dan wel tamelijk ongewone.

'Vrouw,' zei het mannetje knorrig, 'ga uit mijn licht! Je hindert me bij mijn studie.'

'Jij ook altijd met je studie!' antwoordde het vrouwtje. 'Wie interesseert dat nou. Belangrijk is nu dat mijn genezend elixer klaarkomt. Die twee daar buiten hebben het nodig.'

'Die twee daar buiten,' zei het mannetje geprikkeld, 'zullen nog veel meer mijn raad en mijn hulp nodig hebben.'

'Dat zal best,' antwoordde het vrouwtje, 'maar wel pas als ze weer beter zijn. Opzij, man!'

Het mannetje schoof brommend zijn stoel wat van het vuur vandaan.

Atréjoe kuchte om de aandacht te trekken. Het kabouterpaartje keek op.

'Hij is al beter,' zei het mannetje, 'nu is het mijn beurt!'

'Niks daarvan!' zei het vrouwtje kijvend. 'Ik maak uit of hij beter is. Het is jouw beurt wanneer ik zeg dat het je beurt is!'

Toen wendde het zich tot Atréjoe.

'We zouden je graag binnenvragen. Maar het is hier wel wat te klein voor jou. Wacht maar even! Ik kom zo bij je.'

Zij wreef nog iets fijn in een vijzeltje en gooide het poeder vervolgens in het keteltje. Daarna waste zij haar handen, droogde die aan haar pij en zei tot het mannetje: 'En jij blijft zitten hier, Engywoeck, tot ik je roep. Begrepen?'

'Zo je wilt, Oergl,' bromde het mannetje.

Het kaboutervrouwtje kwam uit de grot naar buiten. Van daar beneden keek het Atréjoe met samengeknepen ogen onderzoekend aan.

'En? 't Gaat al heel goed, zou ik zo zeggen, hè?'

Atréjoe knikte.

Het vrouwtje klauterde op een uitstekend stuk rots dat haar op gelijke hoogte met Atréjoe's gezicht bracht en ging zitten.

'Geen pijn meer?' wilde het weten.

'Nee, nauwelijks,' antwoordde Atréjoe.

76

'Wat nou?' viel het vrouwtje met fonkelende oogjes tegen hem uit. 'Doet het pijn, of doet het geen pijn?'

'Het doet nog pijn,' maakte Atréjoe duidelijk, 'maar dat hindert niet...'

'Maar mij wèl!' brieste Oergl. 'Mooie boel als de patiënten de dokter zeggen of het wat hindert of niet! Wat heb jij daar voor verstand van, melkmuil! Het *moet* nog pijn doen, als het genezen wil. Als het namelijk geen pijn meer deed, dan was je arm al dood.'

'Neem me niet kwalijk!' zei Atréjoe, die zich danig in de hoek gezet voelde. 'Ik wilde alleen maar zeggen... ik bedoel, ik wilde u bedanken.'

'Ach, wat!' antwoordde Oergl stuurs. 'Ik ben per slot genezeres. Ik heb alleen mijn beroepsplicht gedaan. En Engywoeck, mijn man, zag het Pantakel dat om je hals hangt. Er was dus geen kwestie van dat we je niet zouden helpen.'

'En Foechoer,' vroeg Atréjoe, 'hoe gaat het met hem?'

'Wie is dat?'

'De witte geluksdraak.'

'O die! Weet ik niet. Die is wat erger gewond geraakt dan jij. Maar hij is er ook stellig beter tegen bestand. Hij zou het moeten redden. Ik ben er vrij zeker van dat hij weer opknapt met wat rust. Waar hebben jullie toch dat gif opgedaan? En hoe komen jullie zo opeens hier? En waar willen jullie naar toe? En wie zijn jullie?'

Engywoeck was nu ook naar de ingang van de grot gelopen en luisterde mee hoe Atréjoe de vragen van de oude Oergl beantwoordde. Toen stapte hij naar voren en riep: 'Houd je mond, vrouw! Nu is het mijn beurt!'

Vervolgens richtte hij zich tot Atréjoe, nam zijn pijpekopachtige hoed af, krabde op zijn kale hoofdje en zei: 'Je moet maar niet op haar toon letten, Atréjoe. De oude Oergl is vaak een beetje onbeschoft, maar ze bedoelt het niet zo. Mijn naam is Engywoeck. We worden ook wel de Uitgewekenen genoemd. Al eens van ons gehoord?'

'Nee,' moest Atréjoe toegeven.

Engywoeck scheen ietwat gekrenkt.

'Nou ja,' zei hij. 'Je komt zeker niet in wetenschappelijke kringen, anders hadden ze je zeker verteld dat je geen betere adviseur dan ik kunt vinden als je naar Oeyoelála in het Zuidelijk Orakel wilt. Je bent hier aan het juiste adres, m'n jongen.'

'Stel je niet zo aan!' viel de oude Oergl hem in de rede. Daarop klauterde ze van de plaats waar ze zat naar beneden en verdween brommerig in de grot.

Engywoeck deed net of hij haar verwijt niet had gehoord. 'Ik kan je alles vertellen,' vervolgde hij. 'Ik heb de kwestie mijn leven lang van alle kanten bestudeerd. Speciaal daarvoor heb ik mijn observatorium gebouwd. Ik zal binnenkort een omvangrijk wetenschappelijk werk over het Orakel publiceren. De titel luidt: Het Oeyoelála-raadsel, opgelost door professor Engywoeck. Klinkt goed, hè? Jammer genoeg mis ik echter nog een paar kleinigheden. Daar zou jij me bij kunnen helpen, m'n jongen.'

'Een observatorium?' vroeg Atréjoe, die nog nooit van dat woord gehoord had.

Engywoeck knikte met van trots fonkelende oogjes. Met een handgebaar nodigde hij Atréjoe uit hem te volgen.

Tussen de enorme stenen platen door liep een klein slingerpaadje almaar omhoog. Op sommige plaatsen waar het bijzonder steil omhoog ging waren treedjes uitgehakt, die voor Atréjoe's voeten natuurlijk te klein waren. Hij stapte er gewoon met een grote pas overheen. Desondanks kostte het hem alle moeite om de kabouter, die vlug voor hem uit trippelde, bij te houden.

'We hebben een heldere maannacht,' hoorde hij Engywoeck zeggen, 'je zult 'r kunnen zien.'

'Wie?' informeerde Atréjoe, 'Oeyoelála?'

Maar Engywoeck maakte een afwijzende beweging en hobbelde verder.

Uiteindelijk hadden ze de top van de rotstoren bereikt. De grond was er vlak, alleen naar een kant toe verrees een soort natuurlijke borstwering, een balustrade gevormd door een stenen plaat. In het midden van deze plaat zat een gat, dat er kennelijk met gereedschap was uitgebeiteld. Voor het gat stond een kleine sterrenkijker op een statief van wortelhout.

Engywoeck keek er doorheen, stelde de kijker wat beter in door aan een paar schroeven te draaien, knikte toen tevreden en nodigde Atréjoe uit er ook eens door te kijken. Dat deed Atréjoe, maar hij moest wel op de grond gaan liggen en op zijn ellebogen steunen om door de buis te kunnen kijken.

De kijker was gericht op de grote rotspoort en wel zo dat je het onderste stuk van de rechter pilaar in beeld had. En nu zag Atréjoe dat naast deze pilaar hoog opgericht en volkomen onbeweeglijk in het maanlicht een imposante sfinx zat. De voorpoten, waarop hij steunde, waren die van een leeuw, het achterdeel was dat van een stier, op zijn rug had hij reusachtige adelaarsvleugels en zijn gezicht was dat van een mens – althans naar de vorm, want de uitdrukking was niet menselijk. Het was moeilijk vast te stellen of het gezicht glimlachte, een onmeetbaar verdriet weerspiegelde of wel totale onverschilligheid. Nadat Atréjoe er een poosje naar had gekeken leek het hem dat het vervuld was van peilloos diepe kwaadaardigheid en wreedheid, maar meteen moest hij zijn indruk weer corrigeren en zag hij er enkel nog pure vrolijkheid in.

'Doe geen moeite!' hoorde hij de stem van de kabouter bij zijn oor. 'Je zult er niet achter komen. Zo vergaat het iedereen. Mij ook. Ik heb er mijn leven lang naar gekeken en ik ben er nog niet achter. Nu de andere!'

Hij draaide aan de schroeven en het beeld gleed voorbij de opening van de overwelfde poort, waarachter zich enkel de verre lege vlakte uitstrekte. En toen kwam de linker pilaar in beeld en hier zat in dezelfde houding een tweede sfinx. Zijn indrukwekkende lichaam glansde vreemd bleek als vloeibaar zilver in het maanlicht. Het was alsof hij de eerste sfinx strak aanstaarde, zoals ook de eerste onbeweeglijk in zíjn richting gekeken had.

'Zijn het beelden?' vroeg Atréjoe zachtjes, zonder zijn blik te kunnen afwenden.

'O nee,' antwoordde Engywoeck giechelend, 'het zijn echte, levende sfinxen – en hoe! Voorlopig heb je genoeg gezien. Kom mee, we gaan weer naar beneden. Daar zal ik je alles vertellen.'

Hij hield zijn hand voor de kijker zodat Atréjoe niets meer kon zien. Zonder iets te zeggen liepen zij de weg terug.

79

[F]

De drie Toverpoorten

FOECHOER sliep nog altijd toen Engywoeck en Atréjoe bij de kaboutergrot terugkeerden. De oude Oergl had intussen het tafeltje buiten gezet en er allerhande zoetigheden en ingedikte sappen van bessen en planten opgezet. Bovendien stonden er kleine drinknapjes en een kannetje vol geurige, warme kruidenthee. Twee piepkleine glazen lampen die met olie waren gevuld, vervolmaakten het geheel.

'Zitten gaan!' commandeerde het kaboutervrouwtje. 'Atréjoe moet eerst eens wat eten en drinken, opdat hij weer aansterkt. Medicijn alleen is niet genoeg.'

'Dank u wel,' zei Atréjoe, 'ik voel me al heel goed.'

'Geen tegenspraak!' brieste Oergl. 'Zolang je hier bent doe je wat je gezegd wordt. Begrepen? Het gif dat in je lichaam zit is geneutraliseerd. Je hoeft je dus niet meer te haasten, m'n jongen. Je hebt net zoveel tijd als je wilt – neem dan ook de tijd.'

'Het gaat niet alleen om mij,' protesteerde Atréjoe. 'De Kleine Keizerin ligt op sterven. Misschien is nu al ieder uur belangrijk.'

'Kletskoek!' bromde het kleine oude vrouwtje. 'Met haast bereikt een mens niks. Ga zitten! Eet! Drink! Schiet op! Komt er nog wat van?'

'Je kunt maar beter naar haar luisteren,' fluisterde Engywoeck. 'Ik heb zo mijn ervaring met 'r. Als ze eenmaal iets in 'r hoofd heeft, praat ze nergens anders over. Wij moeten trouwens ook veel bepraten, wij tweeën.'

En dus ging Atréjoe met gekruiste benen voor het kleine tafeltje zitten en bediende zich. Bij iedere slok en bij iedere hap had hij echt het gevoel alsof rijk, warm leven in zijn aderen en spieren stroomde. Pas nu merkte hij hoe verzwakt hij was geweest.

Bastiaan liep het water in de mond. Opeens was het net of hij de geur van de kaboutermaaltijd kon ruiken. Hij snoof om zich heen, maar hij had het zich natuurlijk maar verbeeld.

Hij kon zijn maag horen knorren. Hij hield het niet langer uit. Hij haalde de rest van zijn brood en de appel uit zijn tas en at alles op. Daarna voelde hij zich wat beter, hoewel hij nog lang niet verzadigd was.

Toen drong het tot hem door dat het zijn laatste maaltijd was geweest. Hij schrok van het woord en probeerde er niet meer aan te denken.

'Waar hebt u al die lekkere dingen vandaan?' vroeg Atréjoe aan Oergl.

'Ja, jochie,' zei ze, 'ik moet altijd een heel eind lopen, een heel eind, om de juiste kruiden en planten te vinden. Maar hij, die stijfkop van een Engywoeck, wil nu eenmaal uitgerekend hier wonen – vanwege zijn belangrijke studies! Hoe het eten op tafel komt interesseert hem niet.'

'Ach, vrouw,' antwoordde Engywoeck waardig, 'wat begrijp jij er nu van wat belangrijk is en wat niet. Sta op, ga weg en laat ons praten!'

Oergl trok zich mopperend terug in de kleine grot waar ze met allerlei vaatwerk lawaaierig te keer ging.

'Laat 'r maar!' mompelde Engywoeck. 'Ze is een brave oude ziel, maar ze moet soms wat te mopperen hebben. Luister, Atréjoe! Ik zal je nu iets over het Zuidelijk Orakel vertellen wat je weten moet. Het is niet eenvoudig tot Oeyoelála door te dringen. Zelfs erg moeilijk. Maar ik wil je niet op een wetenschappelijk betoog trakteren. 't Is misschien beter als jij vragen stelt. Ik besteed meestal te veel aandacht aan bijzaken. Vraag maar op!'

'Goed,' zei Atréjoe. 'Wie of wat is die Oeyoelála?'

'Verdikkeme,' bromde Engywoeck en keek hem met fonkelende ogen kwaad aan. 'Jouw vragen zijn al even direct als die van mijn vrouw. Kun je niet met wat anders beginnen?'

Atréjoe dacht even na en vroeg toen: 'Die grote rotspoort met de sfinxen die u me hebt laten zien – is dat de ingang?'

'Dàt is beter!' antwoordde Engywoeck. 'Zó komen we verder. De rotspoort is de ingang, maar daarna komen er nog twee poorten en pas achter de derde poort woont Oeyoelála – als je van haar dan al zeggen kunt dat ze *woont*.'

'Bent u zelf al eens bij haar geweest?'

'Wat denk je wel?' antwoordde Engywoeck, al weer wat ontstemd. 'Ik bestudeer de zaak tenslotte. Ik heb alle verhalen verzameld van wezens die binnen waren. Voor zover ze teruggekomen zijn, wel te verstaan. Het is erg belangrijk werk! Ik kan me geen persoonlijk risico veroorloven. Dat zou mijn werk kunnen beïnvloeden.'

'Dat begrijp ik, ja,' zei Atréjoe. 'En wat hebben die drie poorten nu te betekenen?'

Engywoeck stond op, kruiste de armen op de rug en ging op en neer lopen terwijl hij begon uit te leggen.

'De eerste heet de Grote Raadselpoort. De tweede heet de Toverspiegel Poort. En de derde heet de Poort Zonder Sleutel...'

'Merkwaardig,' viel Atréjoe hem in de rede, 'want zo ver ik zien kon was er achter die rotspoort niets anders dan een lege vlakte. Waar zijn die andere poorten dan?'

'Stilte!' snauwde Engywoeck, 'als je me maar steeds in de rede blijft vallen kan ik niks uitleggen. 't Is allemaal erg moeilijk. De zaak zit zo: de tweede poort is er pas als men door de eerste poort is gegaan. En de derde pas als je de tweede achter je hebt. En Oeyoelála pas als je door de derde bent gegaan. Daarvoor is er van dit alles niets. Het bestaat gewoon niet, begrijp je?'

Atréjoe knikte. Hij vond het beter niets te zeggen om de kabouter niet opnieuw boos te maken.

'De eerste, de Grote Raadselpoort, heb jij door mijn kijker gezien. Ook de twee sfinxen. Deze poort staat altijd open – dat spreekt vanzelf. Hij heeft immers helemaal geen deuren. Maar toch kan er niemand door, behalve' – hier stak Engywoeck een piepklein vingertje omhoog – 'behalve wanneer de sfinxen de ogen sluiten. En weet je waarom? De blik van een sfinx is iets totaal anders dan de blik van elk ander wezen. Jij en ik en alle anderen nemen met onze blik iets waar. Wij zien de wereld. Maar een sfinx ziet niks, die is in zekere zin blind. In plaats daarvan zenden zijn ogen iets uit. En wat is het dat zijn blik uitzendt? Alle raadsels van de wereld. Daarom kijken die twee sfinxen elkaar voortdurend aan. Want alleen een andere sfinx kan de blik van een sfinx verdragen. En stel je nu eens voor wat er gebeurt met iemand die zomaar het risico neemt het blikveld van allebei de sfinxen te doorkruisen! Hij verstijft ter plaatse en kan zich

83

niet meer bewegen voor hij alle raadsels van de wereld heeft opgelost. Nou, je zult de resten van zulke arme drommels aantreffen als jij naar binnen gaat.'

'Maar zei u niet,' wierp Atréjoe tegen, 'dat ze soms hun ogen dicht doen? Moeten ze niet af en toe slapen?'

'Slapen?' Engywoeck schudde van het lachen. 'Hemelse goedheid! Een sfinx en slapen! Nee, om de drommel niet! Jij snapt er ook niet veel van! Maar toch is je vraag niet helemaal verkeerd. Dat is zelfs precies het punt waaraan mijn onderzoek gewijd is. Bij sommige bezoekers sluiten de sfinxen hun ogen en laten ze door. Maar het probleem dat tot nu toe niemand heeft opgelost is: waarom doen ze dat bij de een wel en bij de ander niet? Het is namelijk bepaald niet zo dat ze de wijzen, de dapperen, de goeden laten passeren en de dommen, de laffen of de booswichten uitsluiten. Ja, dat had je gedacht! Ik heb het met eigen ogen gezien, en meer dan eens, dat ze juist een of andere getikte stommeling of een gemene schurk toegang verleenden, terwijl de keurigste en verstandigste lieden vaak maandenlang vergeefs stonden te wachten en tenslotte onverrichter zake weer vertrokken. Ook of iemand uit nood en ellende naar het Orakel wil of het zomaar eens voor de grap probeert, schijnt helemaal geen rol te spelen.'

'En heeft uw onderzoek helemaal geen aanknopingspunten opgeleverd?'

Onmiddellijk kreeg Engywoeck weer die kwade fonkelende blik in zijn ogen.

'Luister je nou, of niet? Dat heb ik toch net gezegd, dat niemand tot op heden het probleem heeft opgelost. Natuurlijk heb ik in de loop der jaren enkele theorieën uitgewerkt. Aanvankelijk dacht ik dat bepaalde lichamelijke kenmerken de doorslag gaven, zoals grootte, schoonheid, kracht, of iets dergelijks. Maar dat moest ik al gauw weer laten vallen. Toen heb ik geprobeerd bepaalde getalsverhoudingen vast te stellen. Bijvoorbeeld dat er van de vijf steeds drie uitgesloten blijven of dat alleen de priemgetallen toegang krijgen. Dat ging heel goed wat het verleden betreft, maar bij het voorspellen klopte er absoluut niets van. En nu ben ik van oordeel dat de beslissing van de sfinxen volmaakt toevallig is en alle zin mist. Maar mijn vrouw beweert dat dit een lasterlijke en bovenal onfantásische opvatting is die niets meer met wetenschap te maken heeft.'

'Kom je nu al weer met die onzin aanzetten?' kon je het kaboutervrouwtje op een kijftoon uit de grot horen roepen. 'Schaam je! Alleen omdat dat kleine beetje hersens in je hoofd ingedroogd is denk je dat je zomaar het bestaan van zulke grote geheimen kunt ontkennen, ouwe stijfkop!'

'Nu hoor je het eens!' zei Engywoeck zuchtend. 'En het ergste is nog dat ze gelijk heeft.'

'En de Amulet van de Kleine Keizerin,' vroeg Atréjoe, 'denkt u dat ze die niet zullen respecteren? Tenslotte zijn ook zij wezens van Fantásië.'

'O, jawel,' zei Engywoeck, en wiegde zijn appelhoofdje heen en weer. 'Maar dan zouden ze hem moeten *zien*. En ze zien toch niks. Maar hun blik zou je treffen. Ik ben er trouwens ook niet zo zeker van dat de sfinxen de Kleine Keizerin gehoorzamen. Misschien zijn ze wel groter dan zij. Ik weet het niet, ik weet het niet. In ieder geval is het zéér bedenkelijk.'

'Wat zou u mij dus aanraden?' wilde Atréjoe weten.

'Je zult moeten doen wat ze allemaal moeten doen,' antwoordde de kabouter. 'Wachten welke beslissing de sfinxen nemen – zonder te weten waarom.'

Atréjoe knikte, verdiept in zijn gedachten.

De kleine Oergl kwam de grot uit. Ze zeulde een emmertje met een dampende vloeistof mee en onder de andere arm had ze een paar bosjes gedroogde planten. Pratend in zichzelf liep ze naar de geluksdraak die nog steeds roerloos lag te slapen. Ze begon over hem heen te klauteren en de compressen op zijn wonden te vernieuwen. Haar reusachtige patiënt zuchtte maar eens tevreden en rekte zich uit, verder scheen hij van de behandeling nauwelijks iets te merken.

'Je zou je best ook een beetje nuttig kunnen maken,' zei ze tegen Engywoeck toen ze nog een keer terugliep naar de keuken, 'in plaats van hier maar te zitten en onzin uit te kramen.'

'Ik maak me zéér nuttig,' riep haar man haar na, 'misschien wel nuttiger dan jij. Maar dat begrijp je toch niet, dom mens!'

En zich weer tot Atréjoe richtend vervolgde hij: 'Ze kan alleen aan praktische dingen denken. Voor de grote lijn mist ze elk gevoel.'

De torenklok sloeg drie uur.

Als het al tot zijn vader was doorgedrongen dat hij niet thuis was zou hij het nu op zijn laatst gemerkt hebben. Zou hij zich zorgen

85

maken? Misschien zou hij er op uit gaan om hem te zoeken. Misschien had hij de politie al ingelicht. Tenslotte zouden ze opsporingsberichten op de radio doorgeven. Bastiaan voelde een steek in zijn maag.

En als het zo was, waar zouden ze hem dan gaan zoeken? In de school? Hier misschien zelfs, op de zolder?

Hij had toch wel de deur op slot gedaan toen hij van de w.c. kwam? Hij kon het zich niet meer herinneren. Hij stond op om te gaan kijken. Ja, de deur was op slot en ook de grendel zat er op.

Buiten begon het al langzaam schemerig te worden. Het licht dat door het dakraam viel werd onmerkbaar zwakker.

Om zijn onrust te verdrijven liep Bastiaan de zolder wat op en neer. Hij ontdekte nog een hoop andere dingen die eigenlijk niets met de school te maken hadden. Zoals bijvoorbeeld een oude grammofoon met een hoorn vol deuken – wanneer en door wie zou die hierheen gebracht zijn? In een hoek stonden verscheidene schilderijen in vergulde zwaar bewerkte lijsten, waar bijna niets meer op te zien was dan hier en daar een vaal, streng gezicht, dat uit de donkere achtergrond opdoemde. Ook was er een door roest aangevreten kandelaar met zeven armen, waar nog de stompjes van dikke waskaarsen in staken, die lange druipslierten gevormd hadden.

Opeens schrok Bastiaan. In een donkere hoek bewoog er iets. Toen hij beter keek zag hij dat daar een grote verweerde spiegel stond waarin hij vaag zichzelf had gezien. Hij liep er naar toe en bleef een poosje naar zichzelf staan kijken. Mooi was hij bepaald niet met zijn dikke lijf en zijn X-benen en zijn gezicht als een Edammer kaas. Langzaam schudde hij zijn hoofd en zei hardop: 'Nee!'

Daarna liep hij weer terug naar zijn bed van matten. Hij moest het boek nu al dicht bij zijn ogen houden om verder te kunnen lezen.

'Waar waren we gebleven?' vroeg Engywoeck.

'Bij de Grote Raadselpoort,' antwoordde Atréjoe hem weer op het spoor brengend.

'Ja, precies! Laten we aannemen dat het je gelukt is om er door te komen. Dan – en niet eerder – zal er voor jou de tweede poort zijn. De Toverspiegel Poort. Ik kan je daar, zoals gezegd, niets uit eigen waarneming over vertellen, maar enkel wat ik aan verslagen bijeen heb gegaard. Deze tweede poort is zowel open als gesloten. Dat klinkt

86

krankzinnig, hè?'t Is misschien beter om te zeggen dat hij noch open noch gesloten is. Hoewel het daardoor niet minder krankzinnig wordt. Kortom, het betreft een grote spiegel of zo iets, hoewel het ding noch uit glas, noch uit metaal bestaat. Waaruit dan wel heeft niemand me kunnen zeggen. In elk geval, als je er voor staat dan zie je jezelf – maar toch niet als in een gewone spiegel, natuurlijk. Je ziet niet je buitenkant, maar je ziet je ware innerlijk, zoals dat werkelijk is. Wie daar door wil, die moet – om het zo maar eens uit te drukken – inkeren tot zichzelf.'

'In elk geval,' dacht Atréjoe, 'lijkt het me makkelijker om door deze Toverspiegel Poort te gaan dan door die eerste.'

'Fout!' riep Engywoeck en begon weer opgewonden op en neer te lopen. 'Een kolossale vergissing, mijn vrind! Ik heb meegemaakt dat juist bezoekers die zichzelf bijzonder onberispelijk vonden huilend wegvluchtten van het monster dat ze uit de spiegel tegemoet grijnsde. Sommigen moesten wij zelfs wekenlang behandelen voor ze in staat waren aan de thuisreis te beginnen.'

'Wij!' bromde Oergl, die juist met een nieuw emmertje voorbijkwam. 'Ik hoor altijd maar wij. Wie heb jij dan wel behandeld?'

Engywoeck maakte slechts een afwijzend gebaar.

'Anderen,' vervolgde hij zijn betoog, 'hebben kennelijk nog veel verschrikkelijker dingen gezien, maar hadden de moed er toch door te gaan. Voor sommigen was het ook minder schrikwekkend, maar zelfoverwinning vraagt het van iedereen. Er is geen stelregel die voor iedereen geldt. Voor iedereen is het weer anders.'

'Akkoord,' zei Atréjoe, 'maar je *kunt* in elk geval door die toverspiegel heen?'

'Dat kun je,' beaamde de kabouter, 'natuurlijk kun je dat, anders was het geen poort. Dat is toch logisch?'

'Je kunt er toch ook omheen gaan,' zei Atréjoe, 'of niet?'

'Dat kun je,' herhaalde Engywoeck, 'dat kun je beslist! Maar dan is er daarachter niets meer. De derde poort is er pas als men door de tweede heen gegaan is, hoe vaak moet ik je dat nog zeggen!'

'En wat is er met die derde poort?'

'Hier wordt de zaak pas echt moeilijk! De Poort Zonder Sleutel is namelijk dicht. Gewoon dicht. Basta! Er is geen klink en geen knop en geen sleutelgat, niets! Volgens mijn theorie is de enige deur die erin zit en die hermetisch sluit, van Fantásisch seleen. Je weet mis-

schien dat er niets is waarmee je Fantásisch seleen vernietigen, ver-
buigen of oplossen kunt. Het is absoluut onverwoestbaar.'

'Je kunt deze poort dus gewoon niet door?'

'Niet zo vlug, niet zo vlug, mijn jongen! Er zijn immers lieden binnengekomen die ook nog met Oeyoelála hebben gepraat, niet waar?
Dus is de deur te openen.'

'Maar hoe?'

'Luister! Het Fantásische seleen, moet je weten, reageert op onze
wil. Het is nu juist onze wil die het zo onverzettelijk maakt. Hoe dringender men naar binnen wil, des te hechter sluit de deur zich. Maar
als iemand het presteert elk oogmerk te vergeten en helemaal niets te
willen – voor diegene gaat de deur helemaal vanzelf open.'

Atréjoe keek naar de grond en zei zachtjes: 'Als dat waar is – hoe zal
ik dan kans zien er door te komen? Hoe kan ik het nou niet willen?'

Engywoeck knikte zuchtend.

'Ik zei toch al: de Poort Zonder Sleutel is de moeilijkste.'

'En als het me dan toch lukken zou,' vervolgde Atréjoe, 'ben ik dan
in het Zuidelijk Orakel?'

'Ja,' antwoordde de kabouter.

'En zal ik dan met Oeyoelála kunnen spreken?'

'Ja,' antwoordde de kabouter.

'En wie of wat is Oeyoelála?'

'Geen idee,' zei de kabouter en zijn ogen fonkelden woest. 'Niemand van al diegenen die bij haar waren heeft het me willen onthullen. Hoe kan iemand zijn wetenschappelijk werk nou afmaken als
iedereen zich in een geheimzinnig zwijgen hult? 't Is om je haren uit
je hoofd te trekken – als je ze nog hebt. Als jij tot haar doordringt,
Atréjoe, wil jij het me dan eindelijk zeggen? Wil je dat doen? Ik sterf
nog eens aan weetgierigheid en niemand, niemand wil me helpen.
Beloof me alsjeblieft dat jij het me vertellen zult!'

Atréjoe ging staan en tuurde naar de Grote Raadselpoort, die daar
stond in het helle maanlicht.

'Ik kan het u niet beloven, Engywoeck,' zei hij zachtjes, 'hoewel ik
u graag mijn dankbaarheid zou bewijzen. Maar als niemand ooit gezegd heeft wie of wat Oeyoelála is, dan moet daar een reden voor zijn.
En eer ik die ken kan ik niet uitmaken of iemand die niet zelf voor haar
heeft gestaan het weten mag.'

'Maak dan dat je wegkomt!' snauwde de kabouter en zijn oogjes

88

schoten letterlijk vonken. 'Ondank is 's werelds loon! Dan doe je een leven lang je best een geheim van algemeen belang te doorgronden, maar hulp krijgen, ho maar! Ik had me helemaal niet met je moeten bemoeien!'

En met deze woorden holde hij de kleine grot in, en sloeg een kleine deur daar binnen krachtig achter zich dicht.

Oergl liep giechelend voorbij Atréjoe en zei: 'Dat bedoelt hij niet zo, die ouwe rimpelkop. Hij is alleen weer eens verschrikkelijk teleurgesteld vanwege zijn belachelijke onderzoek. Hij zou zo graag degene zijn die het grote raadsel heeft opgelost! De beroemde kabouter Engywoeck. Neem het hem maar niet kwalijk!'

'Nee,' zei Atréjoe. 'Zeg hem alstublieft dat ik hem van ganser harte bedank voor alles wat hij voor mij gedaan heeft. En ik wil u ook bedanken. Indien het me wordt toegestaan zal ik hem het geheim vertellen – als ik tenminste terugkom.'

'Wil je ons dan verlaten?' vroeg de oude Oergl.

'Ik moet,' antwoordde Atréjoe. 'Ik mag geen tijd verliezen. Ik ga nu naar het Orakel. Vaarwel! Pas intussen voor mij op Foechoer, de geluksdraak!'

En hiermee draaide hij zich om en liep weg in de richting van de Grote Raadselpoort.

Oergl zag zijn moedige gestalte met de wapperende mantel verdwijnen tussen de rotsen. Ze ging achter hem aan en riep: 'Veel geluk, Atréjoe!'

Maar ze wist niet of hij het nog gehoord had. Terwijl ze naar haar kleine grot terugschommelde, bromde ze in zichzelf: 'Hij zal het nodig hebben – reken maar dat hij veel geluk nodig zal hebben.'

Tot op ongeveer vijftig stappen was Atréjoe de rotspoort genaderd. De poort was veel kolossaler dan hij zich uit de verte had voorgesteld. Er achter lag de totaal lege vlakte die de ogen geen enkel houvast bood, zodat het was of de blik verloren ging in de leegte. Voor de poort en tussen de beide pilaren ontwaarde Atréjoe nu talloze schedels en geraamten: de beenderen van de meest uiteenlopende inwoners van Fantásië die geprobeerd hadden door de poort te gaan en die door de blik van de sfinxen verstijfd waren.

Maar toch was dit het niet dat Atréjoe er toe bracht stil te blijven staan. Wat hem zijn pas deed inhouden was de aanblik van de sfinxen.

Atréjoe had al heel wat meegemaakt tijdens zijn Grote Zoeken. Hij had het oogverblindende en het ontzettende gezien. Maar wat hij tot op dit moment niet had geweten was dat ze kunnen samenvallen, dat schoonheid verschrikkelijk kan zijn.

De indrukwekkende wezens baadden in het maanlicht en terwijl hij langzaam op ze toeliep schenen ze zich te verheffen tot in het oneindige. Het kwam hem voor dat ze met hun hoofden tot aan de maan reikten en de uitdrukking waarmee zij elkaar aankeken scheen met elke stap dat hij dichterbij kwam te veranderen. Door hun hoogopgerichte lijven, maar vooral door hun gezichten, die op die van mensen leken, joegen en sidderden stromen van een verschrikkelijke kracht – alsof ze niet gewoon bestonden zoals marmer nu eenmaal bestaat, maar alsof zij ieder moment konden verdwijnen en tegelijkertijd uit zichzelf opnieuw geschapen konden worden. En het was alsof zij juist daarom veel echter waren dan welke rots dan ook.

Atréjoe voelde angst.

Het was niet zozeer de angst voor het gevaar dat hem bedreigde, het was een angst die boven hemzelf uitging. Hij dacht er nauwelijks aan dat hij – ingeval de blik van de sfinxen hem treffen zou – voor eeuwig onbeweeglijk en verstijfd zou moeten blijven staan. Nee, het was de angst voor het ondoorgrondelijke, voor het onmeetbaar verhevene, voor de werkelijkheid van het oppermachtige die zijn stappen almaar moeizamer maakte – tot hij het gevoel had een koude grijze klomp lood te zijn.

Toch ging hij verder. Hij keek niet meer naar boven. Hij hield zijn hoofd gebogen en liep heel langzaam, stap voor stap, op de rotspoort toe. En almaar groter werd de druk van de angst die hem tegen de grond wilde persen. Maar hij liep verder. Hij wist niet of de sfinxen hun ogen dicht hadden of niet. Hij had geen moment te verliezen. Hij moest het er op aan laten komen of hij toegang zou krijgen of dat dit het einde van zijn Grote Zoeken was.

En juist op het moment dat hij meende dat al zijn wilskracht niet toereikend meer was om hem ook nog maar één stap verder te brengen, hoorde hij zijn voetstappen weerkaatsen in het inwendige van de rotspoort. En tegelijkertijd viel alle angst van hem af, zo volledig en totaal dat hij het gevoel had van nu af aan nooit meer angst te zullen voelen, wat er ook mocht gebeuren.

Hij richtte zijn hoofd op en zag dat de Grote Raadselpoort achter hem lag. De sfinxen hadden hem doorgelaten.

Vóór hem, maar zo'n twintig schreden van hem vandaan stond, waar voordien slechts de eindeloze lege vlakte te zien was geweest, de Toverspiegel Poort. Hij was groot en rond als een tweede maanschijf (want de echte zweefde nog altijd hoog aan de hemel) en glansde als blank zilver. Het was maar moeilijk te geloven dat je regelrecht door dit metalen vlak zou kunnen lopen, maar Atréjoe aarzelde geen moment. Hij hield er rekening mee, dat hij, zoals Engywoeck het beschreven had, een of ander angstwekkend beeld van zichzelf in de spiegel zou tegenkomen, maar dat scheen hem nu – nu hij alle angst achter zich had gelaten – nauwelijks nog van belang.

In plaats van een schrikbeeld zag hij evenwel iets waarop hij totaal niet gerekend had en dat hij ook niet begrijpen kon. Hij zag een dikke jongen met een bleek gezicht – ongeveer even oud als hijzelf – die met gekruiste benen op een stapel matten zat en een boek las. Hij was in grauwe, gescheurde dekens gewikkeld. De jongen had grote ogen, die er bedroefd uitzagen. Achter hem kon je in het schemerige licht een paar onbeweeglijke dieren ontwaren: een adelaar, een uil en een vos. En nog verder weg lichtte er iets op dat op een wit geraamte leek. Heel precies was het niet te zien.

Bastiaan kromp ineen toen het tot hem doordrong wat hij zojuist gelezen had. Dat was hijzelf! De beschrijving klopte tot in de kleinste bijzonderheden. Het boek in zijn handen begon te trillen. Nu ging het allemaal toch beslist te ver! Het kon toch niet waar zijn dat er in een gedrukt boek iets stond dat slechts op dit moment en slechts op hemzelf kon slaan. Ieder ander zou hier ditzelfde lezen. Het kon echt niet anders dan een krankzinnig toeval zijn. En het was beslist een hoogst merkwaardig toeval.

'Bastiaan,' zei hij hardop, 'je bent echt een fantast. Beheers je alsjeblieft!'

Hij had geprobeerd het op strenge toon te zeggen, maar zijn stem trilde een beetje, want hij was er niet al te overtuigd van dat het louter toeval was.

'Stel je voor,' dacht hij, 'dat ze in Fantásië echt wat van je weten. Dat zou ongelofelijk zijn.'

Maar hij durfde het niet hardop te zeggen.

Er plooide zich slechts een verwonderd lachje om Atréjoe's mond toen hij het spiegelbeeld binnenstapte – al was hij wel wat verbaasd dat iets wat anderen onoverkomelijk geschenen had hem zo gemakkelijk lukte. Maar terwijl hij door de spiegel stapte, beving hem een merkwaardige, prikkelende huivering. En hij had niet het geringste vermoeden wat er in werkelijkheid met hem gebeurd was.

Want toen hij aan de andere kant van de Toverspiegel Poort stond, had hij alle herinnering aan zichzelf, aan zijn leven tot dan toe en aan zijn oogmerken en plannen vergeten. Hij wist niets meer van het Grote Zoeken dat hem hier gebracht had en kende niet eens meer zijn eigen naam. Hij was als een pasgeboren kind.

Vlak voor zich, slechts enkele stappen van hem vandaan, zag hij de Poort Zonder Sleutel, maar Atréjoe kon zich deze benaming niet meer herinneren, en ook wist hij niet meer dat hij van plan was geweest om daar onderdoor te gaan om in het Zuidelijk Orakel terecht te komen. Hij wist absoluut niet wat hij daar wilde en moest doen en waarom hij hier was. Hij voelde zich opgewekt en erg vrolijk en hij lachte zomaar, gewoon van plezier.

De poort die hij voor zich zag was klein en laag als een gewone poort en stond helemaal op zichzelf – zonder aangrenzende muren – op de verlaten vlakte. En de deuren van deze poort waren dicht.

Een poosje bleef Atréjoe naar de poort staan kijken. Hij scheen uit een materiaal te bestaan met een koperrode glans. Het was best mooi, maar na enige tijd had Atréjoe er geen belangstelling meer voor. Hij liep om de poort heen en bekeek hem aan de achterkant. De poort zag er echter van achteren niet anders uit dan van voren. Er was geen klink en geen deurknop, en ook zat er geen sleutelgat in. Kennelijk was de deur niet te openen en waarom ook, nu hij immers nergens toe leidde en daar gewoon maar stond. Want achter de poort was alleen maar de uitgestrekte, egale en volkomen lege vlakte.

Atréjoe kreeg zin om weg te gaan. Hij keerde om en liep naar de ronde Toverspiegel Poort en bekeek daar een poosje de achterkant van zonder te begrijpen wat het te betekenen had. Hij besloot door te lopen,

'Nee, nee, niet doorlopen!' riep Bastiaan luidkeels. 'Je moet weer omkeren, Atréjoe! Je moet door de Poort Zonder Sleutel heen!'

liep toen echter toch weer naar de Poort Zonder Sleutel. Hij wilde nog eenmaal die koperrode glans bekijken. En dus stond hij weer voor de poort, boog naar links en naar rechts en genoot. Zachtjes gleed zijn hand over het vreemde metaal. Het voelde warm aan en zelfs levend. En de deur ging op een kiertje open.

Atréjoe stak zijn hoofd naar binnen en nu zag hij iets dat hij de eerste keer toen hij om de poort heen gelopen was niet aan de andere kant had gezien. Hij trok zijn hoofd weer terug en keek langs de poort heen: daar had je alleen de lege vlakte. Weer keek hij door de kier en zag een lange gang, gevormd door ontelbare reusachtige zuilen. En daarachter waren traptreden en andere zuilen en terrassen en weer trappen en een heel woud van zuilen. Maar op geen van die zuilen rustte een dak, want daarboven was de nachtelijke hemel te zien.

Atréjoe stapte de poort door en keek vol verbazing om zich heen. Achter hem viel de deur in het slot.

De torenklok sloeg vier uur.

Het sobere daglicht dat door het dakraam viel was bijna verdwenen. Het was gewoon te donker geworden om verder te lezen. De laatste bladzijde had Bastiaan met de grootste moeite nog kunnen ontcijferen. Hij legde het boek weg.

Wat zou hij nu gaan doen?

Vast en zeker was er op deze zolder elektrisch licht. In het halfduister liep Bastiaan op de tast naar de deur en voelde langs de muur, maar hij kon geen schakelaar vinden. Ook aan de andere kant was er geen.

Bastiaan haalde een doosje lucifers uit zijn broekzak (hij had er altijd wel wat bij zich omdat hij graag een vuurtje stookte), maar ze waren vochtig en pas de vierde deed het. Na het zwakke schijnsel van het vlammetje zocht hij een lichtschakelaar, maar er was er niet één.

Daar had hij niet op gerekend. De gedachte dat hij hier de hele avond en de hele nacht in het pikkedonker moest zitten deed hem de koude rillingen over de rug lopen. Hij was dan wel geen klein kind meer, en thuis of in een andere bekende omgeving was hij helemaal niet bang in het donker, maar hier boven op die reusachtige zolder met al die vreemde dingen om hem heen was het wel wat anders.

De lucifer schroeide zijn vingers en hij gooide hem weg.

Een tijdje bleef hij alleen maar staan luisteren. De regen was minder hevig geworden en roffelde nog maar heel zachtjes op het grote zinken dak.

Toen herinnerde hij zich de verroeste kandelaar met de zeven armen die hij tussen de rommel had ontdekt. Op de tast liep hij er naar toe, greep hem beet en trok hem mee naar zijn turnmatten.

Hij stak de pit van de dikke kaarsstompen aan – alle zeven – en weldra verspreidde zich een goudkleurig licht. De vlammen knetterden zachtjes en flakkerden soms wat in de trek.

Bastiaan herademde en greep naar het boek.

[G]

De Stem van de Stilte

GELUKKIG glimlachend dwaalde Atréjoe het woud van
zuilen binnen dat in het heldere maanlicht zwarte
schaduwen voortbracht. Een diepe stilte omringde hem.
Hij hoorde nauwelijks het stappen van zijn blote voeten.
Hij wist niet meer wie hij was en hoe hij heette, niet hoe hij
hier gekomen was en wat hij hier zocht. Hij was een en al
verbazing, maar ook totaal onbekommerd.

De vloer was overal bedekt met mozaïekwerk met raadselachtig ineen-
gestrengelde ornamenten of geheimzinnige taferelen en voorstellingen. Atréjoe liep er overheen, ging brede trappen op, kwam op weidse
terrassen, ging weer trappen af en liep door een lange laan die gevormd werd door stenen zuilen. Hij bekeek ze goed, de een na de
ander en het deed hem plezier dat elke zuil op een andere manier
versierd en met andere tekens bedekt was. Zo liep hij steeds verder
weg van de Poort Zonder Sleutel.
   Nadat hij, wie weet hoe lang, almaar zo was doorgelopen, hoorde
hij uiteindelijk uit de verte een zwevend geluid komen en hij bleef
staan om beter te kunnen luisteren. Het geluid kwam dichterbij; het
was een stem die zong, heel mooi en zuiver als klokjes en hoog als die
van een kind. Maar hij zong oneindig droef, ja, soms scheen hij zelfs
te snikken. Dit klaaglied liep zo snel als een zuchtje wind tussen de
zuilen door, bleef dan weer ergens staan, zweefde op en neer, kwam
dichterbij en verwijderde zich weer, en scheen in een wijde boog om
Atréjoe heen te draaien.
   Hij bewoog zich niet en wachtte af.
   Geleidelijk aan werden de cirkels die de stem om Atréjoe heen
beschreef kleiner en nu kon hij de woorden verstaan.
      'Ach, alles gebeurt slechts een enkele keer,
      maar alles moet één maal geschieden.
      Boven berg en dal, boven zee en meer
      verwaai ik eens, zal ik vervlieden...'

Atréjoe draaide met de Stem mee die rusteloos tussen de zuilen heen en weer vloog, maar hij kon er niemand zien.

'Wie ben je?' riep hij.

En als een echo kwam de Stem terug: 'Wie ben jij?'

Atréjoe dacht hierover na.

'Wie ik ben?' mompelde hij. 'Dat kan ik niet zeggen. Het is alsof ik het ooit wel eens geweten heb. Maar is dat dan belangrijk?'

De zingende Stem antwoordde:

'Wil jij iets vragen in 't geheim,
spreek dan in versvorm, spreek op rijm.
Want zegt men wat en is 't geen lied,
'k versta het niet – 'k versta het niet...'

Atréjoe was niet erg geoefend in het maken van rijmen en gedichten en hij had het idee dat het gesprek wel wat moeilijk verlopen zou als de Stem alleen verstond wat rijmde. Hij moest eerst een poosje piekeren voor hij uitbracht:

'Wordt deze vraag door jou erkend?
Ik wil graag weten wie jij bent.'

En meteen antwoordde de Stem:

'Nu neem ik je waar
heel duid'lijk en klaar!'

En toen zong de Stem uit een andere richting:

'Wees welkom, mijn vriend, want goed is je wil te
komen. Heb dank voor je reis!
Ik ben Oeyoelála, de Stem van de Stilte
in het Diepe Geheimen Paleis.'

Het viel Atréjoe op dat de Stem soms luid en soms heel zacht klonk, maar nooit helemaal verstomde. Ook als de Stem geen woorden zong, of wanneer hijzelf praatte, steeds zweefde er een toon om hem heen.

Omdat het geluid zich langzaam van hem verwijderd had, liep hij het na en vroeg:

'Zeg Oeyoelála, hoor jij mijn vraag?
Ik kan je niet zien, maar ik wil het wel graag!'

De Stem zoefde langs zijn oor:

'Geen kan mij aanschouwen,
waarheen ik ook ga.
Maar wil mij vertrouwen
dat ik toch besta.'

'Je bent dus onzichtbaar?' vroeg hij. Maar toen het antwoord uitbleef, herinnerde hij zich dat hij het in de vorm van een versje moest vragen en zei:
> 'Ben je alleen maar onzichtbaar –
> of ook zelfs niet tastbaar?'

Er was iets als het zachte gelui van klokken te horen, dat gelach kon zijn, maar ook gesnik, en toen zong de Stem:
> 'Ja en nee en geen van beî,
> moet mijn antwoord zijn.
> Daar ik – anders dus dan jij –
> nooit in het licht verschijn.
> Mijn lichaam is slechts klank en toon,
> hoorbaar, zacht of luid,
> en mijn stem maakt dus gewoon
> heel mijn wezen uit.'

Atréjoe verwonderde zich hierover en liep steeds verder achter de Stem aan, kriskras door het zuilenwoud. Na een tijdje had hij een nieuwe vraag klaar.
> 'Heb ik je dus goed beluisterd,
> dan is je gedaante slechts dit klinken.
> En je zou in 't niet verzinken,
> als je stem niet langer fluistert?'

Daarop hoorde hij het antwoord weer heel dichtbij:
> 'Loopt het op z'n eind, mijn lied,
> dan zal het met mij gaan,
> zoals met anderen geschiedt
> wier lichamen vergaan.
> Dat is de loop der dingen:
> ik leef slechts door mijn zingen.
> Maar niet lang zal ik nog bestaan.'

Nu was er weer dat snikken te horen en Atréjoe, die niet begreep waarom Oeyoelála huilde, haastte zich te vragen:
> 'Waarom ben je zo verdrietig? Zeg het me gezwind!
> Je moet toch nog heel jong zijn? Je klinkt nog als een kind.'

En weer klonk het als een echo:
> 'Dra waait de wind mij weg.
> Als lied kan ik slechts klagen.
> Hoor, hoe de tijd verstrijkt…

99

Nu moet je vragen, vragen!
Wat wil je dat ik zeg?'
De Stem was ergens tussen de zuilen weggestorven en Atréjoe, die
hem niet meer horen kon, draaide zijn hoofd luisterend naar alle
kanten. Korte tijd bleef het stil, maar toen kwam het zingen vanuit de
verte weer snel dichterbij en nu klonk het bijna ongeduldig:
'Oeyoelála is antwoord. O, raadpleeg haar toch!
Als jij haar niets vraagt, wat rest haar dan nog?'
En Atréjoe riep haar tegemoet:
'Oeyoelála, o help me, ik begrijp nog niet goed,
waarom jij straks verwaaien en verdwijnen moet.'
En de Stem zong:
'Weg kwijnt de Kleine Keizerin
en ook het Fantásische Rijk.
Het Niets zal verzwelgen waar ik mij bevind,
en mijn lot is daaraan dan gelijk.
We zullen verdwijnen in 't Nergens en Nooit,
als hadden wij nimmer bestaan.
Met een nieuwe naam moet zij weer getooid,
dan vangt haar genezing eerst aan.'
Atréjoe antwoordde:
'Zeg op, Oeyoelála, wie redt nu haar leven?
Wie moet haar die nieuwe naam dan geven?'
En de stem vervolgde:
'Hoor toch, hoor hoe mijn woorden klinken,
al begrijp je ze nu dan nog niet!
Laat ze diep in je geheugen bezinken,
en verlaat dan pas dit gebied.
Maar weet ze gaaf en zoals wij ze riepen,
uit je herinnering op te diepen,
wanneer er een betere tijd weer daagt.
Alles hangt er van af of jij slaagt.'
Een tijdje was er alleen maar een klagend geluid zonder woorden te
horen en toen opeens klonk het heel dicht bij Atréjoe, alsof iemand in
zijn oor praatte:
'Wie kan de Kleine Keizerin
een nieuwe naam gaan geven?
Noch jij, noch ik, geen elf, geen djinn,

geen van ons redt haar leven.
En niemand verlost ons van de vloek;
door niemand werd die gezonden.
Wij zijn maar figuren in een boek
en doen waarvoor wij zijn uitgevonden.
Als dromen en beelden in een verhaal,
zo moeten wij zijn, die we zijn.
Voor werkelijk scheppen ontbreekt ons de taal,
bij groten zowel als bij klein.
Maar buiten Fantásië is er een rijk –
je kunt er niet zomaar naar toe –
en zij die daar wonen – nou, die zijn rijk,
daar gaat het heel anders – en hoe!
De zonen van Adam – zo maakt men gewag
van bewoners van het aardse oord,
de dochters van Eva, het mensengeslacht
de broeders van het ware woord.
Zij allen hebben sinds 't oerbegin
de gave om namen te geven.
Zij schonken de Kleine Keizerin
te allen tijde nieuw leven.
Zij gaven haar nieuwe en prachtige namen;
ik spreek nu van weleer
toen er mensen naar ons, naar Fantásië kwamen.
Maar zij weten de weg niet meer.
En geen die ons geloofwaardig nog vindt.
Ze zeggen: "Dat is tóch niet waar!"
Ach, kwam er maar één enkel mensenkind,
dan was het hier zó voor elkaar!
Ach, was er slechts één die nog geloven wou,
en ons roepen had vernomen!
Dichtbij is 't voor hen, voor ons echter zou
het te ver zijn om daarheen te komen.
Hun wereld is ons tegenovergesteld,
daar komen wij nimmer terecht –
maar zul jij onthouden, mijn jonge held,
wat Oeyoelála je zegt?'
'Ja,' antwoordde Atréjoe in opperste verwarring. Hij deed alle moeite

om wat hij hoorde in zijn geheugen te prenten, maar hij wist immers
niet waarom, en daarom begreep hij niet waar de Stem het over had.
Hij voelde alleen dat het erg belangrijk was, maar het ritmische spreken en de inspanning alles in rijm te horen en te zeggen maakte hem
slaperig. Hij mompelde:

'Dat zal ik! Ik zal 't niet vergeten, o nee!
Maar zeg me toch ook: wat begin ik ermee?'
En de Stem antwoordde:
'Dat moet je zelf beslissen.
Ik gaf je mijn bescheid.
Mijn vriend, ik zal je missen –
het is de hoogste tijd!'
Half slapend al, vroeg Atréjoe:
'Ga je dan weg?
Waarheen? O, zeg!'
Nu klonk er weer dat snikken in de Stem, die zich nu steeds verder
verwijderde terwijl ze zong:
'Dichtbij is het Niets gekomen.
Nu zwijgt het Orakel stil.
Geen stem wordt meer vernomen,
die fluist'ren en zingen wil.
Van allen die bij mij kwamen
in deze zuilenschrijn
en die mijn stem vernamen,
zul jij de laatste zijn.
Misschien, waar elk moest falen,
slaag jij. Je bent nog jong!
Maar wil je het behalen,
onthoud dan wat ik zong!'
En toen, vanuit een nog verdere verte, hoorde Atréjoe nog de woor-
den:
'Boven berg en dal, boven zee en meer
verwaai ik eens, zal ik vervlieden…
Ach, alles gebeurt slechts een enkele keer,
maar alles moet één maal geschieden…'
Dit was het laatste wat Atréjoe hoorde.

Hij ging zitten, zijn rug tegen een zuil geleund. Omhoog kijkend
naar de nachtelijke hemel probeerde hij te begrijpen wat hij gehoord

had. Als een zachte, zware mantel legde de stilte zich over hem heen en hij viel in slaap.

Toen hij ontwaakte hing er een koude ochtendschemer om hem heen. Hij lag op zijn rug en keek naar de hemel. De laatste sterren verbleekten. De stem van Oeyoelála klonk nog na in zijn herinnering. En tegelijk wist hij weer alles wat hij tot dan toe beleefd had en wat het doel van zijn Grote Zoeken was.

Nu wist hij dus eindelijk wat hem te doen stond. Alleen een mensenkind uit de wereld buiten de grenzen van Fantásië kon de Kleine Keizerin een nieuwe naam geven. Hij moest een mensenkind vinden en dat bij haar brengen!

Met een ruk richtte hij zich op.

'Ach,' dacht Bastiaan, 'hoe graag zou ik haar helpen – haar, maar ook Atréjoe. Ik zou een heel erg mooie naam verzinnen. Als ik maar wist hoe ik bij Atréjoe kon komen! Ik zou meteen gaan. Wat zou hij opkijken, als ik er opeens zou zijn! Maar jammer genoeg gaat zo iets niet.'

En toen zei hij zachtjes: 'Als er een of andere manier is om bij jullie te komen, zeg het me dan. Dan kom ik vast en zeker, Atréjoe! Let maar eens op!'

Toen Atréjoe om zich heen keek zag hij dat het zuilenwoud met zijn trappen en terrassen verdwenen was. Rondom hem lag enkel die volkomen lege vlakte die hij achter elk van de drie magische poorten gezien had, voor hij er doorheen was gegaan. Maar nu was noch de Poort Zonder Sleutel, noch de Toverspiegel Poort er meer.

Hij kwam overeind en tuurde naar alle kanten. En nu ontdekte hij dat zich midden op de vlakte, niet eens zo erg ver van hem vandaan, net zo'n plek gevormd had als hij al eens in het Heulebos had gezien. Maar dit keer was hij veel dichterbij. Hij keerde zich om en begon zo hard hij kon de andere kant op te rennen.

Pas nadat hij lange tijd zijn vlucht had voortgezet, ontdekte Atréjoe in de verte aan de horizon een kleine verhoging, die misschien wel het uit roestkleurige rotsplaten gevormde berglandschap zou kunnen zijn waarin zich de Grote Raadselpoort bevond.

Hij holde er naar toe, maar hij moest lang lopen eer hij er dicht genoeg bij was om bijzonderheden te onderscheiden. En toen begon hij pas te twijfelen. Goed, er bevond zich daar wel iets dat op dat landschap van rotsplaten leek, maar een poort kon hij niet ontdekken. En de stenen platen waren niet meer roestrood, maar grauw en kleurloos.

Toen hij nog een hele tijd had gelopen, ontwaarde hij pas dat er tussen de rotsen inderdaad een uitsparing was, die op de onderkant van de poort leek, maar een boog welfde zich er niet meer overheen. Wat was er gebeurd?

Het antwoord kreeg hij pas vele uren later, toen hij eindelijk de plek bereikt had. De reusachtige stenen boog was ingestort – en de sfinxen waren weg!

Atréjoe zocht zich een weg door de brokstukken, klauterde vervolgens op een piramide van steenplaten en keek uit naar de plaats waar de Uitgewekenen en de geluksdraak zich moesten bevinden. Of zouden zij inmiddels ook gevlucht zijn voor het Niets?

En toen zag hij hoe er achter de rotsbalustrade van Engywoecks observatorium werd gezwaaid met een klein vlaggetje. Atréjoe wuifde met beide handen en schreeuwde nadat hij zijn handen aan zijn mond gebracht had: 'Hallo! Zijn jullie daar nog?'

Zijn stem was nog niet weggestorven of uit het ravijn waarin zich de grot van de Uitgewekenen bevond verhief zich een als parelmoer glanzende, witte geluksdraak: Foechoer.

Met prachtige, langzame bewegingen, als een kronkelende slang, vloog hij door de lucht, zich daarbij enkele malen overmoedig op de rug kerend en vliegensvlug rondwervelend, zodat hij er uitzag als een lekkende, witte vlam, en landde vervolgens voor de stenen piramide waar Atréjoe op stond. Hij drukte zich op zijn voorpoten omhoog en was nu zo groot dat zijn kop op de hooggebogen nek op Atréjoe neerkeek. Hij rolde met zijn robijnrode oogballen, stak van louter plezier zijn tong uit zijn wijd opengesperde muil en zei toen met een donker dreunende stem: 'Atréjoe, mijn vriend en mijn meester! Hoe goed dat je eindelijk weer teruggekomen bent. Wij hadden bijna de hoop opgegeven – dat wil zeggen, de Uitgewekenen, ik niet!'

'Ik ben ook blij jou weer terug te zien,' antwoordde Atréjoe. 'Maar wat is er in deze ene nacht toch allemaal gebeurd?'

'Een nacht?' riep Foechoer uit. 'Denk je dat het maar één nacht was? Nou, daar zul je nog van opkijken! Stap op, ik zal je dragen!'

Atréjoe klom op de rug van het grootse dier. Het was voor het eerst

104

dat hij op de rug van een geluksdraak zat. En ofschoon hij dan al wel wilde paarden had afgericht en bepaald niet bang was, verging hem bijna horen en zien tijdens deze korte rit door de lucht. Hij klemde zich zo stevig aan Foechoers wapperende manen vast dat deze donderend lachte en uitriep: 'Daaraan zul je vanaf nu moeten wennen, Atréjoe!'

'Hoe dan ook, het lijkt me,' schreeuwde Atréjoe naar adem happend terug, 'dat je weer helemaal beter bent!'

'Bijna,' antwoordde de draak, 'nog niet helemaal!'

En toen landden ze voor de grotwoning van de Uitgewekenen. Engywoeck en Oergl stonden hen naast elkaar voor de ingang op te wachten.

'Wat heb je allemaal meegemaakt,' snaterde Engywoeck er meteen op los. 'Je moet me alles vertellen! Hoe zit dat met die poorten? Klopt mijn theorie daarover? Wie of wat is Oeyoelála?'

'Niks daarvan!' snoerde de oude Oergl hem de mond. Nu moet hij eerst eens wat eten en drinken. 'k Heb tenslotte niet voor niets staan koken en bakken. Voor jouw nutteloze nieuwsgierigheid is nog tijd genoeg over!'

Atréjoe was van de rug van de draak geklommen en begroette het kabouterpaar. Vervolgens gingen zij alle drie aan het tafeltje zitten waarop weer allerlei heerlijke dingen en een kannetje dampende kruidenthee stonden.

De torenklok sloeg vijf uur. Met weemoed dacht Bastiaan aan de twee repen hazelnootchocola, die hij thuis in zijn nachtkastje bewaarde – voor als hij 's nachts eens trek zou krijgen. Als hij ook maar vermoed had dat hij daar nooit weer terug zou komen, had hij ze als noodrantsoen mee kunnen nemen. Maar daar viel nu niets meer aan te veranderen. Het was beter er maar niet meer aan te denken!

Foechoer ging zo in het kleine rotsdal liggen dat zijn reusachtige kop naast Atréjoe lag en hij alles horen kon.

'Moet je je voorstellen,' riep hij uit, 'mijn vriend en meester denkt dat hij maar één nacht weggeweest is!'

'Is dat dan niet zo?' vroeg Atréjoe.

'Het waren zeven dagen en zeven nachten!' zei Foechoer. 'Kijk maar, al mijn wonden zijn genezen!'

Pas nu viel het Atréjoe op dat ook zijn eigen wond genezen was. Het kruidenverband was er af gevallen. Hij verbaasde zich daarover. 'Hoe is dat mogelijk? Ik ben de drie Toverpoorten doorgegaan, ik heb met Oeyoelála gesproken en toen ben ik in slaap gevallen – maar zo lang kan ik toch onmogelijk geslapen hebben?'

'Ruimte en tijd,' zei Engywoeck, 'moeten daarbinnen iets anders zijn dan hier. Desalniettemin is er nog niemand vóór jou zo lang als jij in het Orakel gebleven. Wat is er gebeurd? Vertel nu eens wat!'

'Eerst zou ik graag willen weten wat er *hier* gebeurd is,' antwoordde Atréjoe.

'Dat zie je toch zelf,' zei Engywoeck, 'alle kleuren zijn verdwenen. Alles wordt steeds onwerkelijker. De Grote Raadselpoort is er niet meer. 't Lijkt wel of ook hier de vernietiging begonnen is.'

'En de sfinxen?' wilde Atréjoe weten. 'Waar zijn die naar toe? Zijn ze weggevlogen? Hebben jullie het gezien?'

'We hebben niets gezien,' bromde Engywoeck. 'We hadden gehoopt dat jij ons er iets over vertellen kon. De boog van de poort was opeens ingestort, maar niemand van ons heeft het gehoord of gezien. Ik ben er zelfs naar toe gelopen en heb de ruïne onderzocht. En weet je wat ik daar ontdekte? De brokstukken zijn oeroud en begroeid met grijs mos alsof ze daar al eeuwen onveranderd hebben gelegen, alsof er helemaal nooit een Grote Raadselpoort heeft bestaan.'

'En toch was hij er,' zei Atréjoe zachtjes, 'want ik ben er doorheen gelopen en ook door de Toverspiegel Poort en tenslotte door de Poort Zonder Sleutel.'

En nu vertelde Atréjoe alles wat hij meegemaakt had. Zonder moeite kon hij zich iedere bijzonderheid herinneren.

Engywoeck, die in het begin altijd met enthousiaste tussenvragen kwam om nog preciezere beschrijvingen te horen, werd tijdens het vertellen steeds minder spraakzaam. En toen Atréjoe tenslotte bijna woord voor woord herhaalde wat Oeyoelála hem onthuld had, zei hij niets meer. Zijn rimpelige gezichtje drukte een intens verdriet uit.

'Nu kent u het geheim dus,' besloot Atréjoe zijn verslag. 'U wilde het toch beslist weten? Oeyoelála is een wezen dat alleen uit een stem bestaat. Haar gedaante is alleen hoorbaar. Zij is daar waar zij klinkt.'

Een poosje deed Engywoeck er het zwijgen toe, toen zei hij met schorre stem: 'Zij *was* daar, zul je bedoelen.'

'Ja,' antwoordde Atréjoe. 'Volgens haar eigen woorden ben ik de laatste geweest tegen wie zij gesproken heeft.'

Over Engywoecks rimpelige gezichtje liepen twee traantjes. 'Tevergeefs!' kreunde hij. 'Mijn hele levenswerk, mijn onderzoek, mijn jarenlange waarnemingen – alles tevergeefs! Eindelijk wordt mij de laatste schakel voor mijn wetenschappelijk stelsel aangereikt, eindelijk kon ik het afsluiten, eindelijk kon ik het laatste hoofdstuk schrijven – en uitgerekend nu is er niets meer, is het totaal overbodig, heeft het voor niemand meer nut, is het geen fluit meer waard, interesseert het geen uilskuiken meer omdat de zaak waar het om draait niet meer bestaat! Afgelopen, uit, en slaap lekker!'

Hij schokte zo van het snikken dat het leek of hij een hoestaanval had. De oude Oergl keek hem medelijdend aan, streek hem over zijn kale hoofdje en bromde: 'Arme, ouwe Engywoeck! Arme, ouwe Engywoeck! Wees niet zo teleurgesteld. Er komt vast wel weer wat anders.'

'Vrouw!' snauwde Engywoeck tegen haar en zijn oogjes fonkelden. 'Wat jij hier ziet is geen arme, ouwe Engywoeck, maar een tragische figuur!'

En zoals al eens eerder rende hij de grot in en kon je horen dat er met een deurtje werd geslagen. Oergl schudde zuchtend haar hoofd en mompelde: 'Hij zegt maar wat. 't Is een beste, arme kerel, alleen volkomen getikt.'

Toen de maaltijd afgelopen was stond Oergl op en zei: 'Ik zal onze spulletjes maar gaan pakken. Veel is het niet wat we kunnen meenemen, maar ik neem van alles wat. Ja, dat moet ik nu maar gaan doen.'

'Wilt u beiden hier dan weggaan?' vroeg Atréjoe.

Oergl knikte bedroefd. 'Er blijft ons niets anders over. Waar de vernietiging om zich heen grijpt groeit er toch niets meer. En voor mijn ouwetje is er immers ook geen reden meer om te blijven. We moeten maar zien hoe het verder gaat. Op de een of andere manier zal het wel lukken. En jullie? Wat zijn jullie plannen?'

'Ik moet doen wat Oeyoelála gezegd heeft,' antwoordde Atréjoe. 'Ik moet proberen een mensenkind te vinden en het naar de Kleine Keizerin brengen, opdat zij een nieuwe naam krijgt.'

'En waar wil je het zoeken, dat mensenkind?' vroeg Oergl.

'Dat weet ik zelf niet,' zei Atréjoe. 'Voorbij de grenzen van Fantásië helemaal.'

'Dat zal ons best lukken,' zei nu Foechoer met zijn stem als een

bronzen klok. 'Ik zal je dragen. Je zult zien dat we geluk hebben!'
'Nou,' bromde Oergl, 'maak dan maar gauw dat je wegkomt!'
'Kunnen wij u misschien een eind meenemen?' stelde Atréjoe voor.
'Dat ontbrak er nog net aan!' antwoordde Oergl. 'Nooit van m'n
leven zul je mij de lucht in zien gaan. Nette kabouters houden vaste
grond onder hun voeten. Bovendien hoeven jullie niet met ons rekening te houden, jullie hebben wel wat belangrijkers te doen, jullie
twee – voor ons allemaal.'

'Maar ik zou u graag mijn dankbaarheid bewijzen,' zei Atréjoe.

'Dat doe je het best,' knorde Oergl, 'door geen tijd meer met die
nutteloze praatjes te verdoen, maar dadelijk op te stijgen.'

'Ze heeft gelijk,' zei Foechoer. 'Kom, Atréjoe!'

Atréjoe sprong op de rug van de geluksdraak. Nog één keer draaide
hij zich om naar de kleine, oude Oergl en riep: 'Vaarwel!'

Maar ze was al in haar grotje, aan het pakken.

Toen zij een paar uur later met Engywoeck naar buiten kwam,
droeg elk van hen een hoogopgetaste korf op de rug, en ze waren weer
druk aan het ruzie maken. En zo waggelden ze op kleine kromme
beentjes weg zonder zich ook maar één keer om te draaien.

Overigens werd Engywoeck later nog zeer vermaard, zelfs de beroemdste kabouter van zijn familie; dat was echter niet om zijn
wetenschappelijk onderzoek. Maar dat is een ander verhaal en moet
later maar eens worden verteld.

Op het moment dat de Uitgewekenen op pad gingen, suisde Atréjoe op Foechoers rug al ver, heel ver daar vandaan door de lucht
boven Fantásië.

Onwillekeurig keek Bastiaan naar het dakraam en stelde zich voor hoe
het zijn zou als hij daar hoog aan de hemel, die al bijna helemaal
donker was, plotseling de geluksdraak als een witte lekkende vlam
dichterbij zou zien komen – als zij beiden komen zouden om hem af te
halen!

'Ach,' zuchtte hij, 'dat zou nog eens wat zijn!'

Hij kon hen helpen – en zij hem. Het zou voor hen allemaal de
redding zijn.

[H]

In het Land van
de Onzaligen

HOOG door de lucht reed Atréjoe voort. Zijn rode mantel wapperde breed en statig achter hem aan. Zijn bos
blauwzwarte haren die met een leren koordje bijeen gebonden waren fladderde in de wind. Met langzame, gelijkmatige golfbewegingen gleed Foechoer, de witte geluksdraak, door de nevels en de wolkenflarden. Op en neer en
op en neer en op en neer...

Hoe lang waren ze nu al onderweg? Dagen en nachten en nog eens
dagen – Atréjoe wist niet meer hoe lang. De draak kon ook slapend
vliegen, almaar, almaar verder en Atréjoe dommelde soms in, stevig
vastgeklemd aan de witte manen van de draak. Het was echter een
lichte en onrustige slaap. En dat was de reden dat ook zijn waken
meer en meer een droom werd waarin niets meer duidelijk was.

Beneden in de diepte schoven vage gebergten voorbij, landschap-
pen en zeeën, eilanden en rivieren... Atréjoe lette er niet meer op en
spoorde ook zijn rijdier niet aan zoals hij dit de eerste tijd gedaan had
toen zij van het Zuidelijk Orakel vertrokken waren. In het begin was
hij nog ongeduldig geweest, want hij had gedacht dat het op de rug
van een geluksdraak niet al te moeilijk kon zijn de grens van Fantásië
te bereiken – en voorbij de grens het Buitenrijk, waar de mensenkinderen wonen.

Hij had niet geweten hoe groot Fantásië was.

Nu vocht hij tegen de loodzware vermoeidheid die zich van hem
meester wilde maken. Zijn donkere ogen, die anders zo scherp waren
als die van een jonge adelaar, konden zich niet meer op de verte in-
stellen. Af en toe vermande hij zich, richtte zich hoog op en tuurde
om zich heen, maar al gauw zakte hij weer in elkaar en staarde nog
slechts voor zich uit naar het lange, lenige drakelijf, waarvan de
parelmoerkleurige schubben roze en wit glansden. Ook Foechoer was

doodmoe. Zelfs zijn krachten, die onuitputtelijk hadden geleken, liepen meer en meer op hun eind.

Verscheidene keren hadden ze tijdens de lange vlucht onder zich de plekken in het landschap gezien waar het Niets zich uitbreidde en waar je niet naar kijken kon zonder het gevoel te hebben blind te zijn. Veel van deze plekken schenen van zo'n hoogte gezien verhoudingsgewijs nog klein, maar er waren er ook die een groot gebied besloegen en zich tot over de horizon uitstrekten. Angst had zich van de geluksdraak en zijn berijder meester gemaakt en zij waren uitgeweken en in een andere richting verder gevlogen om dit verschrikkelijke niet te hoeven zien. Het is echter een eigenaardig verschijnsel dat het verschrikkelijke zijn angstaanjagendheid verliest als het zich steeds herhaalt. En omdat er niet minder, maar steeds meer plekken kwamen die door de vernietiging waren aangetast, waren Foechoer en Atréjoe er steeds meer aan gewend geraakt – of liever, er was iets van onverschilligheid over hen gekomen. Ze letten er nog maar nauwelijks op.

Al een hele tijd hadden ze niet meer met elkaar gepraat toen Foechoer plotseling zijn donkere stem liet horen.

'Atréjoe, mijn kleine meester, slaap je?'

'Nee,' zei Atréjoe, hoewel hij eigenlijk in een bange droom verstrikt was geweest. 'Wat is er, Foechoer?'

'Ik vraag me af of het niet verstandiger is maar om te keren.'

'Omkeren? Waarheen dan?'

'Naar de Ivoren Toren. Naar de Kleine Keizerin.'

'Je vindt dat wij onverrichter zake naar haar toe moeten gaan?'

'Nou, zo zou ik het niet willen noemen, Atréjoe. Hoe luidde je opdracht ook weer?'

'Ik moest uitzoeken wat de oorzaak van de ziekte is waaraan de Kleine Keizerin wegkwijnt en welk geneesmiddel daartegen bestaat.'

'Maar het was niet je opdracht,' wierp Foechoer tegen, 'om dat geneesmiddel ook zelf te gaan brengen.'

'Wat bedoel je daarmee?'

'Misschien begaan we wel een grote fout als we proberen de Fantásische grens over te steken om een mensenkind te zoeken.'

'Ik begrijp niet waar je heen wilt, Foechoer. Leg het me eens precies uit.'

'De Kleine Keizerin is doodziek,' zei de draak, 'omdat zij een nieuwe naam nodig heeft. Dat heeft de Oeroude Morla je geopenbaard. Maar alleen de mensenkinderen uit de Buitenwereld kunnen haar die nieuwe naam geven. Dat heeft Oeyoelála je verteld. Daarmee heb je je opdracht vervuld. En mijns inziens moet je dat alles nu gauw aan de Kleine Keizerin gaan zeggen.'

'Maar wat heeft ze eraan,' riep Atréjoe uit, 'als ik haar dat alleen maar vertel en niet tevens een mensenkind meebreng dat haar redden kan?'

'Dat kun jij niet weten,' antwoordde Foechoer. 'Zij kan veel meer dan jij of ik. Misschien is het voor haar heel gemakkelijk een mensenkind bij zich te roepen. Misschien heeft zij middelen en wegen die jou en mij en alle andere wezens in Fantásië onbekend zijn. Maar daarvoor moet ze wel weten wat jij nu weet. Laten we eens aannemen dat het zo is. Dan zou het niet alleen volslagen onzinnig zijn dat wij op eigen kracht proberen een mensenkind te vinden en bij haar te brengen, maar het zou zelfs mogelijk zijn dat zij sterft terwijl wij nog altijd aan het zoeken zijn. En dat wij haar hadden kunnen redden als we maar bijtijds omgekeerd waren.'

Atréjoe zei niets. Wat de draak daar zei was ongetwijfeld juist. Het kon zo zijn. Het kon ook helemaal anders zijn. Het was heel goed mogelijk dat zij, als hij nu met zijn boodschap terugkeerde, tegen hem zou zeggen: wat heb ik daar allemaal aan? Had je de redder maar voor me meegebracht, dan was ik beter geworden. Maar nu is het voor mij te laat om je er nog een keer op uit te sturen.

Hij wist niet wat hij moest doen. En hij was moe, veel te moe om wat voor beslissing dan ook nog te nemen.

'Weet je, Foechoer,' zei hij zachtjes, maar de draak hoorde hem toch goed, 'misschien heb je gelijk, maar misschien ook niet. Laten we nog een klein stukje verder vliegen. Als we dan nog altijd niet bij een grens zijn, dan keren we om.'

'Wat noem jij een klein stukje?' vroeg de draak.

'Een paar uur–,' mompelde Atréjoe, 'nou, *één* uurtje dan nog.'

'Goed,' antwoordde Foechoer, 'nog één uurtje dan.'

Maar dat ene uur was een uur te veel.

Geen van beiden had er acht op geslagen dat de hemel in het noorden inmiddels betrokken was en helemaal zwart was geworden. In het westen, waar de zon stond, was de lucht gloeiend rood en onheilspellende strepen hingen als bloedig zeewier boven de horizon. In het

113

oosten kwam als een loodgrijze deken een onweer opzetten, met rafels van wolkenflarden eraan, blauw als inktvegen. En uit het zuiden naderde een zwavelgele nevel waarin het flitste en schitterde van het weerlicht.

'Het lijkt er op,' zei Foechoer, 'dat we slecht weer krijgen.'

Atréjoe keek in alle richtingen.

'Ja,' zei hij, 'het ziet er zorgelijk uit. Maar we moeten toch verder vliegen.'

''t Zou verstandiger zijn als we naar een schuilplaats zouden uitkijken,' antwoordde Foechoer. 'Als het is wat ik vermoed, dan staat ons nog wat te wachten.'

'En wat vermoed je?' vroeg Atréjoe.

'Dat het de vier windreuzen zijn die weer eens een van hun ruzies willen uitvechten,' verduidelijkte Foechoer. 'De strijdvraag is altijd wie van hen de sterkste is en de baas zal zijn over de anderen. Voor hen is het een soort spel, want henzelf overkomt daarbij niets. Maar wee degene die bij hun getwist betrokken raakt. Daar blijft meestal niet veel van over.'

'Kun je niet hoger gaan vliegen?' vroeg Atréjoe.

'Buiten hun bereik, bedoel je? Nee, zo hoog kan ik niet komen. En beneden ons is, zover ik zien kan, enkel water, de een of andere reusachtige zee. Ik zie niets waar we ons verbergen kunnen.'

'Dan blijft ons niets anders over,' besliste Atréjoe, 'dan hun komst maar af te wachten. Ik wilde ze toch wat vragen.'

'*Wat* wil je?' riep de draak uit en maakte een sprong in de lucht van schrik.

'Als zij de vier windreuzen zijn,' legde Atréjoe uit, 'dan kennen ze alle windstreken van Fantásië. Niemand zal ons beter dan zij kunnen zeggen waar de grenzen zijn.'

'Goeie genade!' riep de draak. 'Denk je soms dat je heel gezellig een praatje met ze kunt maken?'

'Wat zijn hun namen?' informeerde Atréjoe.

'Die uit het noorden heet Lirr, die uit het oosten Baureo, die uit het zuiden Sjirk en die uit het westen Mayestril,' antwoordde Foechoer. 'Maar jij, Atréjoe, wat *ben* jij eigenlijk? Ben je een kleine jongen of ben je een brok ijzer, dat je helemaal geen angst kent?'

'Toen ik de poort met de sfinxen doorging,' antwoordde Atréjoe, 'verloor ik alle angst. Bovendien draag ik het Teken van de Kleine

Keizerin. Alle wezens in Fantásië hebben er eerbied voor. Waarom zouden de windreuzen dat niet hebben?'

'O, dat zullen ze best,' riep Foechoer uit, 'maar ze zijn dom en jij kunt er toch niet voor zorgen dat ze niet meer met elkaar vechten. Je zult wel zien wat dat zeggen wil!'

Inmiddels hadden de onweerswolken zich van alle kanten zo ver samengetrokken dat Atréjoe om zich heen iets zag dat leek op een trechter van reusachtige afmetingen, met wanden die steeds sneller begonnen te draaien zodat het zwavelgeel, het loodgrijs, het bloedrood en het diepzwart zich met elkaar vermengden. En op zijn witte draak werd hij ook zelf in een kring rond gedraaid als een lucifertje in een enorme draaikolk. En nu zag hij de stormreuzen.

Ze bestonden eigenlijk alleen uit gezichten, want hun ledematen waren zo veranderlijk en het waren er zo veel – soms lang, soms kort, soms honderden, maar soms ook geen, soms goed zichtbaar, soms vaag – en bovendien waren ze zo in elkaar verstrikt in een monsterlijke rondedans of worsteling dat het totaal onmogelijk was om hun ware gedaante te onderkennen. Ook de gezichten veranderden voortdurend, werden dik en opgeblazen, daarna weer uit elkaar gerekt, in de hoogte of in de breedte, maar het bleven toch altijd gezichten die je van elkaar onderscheiden kon. Ze zetten hun monden wijd open en schreeuwden, brulden, donderden of lachten elkaar toe. Ze schenen de draak en zijn berijder niet eens op te merken, want met hen vergeleken was hij niet veel groter dan een mug.

Atréjoe ging rechtop zitten. Hij pakte met zijn rechterhand de gouden amulet op zijn borst en riep zo hard hij kon: 'In naam van de Kleine Keizerin, zwijg en luister naar mij!'

En het ongelooflijke gebeurde!

Alsof ze met plotselinge stomheid waren geslagen hielden ze hun mond. Hun kaken klapten dicht en acht wezenloos starende reuzenogen waren op AURYN gericht. Ook de werveling stopte. Opeens was het doodstil.

'Geef antwoord!' riep Atréjoe. 'Waar zijn de grenzen van Fantásië? Weet jij het, Lirr?'

'In het noorden niet,' antwoordde het zwarte wolkengezicht.

'En jij, Baureo?'

'Ook in het oosten niet,' antwoordde het loodgrijze wolkengezicht.

'Spreek op, Sjirk!'

'In het zuiden bestaan er geen grenzen,' zei het zwavelgele wolkengezicht.

'Mayestril, weet jij het?'

'Geen grenzen in het westen,' antwoordde het vuurrode wolkengezicht.

En toen zeiden alle vier als uit één mond: 'Wie ben jij eigenlijk, die het Teken van de Kleine Keizerin draagt en niet eens weet dat Fantásië grenzeloos is?'

Atréjoe antwoordde niet. Het was alsof hij een klap op zijn hoofd had gekregen. Daaraan had hij waarlijk niet gedacht, dat er helemaal geen grenzen *waren*. Nu, dan was alles tevergeefs geweest.

Hij merkte nauwelijks dat de windreuzen weer met hun schijngevecht begonnen. Het kon hem ook niets meer schelen wat er verder gebeurde. Met kracht klemde hij zich aan de manen van de draak vast toen deze opeens door een werveling omhoog geslingerd werd. Omringd door bliksemschichten raasden zij in de rondte en vervolgens verdronken ze bijna in horizontaal gutsende stortregens. Plotseling werden ze meegesleurd in een gloeiende windstoot, waarin ze bijna verbrandden, maar meteen daarna kwamen ze in een hagelbui terecht die niet uit stenen bestond, maar uit ijskegels, wel zo lang als speren, die hen naar beneden ranselden. En opnieuw werden ze omhoog gezogen en rondgeslingerd van de ene kant naar de andere. Het was duidelijk dat de windreuzen elkaar de leidersrol betwistten.

'Houd je vast!' schreeuwde Foechoer, toen hij door een windstoot op zijn rug terechtkwam.

Maar het was al te laat. Atréjoe was zijn houvast kwijt en stortte de diepte in. Hij viel en viel maar – en toen wist hij niets meer.

Toen hij weer tot bewustzijn kwam lag hij in zacht zand. Hij hoorde het geruis van golven en toen hij zijn hoofd ophief zag hij dat hij aangespoeld was op een strand. Het was een grijze, nevelige dag, maar windstil. De zee was kalm en niets wees er op dat hier nog maar kortgeleden een gevecht tussen windreuzen had gewoed. Of was hij misschien op een heel andere, verafgelegen plaats terechtgekomen? Het strand was vlak, nergens waren rotsen of heuvels te zien – alleen een paar kromgetrokken en scheefgegroeide bomen stonden als grote grijpklauwen in de nevel.

Atréjoe ging overeind zitten. Een paar stappen van hem vandaan zag hij zijn rode buffelharen mantel liggen. Hij kroop er naar toe en legde hem om zijn schouders. Tot zijn verbazing constateerde hij dat de mantel bijna droog was. Dus lag hij hier al een poosje.

Hoe kwam hij hier terecht? En hoe kwam het dat hij niet was verdronken?

Een of andere vage herinnering kwam bij hem boven aan armen die hem gedragen hadden en aan vreemde stemmen die zongen: Arme jongen, mooie jongen! Houd hem vast! Laat hem niet ondergaan!

Ach, misschien was het alleen maar het ruisen van de golven geweest.

Of waren het zeemeerminnen en watermannen? Zij hadden waarschijnlijk het Pantakel gezien en hem daarom gered.

Onwillekeurig greep hij naar de Amulet – hij was weg! De ketting om zijn hals was verdwenen. Hij had het medaillon verloren.

'Foechoer!' schreeuwde Atréjoe, zo hard hij kon. Hij sprong overeind, draafde heen en weer en riep naar alle kanten: 'Foechoer! Foechoer! Waar ben je?'

Geen antwoord. Alleen het gelijkmatige, gestadige ruisen van de golven die het strand op spoelden.

Waar zouden de windreuzen de witte draak wel niet heen geblazen hebben! Misschien zocht Foechoer zijn kleine meester heel ergens anders, ver hier vandaan. Misschien was hij ook niet meer in leven.

Nu was Atréjoe geen drakenruiter meer en geen gezant van de Kleine Keizerin – alleen nog maar een kleine jongen. En helemaal alleen.

De torenklok sloeg zes.

Buiten was het al helemaal donker. Het was opgehouden met regenen en het was volkomen stil. Bastiaan staarde in de vlammetjes van de kaarsen.

Hij kroop ineen omdat de houten vloer kraakte.

Hij meende dat hij iemand hoorde ademen. Hij hield zijn adem in en luisterde. Buiten de kleine lichtkring die door de kaarsen werd gevormd was de reusachtige zolder nu helemaal duister.

Hoorde hij daar niet zachte voetstappen op de trap? Had de kruk van de zolderdeur daar net niet heel langzaam bewogen?

Weer kraakte de houten vloer.

Zou het spoken op deze zolder…?

117

'Ach wat,' zei Bastiaan met gedempte stem, 'er bestaan geen spoken. Dat zegt iedereen.'

Maar waarom waren er dan zoveel verhalen over?

Misschien waren alle mensen die zeiden dat er geen spoken bestonden alleen maar bang om het toe te geven.

Atréjoe wikkelde zich stevig in zijn rode mantel, want hij had het koud, en liep landinwaarts. Het landschap, voor zover hij dat tenminste door de nevel kon onderscheiden, veranderde nauwelijks. Het was vlak en eentonig, behalve dan dat er geleidelijk tussen de gekromde bomen steeds meer struikgewas kwam, struiken die er uitzagen alsof ze van geroest blik waren en bijna net zo scherp. Je kon je er gemakkelijk aan bezeren, als je niet oplette.

Na ongeveer een uur bereikte Atréjoe een weg die geplaveid was met hobbelige, onregelmatig gevormde brokken steen. Atréjoe besloot de weg te volgen omdat die wel ergens heen zou leiden, maar hij vond het gemakkelijker om naast de weg in het zand te lopen dan over het oneffen plaveisel. De weg kronkelde als een slang, draaide naar links en naar rechts zonder dat je ontdekken kon wat de reden daarvoor kon zijn, want ook hier was geen heuvel, geen riviertje te bekennen. In deze streek scheen alles krom te zijn.

Atréjoe was nog niet zo lang onderweg toen hij in de verte een vreemd, stampend geluid hoorde, dat dichterbij kwam. Het was als het doffe dreunen van een grote trommel en daar tussendoor hoorde hij het schrille geluid van kleine fluitjes en het gerinkel van belletjes. Hij verstopte zich achter een struik aan de kant van de weg en wachtte af.

De eigenaardige muziek kwam langzaam naderbij en uiteindelijk doken uit de nevel de eerste gestalten op. Kennelijk dansten ze, maar het was geen vrolijke of liefelijke dans, veeleer sprongen ze met uiterst zonderlinge bewegingen in het rond, rolden over de grond en gedroegen zich of ze waanzinnig waren. Maar het enige dat je daarbij hoorde was de doffe langzame trommelslag en de schrille fluitjes en ook een gekerm en gezucht uit vele kelen.

Steeds meer werden het er, het was een optocht waaraan geen einde scheen te komen. Atréjoe zag de gezichten van de dansers. Ze waren asgrauw en overdekt met zweet, maar bij allemaal gloeiden de ogen met een wilde, koortsachtige glans.

Ze zijn krankzinnig, dacht Atréjoe en een koude rilling liep hem over de rug.

Hij kon verder vaststellen dat het grootste deel van de stoet uit nachtalfen, kobolden en spoken bestond. Ook vampiers en een menigte heksen waren er bij: oude met grote bochels en geitebaarden aan hun kin, maar ook jonge, die er mooi en kwaadaardig uitzagen. Blijkbaar was Atréjoe hier in een van de streken van Fantásië terechtgekomen die bevolkt waren door de schepselen der duisternis. Had hij AURYN nog gehad, dan was hij zonder aarzelen op hen toegestapt om hun te vragen wat dit betekende. Maar nu vond hij het beter in zijn schuilplaats te wachten tot de krankzinnige stoet voorbijgetrokken was en de laatste achterblijver hinkend en springend in de nevel was verdwenen.

Toen pas durfde hij zich weer op de weg te vertonen om de spookstoet na te kijken. Zou hij er achter aan gaan, of maar niet? Hij kon geen besluit nemen. Eigenlijk wist hij helemaal niet meer of hij nu ergens nog iets doen moest of doen kon.

Voor het eerst voelde hij duidelijk hoezeer hij de Amulet van de Kleine Keizerin miste en hoe hulpeloos hij nu was. Niet dat het om de bescherming ging die hij hem geboden had – alle inspanningen en ontberingen, alle angsten en eenzaamheid had hij immers toch uit eigen kracht moeten overwinnen – maar zolang hij het Teken gedragen had was hij nooit onzeker geweest over wat hem te doen stond. Als een geheimzinnig kompas had de Amulet zijn wil en zijn beslissingen in de goede richting gestuurd. Maar nu was het anders, nu was er geen geheime kracht meer die hem leidde.

Alleen maar om niet als verlamd te blijven staan, zette hij zich ertoe de spookstoet te volgen, waarvan het doffe, ritmische getrommel nog altijd in de verte te horen was.

Terwijl hij zich een weg baande door de nevel – er voortdurend op bedacht een passende afstand met de achterblijvers te bewaren – probeerde hij uit te vinden waar hij aan toe was.

Waarom toch, ach, waarom had hij niet naar Foechoer geluisterd toen deze hem de raad had gegeven meteen naar de Kleine Keizerin te vliegen? Hij zou haar dan de boodschap van Oeyoelála hebben overgebracht en de 'Glans' weer hebben teruggegeven. Zonder AURYN en zonder Foechoer kon hij de Kleine Keizerin niet meer bereiken. Zij zou tot het laatste moment van haar leven op hem wachten en hopen dat hij kwam en geloven dat hij haar en Fantásië de redding zou brengen – maar tevergeefs!

Dat was al erg genoeg, maar erger nog was wat hij van de windreuzen had gehoord: dat er geen grenzen bestaan. Als het onmogelijk was Fantásië uit te komen dan was het ook onmogelijk een mensenkind van over de grens te hulp te roepen. Juist omdat Fantásië oneindig was, was het einde van Fantásië onafwendbaar!

Terwijl hij over het ongelijke plaveisel verder strompelde door de nevelflarden hoorde hij in zijn herinnering nog een keer de zachte stem van Oeyoelála. Een klein vonkje hoop gloeide op in zijn hart.

Vroeger waren er vaak mensen naar Fantásië gekomen om de Kleine Keizerin steeds weer nieuwe, prachtige namen te geven – dat had zij toch gezongen. Dus was er toch nog een weg van de ene wereld naar de andere!

'Dichtbij is 't voor hen, voor ons echter zou
het te ver zijn om daarheen te komen.'

Ja, zo luidden Oeyoelála's woorden. De mensenkinderen waren deze weg echter vergeten! Maar zou het niet kunnen zijn dat één, één enkel mens het zich weer herinnerde?

Dat er voor hemzelf geen hoop meer was, daarover maakte Atréjoe zich niet erg druk. Belangrijk was alleen dat een mensenkind de roep van Fantásië zou horen – zoals het in alle tijden gebeurd was. En misschien, misschien had er een zich al klaar gemaakt en was op weg gegaan!

'Ja, ja!' riep Bastiaan. Maar hij schrok van zijn stem en voegde er zachter aan toe: 'Ik zou je toch immers komen helpen, als ik maar zou weten hoe! Ik ken de weg niet, Atréjoe. Ik ken hem echt niet!'

Het doffe tromgeroffel en de schrille fluitjes waren verstomd en zonder het te merken was Atréjoe zo dicht bij de optocht gekomen dat hij haast tegen de laatste figuren opbotste. Doordat hij op blote voeten liep, maakten zijn stappen geen geluid – maar toch was dit niet de reden waarom deze lieden niet de geringste aandacht aan hem schonken. Al had hij met laarzen met ijzerbeslag gestampt en hard geschreeuwd, toch zou niemand zich er iets van hebben aangetrokken.

Ze vormden nu niet langer een stoet, maar stonden ver uit elkaar op een terrein dat uit gras en modder bestond. Sommigen wiegden zachtjes heen en weer, anderen stonden of hurkten zomaar onbeweeglijk, maar aller ogen, met een blinde koortsachtige glans erin, keken in dezelfde richting.

En nu zag ook Atréjoe waar ze in ijzingwekkende extase naar staarden: verderop lag het Niets.

Het was zoals Atréjoe het al eerder bij de schorstrollen vanuit die boomtop had gezien, of op de vlakte waar de Toverpoorten van het Zuidelijk Orakel hadden gestaan, of van grote hoogte op Foechoers rug–maar altijd had hij het vanuit de verte gezien. Nu echter stond hij er onvoorbereid pal tegenover. Het liep dwars door het hele landschap, het was reusachtig groot en het kwam langzaam, heel langzaam, maar onstuitbaar dichterbij.

Atréjoe zag dat de spookgestalten voor hem op het terrein stuiptrekkende bewegingen begonnen te maken, dat hun ledematen krampachtig vertrokken en dat hun monden opengesperd waren alsof ze wilden schreeuwen of lachen–maar er heerste een doodse stilte. En toen–als waren ze verdorde boombladeren, meegevoerd door de wind –renden ze allemaal op hetzelfde moment het Niets tegemoet en stortten, rolden en sprongen erin.

Nog maar net was de laatste van deze spookachtige menigte geluidloos en spoorloos verdwenen toen Atréjoe merkte hoe ook zijn eigen lichaam met rukkende bewegingen naar het Niets toe begon te bewegen. Een alles overheersend verlangen om zich er ook in te storten wilde zich van hem meester maken. Atréjoe bundelde al zijn krachten om zich ertegen te verzetten. Hij dwong zichzelf te blijven staan. Langzaam, heel langzaam slaagde hij erin zich om te draaien en stap voor stap vocht hij zich een weg terug tegen een krachtige, onzichtbare stroom in. De zuigkracht werd zwakker en Atréjoe holde, holde zo hard hij kon over het hobbelige plaveisel terug. Hij gleed uit, viel, krabbelde overeind en holde verder, zonder na te denken waar de weg in de nevel hem heen zou brengen.

Rennend volgde hij de zinloze bochten en verminderde pas vaart toen voor hem een hoge, pikzwarte stadsmuur uit de nevel opdoemde. Daarachter rezen in de grijze hemel een paar scheve torens op. De dikke, houten deuren van de stadspoort waren vermolmd en verrot en hingen scheef in hun verroeste scharnieren.

Atréjoe stapte naar binnen.

Het werd steeds killer op de zolder. Bastiaan kreeg het zo koud dat hij zat te bibberen.

En als hij nu eens ziek werd – wat zou er dan met hem gebeuren? Hij kon bijvoorbeeld longontsteking krijgen zoals Willie, de jongen uit zijn klas. Dan zou hij hier helemaal alleen op de zolder moeten sterven. En er zou niemand zijn om hem bij te staan.

Hij zou erg blij geweest zijn als zijn vader hem nu zou vinden en hem zou redden.

Maar naar huis gaan – nee, dat kon hij niet. Liever ging hij dood!

Hij pakte de nog overgebleven paardedekens, wikkelde zich erin en stopte ze aan alle kanten goed in.

Langzaam werd hij warmer.

[I]

De Spookstad

IMMER weer klonk boven de stuivende golven de stem van Foechoer, krachtig als de galm van een bronzen klok. 'Atréjoe! Waar ben je? Atréjoe!'

De windreuzen hadden reeds lang een einde aan hun schijngevecht gemaakt en waren van elkaar weggeraasd. Zij zouden elkaar opnieuw treffen, hier of op een andere plaats, om hun strijd weer uit te vechten, zoals zij dat sinds onheuglijke tijden hadden gedaan. Wat er zojuist gebeurd was, waren zij al vergeten, want zij onthielden niets en kenden niets dan hun eigen tomeloze kracht. En daarom waren de witte draak en zijn kleine ruiter ook allang uit hun herinnering verdwenen.

Toen Atréjoe in de diepte was gevallen had Foechoer aanvankelijk met alle macht geprobeerd hem na te snellen om hem nog in zijn val op te vangen. Maar een wervelwind had de draak omhoog gerukt en heel ver weggesleurd. Toen hij terugkeerde raasden de winden al boven een andere plaats op zee. Wanhopig spande Foechoer zich in de plek waar Atréjoe in het water gevallen moest zijn terug te vinden, maar zelfs voor een witte geluksdraak is het een onmogelijke zaak in het kokende schuim van een kolkende zee zoiets kleins als een ronddrijvend lichaam te ontdekken – laat staan iemand die verdronken op de bodem ligt.

Desondanks wilde Foechoer niet opgeven. Hij verhief zich hoog in de lucht om een beter overzicht te hebben, vloog vervolgens weer vlak boven de golven, of draaide in steeds wijdere kringen rond. Hij hield niet op Atréjoe te roepen in de hoop hem toch nog ergens in het schuim te ontdekken.

Hij was een geluksdraak en niets kon hem afbrengen van zijn overtuiging dat alles toch nog een goed einde zou krijgen. Wat er ook mocht gebeuren, Foechoer zou nooit opgeven.

'Atréjoe!' dreunde zijn geweldige stem in het geraas van de golven, 'Atréjoe! Waar ben je?'

Atréjoe dwaalde door de doodstille straten van een verlaten stad. De aanblik was benauwend en onheilspellend. Er scheen hier geen huis te zijn dat van buiten al niet een dreigende en vervloekte indruk maakte. Het was alsof de hele stad alleen maar uit geestenverblijven en spookkastelen bestond. Over de straten en stegen die al net zo krom en scheef waren als alles in deze streek, hingen kolossale spinnewebben en een kwalijke reuk steeg op uit keldergaten en lege putten.

Atréjoe glipte eerst van de ene straathoek naar de andere om niet ontdekt te worden, maar al gauw deed hij geen moeite meer zich schuil te houden. De pleinen en straten waar hij kwam waren leeg en ook in de huizen bewoog zich niets. Bij een paar ging hij naar binnen, maar hij vond er slechts omgevallen meubels, gescheurde gordijnen, gebroken serviesgoed en glas – allemaal tekenen van verwoesting – maar geen bewoners. Op een tafel stond nog een halfverorberde maaltijd: wat borden met daarin een soort zwarte soep en een paar kleverige brokken, die mogelijk brood waren. Hij at van allebei. Het smaakte walgelijk, maar hij had erge honger. In zekere zin vond hij het prima dat hij juist hier terechtgekomen was, want dit alles paste bij iemand voor wie geen hoop meer bestond.

Bastiaan voelde zich flauw van de honger.

Waarom moest hij nu, op dit uiterst ongelegen moment aan de appeltaart van juffrouw Anna denken? Het was de lekkerste appeltaart die je je kon voorstellen.

Juffrouw Anna kwam drie keer in de week. Ze hield de administratie bij voor zijn vader en deed de huishouding. Meestal kookte en bakte zij ook wat. Ze was een potige tante die onbekommerd luid praatte en lachte. Zijn vader was wel beleefd tegen haar, maar verder scheen hij haar nauwelijks op te merken. Hoogst zelden lukte het haar echter een lachje op zijn bezorgde gezicht te toveren. Wanneer zij er was, werd het een beetje levendiger in huis.

Juffrouw Anna had een dochtertje, hoewel zij niet getrouwd was. Het meisje heette Christa. Zij was drie jaar jonger dan Bastiaan en had heel mooie blonde haren. Vroeger had juffrouw Anna haar dochtertje steeds meegebracht. Christa was erg verlegen. Bastiaan had haar urenlang zijn verhalen verteld en zij had er heel stil bij gezeten en met grote ogen naar hem geluisterd. Zij bewonderde Bastiaan en hij mocht haar erg graag.

Maar een jaar geleden had juffrouw Anna haar dochtertje naar een internaat op het platteland gestuurd. En nu zagen zij elkaar bijna nooit meer.

Bastiaan had het juffrouw Anna nogal kwalijk genomen en al haar verklaringen waarom het zo beter was voor Christa, hadden hem niet overtuigd.

Maar aan haar appeltaart kon hij desondanks nooit weerstand bieden.

Bezorgd vroeg hij zich af hoe lang een mens het eigenlijk uit kon houden zonder eten. Drie dagen? Twee? Misschien kreeg je na vierentwintig uur wel waanvoorstellingen. Op zijn vingers rekende Bastiaan na hoelang hij hier nu al was. Het waren al tien uren, of zelfs iets meer. Had hij zijn brood of tenminste de appel maar bewaard!

In het flakkerende licht van de kaarsen leken de glazen ogen van de vos, de uil en de reusachtige steenarend bijna te leven. Hun grote schaduwen bewogen op de zoldermuur.

De torenklok sloeg zeven maal.

Atréjoe liep de straat weer op en doolde doelloos door de stad. Hij kwam door wijken met alleen maar kleine, lage huizen, zodat hij als hij rechtop stond de nok van de daken aan kon raken, en door andere met paleizen die veel verdiepingen hadden en met beelden versierde gevels. Maar al deze beelden stelden geraamten en duivels voor die met groteske gezichten naar de eenzame wandelaar beneden zich staarden.

En toen, plotseling, bleef hij als aan de grond genageld staan.

Ergens vlakbij klonk een rauw, schor gehuil, dat zo wanhopig en ontroostbaar klonk, dat het Atréjoe door merg en been ging. Alle verlatenheid, alle verdoemenis van de schepselen der duisternis lag in dit klaaglijke geluid, dat maar aanhield en dat door de muren van steeds verdere gebouwen als een echo weerkaatst werd tot het tenslotte klonk als het huilen van een naar alle kanten verspreide roedel reusachtige wolven.

Atréjoe volgde het geluid, dat steeds zachter en zachter werd en tenslotte wegstierf in een rauw snikken. Maar hij moest een poosje zoeken. Hij liep door een poort en kwam op een smalle, onverlichte binnenplaats, vervolgens ging hij onder een boog door en kwam tenslotte op een achterplaats die vochtig en vies was. En daar lag voor een

127

gat in de muur een kolossale, halfverhongerde weerwolf aan een ket-ting. De ribben onder zijn schurftige vel kon je stuk voor stuk tellen, de wervels van zijn ruggegraat stonden naar buiten als de tanden van een zaag en zijn tong hing een heel eind uit zijn halfopen muil.

Zachtjes liep Atréjoe naar hem toe. Toen de weerwolf hem op-merkte, ging zijn kop met een ruk omhoog. In zijn ogen flikkerde een groen licht.

Een tijdje namen zij elkaar over en weer op – zonder woord en zon-der geluid. Tenslotte liet de weerwolf een zacht, maar bijzonder ge-vaarlijk gegrom horen: 'Ga weg! Laat me in vrede sterven!'

Atréjoe verroerde zich niet. Even zachtjes antwoordde hij: 'Ik heb je horen roepen, daarom ben ik gekomen.'

De kop van de weerwolf zakte terug.

'Ik heb niemand geroepen,' gromde hij. 'Het was mijn doods-klacht.'

'Wie ben jij?' vroeg Atréjoe, terwijl hij nog een stap dichterbij deed.

'Ik ben Gmork, de weerwolf.'

'Waarom lig je hier aan de ketting?'

'Zij hebben me vergeten toen ze weggingen.'

'Wie – zij?'

'Degenen die mij aan deze ketting hebben gelegd.'

'En waar zijn ze heengegaan?'

Gmork gaf geen antwoord. Hij keek Atréjoe met halfgesloten ogen afwachtend aan. Nadat het even stil was geweest zei hij: 'Jij hoort hier niet, kleine vreemdeling, niet in deze stad en niet in deze streek. Wat zoek je hier?'

Atréjoe boog zijn hoofd.

'Ik weet niet hoe ik hier gekomen ben. Hoe heet deze stad?'

'Het is de hoofdstad van het meest vermaarde gewest van Fantá-sië,' zei Gmork. 'Over geen ander gewest en geen andere stad bestaan zoveel verhalen. Ook jij hebt vast weleens over de Spookstad in het Land van de Onzaligen gehoord, neem ik aan?'

Atréjoe knikte langzaam.

Gmork had de jongen voortdurend in het oog gehouden. Het ver-baasde hem dat deze knaap met zijn groene huidskleur hem met zijn grote, zwarte ogen zo rustig aankeek en helemaal geen angst toonde.

'En jij – wie ben jij?' vroeg hij.

Atréjoe dacht even na voor hij antwoordde: 'Ik ben niemand.'

'Wat wil dat zeggen?'

'Dat wil zeggen, dat ik eens een naam gehad heb. Hij zal niet meer genoemd worden. Daarom ben ik niemand.'

De weerwolf trok zijn lippen iets terug en liet zijn angstaanjagende gebit zien, wat mogelijk een lachje moest beduiden. Hij had verstand van alle soorten verborgenheden van de ziel en voelde dat hij hier op de een of andere manier met een gelijkgezinde te maken had.

'Als dat zo is,' zei hij met schorre stem, 'dan heeft Niemand mij gehoord en Niemand is bij mij gekomen en Niemand praat met mij in mijn laatste ogenblikken.'

Weer knikte Atréjoe. Toen vroeg hij: 'Kan Niemand de ketting voor je losmaken?'

Het groene licht in de ogen van de weerwolf flikkerde. Hij begon te hijgen en likte zijn lippen.

'Zou je dat echt doen?' bracht hij uit. 'Zou jij een hongerige weerwolf vrijlaten? Weet je niet wat dat betekent? Niemand zou veilig voor me zijn!'

'Ja,' zei Atréjoe, 'en ik ben Niemand. Waarom zou ik dan bang voor je zijn?'

Hij wilde naar Gmork toelopen, maar die liet opnieuw dat donkere angstaanjagende gegrom horen. De jongen deinsde terug.

'*Wil* je dan niet dat ik je losmaak?' vroeg hij.

Plotseling scheen de weerwolf erg moe.

'Dat kun je niet. Maar als je binnen mijn bereik komt, moet ik je in stukken scheuren, kereltje. Dat zou mijn einde slechts weinig vertragen, een uur of twee maar. Blijf dus van mij vandaan en laat me in alle rust sterven.'

Atréjoe dacht hierover na.

'Misschien,' zei hij tenslotte, 'kan ik wat te eten voor je vinden. Ik zou in de stad op zoek kunnen gaan.'

Gmork sloeg langzaam de ogen weer op en keek de jongen aan. Het groene vuur in zijn ogen was gedoofd.

'Loop naar de hel, jij kleine dwaas! Wil je me in leven houden tot het Niets hier is?'

'Ik dacht,' hakkelde Atréjoe, 'dat je als ik je te eten gebracht zou hebben, wel voldaan zou zijn, en dan zou ik misschien dichtbij je kunnen komen om je de ketting af te doen...'

129

'Als het een gewone ketting was die me vasthield, denk je dan niet dat ik hem allang zelf stukgebeten had?'

En als om het te bewijzen hapte hij naar de ketting en zijn angstaanjagende kaken klapten krakend dicht. Hij rukte even aan de ketting en liet hem toen weer schieten.

'Het is een magische ketting. Alleen degene die mij vastgelegd heeft kan hem losmaken. Maar die komt nooit meer terug.'

'En wie is het die je vastgelegd heeft?'

Gmork begon te janken als een geslagen hond. Pas na een tijdje was hij zover gekalmeerd dat hij antwoorden kon: 'Gaya, de Duistere Vorstin.'

'En waar is zij heengegaan?'

'Zij heeft zich in het Niets geworpen – zoals alle anderen hier.'

Atréjoe moest aan de krankzinnige dansers denken die hij buiten de stad in de mist gezien had.

'Maar waarom,' mompelde hij, 'waarom zijn ze niet gevlucht?'

'Ze hadden alle hoop verloren. En dat maakt wezens als jullie zwak. Jullie worden geweldig door het Niets aangetrokken en niemand van jullie zal nog lang weerstand bieden.'

Terwijl hij dit zei liet Gmork een diep, kwaadaardig gelach horen.

'En jij?' vroeg Atréjoe verder. 'Je praat of je niet bij ons hoort.'

Gmork keek hem weer aan met die loerende blik.

'Ik hoor niet bij jullie.'

'Waar kom je dan vandaan?'

'Weet je dan niet wat een weerwolf is?'

Zwijgend schudde Atréjoe zijn hoofd.

'Jij kent alleen Fantásië,' zei Gmork, 'maar er zijn nog andere werelden. Die van de mensenkinderen bijvoorbeeld. Er zijn echter ook wezens die geen eigen wereld hebben. Daar staat tegenover dat zij vele werelden in en uit kunnen gaan. Daar hoor ik bij. In de mensenwereld verschijn ik als mens, maar ik ben het niet. En in Fantásië neem ik een Fantásisch uiterlijk aan – maar ik ben niet een van jullie.'

Atréjoe ging langzaam op zijn hurken zitten en bekeek de stervende weerwolf met grote, donkere ogen.

'Ben jij in de wereld van de mensenkinderen geweest?'

'O, ik ben dikwijls heen en weer gegaan tussen hun wereld en die van jullie.'

'Gmork,' hakkelde Atréjoe en hij kon er niets aan doen dat zijn lippen trilden, 'kun je mij de weg naar de wereld van de mensenkinderen verklappen?'

Groene vonken flikkerden op in Gmorks ogen. Het was alsof hij heimelijk lachte.

'Voor jou en wezens als jij is de weg daarheen heel eenvoudig. Er is maar één moeilijkheid voor jullie: je kunt nooit meer terug. Je zult daar altijd moeten blijven. Wil je dat?'

'Wat moet ik doen?' vroeg Atréjoe vastbesloten.

'Dat wat alle anderen hier al vóór jou gedaan hebben, kereltje. Je hoeft alleen maar in het Niets te springen. Maar daar is geen haast bij, want je zult het vroeger of later toch doen wanneer de laatste stukken van Fantásië verdwijnen.'

Atréjoe ging staan.

Gmork zag dat de jongen over zijn hele lichaam beefde. Omdat hij de ware reden daarvoor niet kende, zei hij sussend: 'Je hoeft niet bang te zijn, het doet geen pijn.'

'Ik ben niet bang,' antwoordde Atréjoe. 'Ik had alleen nooit gedacht dat ik uitgerekend hier en door jou weer al mijn hoop terug zou krijgen.'

De ogen van Gmork gloeiden als twee dunne groene maansikkels.

'Er is geen enkele aanleiding om hoop te koesteren, kereltje – wat je ook van plan mag zijn. Wanneer jij in de mensenwereld verschijnt ben je niet meer wat je hier bent. Dat is juist het geheim dat niemand in Fantásië kennen kan.'

Met zijn armen slap langs zijn lichaam stond Atréjoe te luisteren.

'Wat ben ik daar dan?' vroeg hij. 'Vertel me het geheim!'

Gmork bleef lang zwijgen en bewoog zich niet. Atréjoe was al bang geen antwoord meer te krijgen, maar tenslotte deed een diepe zucht de borst van de weerwolf rijzen en met schorre stem begon hij te praten.

'Waar zie je me voor aan, kereltje? Voor je vriend? Wees voorzichtig! Je bent voor mij alleen maar tijdvulling. En weggaan kun je ook niet, want ik houd je vast met je hoop. Terwijl ik praat sluit het Niets zich echter van alle kanten om de Spookstad en weldra zal er geen uitgang meer zijn. Dan ben je verloren. Als je naar me luistert, is je besluit al gevallen. Maar nu kun je nog vluchten.'

De trek om Gmorks muil werd nog wreder. Een klein ogenblikje maar aarzelde Atréjoe. Toen fluisterde hij: 'Vertel me het geheim!

131

Wat ben ik daar?'
Opnieuw gaf Gmork lange tijd geen antwoord. Zijn ademhaling ging rochelend en met stoten. Maar totaal onverwachts richtte hij zich op zodat hij nu op zijn gestrekte voorpoten rustte en Atréjoe naar hem op moest kijken. Nu pas zag je hoe enorm groot en afschrikwekkend hij was. Toen hij verder praatte klonk zijn stem reutelend.

'Heb jij het Niets gezien, kereltje?'

'Ja, meer dan eens.'

'Hoe ziet het er uit?'

'Alsof je blind bent.'

'Heel goed – en wanneer jullie er in terecht zijn gekomen dan steekt het jullie aan, het Niets. Jullie zijn als een besmettelijke ziekte, waardoor de mensen blind worden, zodat zij schijn en werkelijkheid niet meer onderscheiden kunnen. Weet je hoe ze jullie daar noemen?'

'Nee,' fluisterde Atréjoe.

'Leugen!' blafte Gmork.

Atréjoe schudde zijn hoofd. Al het bloed was uit zijn gezicht weggetrokken.

'Hoe kan dat?'

Gmork had plezier in Atréjoe's schrik. Het gesprek deed hem zichtbaar opleven. Na een poosje vervolgde hij: 'Je vroeg me, wat je daar bent. Maar wat ben je hier eigenlijk? Wat zijn jullie eigenlijk, wezens van Fantásië? Droombeelden zijn jullie, verzinsels in het rijk van de poëzie, figuren in een oneindig verhaal! Beschouw je jezelf als werkelijkheid, kereltje? Akkoord, hier in jouw wereld ben je het. Maar wanneer je door het Niets gaat niet meer. Dan ben je onkenbaar geworden. Dan ben je in een andere wereld. Daar hebben jullie niets meer met jezelf gemeen. Jullie brengen illusie en verblinding in de mensenwereld. Je mag raden, kereltje, wat er van al die bewoners van Spookstad wordt, die in het Niets gesprongen zijn.'

'Ik weet het niet,' stamelde Atréjoe.

'Ze worden waandenkbeelden in de hoofden van de mensen, angstvoorstellingen terwijl er in werkelijkheid niets te vrezen is, verlangens naar dingen die hen ziek maken, wanhoopgevoelens terwijl er helemaal geen reden tot wanhoop is.'

'Worden wij allemaal zo?' vroeg Atréjoe ontsteld.

'Nee,' antwoordde Gmork, 'want er zijn heel wat soorten van waan en verblinding, dat hangt ervan af wat jullie hier zijn. Ben je hier mooi of lelijk, dom of verstandig, dan worden jullie daar mooie of lelijke, domme of verstandige leugens.'

'En ik,' wilde Atréjoe weten, 'wat zal ik zijn?'

Gmork grijnsde.

'Dat zeg ik je niet, kereltje. Dat zul je wel zien. Of beter, je zult het niet zien omdat je niet meer jezelf zult zijn.'

Atréjoe zei niets en keek de weerwolf met opengesperde ogen aan.

Gmork vervolgde: 'Daarom haten en vrezen de mensen Fantásië en alles wat hier vandaan komt. Ze willen het vernietigen. En ze weten niet dat zij daarmee de stroom van leugens die zich ononderbroken in de mensenwereld stort, vergroten – die stroom van onkenbaar geworden Fantásische wezens, die daar het schijnbestaan van levende lijken moeten leiden en de zielen van de mensen met hun stank van verrotting vergiftigen. Zij hebben er geen notie van. Is dat niet kostelijk?'

'En zijn er geen mensen meer,' vroeg Atréjoe zachtjes, 'die ons niet haten en vrezen?'

'Ik ken er in elk geval niet één,' zei Gmork. 'En dat is overigens ook niet verwonderlijk, want jullie moeten er zelfs voor dienen de mensen te doen geloven dat Fantásië niet bestaat.'

'Dat Fantásië niet bestaat?' herhaalde Atréjoe niet begrijpend.

'Jazeker, kereltje,' antwoordde Gmork, 'dat is zelfs het belangrijkste. Kun je je dat niet voorstellen? Als ze geloven dat Fantásië niet bestaat, komen ze ook niet op het idee bij jullie op bezoek te gaan. En daar hangt alles van af, want alleen als zij jullie niet kennen in jullie ware gedaante, kan men met hen doen wat men wil.'

'*Wat* doen?'

'Alles wat men maar wil. Men heeft macht over hen. En niets geeft een grotere macht over mensen dan de leugen. Want de mensen, kereltje, leven van denkbeelden. En die kan men sturen. Die macht is het enige wat telt. Daarin stond ook ik aan de kant van de macht en ik heb die gediend om er deel aan te hebben – zij het op een andere manier dan jij en je soortgenoten.'

'Ik wil daar geen deel aan hebben!' riep Atréjoe uit.

'Rustig blijven, kleine dwaas,' gromde de weerwolf. 'Zodra het jouw beurt is om in het Niets te springen, wordt ook jij een willoze en onkenbare knecht van de macht. Wie zal zeggen waar men je nog voor gebruiken zal. Misschien zal men met jouw hulp mensen zover bren-

133

gen dat ze kopen wat ze niet nodig hebben, of haten wat zij niet kennen, geloven in wat hen afhankelijk maakt of twijfelen aan wat hen had kunnen redden. Met jullie, kleine Fantásiër, worden er in de mensenwereld grote zaken gedaan, worden oorlogen ontketend, worden wereldrijken gesticht...'

Een poosje keek Gmork de jongen met halfdichte ogen aan. Toen voegde hij er aan toe: 'Er zijn ginds ook een massa arme domkoppen die zichzelf natuurlijk voor erg gewiekst houden en menen de waarheid te dienen, die alle moeite doen om Fantásië zelfs uit het hoofd van kinderen weg te praten. Misschien zal juist iemand als jij hun van nut kunnen zijn.'

Atréjoe stond met gebogen hoofd.

Nu begreep hij waarom er geen mensen meer naar Fantásië kwamen en waarom er ook nooit meer iemand komen zou om de Kleine Keizerin nieuwe namen te geven. Hoe meer Fantásië ten prooi viel aan de vernietiging, des te groter werd de stroom leugens in de wereld van de mensen, en juist daardoor werd de mogelijkheid dat er toch nog een mensenkind kwam steeds kleiner. Het was een duivelse cirkel, waaruit niet te ontsnappen viel. Dat wist Atréjoe nu.

En er was nog iemand die het nu wist: Bastiaan Balthazar Boeckx.

Hij begreep nu dat niet alleen Fantásië ziek was, maar ook de mensenwereld. Het één hing samen met het ander. Eigenlijk had hij het al steeds gevoeld zonder te kunnen verklaren waarom het zo was. Hij had zich er nooit bij neer kunnen leggen dat het leven zo grauw en eentonig moest zijn – zonder geheimen en wonderen, zoals al die mensen beweerden die steeds zeiden: 'Zo is het leven nu eenmaal.'

Maar nu wist hij ook dat er iemand naar Fantásië moest gaan om de beide werelden weer gezond te maken.

En dat geen mens de weg daarheen meer kende, dat kwam nu juist door al die leugens en valse denkbeelden die door de verwoesting van Fantásië in de wereld kwamen en de mensen blind maakten.

Met schrik en schaamte moest Bastiaan aan zijn eigen leugens denken. De verzonnen verhalen die hij verteld had rekende hij er niet bij. Dat was iets anders. Maar een paar keer had hij heel bewust en opzettelijk gelogen – soms uit angst, soms om iets te krijgen dat hij beslist wilde hebben, soms ook alleen maar om op te scheppen. Welke wezens in Fantásië had hij daarmee vernietigd, onkenbaar gemaakt

134

en misbruikt? Hij probeerde zich er een voorstelling van te maken wat zij voordien, in hun ware gedaanten, geweest konden zijn – maar hij kon het niet. Misschien juist omdat hij gelogen had.

Eén ding stond in elk geval vast: ook hij had er schuld aan dat de situatie in Fantásië zo ernstig was. En hij wilde iets doen om het weer goed te maken. Dat was hij verschuldigd aan Atréjoe, die alleen om hem te halen tot alles bereid was. Hij kon en wilde Atréjoe niet teleurstellen. Hij moest de weg vinden!

De torenklok sloeg acht uur.

De weerwolf had Atréjoe nauwkeurig gadegeslagen.

'Nu weet je dus hoe je in de mensenwereld kunt komen,' zei hij. 'Wil je het nog steeds, kereltje?'

Atréjoe schudde zijn hoofd.

'Ik wil geen leugen worden,' mompelde hij.

'Dat word je toch, of je het wilt of niet,' antwoordde Gmork en het klonk haast vrolijk.

'En jij dan?' vroeg Atréjoe. 'Waarom ben jij hier?'

'Ik had een opdracht,' antwoordde Gmork met tegenzin.

'Jij ook?'

Atréjoe keek hem aandachtig en bijna medelijdend aan.

'En heb je die uitgevoerd?'

'Nee,' gromde Gmork, 'anders lag ik zeker niet hier aan de ketting. En het ging niet eens zo slecht in het begin – tot ik in deze stad kwam. De Duistere Vorstin die hier regeerde liet me met alle eerbetoon ontvangen. Ze nodigde me uit in haar paleis en onthaalde me rijkelijk. Zij sprak met me en deed alsof ze helemaal mijn partij had gekozen. Nu waren de wezens in het land van de Onzaligen mij natuurlijk vrij sympathiek en ik voelde me er zogezegd thuis. En de Duistere Vorstin was in haar soort een erg mooie vrouw – althans naar mijn smaak. Ze streelde me en krauwde me en ik liet het me welgevallen want het was buitengewoon prettig. Niemand had mij ooit zo gestreeld en gekrauwd. In het kort gezegd, ik verloor mijn kop en begon te kletsen. En zij deed maar of ze mij enorm bewonderde en zo vertelde ik haar tenslotte wat mijn opdracht was. Ze moet me diep in slaap gebracht hebben, want gewoonlijk sliep ik maar heel licht. En toen ik wakker werd, lag ik aan deze ketting. En de Duistere Vorstin stond voor me en zei: "Je hebt vergeten, Gmork, dat ook ik tot de Fantásische

135

wezens behoor. En als jij tegen Fantásië vecht, dan vecht je ook tegen mij. Dus ben je mijn vijand en ik ben je te slim af geweest. Deze ketting kan alleen nog door mij losgemaakt worden. Maar ik vertrek nu met mijn hofhouding naar het Niets en kom nooit meer terug." Ze draaide zich om en liep weg. Maar niet iedereen volgde haar voorbeeld. Pas toen het Niets steeds dichterbij kwam, werden steeds meer inwoners van de stad er zo geweldig sterk door aangetrokken dat zij geen weerstand meer konden bieden. En juist vandaag, als ik me niet vergis, hebben ook de laatsten toegegeven. Ja, ik ben in de val gelopen, kereltje, ik heb te lang naar die vrouw geluisterd. Maar jij, kereltje, bent nu in dezelfde val gelopen: jij hebt te lang naar mij geluisterd. Op dit ogenblik heeft het Niets zich namelijk als een ring om de stad gelegd. Je zit gevangen en kunt niet meer ontkomen.'

'Dan zullen we samen omkomen,' zei Atréjoe.

'Inderdaad,' antwoordde Gmork, 'maar op heel verschillende manieren, mijn kleine dwaas. Ik zal sterven voordat het Niets hier is, en jij zult er door verzwolgen worden. Dat is een groot verschil. Want het verhaal van wie vóórdien sterft is afgelopen, maar het jouwe gaat eindeloos verder – als leugen.'

'Waarom ben je zo kwaadaardig?' vroeg Atréjoe.

'Jullie hadden een wereld,' antwoordde Gmork somber, 'ik niet.'

'Wat was de opdracht?'

Gmork, die tot nu toe steeds rechtop had gezeten, gleed terug op de grond. Zijn krachten raakten duidelijk ten einde. Zijn schorre stemgeluid was nu niet veel anders meer dan gehijg.

'De lieden die ik dien en die het besluit hebben genomen Fantásië te vernietigen, zagen hun plannen bedreigd... Ze hadden gehoord dat de Kleine Keizerin een bode had uitgezonden, een grote held... en het leek er op dat die het toch nog klaar zou spelen een mensenkind naar Fantásië te halen... Het was dringend nodig hem tijdig te doden... Voor dit doel stuurden ze mij omdat ik veel in Fantásië rondgetrokken had... Ik vond meteen zijn spoor... volgde hem dag en nacht... haalde hem langzaam in... door het land van de Sassafraniërs... de Oerwoudtempel van Moeamath... het Heulebos... de Moerassen van de Droefheid... de Dode Bergen... maar toen, bij het diepe ravijn bij het net van Ygramoel... ben ik zijn spoor kwijt geraakt... als was hij opgelost in de lucht... En dus zocht ik verder, hij moest toch ergens zijn... maar ik heb zijn spoor niet meer teruggevonden... Zo ben ik tenslotte hier terechtgekomen... Het is me niet gelukt... Maar hem ook niet, want Fantásië gaat verloren... Atréjoe... zo heette hij...'

Gmork hief zijn kop op. De jongen had een pas teruggedaan en zich fier opgericht.

'Dat ben ik,' zei hij. 'Ik ben Atréjoe.'

Een stuiptrekking ging door het uitgemergelde lijf van de weerwolf. Het herhaalde zich en werd almaar sterker. Toen kwam er een geluid uit zijn keel dat klonk als een gierend hoesten. Het werd steeds luider en reutelender en nam toe tot een gebrul dat door alle muren van de huizen weerkaatst werd. De weerwolf lachte!

En toen was het opeens afgelopen.

Gmork was dood.

Atréjoe bleef lange tijd roerloos staan. Tenslotte liep hij op de dode weerwolf toe – hij wist zelf niet waarom – boog zich over zijn kop en raakte met zijn hand de ruige, zwarte pels aan. En op hetzelfde moment, sneller dan de bliksem, hadden Gmorks tanden toegeslagen en zich in Atréjoe's been vastgebeten. Zelfs na zijn dood had het kwade nog macht in hem.

Wanhopig trachtte Atréjoe het gebit open te breken. Maar tevergeefs. Als met stalen schroeven vastgeklemd zaten de reusachtige tanden in zijn vlees. Atréjoe zakte naast het lijk van de weerwolf in elkaar op de smerige grond.

En stap voor stap, onstuitbaar en onhoorbaar, drong het Niets van alle kanten door de zwarte hoge muur die de stad omringde.

[J]

De vlucht naar
de Ivoren Toren

JUIST op het moment dat Atréjoe door de donkere stadspoort van Spookstad was gegaan en begonnen was met
zijn tocht door de kronkelende stegen die zo noodlottig
zou eindigen op een smerige achterplaats, had de geluksdraak Foechoer een uiterst verbazingwekkende ontdekking
gedaan.

Nog altijd onvermoeibaar op zoek naar zijn kleine vriend en meester,
was hij heel hoog naar de wolken en nevelflarden in de lucht gestegen
en keek rond. Naar alle kanten strekte de zee zich uit, die na de geweldige storm die hem tot de bodem toe in beroering gebracht had
maar langzaam tot rust kwam. En opeens zag Foechoer veraf iets dat
hij niet verklaren kon. Het had iets van een gouden schittering, die
met regelmatige tussenpozen oplichtte en weer doofde. En het scheen
of dit licht precies op hem, Foechoer, gericht was.

Zo vlug hij kon begaf hij zich naar de bewuste plek en toen hij er
tenslotte boven zweefde, moest hij constateren dat het knipperende
licht afkomstig was van heel diep in zee, misschien zelfs van de zeebodem.

Geluksdraken, dat werd vroeger al verteld, zijn wezens van lucht
en vuur. Het natte element is hun niet alleen vreemd, maar ook erg
gevaarlijk voor hen. In het water kunnen zij als een vlam volledig uit-
doven, voor zover zij niet eerst stikken, want zij halen voortdurend
met hun hele lijf adem door middel van hun honderdduizenden parelmoerkleurige schubben. Zij voeden zich ook tegelijkertijd met lucht
en warmte, ander voedsel hebben zij niet nodig. Maar zonder lucht en
warmte kunnen zij maar een heel korte tijd leven.

Foechoer wist niet wat hij moest doen. Hij wist niet eens wat dit
merkwaardige knipperen daar onder de zee was en of het ook maar
iets met Atréjoe te maken had.

Toch dacht hij niet lang na. Hij schoot hoog de lucht in, draaide zich vervolgens om met zijn kop naar beneden, drukte zijn poten plat tegen zijn lijf, dat hij stijf en strak hield als een stok en liet zich toen naar omlaag vallen. Met een geweldige plons die het water als een reusachtige fontein deed opspuiten dook hij de zee in. Eerst verloor hij door de klap bijna het bewustzijn, maar toen dwong hij zich zijn robijnrode ogen te openen. Hij zag het knipperen nu heel dichtbij, maar een paar lichaamslengten dieper. De zee spoelde om zijn lijf en begon luchtbelletjes te vormen als water dat aan de kook raakt. Tegelijkertijd voelde hij dat hij afkoelde en steeds zwakker werd. Met de laatste krachten die hem nog restten dwong hij zich dieper te duiken – en nu zag hij de lichtbron zo dichtbij dat hij hem kon pakken. Het was AURYN, de Glans! Gelukkig was de amulet met de ketting aan een stuk koraal blijven hangen dat uit de wand van een ravijn stak – anders was het Kleinood weggezakt in de bodemloze diepte.

Foechoer greep het, maakte het los en deed de ketting om zijn nek om het niet te verliezen – want hij voelde dat hij weldra bewusteloos raken zou.

Toen hij weer bijkwam kon hij zich aanvankelijk nauwelijks oriënteren want tot zijn verbazing vloog hij nu weer boven de zee. Met grote snelheid ging hij in een heel bepaalde richting, veel sneller dan zijn uitgeputte energie toeliet. Hij probeerde wat langzamer te vliegen, maar hij moest vaststellen dat zijn lijf niet meer naar hem luisterde. Een andere, heel wat machtiger wil had zich van zijn lichaam meester gemaakt en bestuurde hem nu. En deze kracht was afkomstig van AURYN, die hij aan de ketting om zijn nek droeg.

De dag liep al ten einde en het werd avond toen Foechoer tenslotte in de verte een strand zag. Van het land daarachter was niet veel te zien; het scheen in de mist te liggen. Toen hij nog dichterbij kwam ontdekte hij dat het grootste deel van het land al door het Niets verzwolgen was. Hij kreeg er zo'n pijn van in zijn ogen, dat het hem het gevoel gaf blind te zijn.

Hier zou Foechoer als hij zelf had kunnen beslissen waarschijnlijk rechtsomkeert gemaakt hebben. Maar de geheimzinnige kracht van het Kleinood dwong hem verder te vliegen. En weldra wist hij ook waarom, want hij ontdekte te midden van dit eindeloze Niets opeens een eilandje dat nog intact was gebleven, een eiland bestaande uit huizen met puntgevels en scheve torens. Foechoer had een idee wat hij daar vinden zou en nu was het niet alleen maar de sterke wil die door de amulet invloed op hem uitoefende, maar ook zijn eigen wil die hem op het doel af deed vliegen. Op de grauwe achterplaats waar Atréjoe naast de dode weerwolf lag, was het haast helemaal donker. Het grijze schemerlicht dat in de smalle schacht tussen de huizen doordrong was maar nauwelijks toereikend om het lichtgekleurde lichaam van de jongen van de zwarte pels van het monster te onderscheiden. En naarmate het donkerder werd zagen zij er steeds meer uit als één geheel.

Atréjoe had al lang alle pogingen opgegeven om zich uit de stalen greep van de wolvebeet te bevrijden. Hij was in een halfbewusteloze toestand geraakt, waarin hij weer de purperbuffel in het Grazige Meer voor zich zag, de buffel die hij niet gedood had. Soms riep hij naar de andere kinderen, zijn jachtgezellen, die nu waarschijnlijk al echte jagers waren. Maar niemand gaf antwoord. Alleen de roerloze, reusachtige buffel stond er maar en staarde hem aan. Atréjoe riep om Artax, zijn paardje. Maar het kwam niet en ook zijn levendige gehinnik was nergens te horen. Hij riep naar de Kleine Keizerin, maar tevergeefs. Hij kon haar niets meer uitleggen. Hij was geen jager geworden, hij was geen bode meer, hij was niemand.

Atréjoe had het opgegeven.

Maar toen voelde hij ook nog wat anders: het Niets! Het moest nu erg dichtbij zijn. Weer voelde Atréjoe de ontzettende zuigkracht, die hem duizelig maakte. Hij richtte zich op en rukte kreunend aan zijn been. Maar de tanden lieten niet los.

En in dit geval was het zijn geluk. Want als Gmorks tanden hem niet hadden tegengehouden, dan was Foechoer ondanks alles te laat gekomen.

Maar nu hoorde Atréjoe plotseling boven zich in de lucht de donkere stem van de geluksdraak.

'Atréjoe! Ben je hier? Atréjoe!'

'Foechoer!' riep Atréjoe. En toen vouwde hij zijn handen als een trechter om zijn mond en schreeuwde naar boven: 'Hier ben ik, Foechoer! Foechoer! Help me! Ik ben hier!'

En hij schreeuwde het steeds opnieuw.

Toen zag hij Foechoers witte, vlammende lijf als een levende bliksemstraal door het kleine donker wordende stukje lucht gaan, eerst erg ver, erg hoog boven hem, maar toen een tweede keer veel dichterbij. Atréjoe schreeuwde en schreeuwde maar en de geluksdraak antwoordde met zijn klokkenstem. En tenslotte had die daarboven die daarbeneden in het oog gekregen, klein als een armzalig kevertje in een donker gat.

Foechoer begon aan zijn landing, maar de achterplaats was maar klein en het was bijna nacht, en de draak haalde bij het naar beneden komen een van de puntgevels omver. Met donderend geraas stortten de balken van het dak naar beneden. Foechoer voelde een snijdende pijn. Hij had zich aan de nok van het dak ernstig bezeerd. Het werd niet een van zijn gewoonlijk zo sierlijke landingen. Hij viel met een klap op de natte, smerige grond, vlak naast Atréjoe en de dode Gmork.

Zich uitschuddend en niezend als een hond die uit het water komt, zei hij: 'Eindelijk! Hier zit je dus! Dan ben ik nog net op tijd gekomen!'

Atréjoe zei niets. Hij had zijn arm om Foechoers hals geslagen en begroef zijn gezicht in diens zilveren manen.

'Kom mee!' spoorde Foechoer hem aan. 'Ga op mijn rug zitten! Er is geen tijd te verliezen!'

Atréjoe schudde zijn hoofd. En nu pas zag Foechoer dat Atréjoe's been klem zat in de kaken van de weerwolf.

'O, dat is zo bekeken,' zei hij en rolde met zijn robijnrode ogen. 'Maak je maar geen zorgen!'

Met zijn voorpoten probeerde hij het gebit van Gmork open te breken. Maar de tanden weken geen millimeter van elkaar.

Foechoer hijgde en blies van inspanning, maar het hielp niets. En het was hem zeker niet gelukt zijn kleine vriend te bevrijden als het geluk hem niet te hulp was gekomen. Maar geluksdraken *hebben* geluk, en met hen degenen die zij welgezind zijn.

Toen Foechoer namelijk uitgeput ophield en zich over Gmorks kop boog om in het donker beter te zien wat hij zou kunnen doen, kwam de amulet van de Kleine Keizerin, die aan de ketting om Foechoers nek hing, op het voorhoofd van de dode weerwolf te liggen. En op hetzelfde moment gingen de kaken van elkaar en was Atréjoe weer vrij.

'Hé!' riep Foechoer. 'Zag je dat?'

Maar Atréjoe gaf geen antwoord.

'Wat is er?' vroeg Foechoer. 'Waar ben je, Atréjoe?'

In het donker tastte hij naar zijn vriend, maar die was er niet meer.

En terwijl hij met zijn roodgloeiende ogen het nachtelijk duister probeerde te doordringen begon hij ook zelf te voelen wat Atréjoe bij hem weggetrokken had toen hij nog maar net los was: het steeds dichterbij komende Niets. Maar AURYN beschermde hem tegen de zuigkracht.

Tevergeefs bood Atréjoe weerstand. Het Niets was sterker dan zijn eigen kleine wil. Hij sloeg om zich heen, hij vocht en stampvoette, maar zijn ledematen gehoorzaamden niet hem maar die onweerstaanbare zuigkracht. Nog een paar passen scheidden hem van de definitieve vernietiging.

Op dat moment schoot Foechoer als een vlammende, witte bliksemstraal over hem heen en pakte hem aan zijn lange, blauwzwarte haar. Hij trok hem omhoog en raasde met hem de nachtzwarte hemel in.

De torenklok sloeg negen keer.

Geen van beiden, Foechoer noch Atréjoe, kon later vertellen hoelang deze vlucht door het volkomen donker duurde en of het werkelijk slechts één nacht was. Misschien had voor hen ook alle tijd opgehouden en hingen zij roerloos in een grenzeloos duister. Niet alleen voor Atréjoe was het de langste nacht van zijn leven, maar ook voor Foechoer, die nog veel, veel ouder was.

Maar ook de langste en donkerste nacht gaat eens voorbij. En toen de grauwe ochtend gloorde zagen ze beiden ver aan de horizon de Ivoren Toren.

Op dit punt moeten we wel even pauzeren om op een bijzonderheid van het Fantásische rijk te wijzen. Landen en zeeën, gebergten en rivierbeddingen liggen daar niet op dezelfde manier vast als in de wereld van de mensen. Het zou daarom bijvoorbeeld volstrekt onmogelijk zijn een landkaart van Fantásië te tekenen. Het is daar nooit met zekerheid te zeggen welk land aan welk ander grenst. Zelfs de windstreken wisselen naar gelang de streek waarin men zich op een bepaald ogenblik bevindt. Zomer en winter, dag en nacht gehoorzamen in iedere streek weer aan andere wetten. Je kunt uit een gloeiend hete woestijn komen en meteen daarnaast in poolsneeuw belanden. In die wereld bestaan er geen meetbare afstanden; vandaar dat de woorden 'dichtbij' en 'ver' een andere betekenis hebben. Al deze dingen zijn afhankelijk van de zielstoestanden en van de wil van degeen die een bepaalde weg aflegt. Aangezien Fantásië onbegrensd is, kan zijn middelpunt overal zijn – of beter gezegd, overal vandaan is het even dichtbij of even ver. Het hangt helemaal af van degeen die naar het middelpunt toe wil. En in deze binnenste kern van Fantásië staat de Ivoren Toren.

Atréjoe ontdekte tot zijn verbazing dat hij op de rug van de geluks-draak zat, zonder dat hij zich herinnerde hoe hij daarop was gekomen. Alleen wist hij nog dat Foechoer hem aan zijn haar omhoog getrokken had. Toen hij zijn mantel die achter hem aan wapperde huiverend om zich heen trok, ontdekte hij dat deze al zijn kleur kwijt was en vaal was geworden. Het was al net zo met zijn huid en zijn haar. En nu zag hij in het toenemende ochtendlicht dat het met Foechoer niet anders was gesteld. De draak leek nog maar een grijze mistflard en was bijna net zo onwezenlijk. Ze waren allebei te dicht in de buurt van het Niets gekomen.

'Atréjoe, mijn kleine meester,' hoorde hij de draak zachtjes zeggen. 'Doet je wond erg pijn?'

'Nee,' zei Atréjoe, 'ik voel niets meer.'

'Heb je koorts?'

'Nee, Foechoer, ik denk het niet. Waarom vraag je dat?'

'Ik heb gemerkt dat je beeft,' antwoordde de draak. 'Wat ter wereld kan Atréjoe nu nog aan het beven brengen?'

Atréjoe zweeg een tijdje voor hij antwoordde: 'We zullen er nu gauw zijn. En dan moet ik de Kleine Keizerin vertellen dat er geen redding meer is. Van alles wat ik te doen had, is dat het moeilijkste.'

'Ja,' zei Foechoer nog zachter, 'dat is zo.'

Zwijgend vlogen zij verder, almaar in de richting van de Ivoren Toren.

Na een poosje begon de draak opnieuw.

'Heb je haar ooit gezien, Atréjoe?'

'Wie?'

'De Kleine Keizerin – of liever, de Goudogige Meesteres van de Verlangens. Want zo moet je haar aanspreken wanneer je voor haar staat.'

'Nee, ik heb haar nooit gezien.'

'Ik wel. Het is heel lang geleden. Je betovergrootvader moet toen een klein kind geweest zijn. Ook ik was nog een jonge spring-in-de-

144

wolken, die niks dan gekkigheid in zijn hoofd had. Op een nacht probeerde ik eens de maan uit de hemel te halen die daar zo mooi groot en rond stond te schijnen. Zoals ik al zei, ik had nog nergens enige notie van. Toen ik me tenslotte teleurgesteld terug liet vallen naar de aarde kwam ik heel dicht in de buurt van de Ivoren Toren. Die nacht had het Magnoliapaviljoen zijn bloembladeren wijdopen staan en in het midden daarvan zag ik de Kleine Keizerin zitten. Zij gunde me één blik, één enkele korte blik, maar – ik weet niet hoe ik het zeggen moet – vanaf die nacht ben ik een ander geworden.'

'Hoe ziet zij er uit?'

'Als een klein meisje. Maar zij is veel ouder dan de oudste Fantásische wezens. Eigenlijk moet ik zeggen dat ze leeftijdsloos is.'

'Maar ze is wel doodziek,' zei Atréjoe. 'Moet ik haar er heel omzichtig op voorbereiden dat er geen hoop meer is?'

Foechoer schudde zijn kop.

'Nee, ze zou direct doorzien dat je er omheen draait. Je moet haar de waarheid zeggen.'

'Ook als die haar dood betekent?' vroeg Atréjoe.

'Ik denk niet dat het zo ver komt,' zei Foechoer.

'Ja, ik weet het,' zei Atréjoe, 'jij bent een geluksdraak.'

En toen vlogen ze weer lange tijd zwijgend verder.

Tenslotte praatten ze nog een derde keer met elkaar. Nu was het Atréjoe die de stilte verbrak.

'Ik zou je nog wat willen vragen, Foechoer.'

'Vraag maar!'

'*Wie* is zij?'

'Hoe bedoel je dat?'

'AURYN heeft macht over alle wezens in Fantásië, ongeacht of zij schepselen des lichts of der duisternis zijn. Het heeft ook macht over jou en mij. En toch oefent de Kleine Keizerin nooit macht uit. Het is alsof ze niet bestaat en toch is ze in alles. Is zij als wij?'

'Nee,' antwoordde Foechoer, 'ze is niet wat wij zijn. Zij is geen Fantásisch wezen. Wij zijn er allemaal doordat zij er is. Maar zij is van een andere orde.'

'Is ze dan...' Atréjoe aarzelde zijn vraag uit te spreken. 'Is ze zo iets als een mensenkind?'

'Nee,' zei Foechoer, 'ze is niet wat mensenkinderen zijn.'

'Nou,' herhaalde Atréjoe, '*wie* is ze dan?'

145

Pas na een lang stilzwijgen antwoordde Foechoer: 'Niemand in Fantásië weet het, niemand kan het ook weten. Het is het diepste geheim van onze wereld. Ooit heb ik eens een wijze horen zeggen dat degeen die het helemaal begrijpen kon daarmee zijn eigen bestaan zou uitwissen. Ik heb geen idee wat hij daarmee kan hebben bedoeld. Meer kan ik je niet zeggen.'

'En nu,' zei Atréjoe, 'wordt haar en ons aller bestaan uitgewist zonder dat wij iets van haar geheim begrepen hebben.'

Dit keer gaf Foechoer geen antwoord, maar om zijn leeuwachtige muil speelde een glimlachje alsof hij zeggen wilde: dat zal niet gebeuren.

Nadien zei geen van beiden meer iets.

Korte tijd daarna vlogen zij over de uiterste rand van het 'Labyrint', de grote vlakte met bloemperken, hagen en kronkelpaden die de Ivoren Toren omringde. Tot hun schrik moesten zij constateren dat ook hier het Niets al aan het werk was. Weliswaar waren het voorlopig nog kleine plekken die door het 'Labyrint' heenbraken, maar ze waren overal. De kleurrijke bloemperken en bloeiende struiken die tussen deze plekken lagen waren vaal en dor geworden. De kleine sierlijke bomen reikten met kale, kromgetrokken takken naar de draak en zijn berijder als wilden zij om hulp smeken. De eertijds groene en bonte gazons waren nu ontkleurd en een lichte stank van bederf en rotting steeg omhoog naar de vreemdelingen. De enige kleuren die ze nog zagen waren die van opgezwollen reuzenpaddestoelen en van giftig uitziende, wanstaltige, schril gekleurde groepjes bloemen die meer op uitwassen van de waanzin en het verderf leken. Het laatste leven van Fantásië verzette zich nog stuiptrekkend en krachteloos tegen de definitieve vernietiging die het rijk van alle zijden belaagde en verteerde.

Maar nog steeds straalde feeëriek wit, vlekkeloos en ongerept, in het midden de Ivoren Toren.

Foechoer landde met Atréjoe niet op het lagere terras dat bedoeld was als landingsplaats voor gevleugelde boden. Hij besefte dat hijzelf noch Atréjoe de kracht zou hebben om vandaar de lange, spiraalvormige hoofdstraat die naar de top van de toren voerde op te klimmen. Hij vond bovendien dat de toestand van dien aard was, dat hij alle voorschriften en de regels van de etiquette wel in de wind mocht slaan. Hij besloot een noodlanding te maken. Hij suisde over de ivoren uitbouwen, bruggen en balustraden, vond op het laatste moment nog het hoogst gelegen stuk van de hoofdstraat, net waar deze eindigde voor het eigenlijke paleiscomplex, liet zich vallen, schoot schuivend de straat over, waarbij hij een paar keer om zijn as draaide en kwam uiteindelijk met zijn staart naar voren tot stilstand.

Atréjoe die zich met beide armen om de hals van Foechoer vastgehouden had, ging rechtop zitten en keek in het rond. Hij had een soort comité van ontvangst verwacht, of op zijn minst een aantal paleiswachten die hem vragen zouden wie hij was en wat hij kwam doen – maar nergens was iemand te zien. De stralend witte gebouwen om hem heen schenen uitgestorven.

'Ze zijn allemaal gevlucht,' schoot het door zijn hoofd. 'En ze hebben de Kleine Keizerin alleen gelaten. Of zou ze al...?'

'Atréjoe,' fluisterde Foechoer, 'je moet haar het Kleinood teruggeven.'

Hij schoof de gouden ketting van zijn nek. De amulet gleed op de grond.

Atréjoe sprong van Foechoers rug... en viel neer. Hij had niet meer aan zijn wond gedacht. Liggend pakte hij het Pantakel en deed het om. Toen kwam hij, zich vasthoudend aan de draak, met moeite overeind.

'Foechoer,' zei hij, 'waar moet ik nu naar toe?'

Maar de geluksdraak antwoordde niet meer. Hij lag er bij of hij gestorven was.

De hoofdstraat eindigde bij een hoge, witte ringmuur voor een prachtig gebeeldhouwde grote poort, waarvan de deuren openstonden.

Atréjoe hinkte er naar toe, steunde tegen het portaal en ontdekte achter de poort een brede, stralend witte, open trap die tot in de hemel scheen te reiken. Hij begon hem te beklimmen. Soms stond hij even stil om weer nieuwe kracht op te doen. Op de witte trap vormde zich een spoor van bloeddruppels.

Eindelijk was hij boven aangekomen, waar hij een lange galerij voor zich zag. Hij liep wankelend verder en hield zich vast aan de pilaren. Vervolgens ging hij over een binnenplaats vol fonteinen en andere waterpartijen, maar hij kon nauwelijks onderscheiden wat hij zag. Als in een droom worstelde hij zich vooruit. Hij kwam bij een tweede, kleinere poort terecht, waarna hij een heel hoge, maar dit keer smalle trap op moest. Nu bevond hij zich in een tuin waarin alles – bomen, bloemen en dieren – uit ivoor gesneden was. Op handen en voeten kroop hij over verscheidene boogvormige bruggen zonder leuningen die hem bij een derde poort brachten, de kleinste van de drie. Hij trok zich voort, liggend op zijn buik. Langzaam keek hij op en ontwaarde een ivoren bergtop die blonk als een spiegel, en op het puntje ervan het verblindend witte Magnoliapaviljoen. Er liep geen pad naar toe en er was ook geen trap.

Atréjoe liet zijn hoofd in zijn armen vallen.

Niemand die ooit daar boven is gekomen of nog daar boven komen zal, kan zeggen hoe hij dit laatste stuk afgelegd heeft. Het moet je geschonken worden.

Plotseling stond Atréjoe voor de deur die toegang tot het paviljoen gaf. Hij stapte naar binnen – en nu stond hij oog in oog met de Goudogige Meesteres van de Verlangens.

Zij zat, gesteund door veel kussens, op een zachte, ronde poef in het midden van de bloemenkoepel en had haar blik op hem gericht. Er ging iets van haar uit dat oneindig teder en kostbaar was. Hoe ziek ze wel was kon Atréjoe zien aan de bleke kleur van haar gezicht, dat bijna doorzichtig leek. Haar amandelvormige ogen hadden de kleur van donker goud. Zij verraadden geen bezorgdheid of onrust. Ze glimlachte. Haar slanke, kleine gestalte was gehuld in een wijd, zijden gewaad, dat zo wit oplichtte dat zelfs de magnoliabladeren er donker bij leken. Ze zag er uit als een onbeschrijflijk mooi klein meisje van hoogstens tien jaar, maar haar lange haar dat glad gekamd over haar schouders en rug viel – was wit als sneeuw.

Bastiaan schrok op.

Er was hem nu iets gebeurd dat hij nog nooit meegemaakt had.

Tot nu toe had hij zich alles wat er in het Oneindige Verhaal verteld werd heel duidelijk voor kunnen stellen. Een paar merkwaardige dingen waren tijdens het lezen van dit boek zeer zeker al voorgevallen, dat viel niet te ontkennen, maar die konden op de een of andere manier verklaard worden. Hij had zich Atréjoe, zoals hij daar op de geluksdraak reed, en het Labyrint en de Ivoren Toren zo duidelijk mogelijk voorgesteld. Maar tot nu toe waren het toch enkel maar zijn eigen gedachtenbeelden geweest.

Toen hij echter bij de passage kwam waarin er sprake was van de

Kleine Keizerin, had hij voor een onderdeel van een seconde – maar zo lang als een bliksemschicht duurt – haar gezicht voor zich gezien. En dan niet slechts in zijn gedachten, maar met zijn eigen ogen! Verbeelding was het niet geweest, daar was Bastiaan zeker van. Hij had zelfs bijzonderheden gezien die in de beschrijving helemaal niet voorkwamen. Haar wenkbrauwen bijvoorbeeld, die zich als twee met Oostindische inkt getekende boogjes boven haar goudkleurige ogen welfden – of dat zij vreemd langgerekte oorlelletjes had – en ook die aparte, schuine houding van haar hoofd op haar tere hals. Bastiaan wist zeker dat hij nooit van zijn leven iets mooiers gezien had dan dit gezicht. En op hetzelfde moment had hij ook geweten hoe zij heette: Maankind. Er bestond geen enkele twijfel aan dat dit haar naam was.

En Maankind had hem aangekeken – hem, Bastiaan Balthazar Boeckx!

Zij had hem aangekeken met een uitdrukking die hij niet verklaren kon. Was zij ook verrast geweest? Had haar blik een vraag ingehouden? Of een diep verlangen? Of – ja, wat eigenlijk?

Hij probeerde zich de ogen van Maankind weer voor de geest te halen, maar het lukte hem niet meer.

Eén ding wist hij zeker: die blik had hem door zijn eigen ogen heen en door zijn hals omlaag midden in zijn hart geraakt. Nu nog voelde hij het gloeiende spoor dat de blik op deze weg had getrokken. En hij wist dat die blik nu in zijn hart besloten lag en oplichtte als een geheimzinnige schat. En dat deed op een vreemde en tegelijk heerlijke manier pijn.

Zelfs als Bastiaan het gewild had zou hij zich niet meer hebben kunnen verzetten tegen wat er met hem was gebeurd. Maar hij wilde het ook niet, o nee! Integendeel, voor geen geld ter wereld zou hij deze schat weer afgegeven hebben. Hij wilde nog maar één ding: verder lezen, om weer bij Maankind te zijn, om haar terug te zien.

Hij had er geen vermoeden van dat hij zich daarmee nu onherroepelijk inliet met het wonderlijkste, maar ook gevaarlijkste avontuur. Maar zelfs als hij het vermoed had, was dat voor hem stellig geen reden geweest om het boek dicht te klappen en weg te leggen en nooit weer aan te raken.

Met trillende vingers zocht hij de passage op waar hij gestopt was en ging weer verder lezen.

De torenklok sloeg tien.

149

[K]

De Kleine Keizerin

K ENNELIJK niet in staat iets uit te brengen stond Atréjoe daar en keek naar de Kleine Keizerin. Hij wist niet
hoe hij beginnen zou, noch hoe hij zich gedragen moest.
Hij had vaak geprobeerd zich dit moment voor te stellen,
hij had woorden bedacht, maar dat was nu allemaal uit zijn
hoofd verdwenen.

Eindelijk lachte ze tegen hem en zei met een stem die zo zacht en
teder klonk als die van een vogeltje dat je in slaap zingt: 'Je bent dus
weer terug van je Grote Zoeken, Atréjoe.'

'Ja,' zei Atréjoe en boog zijn hoofd.

'Je mooie mantel is grijs geworden,' vervolgde ze, nadat het even
stil was geweest. 'En ook je haar en je huid zijn grijs als steen. Maar
alles wordt nu weer als vroeger en nog mooier. Dat zul je zien.'

Het was alsof Atréjoe's keel dichtgeknepen zat. Haast onmerkbaar
schudde hij zijn hoofd. En toen hoorde hij het tere stemmetje zeggen:
'Je hebt mijn opdracht vervuld...'

Atréjoe wist niet of met deze woorden een vraag was bedoeld. Hij
durfde niet op te kijken om het in haar ogen te zien. Langzaam pakte
hij de ketting met de gouden amulet en haalde die van zijn hals. Met
uitgestrekte hand reikte hij hem de Kleine Keizerin aan – nog altijd
naar de grond kijkend. Hij probeerde op één knie neer te knielen zoals
gezanten dat deden in verhalen en liederen die hij gehoord had in de
tentenkampen in zijn gewest, maar zijn gewonde been wilde niet
meewerken en hij viel voor de voeten van de Kleine Keizerin neer.
Met zijn gezicht naar de grond bleef hij liggen.

Ze boog zich voorover en raapte AURYN op. En terwijl ze de ketting
door haar vingers liet glijden zei ze: 'Je hebt je goed gekweten van je
taak. Ik ben erg tevreden over je.'

'Niet waar!' riep Atréjoe haast onstuimig uit. 'Het was allemaal
tevergeefs. Er is geen redding!'

Er viel een lange stilte. Atréjoe had zijn gezicht verborgen in de holte van zijn arm en hij beefde over zijn hele lichaam. Hij vreesde een kreet van wanhoop of van smart te zullen horen, misschien ook een bitter verwijt of zelfs een woedeuitbarsting. Hij wist zelf niet wat hij verwachtte – maar zeker niet wat hij nu te horen kreeg: zij lachte. Ze lachte zachtjes en geamuseerd. Atréjoe begreep er niets van. Even meende hij dat zij krankzinnig geworden was. Maar het was niet het lachen van een waanzinnige.

Toen hoorde hij haar zeggen: 'Maar je hebt hem toch meegebracht.'

Atréjoe hief zijn hoofd op.

'Wie?'

'Onze redder.'

Onderzoekend keek hij haar aan, maar hij vond in haar ogen niets dan openheid en vrolijkheid. Weer glimlachte ze.

'Je hebt je opdracht vervuld. Ik ben je dankbaar voor alles wat je gedaan en geleden hebt.'

Hij schudde zijn hoofd.

'Goudogige Meesteres van de Verlangens,' stamelde hij, en voor de eerste keer gebruikte hij nu de officiële aanspreektitel die Foechoer hem aangeraden had, 'ik... nee echt, ik begrijp niet wat u bedoelt.'

'Ja, dat is je aan te zien,' zei ze. 'Maar of je het nu begrijpt of niet, je hebt het klaargespeeld. En dat is toch zeker het voornaamste?'

Atréjoe antwoordde niet. Hij kon zelfs geen vraag meer bedenken. Met open mond staarde hij de Kleine Keizerin aan.

'Ik heb hem gezien,' vervolgde ze, 'en hij heeft mij ook aangekeken.'

'Wanneer was dat dan?' wilde Atréjoe weten.

'Zo net, toen je hier binnenkwam. Je hebt hem meegebracht.'

Atréjoe keek onwillekeurig om zich heen.

'Waar is hij dan? Ik zie niemand behalve mezelf en u.'

'O, er is nog heel wat dat voor jou onzichtbaar is,' antwoordde ze, 'maar je kunt me geloven. Hij is nog niet in onze wereld. Maar onze werelden zijn zo dicht bij elkaar dat wij elkaar kunnen zien, want voor de duur van een bliksemschicht werd de dunne wand die ons nog scheidt doorzichtig. Weldra zal hij helemaal bij ons zijn en mij noemen bij mijn nieuwe naam, die hij alleen mij geven kan. Dan zal ik weer beter worden, en Fantásië met mij.'

Terwijl de Kleine Keizerin dit alles vertelde was Atréjoe met moei-

152

te overeind gekomen. Hij keek naar haar op omdat zij op haar grote poef hoger zat en zijn stem klonk dof toen hij vroeg: 'Dan kent u dus al lang de boodschap die ik u brengen moest. Wat de Oeroude Morla in de Moerassen van de Droefheid mij onthuld heeft, wat de geheimzinnige stem van Oeyoelála in het Zuidelijk Orakel mij kon vertellen – dat alles weet u al?'

'Ja,' zei ze, 'en ik wist het ook al voor ik jou de opdracht tot het Grote Zoeken gaf.'

Atréjoe moest een paar keer slikken.

'Maar waarom,' kon hij tenslotte uitbrengen, 'hebt u mij er dan op uit gestuurd? Wat verwachtte u dan van me?'

'Niets anders,' antwoordde ze, 'dan wat je gedaan hebt.'

'Wat ik gedaan heb...' herhaalde Atréjoe langzaam. Tussen zijn wenkbrauwen vormde zich een verticale frons van kwaadheid. 'Als het is zoals u zegt, dan was alles nodeloos. Het was overbodig dat u mij op het Grote Zoeken hebt uitgestuurd. Ik heb horen vertellen dat uw beslissingen voor ons soort wezens vaak onbegrijpelijk zijn. Dat kan zijn. Maar het valt me moeilijk na alles wat ik heb meegemaakt rustig aan te horen dat u maar een grapje met me hebt uitgehaald.'

De blik in de ogen van de Kleine Keizerin werd nu heel ernstig.

'Ik heb geen grapje met je uitgehaald, Atréjoe,' zei ze. 'En ik weet maar al te goed wat ik je verschuldigd ben. Alles wat jij moest doormaken was noodzakelijk. Ik heb je het Grote Zoeken laten ondernemen – niet voor de boodschap die jij me nu brengen wilde, maar omdat het het enige middel was om onze redder te roepen. Want hij heeft aan alles deel gehad wat jij beleefd hebt en hij is samen met jou die lange weg gegaan. Je hebt bij de Diepe Afgrond zijn kreet van schrik gehoord toen jij met Ygramoel praatte en je hebt zijn beeltenis gezien toen je voor de Toverspiegel Poort stond. Jij bent zijn beeld binnengelopen en hebt het met je meegenomen en daarom is hij jou gevolgd, want hij had zichzelf gezien met jouw ogen. Ook nu verstaat hij ieder woord dat wij met elkaar spreken. Hij weet dat wij over hem praten, op hem wachten en op hem hopen. En nu begrijpt hij misschien dat al die ontberingen die jij je hebt getroost, Atréjoe, hèm golden, dat heel Fantásië om hem roept!'

Nog steeds keek Atréjoe kwaad voor zich uit, maar geleidelijk trok de frons van zijn voorhoofd weg.

'Hoe kunt u dat allemaal weten,' vroeg hij na een poosje, 'die kreet

153

bij de Diepe Afgrond en dat beeld in de Toverspiegel? Was dat ook allemaal door u voorbestemd?'

De Kleine Keizerin hield AURYN omhoog en terwijl zij het om haar hals deed, antwoordde ze: 'Jij hebt toch steeds de Glans gedragen? Heb je dan niet geweten dat ik daardoor altijd bij je was?'

'Niet altijd,' antwoordde Atréjoe. 'Ik had hem verloren.'

'Ja,' zei ze, 'toen was je echt alleen. Vertel me eens wat er in die tijd allemaal is gebeurd.'

Atréjoe deed verslag van wat hij had meegemaakt.

'Nu begrijp ik waarom je grijs bent geworden,' zei de Kleine Keizerin. 'Je bent te dicht bij het Niets gekomen.'

'Maar is het dan echt waar,' wilde Atréjoe weten, 'wat Gmork, de weerwolf, over de vernietigde wezens uit Fantásië zei, dat ze in de wereld van de mensenkinderen leugens worden?'

'Ja, dat is waar,' antwoordde de Kleine Keizerin en er kwam een floers over haar gouden ogen. 'Alle leugens waren eens wezens in Fantásië. Ze zijn van dezelfde hoedanigheid – maar ze zijn onkenbaar geworden en hebben hun ware wezen verloren. Wat Gmork je vertelde was echter maar de halve waarheid. Van een halfwezen kun je ook niet anders verwachten. Er bestaan twee manieren om de grenzen tussen Fantásië en de mensenwereld te overschrijden, een goede, en een verkeerde. De afgrijselijke manier waarop wezens van Fantásië naar de andere kant gesleurd worden, is de verkeerde. De goede manier is als mensenkinderen in onze wereld komen. Alle mensenkinderen die bij ons waren hebben iets ervaren wat zij alleen hier konden beleven, en wat hen veranderd in hun wereld liet terugkeren. Ze waren ziende geworden doordat zij jullie in je ware gedaante hadden gezien. Daardoor konden ze toen ook hun eigen wereld en hun medemensen met andere ogen zien. Waar zij voordien enkel het alledaagse gevonden hadden, ontdekten zij opeens wonderen en geheimen. Daarom kwamen ze graag naar Fantásië toe. En naarmate onze wereld daardoor rijker en bloeiender werd, waren er minder leugens in de hunne en was hun wereld ook volmaakter. Zoals onze beide werelden elkaar over en weer vernietigen, zo kunnen zij elkaar ook wederzijds gezond maken.'

Atréjoe moest een poosje nadenken, maar toen vroeg hij: 'Hoe is het dan begonnen?'

'De noodsituatie waarin onze beide werelden terecht zijn geko-

154

men,' antwoordde de Kleine Keizerin, 'heeft ook een dubbele oorsprong. Nu is alles in zijn tegendeel veranderd: wat ziende maakt, verblindt; wat scheppen kan, werkt vernietigend. De redding ligt bij de mensenkinderen. Er moet één mens komen en die moet mij een nieuwe naam geven. En hij zal komen.'

Atréjoe zei niets.

'Begrijp je nu, Atréjoe,' vroeg de Kleine Keizerin, 'waarom ik je zoveel moest laten doorstaan? Alleen dank zij een lang verhaal vol avonturen, wonderen en gevaren kon je onze redder met je meebrengen. En dat verhaal was jouw verhaal.'

Atréjoe zat diep in gedachten verzonken. Eindelijk knikte hij.

'Ja, ik begrijp het nu, Goudogige Meesteres van de Verlangens. Ik ben u dankbaar dat u mij hebt uitgekozen. Vergeef me dat ik boos werd.'

'Je kon dit allemaal niet weten,' antwoordde zij zacht, 'en ook dat was nodig.'

Atréjoe knikte weer. Even later zei hij: 'Maar ik ben nu erg moe.'

'Je hebt genoeg gedaan, Atréjoe,' antwoordde zij. 'Zou je willen gaan rusten?'

'Nee, nog niet. Eerst zou ik de goede afloop van mijn verhaal willen meemaken. Als het zo is als u zegt, als ik mijn opdracht vervuld heb – waarom is de redder dan nog altijd niet hier? Waar wacht hij nog op?'

'Ja,' zei de Kleine Keizerin zachtjes, 'waar wacht hij nog op?'

Bastiaan voelde hoe zijn handen klam werden van opwinding.

'Dat kan ik toch niet,' zei hij. 'Ik weet toch helemaal niet wat ik doen moet. En misschien is de naam die ik bedacht heb wel helemaal de goede niet.'

'Mag ik u nog wat vragen?' vroeg Atréjoe, het gesprek weer opnemend.

Glimlachend knikte ze.

'Waarom kunt u alleen beter worden als u een nieuwe naam krijgt?'

'Alleen de juiste naam geeft alle wezens en dingen hun echtheid,' zei ze. 'De verkeerde naam maakt alles onecht. Dat is nu wat de leugen doet.'

'Misschien weet de redder de juiste naam die hij u geven moet nog niet.'

155

'Jawel,' antwoordde zij. 'Die weet hij.'
Weer zaten ze zwijgend bij elkaar.

'Ja,' zei Bastiaan, 'ik weet hem. Ik wist hem meteen toen ik u zag.
Maar ik weet niet wat ik doen moet.'

Atréjoe keek op.
'Misschien zou hij wel willen komen maar weet hij alleen niet hoe
hij het aan moet leggen.'
'Hij hoeft niets anders te doen,' antwoordde de Kleine Keizerin,
'dan mij bij mijn nieuwe naam te roepen, die hij alleen kent. Dat zou
al voldoende zijn.'

Bastiaans hart begon wild te kloppen. Zou hij het gewoon proberen?
Maar als het dan niet lukte? Als hij zich toch vergiste? Als die twee
het helemaal niet over hem hadden maar over een heel andere redder?
Hoe moest hij nu weten of zij echt *hem* bedoelden?

'Ik vraag me af,' begon Atréjoe weer, 'of het mogelijk is dat hij nog
steeds niet begrijpt dat alleen hij en niemand anders bedoeld wordt?'
'Nee,' zei de Kleine Keizerin, 'zo dom kan hij niet zijn na alle aanwijzingen die hij gekregen heeft.'

'Ik probeer het gewoon!' zei Bastiaan. Maar hij kon het woord niet
over zijn lippen krijgen.
Wat zou er gebeuren als het echt lukte? Dan zou hij op de een of
andere manier in Fantásië komen. Maar hoe? Misschien moest hij
ook wel een uiterlijke verandering ondergaan. Wat zou er dan van
hem worden? Misschien deed het pijn of misschien zou hij flauwval-
len. En wilde hij eigenlijk wel naar Fantásië? Hij wilde naar Atréjoe
en de Kleine Keizerin, maar hij wilde beslist niet naar al die monsters
waarvan het daar wemelde.

'Misschien,' veronderstelde Atréjoe, 'mist hij de moed.'
'Moed?' vroeg de Kleine Keizerin. 'Kost het dan moed om mijn
naam uit te spreken?'
'Dan zou ik nog maar één reden weten,' zei Atréjoe, 'die hem zou
kunnen weerhouden.'

'En welke is dat dan?'
Atréjoe aarzelde even voor hij hem uitsprak.
'Hij wil gewoon niet. U en Fantásië kunnen hem eigenlijk niets schelen. Wij interesseren hem niet.'
Met grote ogen keek de Kleine Keizerin Atréjoe aan.

'Nee! Nee!' riep Bastiaan. 'Dat mogen jullie niet denken! Dat is echt niet zo! Ach, denken jullie alsjeblieft niet zo over mij! Horen jullie me niet? Zo is het echt niet, Atréjoe!'

'Hij heeft mij beloofd te komen,' zei de Kleine Keizerin. 'Ik heb het in zijn ogen gelezen.'

'Ja, dat is waar!' riep Bastiaan. 'En ik kom ook zo dadelijk, maar ik moet alles nog een keer grondig overdenken. Het is niet zo eenvoudig.'

Atréjoe liet zijn hoofd hangen en weer wachtten ze beiden een hele poos zonder iets te zeggen. Maar de redder verscheen niet en er was zelfs geen enkele aanwijzing dat hij althans probeerde hun aandacht te trekken.

Bastiaan stelde zich voor hoe het zou zijn wanneer hij opeens voor hen stond – dik als hij was en met zijn X-benen en zijn ronde gezicht. Hij kon zich de teleurstelling op het gezicht van de Kleine Keizerin levendig voorstellen wanneer zij tegen hem zeggen zou: 'Wat moet *jij* hier?'
En Atréjoe zou misschien zelfs in lachen uitbarsten.
Bij deze gedachte vloog Bastiaan het schaamrood naar de wangen.
Natuurlijk verwachtten zij de een of andere held, een prins of zo iets. Hij durfde zich niet aan hen te vertonen. Dat was volslagen onmogelijk. Alles zou hij liever verduren dan dat!

Toen de Kleine Keizerin eindelijk weer opkeek, was de uitdrukking op haar gezicht veranderd. Atréjoe schrok haast van de ernst en gestrengheid in haar ogen. En hij wist ook waar hij deze uitdrukking al eens eerder gezien had: bij de sfinxen!
'Ik heb nog één middel,' zei ze, 'maar ik maak er niet graag gebruik

157

van. Ik had liever gehad dat hij me er niet toe dwingen zou.'
'Welk middel is dat?' vroeg Atréjoe fluisterend.
'Of hij het weet of niet–hij behoort al tot het Oneindige Verhaal.
Nu kan en mag hij zich niet meer terugtrekken. Hij heeft mij een
belofte gedaan en die moet hij houden. Maar daar kan ik niet alleen
voor zorgen.'
'Wie in heel Fantásië,' riep Atréjoe uit, 'kan iets dat u niet kunt?'
'Maar één,' antwoordde ze, 'als hij het tenminste wil. De Oude
Man van de Wandelende Berg.'
. Hoogst verbaasd keek Atréjoe de Kleine Keizerin aan.
· 'De Oude Man van de Wandelende Berg?' herhaalde hij en sprak
elk woord met nadruk uit. 'Wilt u daarmee zeggen dat hij echt bestaat?'
'Twijfel je daar aan?'
'De ouderen in onze tentenkampen vertellen de kleine kinderen
over hem als ze ongedurig of ondeugend zijn. Ze zeggen dat hij alles
wat je doet of nalaat, ja zelfs wat je denkt en voelt, in zijn boek schrijft
en dat het daar dan voor altijd opgetekend staat als een mooi of als een
naar verhaal, dat hangt er van af. Toen ik zelf nog klein was heb ik het
ook geloofd, maar later dacht ik dat het maar een bakerpraatje was om
de kinderen bang te maken.'
'Wie weet,' zei ze glimlachend, 'wat er nog van dat bakerpraatje
waar is.'
'U kent hem dus?' wilde Atréjoe weten. 'Hebt u hem gezien?'
Zij schudde ontkennend haar hoofd.
'Wanneer ik hem vind, zal het voor het eerst zijn dat we elkaar
tegenkomen.'
'De ouderen bij ons vertellen ook,' ging Atréjoe verder, 'dat je
nooit weet waar de Berg van de Oude Man zich op een bepaald mo-
ment bevindt en dat hij steeds heel onverwachts verschijnt, dan hier,
dan daar, en dat je hem alleen bij toeval kunt tegenkomen, of door een
beschikking van het lot.'
'Dat klopt,' antwoordde de Kleine Keizerin. 'De Oude Man van de
Wandelende Berg kun je niet zoeken. Je kunt hem alleen vinden.'
'U ook?' vroeg Atréjoe.
'Ja, ik ook,' zei ze.
'Maar als u hem nu niet vindt?'
'Als hij bestaat zal ik hem vinden,' antwoordde zij met een raadsel-

158

achtig lachje, 'en als ik hem vind dan bestaat hij.'

Dit antwoord begreep Atréjoe niet. Aarzelend vroeg hij: 'Is hij… zoals u?'

'Hij is zoals ik ben,' antwoordde ze, 'want hij is in alles mijn tegendeel.'

Atréjoe begreep dat hij op deze manier niets van haar te weten zou komen. Bovendien maakte hij zich nog ergens anders ongerust over.

'U bent doodziek, Goudogige Meesteres van de Verlangens,' zei hij haast vermanend, 'en alleen zult u het niet erg ver brengen. Zover ik zien kan hebben al uw bedienden en al uw getrouwen u in de steek gelaten. Foechoer en ik zullen u graag vergezellen, waarheen dan ook, maar eerlijk gezegd weet ik niet of Foechoers kracht nog toereikend is. En mijn voet… Wel, u hebt zelf gezien dat ik er niet meer op staan kan.'

'Dank je wel, Atréjoe,' antwoordde ze, 'dank je voor je dappere en trouwhartige aanbod. Maar het is niet mijn bedoeling jullie mee te nemen. De Oude Man van de Wandelende Berg vind je slechts als je alleen bent. En Foechoer is trouwens ook niet meer op de plek waar je hem hebt achtergelaten. Hij bevindt zich nu op een plaats waar al zijn wonden genezen en al zijn krachten worden hernieuwd. En jij, Atréjoe, zult weldra ook op die plek zijn.'

Haar vingers speelden met AURYN.

'Wat is die plaats?'

'Dat hoef je nu niet te weten. Slapend zul je er terechtkomen. Er komt een dag dat je zult beseffen waar je was.'

'Maar hoe zou ik kunnen slapen,' riep Atréjoe uit en door zijn bezorgdheid vergat hij de verschuldigde aanspreektitel, 'als ik weet dat u ieder moment sterven kunt!'

De Kleine Keizerin lachte weer zachtjes.

'Zo volkomen in de steek gelaten als jij denkt, ben ik niet. Ik zei je toch al dat er heel wat is dat voor jou onzichtbaar is. Om mij heen heb ik mijn zeven vermogens die bij mij horen zoals bij jou je herinnering of je moed of je gedachten. Je kunt ze niet zien en niet horen en toch zijn ze op dit ogenblik allemaal bij me. Drie ervan wil ik bij jou en Foechoer laten, om voor jullie te zorgen. De andere vier neem ik mee, zij zullen mij vergezellen. Heus, Atréjoe, je kunt rustig slapen gaan.'

Toen de Kleine Keizerin dit zei, legde alle vermoeidheid die zich tijdens het Grote Zoeken van hem meester gemaakt had, zich plotseling als een donkere sluier over Atréjoe heen. Maar het was niet de loodzware vermoeidheid van de totale uitputting, het was een heel rustig en vredig verlangen naar slaap. Hij had de Goudogige Meesteres van de Verlangens nog zoveel willen vragen, maar hij had nu het gevoel dat zij met haar woorden alle verlangens in zijn hart had vervuld en er nog maar één, alles overheersend, had overgelaten: het verlangen naar slaap. Zijn ogen vielen dicht en zittend, zonder om te vallen, was hij het duister al ingegleden.

De torenklok sloeg elf.

Heel ver weg hoorde Atréjoe nog dat de Kleine Keizerin met zachte stem een bevel gaf en toen voelde hij hoe sterke armen hem behoedzaam optilden en wegdroegen.

Lange tijd was het donker en warm om hem heen. Veel, veel later werd hij een keer halfwakker toen een heerlijk vocht zijn droge en gesprongen lippen beroerde en door zijn keel gleed. Vaag zag hij rondom zich iets als een grote grot waarvan de muren van goud schenen te zijn. En hij zag de witte geluksdraak naast zich liggen. En toen zag hij, of liever gezegd, vermoedde hij, dat er in het midden van de grot een bron klaterde en rond deze bron lagen twee slangen die elkaar in de staart beten, een lichte en een donkere...

Een onzichtbare hand streek over zijn ogen, wat hem onuitsprekelijk veel goed deed en Atréjoe zonk weer weg in een diepe, droomloze slaap.

Terzelfder tijd verliet de Kleine Keizerin de Ivoren Toren. Zij lag op zachte, zijden kussens in een draagstoel van glas, die gedragen werd door vier van haar onzichtbare dienaars, zodat het leek alsof de draagstoel als vanzelf langzaam voortzweefde.

Zij liepen door het Tuinlabyrint, althans door wat er nog van over was, en moesten daarbij vaak een omweg maken omdat veel paden al uitmondden in het Niets.

Toen zij tenslotte de verste rand van de vlakte bereikten en het Labyrint verlieten, stopten de onzichtbare dragers. Zij schenen op een bevel te wachten.

De Kleine Keizerin kwam uit haar kussens overeind, keek om en wierp een blik op de Ivoren Toren.

160

Weer terugzakkend in de kussens zei ze: 'Ga maar verder! Ga gewoon maar verder – het doet er niet toe waarheen!'

Een windje streek over haar sneeuwwitte haar dat lang en zwaar als een wimpel achter de glazen draagstoel aangolfde.

[L]

De Oude Man van
de Wandelende Berg

LAWINES stortten zich met donderend geweld over gespleten bergwanden, sneeuwstormen gierden tussen de rotspieken van met ijs overdekte hoge kammen, bleven huilend hangen in grotten en ravijnen en scheerden dan opnieuw over het witte oppervlak van de gletsjers.

Voor dit landschap was het bepaald geen onalledaags weer, want het Noodlotsgebergte – zo heette het – was het grootste en hoogste in heel Fantásië en zijn indrukwekkende toppen reikten letterlijk hemelhoog.

In deze wereld van het eeuwige ijs waagden zich zelfs de vermetelste bergbeklimmers niet. Of preciezer gezegd: het was al zo'n onvoorstelbaar lange tijd geleden dat iemand de klim was gelukt, dat niemand er meer van wist. Want dit was een van de onbegrijpelijke wetten waarvan er in het Fantásische rijk heel wat waren: het Noodlotsgebergte kon pas dan door een bergbeklimmer bedwongen worden als degene wie het eerder gelukt was, totaal was vergeten, en ook geen enkel stenen of metalen opschrift meer melding van hem maakte. Zodoende was een ieder die er in slaagde steeds de eerste.

Hierboven kon geen levend wezen het uithouden, uitgezonderd een paar reusachtige ijsbolden – voor zover je die trouwens tot de levende wezens wilde rekenen, want zij bewogen zich zo onvoorstelbaar langzaam, dat zij voor een stap jaren nodig hadden en eeuwen voor een wandelingetje. Het was dus duidelijk dat zij alleen met gelijken om konden gaan en van het bestaan van de rest van het Fantásische Rijk niet het geringste vermoeden hadden. Zij dachten dat zij de enige levende wezens in het heelal waren.

Vol verbazing puiloogden zij nu naar dat uiterste kleine puntje daar beneden, dat langs kronkelpaden, via nauwelijks begaanbare rotspunten, tegen met ijs bedekte loodrechte wanden, over messcherpe kammen en door diepe ravijnen en scheuren almaar dichter de top naderde.

Het was de glazen draagstoel waarin de Kleine Keizerin gevleid lag en die door vier van haar onzichtbare vermogens gedragen werd. Hij stak nauwelijks af tegen de omgeving, want het glas van de draagstoel leek op een doorzichtig stuk ijs en het witte gewaad en de haren van de Kleine Keizerin waren haast niet te onderscheiden van de omringende sneeuw.

Zij was al heel lang onderweg, vele dagen en nachten. Door regen en zonneschijn, door duisternis en maanlicht hadden de vier vermogens haar draagstoel getorst – steeds verder, zoals zij bevolen had, steeds verder, het deed er niet toe waarheen. Zij maakte geen onderscheid tussen dat wat verdraaglijk en dat wat voor haar onverdraaglijk kon zijn, zoals zij vroeger alles in haar rijk, het duistere en het lichte, het mooie en het lelijke van gelijk gewicht had geacht. Ze was bereid om zich aan alles bloot te stellen, want de Oude Man van de Wandelende Berg kon overal en nergens zijn.

Toch was de keuze van de weg die haar vier onzichtbare vermogens namen niet geheel toevallig. Steeds vaker liet het Niets, dat nu al hele gewesten verzwolgen had, hun maar één uitweg over. Soms was het een brug, een grot, of een poort geweest waar zij nog net doorheen hadden kunnen glippen, soms waren het zelfs de golven van een meer of een zeearm waar de vermogens de draagstoel met de doodzieke overheen droegen, want voor deze dragers bestond er geen verschil tussen vaste grond of stromend water.

En zo waren zij tenslotte in het in ijs gehulde toppenrijk van het Noodlotsgebergte omhooggeklommen en zij klommen steeds verder, onstuitbaar en onvermoeibaar. En de Kleine Keizerin zou steeds hoger gedragen worden, tot zij een anderluidend bevel zou geven. Maar ze lag in haar kussens, de ogen gesloten, en bewoog zich niet. Zo lag zij al lange tijd. En de laatste woorden die zij gesproken had waren 'het doet er niet toe waarheen' geweest – haar bevel bij het afscheid van de Ivoren Toren.

De draagstoel bewoog zich nu door een diepe kloof, een insnijding tussen twee rotswanden die nauwelijks verder uit elkaar stonden dan de draagstoel breed was. De grond was bedekt met losse sneeuw, die misschien wel meters diep was, maar de onzichtbare dragers zonken er niet in weg en lieten zelfs geen voetstappen achter. Op de bodem van deze rotsspleet was het erg donker, want er was alleen maar een smal streepje daglicht hoog boven hen. Het pad ging glooiend omhoog en hoe hoger de draagstoel ging des te dichterbij kwam de streep daglicht. En toen, haast onverwachts, weken de rotswanden uit elkaar en gaven uitzicht op een wijde, witglinsterende vlakte. Dit was het hoogste punt, want het Noodlotsgebergte liep niet in een top uit zoals de meeste andere bergen, maar eindigde op deze hoogvlakte, die wel zo groot was als een heel gewest.

Nu verhief zich midden op deze vlakte verrassenderwijs een kleine berg die er heel merkwaardig uitzag. Hij was tamelijk smal en hoog en leek op de Ivoren Toren, maar dan stralend blauw van kleur. Hij bestond uit een groot aantal vreemd gevormde punten, die als reusachtige, omgekeerde ijspegels omhoogstaken. Ongeveer halverwege de top stond op drie van zulke punten een ei ter grootte van een huis.

In een halve cirkel aan de achterzijde van dit ei staken grote blauwe pinnen als pijpen van een enorm orgel omhoog en vormden de eigenlijke bergtop. Het grote ei had een zuiver ronde opening die er uitzag als een deur of een raam. En in deze opening verscheen nu een gezicht, dat zijn blik op de draagstoel richtte.

Alsof de Kleine Keizerin de blik voelde, sloeg zij haar ogen op.

'Stop!' zei ze zachtjes.

De onzichtbare vermogens bleven staan.

De Kleine Keizerin richtte zich op.

'Hij is het,' vervolgde zij. 'Het laatste stuk naar hem toe moet ik alleen gaan. Blijf hier op mij wachten, wat er ook gebeurt.'

Het gezicht in de ronde opening in het ei was verdwenen.

De Kleine Keizerin stapte uit de draagstoel en ging op weg, de uitgestrekte sneeuwvlakte over. Het was een moeizame tocht want ze liep op blote voeten en de sneeuw was hard. Bij elke stap trapte ze door de bevroren korst en de glasscherpe laag sneed in haar tere voetjes. De ijzige wind rukte aan haar witte haar en gewaad.

Uiteindelijk bereikte zij de Blauwe Berg en stond voor de glasachtige ijskegels.

Door de kogelronde, donkere opening in het grote ei werd een lange ladder naar buiten geschoven die zo enorm lang was dat hij onmogelijk in het ei had kunnen staan. Tenslotte reikte hij tot de voet van de Blauwe Berg en toen de Kleine Keizerin hem pakte zag zij dat hij helemaal uit aan elkaar hangende letters bestond en elke sport was een regel. De Kleine Keizerin begon te klimmen en terwijl ze van de ene sport naar de andere ging las zij tegelijk de woorden:

KEER OM! KEER OM! GA WEG! GA WEG!
TE NIMMER EN IN HEG NOCH STEG
MAG JIJ MIJ TREFFEN! O, GA HEEN!
WANT JOU PRECIES—JA, JOU ALLEEN
MOET IK DE WEG BLOKKEREN.
KEER OM! LAAT JE BEZWEREN!
ONTMOET JE MIJ, EEN OUDE MAN,
DAN KOMT WAT ER NIET KOMEN KAN:
HET BEGIN DAT NAAR HET EINDE NEIGT.
KEER OM! WANT ALS JE VERDER STIJGT
EN MIJ HIER DURFT GENAKEN,
ZAL ALLES IN VERWARRING RAKEN!

Zij stopte om nieuwe kracht op te doen en keek naar boven. Ze moest nog een heel stuk hoger, want tot nu toe had ze nog niet de helft afgelegd.

'Oude Man van de Wandelende Berg,' sprak zij luid, 'als jij niet wilt dat wij elkaar ontmoeten dan had je mij deze ladder niet hoeven toeschuiven. Juist je verbod om naar je toe te komen brengt mij naar je toe.'

En ze klom verder.

AL WAT JIJ BENT EN DOET ONTSTAAN
KOMT HIER ALS IN EEN BOEK TE STAAN:
ALS LETTERS, DOOD, VOOR ALTIJD VAST,
WORDT AL WAT LEEFDE INGEPAST.
KOM NIET! ACH, WIL TOCH SCHROMEN!
ER ZAL EEN RAMP VAN KOMEN!
HIER EINDIGT WAT DOOR JOU BEGINT.
JIJ ZULT NOOIT OUD ZIJN, KEIZERSKIND.
IK, OUDE MAN, WAS NIMMER JONG.
IK STIL WAT EERST AAN JOU ONTSPRONG.
AAN HET LEVEN IS VERBODEN
ZICHZELF TE ZIEN ALS DODE.

Weer moest zij even stilstaan om op adem te komen.

Ze was nu al erg hoog en in de sneeuwstorm zwaaide de ladder als een twijg heen en weer. De Kleine Keizerin klampte zich vast aan de lettersporten en klom nu ook nog het laatste stuk van de ladder omhoog.

LUISTER JIJ NIET NAAR WAT ER STAAT,
WAT WELBESPRAAKT DE LADDER RAADT
EN BEN JIJ TOCH TOT DAT BEREID
WAT NIET MAG ZIJN IN RUIMTE EN TIJD,
DAN KAN IK JE NIET WEERHOUDEN:
WEES WELKOM DAN BIJ DE OUDE!

Toen de Kleine Keizerin ook deze laatste sporten gepasseerd was, liet zij een zachte zucht horen en keek naar beneden. Haar wijde, witte gewaad was aan flarden. Het was aan alle schreefjes en kerfjes van de letterladder blijven haken. Nu, het was niets nieuws voor haar dat letters haar niet welgezind waren. Dat was trouwens wederkerig.

·Voor zich zag ze nu het ei en de kogelronde opening waar de ladder eindigde. Ze klom naar binnen. Ogenblikkelijk werd de opening achter haar gesloten. Zonder zich te bewegen stond zij in het duister en wachtte op de dingen die komen zouden.

Maar eerst gebeurde er een hele tijd niets.

'Hier ben ik,' zei ze tenslotte zachtjes in het donker. Haar stem weerkaatste luid als in een grote lege zaal. Of was het een andere, veel zwaardere stem geweest die haar met dezelfde woorden geantwoord had?

Langzamerhand kon zij in het duister een zwak roodachtig lichtschijnsel ontwaren. Het straalde vanuit een boek dat opengeslagen in het midden van de eivormige ruimte in de lucht zweefde. Het hing scheef zodat zij de band kon zien. Het boek was in koperrode stof gebonden en net als op het Kleinood dat de Kleine Keizerin om de hals droeg waren er op het boek twee slangen te zien, die elkaar in de staart beten en een ovaal vormden. En in het ovaal stond de titel:

Het oneindige verhaal

Bastiaan begreep er niets van. Dat was toch precies het boek waarin hij juist zat te lezen! Hij bekeek het nog eens. Ja, er was geen twijfel aan, het boek waar het over ging was dat wat hij in zijn hand had. Maar hoe kon dit boek dan in zichzelf voorkomen?

De Kleine Keizerin was dichterbij gekomen en zag nu aan de andere kant van het zwevende boek het gezicht van een man dat vanuit de opengeslagen bladzijden blauwig belicht werd. Het schijnsel was afkomstig van de drukletters in het boek die blauwgroen waren.

167

Het gezicht van de man leek op de schors van een eeuwenoude boom, zo was het met groeven doorploegd. Zijn baard was wit en lang en zijn ogen lagen zo diep in donkere holten dat ze niet te zien waren. Hij had een blauwe monnikspij aan en een kap over zijn hoofd en in zijn hand hield hij een schrijfstift waarmee hij in het boek schreef. Hij keek niet op.

De Kleine Keizerin stond hem lange tijd zwijgend aan te kijken. Het was niet echt schrijven wat hij deed. Zijn stift gleed veeleer langzaam over de lege bladzijde en de letters en woorden vormden zich vanzelf, zij doemden als het ware op uit de leegte.

De Kleine Keizerin las wat er stond en het was precies dat wat er op dit moment gebeurde, namelijk: 'De Kleine Keizerin las wat er stond...'

'Alles wat er gebeurt schrijf je op,' zei ze.

'Alles wat ik opschrijf gebeurt,' was het antwoord. En weer was er die zware, donkere stem die zij gehoord had als een echo van haar eigen stem.

Het vreemde was dat de Oude Man van de Wandelende Berg zijn mond gesloten had gehouden. Hij had haar en zijn woorden opgeschreven en zij had ze zo gehoord alsof ze zich slechts herinnerde dat hij net gesproken had. 'Jij en ik en heel Fantásië,' vroeg ze, 'is dat allemaal in dit boek opgetekend?'

Hij schreef en tegelijk hoorde zij weer zijn antwoord.

'Zo is het niet. Dit boek *is* heel Fantásië en u en ik.'

'En waar is dit boek?'

'In het boek,' was het antwoord dat hij schreef.

'Dan is het dus schijn en weerschijn?' vroeg ze.

En hij schreef en zij hoorde hem zeggen: 'Wat toont een spiegel die zich in een spiegel spiegelt? Weet u dat, Goudogige Meesteres van de Verlangens?'

De Kleine Keizerin bleef even zwijgen en de Oude Man schreef meteen op dat zij zweeg.

Toen zei ze zachtjes: 'Ik heb je hulp nodig.'

'Dat weet ik, ja,' antwoordde en schreef hij.

'Ja,' zei ze nadenkend, 'zo moet het wel zijn. Jij bent de herinnering van Fantásië en jij weet alles wat er gebeurd is tot op dit moment. Maar kun je nu niet vooruitbladeren in je boek en eens kijken wat er nog gebeuren zal?'

168

'Lege bladzijden!' was het antwoord. 'Ik kan alleen terugkijken naar dat wat gebeurd is. Ik kon het lezen terwijl ik het schreef. En ik weet het omdat ik het las. En ik schreef het omdat het gebeurde. Zo schrijft Het Oneindige Verhaal zichzelf door mijn hand.'

'Weet je dus niet waarom ik naar je toe ben gekomen?'

'Nee,' hoorde ze zijn donkere stem terwijl hij schreef, 'en ik wilde dat u het niet gedaan had. Door mij wordt alles onveranderlijk en absoluut – ook u, Goudogige Meesteres van de Verlangens. Dit ei is uw graf en uw kist. U bent de herinnering van Fantásië binnengegaan. Hoe wilt u dit oord ooit weer verlaten?'

'Elk ei,' antwoordde zij, 'is het begin van nieuw leven.'

'Dat is waar,' schreef en sprak de Oude Man, 'maar alleen als de schaal openspringt.'

'Jij kunt hem openmaken,' riep de Kleine Keizerin, 'je hebt mij er ook in gelaten.'

De Oude Man schudde zijn hoofd en schreef het op.

'Het was uw kracht die het tot stand bracht. Maar omdat u nu hier bent hebt u die niet meer. Wij zijn voor altijd binnengesloten. Echt, u had niet mogen komen! Dit is het einde van Het Oneindige Verhaal.'

De Kleine Keizerin glimlachte en scheen allerminst van haar stuk gebracht.

'Jij en ik,' zei ze, 'kunnen het dan niet meer. Maar er is er een die het wel kan.'

'Alleen een mensenkind kan een nieuw begin maken,' schreef de Oude Man.

'Ja,' antwoordde zij, 'een mensenkind.'

Langzaam sloeg de Oude Man van de Wandelende Berg zijn ogen op en keek de Kleine Keizerin voor de eerste keer aan. Het was alsof zijn blik van het andere einde van het heelal kwam, van zo ver kwam hij en uit zo'n duisternis. Zij beantwoordde zijn blik met haar goudkleurige ogen en hield hem vast. Het leek een zwijgende en roerloze strijd. Uiteindelijk boog de Oude Man zich weer over zijn boek en schreef: 'Houd u aan de grens die er ook voor u bestaat!'

'Dat wil ik ook,' antwoordde zij, 'maar hij over wie ik spreek en op wie ik wacht, heeft hem allang overschreden. Hij leest in dit boek waarin jij schrijft en hoort elk woord dat wij zeggen. Hij is dus bij ons.'

'Dat is waar,' hoorde zij de stem van de Oude Man, terwijl hij schreef, 'ook hij behoort al onherroepelijk tot Het Oneindige Verhaal, want het is zijn eigen verhaal.'

'Vertel het mij!' gebood de Kleine Keizerin. 'Jij die het geheugen van Fantásië bent, moet me dit verhaal vertellen – van het begin af aan, en woord voor woord zoals je het geschreven hebt!'

De schrijvende hand van de Oude Man begon te beven.

'Als ik dat doe, moet ik ook alles opnieuw opschrijven. En wat ik opschrijf zal opnieuw gebeuren.'

'Dan moet dat maar,' zei de Kleine Keizerin.

Bastiaan begon zich allesbehalve prettig te voelen.

Wat was zij van plan? Het had iets met hem te maken. Maar als zelfs de hand van de Oude Man van de Wandelende Berg begon te beven...

De Oude Man schreef en zei:
       'Als Het Oneindige Verhaal
       zichzelf bevat,
       voorwaar is dat
       voor heel het boek fataal!'
En de Kleine Keizerin antwoordde:
       'Maar als de held
       nu tot ons snelt,
       kan leven nieuw ontspruiten.
       Ja, nu moet hij besluiten!'
'U bent echt verschrikkelijk,' zei en schreef de Oude Man. 'Dit betekent het einde zonder einde. Wij zullen ingaan in de kring van de eeuwige wederkeer. En daaruit is geen ontvluchten mogelijk.'

'Voor ons niet,' antwoordde zij en haar stem was niet langer zacht, maar hard en helder als een diamant, 'maar ook voor hem niet – tenzij hij ons allen redt.'

'Wilt u echt alles in de handen van een mensenkind leggen?'

'Ja, dat wil ik.'

En toen voegde zij er zachter aan toe: 'Of heb jij een andere oplossing?'

Een hele tijd was het stil voor de zware stem van de Oude Man zei: 'Nee.'

Hij stond diep over het boek gebogen waarin hij schreef. Zijn gezicht was verborgen door de kap en niet meer te zien.

'Doe dan wat ik je gevraagd heb!'

De Oude Man van de Wandelende Berg onderwierp zich aan de wil van de Kleine Keizerin en begon haar Het Oneindige Verhaal van voren af aan te vertellen.

En op dat moment veranderde het schijnsel dat uit de bladzijden van het boek straalde van kleur. Het kreeg een roodachtige kleur net als de schrifttekens die zich nu onder de schrijfstift vormden. Ook zijn monnikspij en de kap waren nu koperrood. En tijdens het schrijven hoorde je tegelijk zijn zware stem.

Ook Bastiaan hoorde die heel duidelijk.

Toch kon hij van de eerste woorden die de Oude Man zei niets begrijpen. Het klonk zoiets als Taairauqitna rednairok daarnok lerak.

Wat vreemd, dacht Bastiaan, waarom praat de Oude Man opeens in een vreemde taal? Of was het misschien een toverformule?

De stem van de Oude Man ging verder en Bastiaan moest hem wel volgen.

'Dit opschrift bevond zich op de glazen deur van een winkeltje, maar het zag er natuurlijk alleen maar zo uit als je vanuit de schemerachtige ruimte door de ruit naar de straat keek.

Buiten was het een grijze, koude novemberochtend en de regen viel in stromen neer. Langs het glas en over de krulletters liepen de druppels omlaag. Het enige wat je nog door de ruit kon zien was een muur met regenplekken aan de overkant.'

Ik ken dit verhaal helemaal niet, dacht Bastiaan wat teleurgesteld. Het komt helemaal niet in het boek voor dat ik tot nu toe gelezen heb. Nou zie je toch maar dat ik me de hele tijd vergist heb. Ik heb werkelijk gedacht dat de Oude Man nu beginnen zou Het Oneindige Verhaal van voren af aan te vertellen.

'Plotseling werd de deur zo onbesuisd opengeduwd dat een trosje koperen belletjes dat er boven hing, opgewonden begon te klingelen en een tijdlang niet meer tot rust kon komen.

Degeen die dit tumult veroorzaakte was een kleine, dikke jongen van misschien een jaar of tien, elf. Drijfnatte, donkerbruine haren

171

hingen voor zijn ogen; zijn jas was doorweekt en druppels vielen op de grond. Aan een riem over zijn schouder droeg hij een schooltas. Hij zag er wat witjes uit en was buiten adem. Maar hoewel hij daarnet nog zo'n haast had gehad, stond hij nu als aan de grond genageld in de deuropening...'

Terwijl Bastiaan dit las en tegelijk de stem van de Oude Man van de Wandelende Berg hoorde, begonnen zijn oren te suizen en schemerde het hem voor de ogen.

Wat daar verteld werd was zijn eigen verhaal! En dat stond in Het Oneindige Verhaal. Hij, Bastiaan, kwam als figuur in het boek voor. En tot nu toe had hij gedacht dat hij het alleen maar las. En wie zou zeggen wie het op dit ogenblik ook zat te lezen en ook dacht alleen maar een lezer te zijn – en zo steeds verder, tot in het oneindige!

Nu kreeg Bastiaan het te kwaad. Opeens had hij het gevoel dat hij geen lucht meer kon krijgen. Hij voelde zich opgesloten in een onzichtbare gevangenis. Hij wilde ophouden, niet meer verder lezen.

Maar de zware stem van de Oude Man van de Wandelende Berg vervolgde zijn verhaal,

en Bastiaan kon er niets tegen doen. Hij hield zijn oren dicht, maar dat hielp niet, want de stem weerklonk in zijn binnenste. Hoewel hij allang wist dat het niet zo was, hield hij zich nog aan de gedachte vast dat deze overeenkomst met zijn eigen verhaal misschien toch maar dom toeval was.

Maar de zware stem ging onverbiddelijk verder

en nu hoorde hij heel duidelijk, dat hij zei:

'...Manieren heb je nog voor geen cent. Anders zou je je tenminste eerst hebben voorgesteld.'

'Ik heet Bastiaan,' zei de jongen, 'Bastiaan Balthazar Boeckx.'

Op dit moment werd Bastiaan een belangrijke ervaring rijker: je kunt overtuigd zijn echt naar iets te verlangen – misschien jaren achtereen – zolang je weet dat je verlangen niet in vervulling kan gaan. Maar sta je dan plotseling voor de mogelijkheid dat je droom werkelijkheid wordt, dan wil je nog maar één ding: dat je er nooit naar verlangd had. Zo althans verging het Bastiaan.

Nu het bittere ernst was geworden was hij het liefst hard weggelopen. Alleen kon hij in dit geval niet meer 'weg' lopen. En dus deed hij iets wat werkelijk totaal geen nut had: hij deed net of hij dood was, net als een kever die op zijn rug ligt. Hij wilde doen alsof hij niet bestond, zich stil houden en zich zo klein mogelijk maken.

De Oude Man van de Wandelende Berg ging door met vertellen en schreef het tegelijk weer op. Hoe Bastiaan het boek gestolen had en hoe hij naar de zolder van de school was gevlucht en daar was gaan lezen. En nu begon nog een keer het Grote Zoeken van Atréjoe. Hij kwam bij de Oeroude Morla en vond Foechoer in het net van Ygramoel bij de Diepe Afgrond, waar hij Bastiaans angstkreet hoorde. Weer werd hij door de Oude Oergl genezen en door Engywoeck wijzer gemaakt. Hij ging de drie Toverpoorten door, liep door Bastiaans beeltenis heen en praatte toen met Oeyoelála. En toen volgden de windreuzen en Spookstad en Gmork en Atréjoe's redding en zijn terugkeer naar de Ivoren Toren. En daartussendoor gebeurde ook alles wat Bastiaan beleefd had: het aansteken van de kaarsen en dat hij de Kleine Keizerin te zien kreeg en dat zij er tevergeefs op wachtte dat hij komen zou. En weer ging zij op weg om de Oude Man van de Wandelende Berg te zoeken, weer klom zij langs de letterladder omhoog en ging het ei binnen en weer had het hele gesprek plaats, woord voor woord, dat die twee met elkaar gevoerd hadden en dat ermee eindigde dat de Oude Man van de Wandelende Berg Het Oneindige Verhaal weer begon op te schrijven en te vertellen...

...en het zou eeuwig zo doorgaan. Het was volstrekt onmogelijk dat er iets aan het verloop der dingen veranderen kon. Alleen hij, Bastiaan, kon ingrijpen. En hij moest het doen, wilde hij niet zelf in deze kringloop opgesloten blijven. Het kwam hem voor dat het verhaal zich al duizendmaal herhaald had, nee, alsof er geen *voordien* en geen *nadien* was, maar alsof alles er voor altijd en gelijktijdig was. Nu begreep hij waarom de hand van de Oude Man gebeefd had. De kring van de eeuwige wederkeer was het einde zonder einde!

Bastiaan voelde niet dat de tranen hem over de wangen liepen.

173

Haast buiten zichzelf riep hij plotseling: 'Maankind! Ik kom!'
Op hetzelfde moment gebeurden er verschillende dingen tegelijk.

De schaal van het reusachtige ei barstte door een enorm geweld,
waarbij een donker rollen van donder te horen was. Toen kwam er
vanuit de verten een storm opzetten

die uit de bladzijden van het boek dat Bastiaan op zijn knieën had
kwam waaien zodat die wild begonnen te klapperen. Bastiaan voelde
de wind in zijn haren en tegen zijn gezicht. Hij benam hem bijna de
adem. De kaarsvlammetjes van de zevenarmige kandelaar dansten en
gingen helemaal plat liggen. En toen blies er een andere, nog sterkere
wind het boek in en de kaarsen doofden.
De torenklok sloeg twaalf uur.

[M]

Perelien, het Nachtbos

M AANKIND, ik kom!' zei Bastiaan nog eens zachtjes in
het donker. Hij voelde hoe er van deze naam een onbeschrijflijk liefelijke en troostrijke kracht uitging die hem
geheel vervulde. Daarom zei hij meteen nog een paar keer:
'Maankind! Maankind! Ik kom, Maankind! Ik ben er al.'

Maar waar was hij?

Hij zag niet het geringste lichtschijnsel, maar hij bevond zich niet
meer in het koude duister van de zolder. Een fluweelzachte, warme
duisternis waarin hij zich geborgen en gelukkig voelde, omgaf hem.

Alle angst en beklemming waren van hem afgevallen. Hij herinnerde zich die alleen nog als iets in een ver verleden. Hij voelde zich zo
vrolijk en opgewekt dat hij zelfs zachtjes lachte.

'Maankind, waar ben ik?' vroeg hij.

Hij voelde het gewicht van zijn lichaam niet langer. Hij tastte om
zich heen en het drong tot hem door dat hij zweefde. De matten en de
vaste vloer waren verdwenen.

Het was een heerlijk, ongekend gevoel, alsof hij los was van het
aardse, een onbegrensde vrijheid. Niets dat hem ooit bezwaard en
benauwd had kon hem nu nog bereiken.

Zweefde hij misschien ergens in het heelal? Maar in het heelal
waren sterren, en hier zag hij niets van dien aard. Er was alleen nog
dat fluweelzachte duister en hij voelde zich zo heerlijk, zo heerlijk als
nog nooit eerder in zijn leven. Was hij misschien gestorven?

'Maankind, waar ben je?'

En nu hoorde hij een zachte stem als van een vogel die hem antwoord gaf en hem misschien al meer dan eens geantwoord had zonder
dat het tot hem was doorgedrongen. Hij hoorde hem heel dichtbij en
hij zou toch niet hebben kunnen zeggen uit welke richting hij kwam.

'Hier ben ik, mijn Bastiaan.'

'Maankind, ben jij het?'

Zij lachte op een merkwaardige, zangerige wijze.

'Wie zou ik dan anders zijn. Je hebt me toch nog maar net deze mooie naam gegeven. Ik dank je daarvoor. Wees welkom, mijn redder en mijn held.'

'Waar zijn we, Maankind?'

'Ik ben bij jou en jij bent bij mij.'

Het leek op een gesprek in een droom, maar toch wist Bastiaan heel zeker dat hij wakker was en niet droomde.

'Maankind,' fluisterde hij, 'is dit nu het einde?'

'Nee,' antwoordde ze, 'het is het begin.'

'Waar is Fantásië, Maankind? Waar zijn alle anderen? Waar is Atréjoe en Foechoer? Is alles dan verdwenen? En de Oude Man van de Wandelende Berg en zijn boek? Zijn die er niet meer?'

'Fantásië zal op jouw wens opnieuw ontstaan, mijn Bastiaan. Door mij gaat die in vervulling.'

'Op mijn wens?' herhaalde Bastiaan verwonderd.

'Je weet toch dat men mij de Meesteres van de Verlangens noemt,' hoorde hij de lieve stem zeggen. 'Welke wensen zou je willen doen?'

Bastiaan dacht na en vroeg toen voorzichtig: 'Hoeveel wensen zal ik kunnen doen?'

'Zoveel je maar wilt – hoe meer hoe beter, mijn Bastiaan. Des te rijker en gevarieerder zal Fantásië worden.'

Bastiaan was verrast en overweldigd. Maar juist omdat hij plotseling een oneindig aantal mogelijkheden voor zich zag, kon hij geen enkele wens bedenken.

'Ik weet niets,' zei hij uiteindelijk.

Een poosje bleef het stil en toen hoorde hij de stem die zo zacht was als die van een vogel zeggen: 'Dat is heel erg.'

'Waarom?'

'Omdat er dan geen Fantásië meer zal zijn.'

In verwarring gebracht wist Bastiaan niets te zeggen. Het verstoorde zijn gevoel van onbeperkte vrijheid een beetje dat alles van hem moest afhangen.

'Waarom is het zo donker, Maankind?' vroeg hij.

'Het begin is altijd donker, mijn Bastiaan.'

'Ik zou je heel graag nog eens zien, Maankind, weet je wel, als op dat moment toen je mij aankeek.'

Weer hoorde hij dat zachte, zangerige lachen.

'Waarom lach je?'

'Omdat ik blij ben.'

'Waarover dan?'

'Je hebt zojuist je eerste wens gedaan.'

'En zul je die vervullen?'

'Ja, steek je hand maar uit!'

Hij deed het en voelde dat zij iets in zijn open hand legde. Het was heel klein, maar het woog merkwaardig zwaar. Het gaf kou af en voelde hard en dood aan.

'Wat is dit, Maankind?'

'Een zandkorrel,' antwoordde ze. 'Dit is alles wat er van mijn onbegrensde rijk is overgebleven. Ik schenk het je.'

'Dank je wel,' zei Bastiaan verbaasd. Hij wist echt niet wat hij met dit geschenk beginnen moest. Als het nu iets levends geweest was!

Terwijl hij er nog over nadacht wat Maankind nu van hem verwachtte, voelde hij opeens een zacht gekriebel in zijn hand. Hij keek er nauwlettender naar.

'Kijk nou eens, Maankind!' fluisterde hij, 'het begint te gloeien en te flonkeren! En daar – zie je het – kringelt er een heel klein vlammetje uit. Nee, het ontkiemt! Maankind, dit is helemaal geen zandkorrel. Dit is een stralend zaadkorreltje dat uit begint te lopen.'

'Uitstekend, mijn Bastiaan!' hoorde hij haar zeggen. 'Zie je wel dat het heel gemakkelijk voor jou is.'

Van het puntje in Bastiaans handpalm kwam nu een nauwelijks waarneembaar schijnsel, dat snel groter werd en uit het fluweelzachte donker de beide zo verschillende kindergezichten die zich over dit wonder bogen deed oplichten.

Langzaam trok Bastiaan zijn hand terug en de stralende punt bleef als een ster tussen hen in zweven.

Het zaadje groeide heel snel, je kon het zien gebeuren. Bladeren en stengels ontvouwden zich, er kwamen knoppen te voorschijn die prachtige, veelkleurig glanzende en lichtgevende bloemen voortbrachten. Er vormden zich al vruchtjes, die zodra ze rijp waren ontploften als miniatuurvuurpijlen en een bonte vonkenregen van nieuwe zaadkorreltjes om zich heen spatten.

Uit de nieuwe zaadkorrels groeiden weer planten, maar ze hadden andere vormen, zij leken op varenbladeren of palmpjes, ronde cactussen, paardestaarten of knoestige boompjes. En elk ervan glansde en straalde in weer een andere kleur.

Al gauw was rond Bastiaan en Maankind, boven en onder hen en

179

aan alle kanten het fluweelzachte donker gevuld met opschietende en woekerende lichtplanten. Een in vele kleuren gloeiende bol, een nieuwe stralende wereld zweefde in het Nergens; hij groeide en groeide en in zijn binnenste kern zaten Bastiaan en Maankind hand in hand en keken met verbaasde ogen naar het wonderlijke schouwspel.

De planten schenen onuitputtelijk in het voortbrengen van steeds weer nieuwe vormen en kleuren. Steeds grotere bloemknoppen openden zich en steeds rijkere bloemschermen sprongen te voorschijn. En dit alles voltrok zich in volslagen stilte.

Na enige tijd hadden sommige planten al de hoogte van zonnebloemen bereikt, ja, enkele waren zelfs al zo groot als fruitbomen. Er waren waaiers of kwasten van lange, smaragdgroene bladeren, of bloemen als pauwestaarten vol ogen in alle kleuren van de regenboog. Andere gewassen leken op pagoden, gemaakt van over elkaar heen staande open paraplu's van paarse zijde. Een paar dikkere stammen waren als een vlecht in elkaar verstrengeld. Omdat ze doorschijnend waren leken ze op roze glas dat van binnenuit verlicht wordt. En er waren bloesems die op grote trossen blauwe en gele lampions leken. Op sommige plaatsen hingen ontelbare stervormige bloemetjes als zilverglinsterende watervallen, of donkergouden gordijnen van klokjes met lange op penselen lijkende stuifmeeldraden. En steeds weelderiger en dichter groeiden deze lichtende nachtplanten, die zich langzaam verweefden tot een schitterend vlechtwerk van zacht licht.

'Je moet het een naam geven!' fluisterde Maankind.

Bastiaan knikte.

'Perelien, het Nachtbos,' zei hij.

Hij keek de Kleine Keizerin aan – en nu overkwam hem opnieuw wat hem ook de eerste keer dat zij een blik met elkaar gewisseld hadden was overkomen. Hij was als betoverd en keek haar aan en kon zijn ogen niet meer van haar afwenden. De eerste keer had hij haar gezien toen zij doodziek was, maar nu was zij veel, veel mooier. Haar gescheurde gewaad was weer als nieuw en over het smetteloze wit van de zij en haar lange haar speelde de weerschijn van het veelkleurige, zachte licht. Zijn wens was in vervulling gegaan.

'Maankind,' stamelde Bastiaan totaal door de aanblik bevangen, 'ben je weer beter?'

Zij glimlachte.

'Kun je dat niet zien, mijn Bastiaan?'

'Ik zou willen dat het eeuwig zal blijven zoals nu,' zei hij.

'Eeuwig is dit ogenblik,' antwoordde zij.

Bastiaan wist hier niets op te zeggen. Hij begreep haar antwoord niet, maar hij was nu niet in de stemming om daarover te piekeren. Hij wilde niet anders dan voor haar zitten en naar haar kijken.

Om beiden heen had de woekerende warwinkel van lichtende planten geleidelijk een dichter traliewerk gevormd, een van kleuren gloeiend weefsel dat hen omsloot als een grote ronde tent van tovertapijten. Vandaar dat Bastiaan er niet op lette wat daarbuiten gebeurde. Hij wist niet dat Perelien almaar doorgroeide en de afzonderlijke planten almaar groter werden. En nog steeds regenden overal als kleine vonkjes zaadkorrels omlaag, waaruit nieuwe kiemen ontsproten.

Hij was volkomen in de ban van Maankinds gezicht.

Hij zou onmogelijk hebben kunnen zeggen hoe veel tijd er verstreken was – of hoe weinig – toen Maankind haar hand op zijn ogen legde. 'Waarom heb je me zo lang op jou laten wachten?' hoorde hij haar vragen. 'Waarom heb je me gedwongen naar de Oude Man van de Wandelende Berg te gaan? Waarom ben je niet gekomen toen ik riep?'

Bastiaan slikte iets weg.

'Omdat, omdat...' zei hij in verwarring gebracht, 'ik dacht – het kon alles zijn, ook angst – maar in werkelijkheid heb ik me voor je geschaamd, Maankind.'

Zij trok haar hand terug en keek hem verwonderd aan.

'Geschaamd? Maar waarom dan?'

'Nou ja,' zei Bastiaan aarzelend, ''k bedoel, je hebt toch zeker iemand verwacht die bij je past.'

'En jij dan?' vroeg ze. 'Pas jij dan niet bij me?'

'Dat wil zeggen,' stotterde Bastiaan en hij voelde dat hij een kleur kreeg, 'ik wilde zeggen, nou, iemand die moedig is en sterk en mooi – een prins of zo iemand – in ieder geval niet iemand zoals ik.'

Hij keek nu naar de grond en hoorde dat ze weer op die zachte, zangerige manier lachte.

'Zie je wel,' zei hij. 'Nu lach jij me ook uit.'

Lange tijd bleef het stil en toen Bastiaan het eindelijk waagde weer op te kijken zag hij dat zij zich heel dicht over hem heen gebogen had en dat haar gezicht ernstig stond.

'Ik wil je wat laten zien, mijn Bastiaan,' zei ze. 'Kijk goed in mijn ogen!'

Bastiaan deed het, hoewel zijn hart in zijn keel klopte en hij er een beetje duizelig van werd.

En nu zag hij in de gouden spiegel van haar ogen – eerst nog klein en als in de verte – een figuurtje dat geleidelijk groter en steeds duidelijker werd. Het was een jongen van ongeveer zijn leeftijd, maar deze was slank en van grote schoonheid. Zijn verschijning was trots en onvervaard, hij had een nobel gezicht, dat smal en mannelijk was. Hij leek op een jonge oosterse prins. Zijn tulband was van blauwe zij, net als het met zilver bestikte hemd dat hij droeg en dat tot zijn knieën reikte. Zijn benen staken in hoge, rode laarzen, vervaardigd van fijn, zacht leer, waarvan de neuzen omhoogstaken. Op zijn rug droeg hij een van de schouders tot de grond reikende zilverglanzende mantel met een opstaande kraag. Het mooiste aan deze jongen waren zijn handen. Ze waren welgevormd en voornaam, maar toch ging er een ongewone kracht van uit.

Gefascineerd en vol bewondering keek Bastiaan naar deze verschijning. Zijn ogen konden er niet genoeg van krijgen. Juist wilde hij vragen wie deze schone, jonge koningszoon was toen als een bliksemschicht het besef door hem heen schoot dat hij het zelf was.

Het was zijn eigen spiegelbeeld in de gouden ogen van Maankind!

Wat er op dat moment met hem gebeurde is moeilijk te beschrijven. Hij raakte in een soort vervoering waarbij hij, schier bewusteloos, heel ver uit zichzelf werd weggedragen. En toen hij weer werd neergezet en weer helemaal in zichzelf was teruggekeerd, vond hij zichzelf terug als die schone jongeling wiens beeld hij gezien had.

Hij keek langs zijn lichaam en alles was zoals in de ogen van Maankind: de fijne, zachte laarzen van rood leer, het blauwe met zilver bestikte hemd, de tulband, de lange, glanzende mantel, zijn lichaam en – zo ver hij dat voelen kon – ook zijn gezicht. Verbaasd keek hij naar zijn handen.

Hij keerde zich naar Maankind om.

Zij was er niet meer!

Hij was alleen in de ronde ruimte, die gevormd werd door het dichte plantenwoud.

'Maankind!' riep hij in alle richtingen. 'Maankind!'

Maar er kwam geen antwoord.

Radeloos ging hij op de grond zitten. Wat moest hij nu beginnen? Waarom had zij hem alleen gelaten? Waar moest hij nu heen – als hij al ergens heen kon en niet als in een kooi gevangen zat?

Terwijl hij daar zo zat en probeerde te begrijpen wat Maankind ertoe gebracht kon hebben hem zonder enige uitleg en zonder afscheid in de steek te laten, speelden zijn vingers met een gouden amulet die aan een ketting om zijn hals hing.

Hij bekeek hem eens en uitte een kreet van verrassing.

Het was AURYN, het Kleinood, de Glans, het teken van de Kleine Keizerin, dat de drager ervan tot haar plaatsvervanger maakte! Maankind had aan hem haar macht over alle wezens en dingen in Fantásië overgedragen. En zolang hij dit teken droeg zou het zijn alsof zij bij hem was.

Bastiaan keek lang naar de beide slangen, de lichte en de donkere, die elkaar in de staart beten en een ovaal vormden. Toen draaide hij het medaillon om en vond tot zijn grote verwondering op de achterkant een inscriptie. Het waren vier korte woorden in mooie krullerige letters:

In het Oneindige Verhaal was hier nooit over gesproken. Had Atréjoe deze inscriptie niet opgemerkt?

Maar dat was nu niet belangrijk. Belangrijk was alleen dat de woorden een toestemming, nee, veeleer een aansporing uitdrukten alles te doen waar hij zin in had.

Bastiaan liep naar de muur van de van kleuren gloeiende plantenmassa om te kijken of en waar hij er doorheen kon kruipen. Tot zijn grote plezier merkte hij echter dat hij ze moeiteloos als een gordijn opzij kon schuiven. Hij stapte naar buiten.

De zachte en tegelijk geweldige groei van de nachtplanten was inmiddels onstuitbaar doorgegaan en Perelien was een woud geworden zoals vóór Bastiaan nog nooit een menselijk oog heeft aanschouwd.

De grootste stammen hadden nu de hoogte en de dikte van kerk-torens – en niettemin werden ze nog steeds groter en hielden niet op met groeien. Op sommige plaatsen stonden deze melkachtig glanzen-de reuzenpilaren al zo dicht bij elkaar dat het onmogelijk was tussen ze door te kruipen. En nog steeds vielen nieuwe zaadkorrels als een vonkenregen omlaag.

Terwijl Bastiaan door de lichte koepel die dit woud vormde wan-delde, deed hij zijn best vooral niet op een van de glanzende uitlopers te trappen, maar dat bleek al gauw onmogelijk. Er was gewoon geen voetbreed grond meer over, waar niet iets ontsproot. En dus liep hij tenslotte maar onbezorgd voort waar de reusachtige stammen het hem mogelijk maakten.

Bastiaan vond het heerlijk om er mooi uit te zien. Dat er niemand was om hem te bewonderen hinderde hem helemaal niet. Integen-deel, hij was juist blij dit plezier helemaal alleen voor zichzelf te heb-ben. Hij had helemaal geen behoefte aan de bewondering van al die-genen die tot dusver de spot met hem hadden gedreven. Nu niet meer. Bijna met medelijden dacht hij aan hen terug.

In dit woud, waarin geen jaargetijden waren en ook geen wisseling van dag en nacht, was ook de tijdsbeleving iets heel anders dan wat Bastiaan er tot dan toe onder verstaan had. En daarom wist hij niet hoe lang hij al zo voortwandelde. Maar geleidelijk aan veranderde het plezier over zijn mooizijn: het werd vanzelfsprekend. Niet dat hij er zich minder gelukkig mee voelde, maar het kwam hem voor alsof het nooit anders geweest was.

Dit had een reden die Bastiaan pas veel, veel later ontdekken zou en waar hij nu nog niet het flauwste vermoeden van had. Door de schoonheid die hij verkregen had vergat hij namelijk langzamerhand dat hij eens dik was geweest en X-benen gehad had.

Zelfs als hij er iets van gemerkt zou hebben, had het hem niet veel kunnen schelen. Maar het vergeten voltrok zich volkomen onmerk-baar. En toen de herinnering helemaal was verdwenen, was het hem alsof hij altijd zo mooi geweest was als nu. En precies daardoor was zijn verlangen om mooi te zijn bevredigd, want iemand die het altijd al was, verlangt het niet meer.

Nog maar nauwelijks was hij op dit punt aangekomen, toen hij zelfs al een zekere ontevredenheid bespeurde en een nieuw verlangen in

184

zich wakker voelde worden. Mooi zijn alleen was eigenlijk niet het ware! Hij wilde ook sterk zijn, sterker dan alle anderen. De sterkste die er maar bestond!

Terwijl hij in het Nachtbos Perelien voortwandelde, begon hij honger te krijgen. Hier en daar plukte hij enkele van de merkwaardig gevormde en lichtgevende vruchten en probeerde voorzichtig of ze eetbaar waren. Ze waren niet alleen eetbaar, constateerde hij voldaan, maar ze smaakten ook voortreffelijk – sommige zoetzuur, andere zoet en weer andere een beetje bitter, maar allemaal bijzonder appetijtelijk. Onder het verderlopen at hij de een na de ander en voelde daarbij een wonderlijke kracht in zijn leden stromen.

Inmiddels was het gloeiende struikgewas om hem heen zo dicht geworden dat het zijn uitzicht naar alle kanten belemmerde. En bovendien begonnen er nu ook nog lianen en luchtwortels van boven naar beneden te groeien en zich met het struikgewas te verweven tot een ondoordringbaar gordijn. Bastiaan baande zich slaande met de zijkant van zijn handen een weg en het onderhout liet zich stukslaan als had hij een kapmes gebruikt. Achter hem sloot de bres zich dan weer zo volledig als was hij er nooit geweest.

Hij liep verder, maar een muur van reuzenbomen versperde hem de weg: de stammen stonden zonder tussenruimte tegen elkaar geperst.

Met elke hand pakte Bastiaan een stam beet en boog ze uit elkaar! En geruisloos sloot de doorgang zich weer achter hem.

Bastiaan uitte een wilde jubelkreet.

Hij was de meester van het oerwoud!

Lange tijd vermaakte hij zich ermee zich een weg door de jungle te banen, als een olifant die de grote roep heeft gehoord. Zijn krachten werden niet minder. Geen moment hoefde hij te pauzeren om op adem te komen. Hij kreeg geen steken in zijn zij en geen hartkloppingen; hij zweette niet eens.

Maar tenslotte was hij uitgeraasd en kreeg hij zin om Perelien, zijn rijk, eens van uit de hoogte te bekijken om te zien hoe ver het zich al uitstrekte.

Schattend keek hij naar boven, spuwde in zijn handen, greep een liaan en begon zich op te trekken, heel simpel, hand over hand en zonder zijn benen te gebruiken, zoals hij dat circusartiesten had zien doen. Als een verbleekt herinneringsbeeld uit lang vervlogen tijden

185

zag hij zichzelf even tijdens de gymnastieklessen, wanneer hij tot daverend plezier van de hele klas als een meelbaal aan het onderste uiteinde van het klimtouw bungelde. Hij moest er om lachen. Stellig zouden zij met open mond zitten kijken als zij hem nu konden zien. Ze zouden wàt trots geweest zijn hem te kennen. Maar hij zou hen zelfs niet bekeken hebben.

Zonder ook maar één keer te stoppen bereikte hij uiteindelijk de tak waar de liaan van afhing. Schrijlings ging hij erop zitten. De tak was wel zo dik als een bierton en van binnen straalde er roodachtig licht uit. Bastiaan stond voorzichtig op en liep balancerend in de richting van de stam. Ook hier versperde een dichte wirwar van stengels zijn weg, maar zonder moeite werkte hij zich er doorheen.

Hierboven was de stam nog altijd zo dik dat vijf mannen hem niet konden omspannen. Een andere zijtak die wat hoger en in een andere richting uit de boom stak was van waar Bastiaan stond niet te bereiken. Dus deed hij een sprong naar een luchtwortel en schommelde zo lang heen en weer tot hij de hogere tak, opnieuw met een gewaagde sprong, pakken kon. Daar vandaan kon hij zich naar een nog hogere optrekken. Hij was nu al erg hoog gekomen, minstens honderd meter, maar de gloeiende takken en bladeren lieten nog geen blik naar beneden toe.

Pas toen hij ongeveer twee maal zo hoog was gekomen waren er hier en daar open plekken die het hem mogelijk maakten om zich heen te kijken. Maar toen begon de zaak pas moeilijk te worden want er waren steeds minder takken en zijtakken. En tenslotte, toen hij al bijna boven was, moest hij stoppen omdat hij niets meer vond waar hij zich aan vast zou kunnen houden behalve de kale, gladde stam die nog altijd zo dik was als een telegraafpaal.

Bastiaan keek omhoog en ontdekte dat deze stam, of stengel, ongeveer twintig meter hoger eindigde in een reusachtig grote, donkerrood stralende bloem. Hoe hij daar van onder af in moest komen was hem een raadsel. Maar hij moest naar boven, want op het punt waar hij nu was wilde hij niet blijven. En dus omklemde hij de stam en klom de laatste twintig meter als een acrobaat naar boven. De stam zwaaide heen en weer en boog als een grashalm in de wind.

Eindelijk hing hij recht onder de bloem, die zich naar boven opende als een tulp. Hij slaagde er in een hand tussen de bloembladeren te schuiven. Zo vond hij houvast. Hij drukte de bladeren verder uit

186

elkaar en trok zich op.

Even bleef hij liggen want nu was hij toch een beetje buiten adem. Maar meteen daarna stond hij op en keek over de rand van de rood gloeiende reuzenbloem als uit een mastkorf naar alle kanten.

Het panorama was onzegbaar groots!

De bloem waarin hij stond zat aan een van de hoogste planten van de hele jungle en dus kon hij heel ver zien. Boven hem was nog steeds het fluweelzachte duister als een sterrenloze nachtelijke hemel, maar beneden hem spreidde zich de oneindigheid van de toppen van Perelien uit in een kleurenspel dat bijna te veel was voor zijn ogen.

En Bastiaan bleef daar heel lang staan en dronk het beeld als het ware in. Dit was zijn rijk! Hij had het geschapen! Hij was de meester van Perelien.

En opnieuw klonk zijn wilde jubelkreet over de stralende jungle.

Het groeien van de nachtplanten ging echter zwijgend, zachtjes en onstuitbaar verder.

Goab, de Woestijn van de Kleuren

NADAT Bastiaan in de rood gloeiende reuzenbloem diep en lang geslapen had, sloeg hij zijn ogen op en zag dat de fluweelzwarte nachtelijke hemel zich nog steeds boven hem welfde. Hij rekte zich uit en voelde met tevredenheid de wonderlijke kracht in zijn leden.

En opnieuw had er, zonder dat hij er iets van merkte, een verandering in hem plaats gevonden. De wens om sterk te zijn was in vervulling gegaan.

Toen hij opstond en over de rand van de reusachtige bloem in het rond tuurde constateerde hij dat Perelien blijkbaar geleidelijk met groeien was gestopt. Het Nachtbos had zich niet erg meer veranderd. Bastiaan wist niet dat ook dit met de vervulling van zijn wens te maken had en dat tevens de herinnering aan zijn zwakheid en onhandigheid was weggevaagd. Hij was mooi en sterk, maar eigenlijk was dit hem niet voldoende. Hij vond het nu zelfs een beetje wekelijk. Mooi en sterk zijn was alleen iets waard als je ook nog gehard was, als je taai was en Spartaans. Zoals Atréjoe. Maar tussen deze licht uitstralende bloemen waar je je hand maar naar de vruchten hoefde uit te strekken was daar geen gelegenheid voor.

In het oosten begonnen boven de horizon van Perelien de eerste zachte parelmoeren tinten van de dageraad te verschijnen. En hoe helderder het werd, des te meer verbleekte het fosforiserende licht van de nachtplanten.

'Mooi zo,' zei Bastiaan hardop, 'ik vreesde al dat het hier helemaal nooit dag zou worden.'

Hij ging op de bodem van de bloem zitten en dacht na over wat hij nu verder wilde doen. Weer naar beneden klimmen en verder wandelen? Stellig, als meester van Perelien kon hij zich wegen banen waar hij maar wilde. Hij kon hier dagen, maanden, misschien wel jaren rondlopen. De jungle was veel te groot om er ooit de weg uit te kunnen vinden. Maar hoe mooi de nachtplanten ook waren, op den duur was dit toch niet wat Bastiaan zocht. Het zou bijvoorbeeld heel iets anders zijn een woestijn door te trekken – de grote woestijn van Fantásië. Ja, dat was iets waar je echt trots op kon zijn!

En op hetzelfde moment voelde hij een hevig getril door de reusachtige plant gaan. De stam begon door te buigen en er was een krakend en ruisend geluid te horen. Bastiaan moest zich vasthouden om niet uit de boom te vallen die steeds verder naar beneden zakte en nu al horizontaal stond. Het uitzicht over Perelien dat hij daardoor kreeg was onthutsend.

De zon was inmiddels opgekomen en belichtte een beeld van vernietiging. Van de kolossale nachtplanten was nauwelijks meer iets over. Veel vlugger dan zij ontstaan waren vervielen ze nu in het felle zonlicht tot stof en fijn, bontgekleurd zand. Slechts hier en daar staken er nog stompen van een paar reuzenbomen omhoog, die verbrokkelden als de torens van uitdrogende zandkastelen. De laatste plant die nog scheen stand te houden was die waar Bastiaan in zat. Maar toen hij zich aan de bladeren van de bloem probeerde vast te houden, vielen deze onder zijn aanraking tot stof uiteen en woeien weg als een zandwolk. Nu niets meer het uitzicht naar beneden belette zag hij ook op welke duizelingwekkende hoogte hij zich bevond. Als hij niet het gevaar wilde lopen naar beneden te vallen moest hij zo vlug mogelijk omlaag proberen te klimmen.

Voorzichtig om geen onnodige trillingen te veroorzaken stapte hij uit de bloem en ging schrijlings op de stengel zitten, die nu zo krom stond als een hengel. Nog maar net had hij dit klaargespeeld of de hele bloem brak achter hem af en verstoof in zijn val tot een wolk van rood zand.

Met grote behoedzaamheid schoof Bastiaan verder. Menigeen zou het kijken in de verschrikkelijke diepte waarboven hij zweefde niet hebben kunnen verdragen en in paniek naar beneden gevallen zijn, maar Bastiaan had niet de minste last van duizeligheid en behield stalen zenuwen. Hij besefte dat ook maar één enkele ondoordachte beweging de plant kon doen afbreken. Hij mocht zich door dit gevaar tot geen enkele onbezonnenheid laten verleiden. Langzaam schoof hij verder en bereikte uiteindelijk de plek waar de stam weer steiler en tenslotte verticaal werd. Hij sloeg zijn armen eromheen en liet zich centimeter voor centimeter naar beneden glijden. Meerdere keren werd hij van boven af overdekt door grote wolken kleurig stof. Zijtakken waren er niet meer en waar er toch nog een stomp uitstak verbrokkelde deze direct zodra Bastiaan probeerde hem als steun te gebruiken. Naar beneden toe werd de stam steeds dikker zodat hij niet meer te omvatten was. En nog steeds bevond Bastiaan zich torenhoog boven de grond. Hij stopte om na te denken hoe hij verder kon komen.

Maar een nieuwe trilling die door de reusachtige stam ging, maakte ieder verder overleg overbodig. Wat er van de stam nog over was zakte in elkaar en vormde een kegelvormige heuvel, waar Bastiaan in een wilde werveling van af rolde. Hij sloeg daarbij een paar keer over de kop en bleef uiteindelijk aan de voet van de heuvel liggen. Het na hem omlaag schuivende kleurige stof begon hem te bedekken, maar hij worstelde zich vrij, schudde het zand uit zijn oren en kleren en spuuwde een paar keer flink. Toen keek hij om zich heen.

Het schouwspel dat zich voor zijn ogen afspeelde was fantastisch: overal was het zand langzaam stromend in beweging. Met merkwaardige wervelingen en stromingen verplaatste het zich hierheen en daarheen, verdichtte zich tot heuvels en duinen die naar hoogte en omvang verschilden, maar steeds van één bepaalde kleur waren. Lichtblauw zand stroomde samen tot een lichtblauwe hoop, groen tot een groene en paars tot een paarse. Perelien loste zich op en werd een woestijn, maar wat voor een!

Bastiaan was op een duin van purperrood zand geklauterd en om zich heen zag hij heuvel na heuvel in alle voorstelbare kleuren. Want elke heuvel liet een kleurnuance zien die bij geen enkele andere terugkwam. Die het dichtst bij hem lag was kobaltblauw, een andere saffraangeel, daarachter gloeide er een in karmozijnrood, in indigoblauw, in appelgroen, hemelsblauw, oranje, perzik, mauve, Turkooisblauw, seringenlila, mosgroen, robijnrood, omberbruin, okergeel, vermiljoenrood en lazuurblauw. En zo ging het almaar door van de ene horizon naar de andere tot het te veel werd om naar te kijken. Gouden en zilveren beekjes van zand slingerden zich tussen de heuvels door en scheidden de kleuren van elkaar.

'Dit,' zei Bastiaan hardop, 'is Goab, de Woestijn van de Kleuren!'

De zon steeg hoger en hoger en de hitte werd moordend. Boven de bonte zandduinen begon de lucht te trillen en Bastiaan besefte dat zijn situatie nu echt moeilijk was geworden. Hij kon in deze woestijn niet blijven, dat stond wel vast. Als hij er niet in slaagde eruit te komen dan zou hij binnen de kortste keren versmachten.

Onwillekeurig nam hij het Teken van de Kleine Keizerin dat op zijn borst hing in de hand, hopend dat het hem de weg zou wijzen. Daarna ging hij moedig op pad.

Hij beklom het ene duin na het andere en zakte aan de andere kant weer omlaag. Uur na uur worstelde hij zich zo vooruit zonder ooit iets anders te zien dan heuvel na heuvel. Alleen de kleuren bleven maar wisselen. Zijn ongelooflijke lichaamskracht baatte hem nu niet meer want de afstanden in een woestijn zijn met kracht alleen niet te overbruggen. De lucht was als een flakkerende helse gloed en nauwelijks nog in te ademen. Zijn tong kleefde aan zijn verhemelte en zijn gezicht was overdekt met zweet.

De zon was nu een tollend vuur midden aan de hemel geworden. Hij stond daar al een hele tijd en scheen zich niet meer verder te bewegen. Deze woestijndag duurde even lang als de nacht over Perelien hing.

Bastiaan liep verder en verder. Zijn ogen brandden en zijn tong voelde aan als een stuk leer. Toch gaf hij zich niet gewonnen. Zijn lichaam was uitgedroogd en het bloed in zijn aderen was zo dik dat het haast niet meer stromen wilde. Maar Bastiaan ging verder, langzaam, stap voor stap, zonder zich te overhaasten en zonder te pauzeren, zoals alle ervaren woestijnwandelaars doen. Hij schonk geen aandacht aan de dorst die zijn lichaam kwelde. Er was in hem een zo ijzersterke wilskracht ontwaakt dat vermoeidheid noch ontbering die bedwingen kon.

Hij moest eraan denken hoe gemakkelijk hij vroeger kon worden ontmoedigd. Met honderd dingen was hij begonnen en hij had ze bij de geringste moeilijkheid weer opgegeven. Voortdurend had hij zich drukgemaakt over zijn eten en hij was belachelijk bang geweest om ziek te worden of pijn te moeten lijden. Dat lag nu allemaal ver achter hem.

Deze tocht door Goab, de Woestijn van de Kleuren, die hij nu maakte, had voordien nog niemand anders aangedurfd en na hem zou nooit een ander het wagen die te maken.

En waarschijnlijk zou niemand er ooit iets van horen.

Deze laatste gedachte vervulde Bastiaan met spijt. Maar er was niet aan te ontkomen. Alles wees erop dat Goab zo onvoorstelbaar groot was, dat hij de rand van de woestijn nooit bereiken zou. Het idee vroeg of laat ondanks al zijn uithoudingsvermogen te moeten omkomen van dorst maakte hem bang. Hij zou de dood rustig en waardig ondergaan zoals de jagers in het volk van Atréjoe dat plachten te doen. Maar omdat niemand zich in deze woestijn waagde zou ook niemand ooit de mare van Bastiaans einde verbreiden. In Fantásië noch thuis. Hij zou gewoon spoorloos verdwenen zijn en het zou zo zijn alsof hij helemaal nooit in Fantásië of in de woestijn Goab geweest was.

Terwijl hij daarover nadenkend verder liep kreeg hij opeens een idee. Heel Fantásië, zei hij bij zichzelf, was toch in dat boek bewaard waarin de Oude Man van de Wandelende Berg geschreven had. En dat boek was Het Oneindige Verhaal waarin hij zelf op de zolder had zitten lezen. Misschien stond ook nu alles wat híj beleefde in het boek. En het kon best zo zijn dat iemand anders het op een dag lezen zou – of het misschien zelfs op dit ogenblik zat te lezen. En dus moest het ook mogelijk zijn die iemand een teken te geven.

De zandheuvel waar Bastiaan nu op stond was ultramarijnblauw van kleur. Aan de overkant van een klein dal lag een vuurrood duin. Bastiaan liep daar naar toe, vulde zijn beide handen met rood zand en bracht dat naar de blauwe heuvel. Vervolgens strooide hij op de helling een lange streep uit. Hij liep weer terug, haalde meer rood zand en deed dat steeds weer. Na enige tijd had hij drie reusachtige rode letters op de blauwe ondergrond gestrooid:

BBB

Met voldoening bekeek hij zijn werk. Dit teken kon niemand missen die Het Oneindige Verhaal zou lezen. Wat er dan ook met hem gebeuren mocht, de mensen zouden weten waar hij gebleven was.

Hij ging op het topje van de vuurrode heuvel zitten en nam er even zijn gemak van. De drie letters straalden helder in de felle woestijnzon.

Weer was een stuk van zijn herinnering aan de Bastiaan uit de mensenwereld weggevaagd. Hij wist niet meer dat hij vroeger ooit een gevoelig, soms misschien zelfs huilerig jongetje was geweest. Zijn vastberadenheid en gehardheid vervulden hem met trots. Maar een nieuwe wens kondigde zich al aan.

'Ik ben dan wel niet bang,' zei hij, zoals hij gewend was, hardop, 'maar wat ik echt mis is de ware moed. Ontberingen kunnen uithou-

193

den en vermoeienissen doorstaan is iets geweldigs. Maar dapperheid en moed, dat is toch nog wel wat anders! Ik zou willen dat ik een echt avontuur meemaakte, dat fantastische moed vereist. Hier in de woestijn kun je immers niemand tegenkomen. Wat zou het geweldig zijn als ik een gevaarlijk wezen tegenkwam – het zou alleen niet zo afschuwelijk moeten zijn als die Ygramoel, maar wel veel gevaarlijker. Het zou mooi moeten zijn en tegelijk het gevaarlijkste wezen van Fantásië. En ik zou het tegemoet gaan en...'

Verder kwam Bastiaan niet want op hetzelfde moment voelde hij de woestijngrond onder zich schudden. Het was een gebrul op zo'n lage toon, dat je het meer voelde dan hoorde.

Bastiaan draaide zich om en zag aan de verre horizon een verschijning die hij eerst niet kon verklaren. Daar raasde iets voort als een vuurbal. Met ongelooflijke snelheid beschreef het een grote kring om de plek waar Bastiaan zat en toen kwam het opeens recht op hem af. In de zinderende lucht, die alle contouren als vlammen liet flakkeren, zag het wezen eruit als een dansende, vurige duivel.

Bastiaan werd bang en zonder zich te bedenken was hij de heuvel af, het dal tussen het rode en het blauwe duin in geholp om zich voor het aanstormende vurige wezen te verstoppen. Maar nauwelijks stond hij daar beneden of hij schaamde zich al voor zijn angst en drukte die weg.

Hij pakte AURYN en voelde hoe alle moed waarnaar hij zojuist had verlangd zijn hart binnenstroomde en het helemaal vulde.

Toen hoorde hij weer dat diepe gebrul dat de woestijngrond deed beven, maar dit keer van heel dichtbij. Hij keek omhoog.

Op de top van het vuurrode duin stond een reusachtige leeuw. Hij stond precies voor de zon zodat zijn indrukwekkende manen de kop van de leeuw omgaven als een krans van vlammen. Maar deze manen en ook de rest van zijn vel was niet geel, zoals anders bij leeuwen het geval is, maar net zo vuurrood als het zand waarin hij stond.

De leeuw scheen de jongen, die in vergelijking met hem maar heel kleintjes in het dal tussen de beide duinen stond, niet opgemerkt te hebben. Veel meer aandacht had hij voor de rode letters op de tegenoverliggende heuvel. En toen liet hij opnieuw zijn geweldig, brullend stemgeluid horen.

'Wie heeft dat gedaan?'

'Ik,' zei Bastiaan.

194

'En was heeft dat te betekenen?'

'Het is mijn naam,' antwoordde Bastiaan. 'Ik heet Bastiaan Balthazar Boeckx.'

Nu pas keek de leeuw naar hem en Bastiaan had het gevoel alsof hij gehuld werd in een mantel van vlammen, waarin hij ter plekke tot as verteren zou. Maar meteen was dat gevoel voorbij en hij weerstond de blik van de leeuw.

'Ik,' zei het reusachtige dier, 'ben Graógramán, de heer van de Woestijn van de Kleuren, die ook wel de Bonte Dood wordt genoemd.'

Nog steeds bekeken zij elkaar en Bastiaan bespeurde de dodelijke kracht die deze ogen uitstraalden.

Het was een onzichtbare krachtmeting. En tenslotte sloeg de leeuw de ogen neer. Met langzame, majesteitelijke bewegingen kwam hij het duin af. Toen hij op het ultramarijnblauwe zand stapte veranderde zijn kleur, nu waren zijn vel en zijn manen blauw. Het kolossale dier bleef even voor Bastiaan staan, die tegen hem op moest kijken als een muis tegen een kat. Toen, plotseling, ging Graógramán liggen en boog zijn kop voor de jongen tot op de grond.

'Heer,' zei hij, 'ik ben uw dienaar en luister naar uw bevelen!'

'Ik wil deze woestijn uit,' zei Bastiaan. 'Kun jij mij eruit brengen?'

Graógramán schudde zijn manen.

'Dat, heer, is voor mij onmogelijk.'

'Waarom?'

'Omdat ik de woestijn met mij meedraag.'

Bastiaan begreep niet wat de leeuw bedoelde.

'Is er geen ander wezen,' vroeg hij daarom, 'dat mij hieruit zou kunnen brengen?'

'Hoe zou dat kunnen, heer?' antwoordde Graógramán. 'Daar waar ik ben, kan in geen velden of wegen een ander levend wezen zijn. Mijn aanwezigheid alleen al is genoeg om zelfs het grootste en vreselijkste wezen op wel duizend mijl in de omtrek tot een hoopje as te laten verbranden. Daarom noemen ze mij de Bonte Dood en de koning van de Kleurenwoestijn.'

'Je vergist je,' zei Bastiaan. 'Niet elk wezen verbrandt in jouw rijk. Ik bijvoorbeeld kan je weerstaan, zoals je ziet.'

'Omdat u de Glans draagt, heer. AURYN beschermt u – zelfs voor het dodelijkste van alle wezens in Fantásië, voor mij.'

195

'Wil je daarmee zeggen dat ik, als ik het Kleinood niet hebben zou, ook tot een hoopje as verbranden moest?'

'Ja, zo is het, heer. Dat zou inderdaad gebeuren, ook al zou het me erg spijten. Want u bent de eerste en de enige die ooit met me gepraat heeft.'

Bastiaan nam het Teken in de hand. 'Dank je, Maankind!' zei hij zachtjes.

Graógramán richtte zich weer in zijn volle lengte op en keek op Bastiaan neer.

'Ik denk, heer, dat wij elkaar heel wat te zeggen hebben. Misschien kan ik u geheimen onthullen die u niet kent. Mogelijk ook kunt u me het raadsel van mijn bestaan verklaren, want dat is voor mij verborgen.'

Bastiaan knikte. 'Als het mogelijk is zou ik graag eerst wat drinken. Ik heb erge dorst.'

'Uw dienaar gehoorzaamt,' antwoordde Graógramán. 'Zoudt u op mijn rug plaats willen nemen, heer? Ik zal u dan naar mijn paleis dragen waar u alles vinden zult waar u behoefte aan hebt.'

Bastiaan sprong op de rug van de leeuw. Met beide handen hield hij zich aan de manen vast, waarvan de afzonderlijke lokken gloeiden als steekvlammen. Graógramán draaide zich naar hem om.

'Houd u goed vast, heer, ik ben een rappe loper. En ik wil u nog iets vragen, heer: zolang u in mijn rijk bent, of zelfs met mij alleen – moet u me beloven dat u om geen enkele reden en zelfs niet voor het kortste moment het beschermende Kleinood afdoet!'

'Dat beloof ik je,' zei Bastiaan.

Daarop zette de leeuw zich in beweging, aanvankelijk nog langzaam en waardig, maar toen steeds sneller en sneller. Vol verbazing zag Bastiaan hoe bij elke nieuwe zandheuvel het vel en de manen van de leeuw van kleur veranderden – steeds overeenkomstig de kleur van het duin. Maar tenslotte sprong Graógramán met enorme sprongen van de ene top naar de volgende. Hij raasde voort en zijn reusachtige klauwen raakten de grond nog maar nauwelijks. De wisseling van de kleuren in zijn vel voltrok zich steeds vlugger tot het Bastiaan begon te schitteren voor de ogen en hij alle kleuren tegelijk zag en het hele reusachtige dier op een enkele iriserende opaal leek. Hij moest zijn ogen dichtdoen. De wind, zo heet als de hel, floot hem om de oren en rukte aan zijn mantel die achter hem aan fladderde. Hij voelde de

196

spieren bewegen in het lichaam van de leeuw en rook de manen, die een wilde, opwindende geur verspreidden. Hij uitte een schelle triomfantelijke schreeuw, als die van een roofvogel, en Graógramán beantwoordde hem met een gebrul dat de woestijn deed trillen. Voor dit moment waren ze één, hoe groot het verschil tussen hen beiden ook zijn mocht. Bastiaan verkeerde in een roes, waaruit hij pas weer ontwaakte toen hij Graógramán hoorde zeggen: 'We zijn er, heer. Zoudt u willen afstijgen?'

Met een sprong belandde Bastiaan op het zand. Voor zich zag hij een gespleten berg van zwart rotsgesteente – of was het de ruïne van een gebouw? Hij zou het niet hebben kunnen zeggen want de stenen, die ten dele met bontgekleurd zand bedekt, overal verspreid lagen of vervallen poorten, muren, pilaren en terrassen vormden, zaten vol barsten en scheuren en waren uitgehold alsof sinds onheuglijke tijden de zandstorm al hun kanten en oneffenheden had afgesleten.

'Dit, heer,' hoorde Bastiaan de leeuwestem zeggen, 'is mijn paleis – en mijn graf. Treed binnen en wees welkom als de eerste en enige gast van Graógramán.'

De zon had zijn verzengende kracht al verloren en stond groot en bleek boven de horizon. Blijkbaar had de rit veel langer geduurd dan het Bastiaan was voorgekomen. De pilaarstompen of rotsnaalden, wat het ook mochten zijn, wierpen al lange schaduwen. Weldra zou het avond zijn.

Toen Bastiaan de leeuw volgde door een donkere poort die naar het binnenste van het paleis leidde, viel het hem op dat diens stappen minder krachtig leken dan voordien, ja zelfs moe en traag waren.

Door een donkere gang en via verschillende trappen die naar beneden en weer omhoog gingen kwamen zij bij een dubbele deur, waarvan de vleugels eveneens uit zwarte rots schenen te bestaan. Toen Graógramán erop toeliep sprong hij vanzelf open en toen ook Bastiaan er doorgegaan was sloot hij zich weer achter hem.

Zij stonden nu in een grote zaal, of beter gezegd, in een grot die door honderden lampen verlicht werd. Het vuur daarin leek op het bonte vlammenspel in Graógramáns vel. In het midden verhief zich de met kleurige tegels bedekte vloer trapsgewijs naar een rond plateau waarop een zwart rotsblok lag.

Graógramáns ogen wendden zich langzaam naar Bastiaan – ze leken uitgedoofd.

'Mijn laatste uur is nabij, heer,' zei hij. Zijn stem klonk zwak. 'Er zal geen tijd meer zijn voor ons gesprek. Maak u echter geen zorgen en wacht tot de dag aanbreekt. Wat steeds gebeurd is, zal ook nu gebeuren. En misschien zult u me kunnen zeggen waarom.'

Toen draaide hij zijn kop in de richting van een poortje aan het andere eind van de grot.

'Ga daar binnen, heer. U zult daar alles voor u klaar zien staan. Dit vertrek wacht al sinds onheugelijke tijden op u.'

Bastiaan liep op het deurtje toe, maar voor hij het opendeed keek hij nog een keer om. Graógramán was op het zwarte rotsblok gaan zitten en was nu zelf even zwart als de steen. Met een stem die nauwelijks meer leek dan gefluister, zei hij: 'Luister, heer, het is mogelijk dat u geluiden zult horen waar u van schrikt. Maar wees niet bang! Er kan u niets gebeuren zolang u het Teken draagt.'

Bastiaan knikte en liep toen het poortje door.

Voor zich zag hij een vertrek dat schitterend ingericht was. De vloer was belegd met zachte, kleurrijke tapijten. De slanke pilaren, die een gewelf met vele bogen droegen, waren met goudmozaïek overtrokken waarin het licht van de lampen die ook hier in alle kleuren brandden duizendvoudig werd weerkaatst. In een hoek stond een brede divan met zachte dekens en allerhande kussens, en daarboven spande zich een hemel van azuurblauwe zijde. In de andere hoek was er in de rotsbodem een groot zwembad uitgehakt, waarin een goudkleurig oplichtende vloeistof dampte. Op een laag tafeltje stonden schotels en schalen met spijzen, en ook een karaf met een robijnrode drank en een gouden beker.

Bastiaan ging in kleermakerszit voor het tafeltje zitten en tastte toe. De drank smaakte wrang en wild en leste zijn dorst op een wonderlijke wijze. Van de spijzen kende hij er niet een. Hij zou niet eens hebben kunnen zeggen of het nu pasteien waren, grote peulen, of noten. Sommige zagen er dan wel uit als pompoenen en meloenen, maar de smaak was heel anders, scherp en kruidig. Het smaakte opwindend en buitengewoon lekker. Bastiaan at door tot hij volledig verzadigd was.

Toen kleedde hij zich uit – alleen het Teken deed hij niet af – en stapte in het water. Een tijdlang poedelde hij rond in het vurige water, waste zich, dook omlaag en proestte toen als een walrus. Hij ontdekte op de rand van het zwembad vreemd uitziende flessen, waarin hij badoliën vermoedde. Onbekommerd schudde hij van elke soort wat in het water. Een paar keer ontstonden er groene, rode en gele vlammen, die sissend op het water dansten, terwijl er wat rook opsteeg. Het rook naar hars en bittere kruiden.

Tenslotte stapte hij uit het bad, droogde zich af met de klaarliggende zachte handdoeken en kleedde zich weer aan. Hij kreeg daarbij de indruk dat de lampen in het vertrek opeens lager brandden. En toen hoorde hij een geluid dat hem de koude rillingen over de rug deed lopen: een gekraak en geknars of er een groot brok ijs uit elkaar spatte. Het stierf weg in een gesteun dat steeds zwakker werd.

Met kloppend hart stond Bastiaan te luisteren. Hij herinnerde zich wat Graógramán gezegd had: dat hij zich niet ongerust hoefde te maken.

Het geluid herhaalde zich niet. Maar de stilte was haast nog verschrikkelijker. Hij moest weten wat er gebeurd was!

Hij deed de deur van het slaapvertrek open en keek naar binnen in de grote grot. Eerst kon hij geen verandering ontwaren behalve dat de lampen lager brandden en dat hun licht als een steeds langzamer wordende hartslag begon te haperen. De leeuw zat nog steeds in dezelfde houding op het zwarte rotsblok en scheen Bastiaan aan te kijken.

'Graógramán!' riep Bastiaan zachtjes. 'Wat is er gebeurd? Wat was dat voor een geluid? Was jij het?'

De leeuw antwoordde niet en bewoog zich ook niet meer. Maar toen Bastiaan op hem toeliep volgde hij hem met zijn ogen.

Aarzelend strekte Bastiaan zijn hand uit om de manen te strelen, maar hij had ze nog maar nauwelijks aangeraakt of hij deinsde geschrokken terug. Ze waren hard en ijskoud, als de zwarte rots. En Graógramáns gezicht en klauwen voelden net zo aan.

Bastiaan wist niet wat hem te doen stond. Hij zag hoe de grote zwarte stenen deurvleugels zich langzaam openden. Pas toen hij al in de lange donkere gang was en de trappen opging vroeg hij zich af wat hij daar buiten eigenlijk moest doen. Er kon immers niemand in deze woestijn zijn die in staat was Graógramán te redden.

Maar er was geen woestijn meer!

In het nachtelijke duister begon het overal te gloeien en te glinsteren. Miljoenen kleine plantenkiemen ontsproten uit de zandkorrels die nu weer zaadkorrels waren. Perelin, het Nachtbos, was opnieuw beginnen te groeien!

Bastiaan vermoedde op slag dat het verstarren van Graógramán hier op de een of andere manier mee samenhing.

Hij liep de grot weer in. Het licht in de lampen flikkerde nu nog maar heel zwakjes. Hij kwam bij de leeuw, sloeg zijn armen om diens reusachtige hals en drukte zijn gezicht tegen dat van het dier.

Nu waren ook de ogen van de leeuw zwart en dood als steen. Graógramán was versteend. Nog even flakkerden de lampen, toen werd het zo donker als in een graf.

Bastiaan huilde intens bedroefd en het stenen gezicht van de leeuw werd nat van zijn tranen. En toen rolde hij zich tussen de kolossale poten in elkaar en viel zo in slaap.

[O]

Graógramán,
de Bonte Dood

O HEER, hebt u zo de hele nacht doorgebracht?' zei de leeuw met zijn brullend stemgeluid.

Bastiaan kwam overeind en wreef zich de ogen uit. Hij zat tussen de voorpoten van de leeuw en het grote gezicht van het dier keek op hem neer. Er sprak verbazing uit Graógramáns blik. Zijn vel was nog steeds zwart als het rotsblok waar hij op zat, maar zijn ogen fonkelden. De lampen in de grot brandden weer.

'Ach,' zei Bastiaan stotterend, 'ik, ik dacht dat je versteend was.'

'Dat was ook zo,' antwoordde de leeuw. 'Ik sterf iedere dag wanneer het nacht wordt en elke morgen word ik weer wakker.'

'Ik dacht dat het voor altijd zou zijn,' verduidelijkte Bastiaan.

'Het *is* ook elke keer voor altijd,' antwoordde Graógramán raadselachtig.

Hij richtte zich op, rekte en strekte zich en liep vervolgens zoals alle leeuwen doen heen en weer in de grot. Zijn vlammenvel begon steeds stralender te gloeien in de kleuren van de plavuizen. Plotseling staakte hij zijn heen-en-weergeloop en keek de jongen aan.

'Hebt u zelfs om mij gehuild?'

Bastiaan knikte zwijgend.

'Dan bent u niet alleen de enige die tussen de voorpoten van de Bonte Dood heeft geslapen,' zei de leeuw, 'maar ook de enige die ooit zijn dood heeft beweend.'

Bastiaan keek naar de leeuw die zijn heen-en-weergeloop weer had hervat en vroeg tenslotte zachtjes: 'Ben je altijd alleen?'

Weer bleef de leeuw staan, maar dit keer keek hij Bastiaan niet aan. Met afgewende kop herhaalde hij met zijn brullend stemdgeluid: 'Alleen...'

Het woord weerkaatste in de grot.

'Mijn rijk is de woestijn – en de woestijn is ook mijn werk. Waarheen ik mij ook wend of keer, alles om mij heen moet woestijn worden. Ik draag hem met mij mee. Ik besta uit dodelijk vuur. Hoe zou er dan iets anders voor me weggelegd kunnen zijn dan eeuwigdurende eenzaamheid?'

Bastiaan was ontzet en antwoordde niet.

'U, heer,' ging de leeuw verder, terwijl hij naar de jongen toe liep en hem met gloeiende ogen aankeek, 'u die het Teken van de Kleine Keizerin draagt, kunt u mij antwoord geven op de vraag waarom ik sterven moet wanneer de nacht aanbreekt?'

'Opdat in de Woestijn van de Kleuren het Nachtbos Perelien groeien kan,' zei Bastiaan.

'Perelien?' herhaalde de leeuw. 'Wat is dat?'

En nu vertelde Bastiaan over de wonderen van het oerbos, dat uit levend licht bestond. Terwijl Graógramán onbeweeglijk en vol verbazing luisterde, schilderde hij hem de veelsoortigheid en pracht van de gloeiende en fosforiserende planten die zich uit zichzelf vermeerderden, hun niet te stuiten geluidloze groei, hun sprookjesachtige schoonheid en afmetingen. Hij werd steeds enthousiaster in zijn relaas en Graógramáns ogen gloeiden steeds feller.

'En dit kan er alleen maar zijn als jij bent versteend,' besloot Bastiaan. 'Maar Perelien zou alles verzwelgen en in zichzelf verstikken als het niet steeds opnieuw zou moeten sterven en tot stof vervallen zodra jij wakker wordt. Perelien en jij, Graógramán, jullie horen bij elkaar.'

Een hele poos zei Graógramán niets.

'Heer,' zei hij toen, 'ik zie nu in dat mijn sterven leven geeft en mijn leven de dood – en dat is allebei goed. Nu begrijp ik de zin van mijn bestaan. Ik ben u daar dankbaar voor.'

Langzaam en statig schreed hij naar de donkerste hoek van de grot. Wat hij daar deed kon Bastiaan niet zien, maar hij hoorde het geluid van metaal. Toen Graógramán terugkwam had hij iets in zijn muil. Hij boog zijn kop en legde het voor de voeten van Bastiaan neer.

Het was een zwaard.

Het zag er nu niet bepaald mooi uit. De ijzeren schede waar het in stak was verroest en het gevest leek haast dat van een kinderzwaard, gemaakt van een oud stuk hout.

'Kunt u hem een naam geven?' vroeg Graógramán.

Peinzend keek Bastiaan naar het zwaard.

'Sikánda!' zei hij.

Op hetzelfde moment schoot het zwaard met enig geraas uit zijn schede en vloog hem letterlijk in de hand. Nu zag hij dat het plat uit een zo verblindend licht bestond, dat een mens het nauwelijks verdragen kon. Het was tweesnijdend en zo licht als een veertje.

'Dit zwaard,' zei Graógramán, 'was van oudsher voor u bestemd. Want alleen hij kan het zonder risico aanraken, die op mijn rug gereden heeft en die van mijn vuur heeft gegeten en gedronken en zich daarin gebaad heeft als u. Maar slechts omdat u hem zijn ware naam hebt kunnen geven, behoort hij u toe.'

'Sikánda!' fluisterde Bastiaan en keek gefascineerd naar het fonkelende licht terwijl hij het zwaard langzaam in de lucht liet ronddraaien. 'Het is een toverzwaard, is het niet?'

'Staal noch rots,' antwoordde Graógramán, 'niets in Fantásië kan het weerstaan. Maar u mag het niet dwingen. Alleen wanneer het u vanzelf in de hand springt, zoals daareven, mag u het gebruiken – welk gevaar u ook bedreigt. Het zal uw hand leiden en uit eigen kracht doen wat er te doen valt. Maar als u het ooit eigener beweging uit zijn schede trekt, zult u groot onheil over Fantásië brengen. Dat moet u nooit vergeten!'

'Ik zal het niet vergeten,' beloofde Bastiaan.

Het zwaard ging terug in zijn schede en zag er nu weer oud en waardeloos uit. Bastiaan bond de leren riem waaraan het zwaard hing om zijn middel.

'En laten we nu, heer,' stelde Graógramán voor, 'samen door de woestijn jagen, als u dat leuk vindt. Klim op mijn rug, want ik moet nu naar buiten!'

Bastiaan sprong op de rug en de leeuw draafde de grot uit. De ochtendzon verrees boven de horizon van de woestijn. Het nachtbos was allang weer uiteengevallen tot gekleurd zand. En zo stoven zij nu samen over de duinen als een dansende, brandende fakkel, als een gloeiende stormwind. Bastiaan had het gevoel of hij op een vlammende komeet door licht en kleuren reed. En opnieuw ervoer hij het als een wilde roes.

Tegen de middag hield Graógramán plotseling in.

'Dit is de plek, heer, waar we elkaar gisteren ontmoetten.'

Bastiaan was nog wat verdoofd van de wilde jacht. Hij keek om zich heen, maar kon noch de ultramarijne, noch de vuurrode zandheuvel ontdekken. Ook van de letters was niets meer terug te vinden. De duinen waren nu olijfgroen en roze.

'Het is nu allemaal heel anders,' zei hij.

'Ja, heer,' antwoordde de leeuw, 'zo is het elke dag–steeds weer anders. Tot nu toe wist ik niet waarom dat zo is. Maar nu u mij verteld hebt dat Perelien opgroeit uit het zand, kan ik ook dit begrijpen.'

'Maar hoe weet je dan dat het de plek van gisteren is?'

'Ik voel het, zoals ik een plek aan mijn lichaam voel. De woestijn is een deel van mij.'

Bastiaan klom van Graógramáns rug en ging op het olijfgroene topje zitten. De leeuw ging naast hem liggen en was nu eveneens olijfgroen. Bastiaan steunde met zijn kin op zijn hand en keek peinzend naar de horizon.

'Mag ik je wat vragen, Graógramán?' zei hij na een poos gezwegen te hebben.

'Uw dienaar luistert,' antwoordde de leeuw.

'Ben je hier echt altijd al geweest?'

'Altijd al, ja,' beaamde Graógramán.

'En de woestijn Goab, is die er ook altijd geweest?'

'Ja, de woestijn ook. Waarom vraagt u dat?'

Bastiaan dacht een tijdje na.

'Ik begrijp het niet,' gaf hij tenslotte toe. 'Ik zou gewed hebben dat die er pas sinds gisterenmorgen is.'

'Hoe bedoelt u dat, heer?'

En nu vertelde Bastiaan hem alles wat hij beleefd had sinds zijn ontmoeting met Maankind.

'Het is allemaal zo wonderlijk,' besloot hij zijn relaas. 'Er komt bij mij de een of andere wens op en dan gebeurt er meteen iets dat daar verband mee houdt en de wens in vervulling doet gaan. Ik bedenk dat zelf niet, weet je. Dat zou ik ook niet kunnen. Nooit zou ik al die verschillende nachtplanten in Perelien hebben kunnen verzinnen. Of de kleuren van Goab–of jou! Alles is veel geweldiger en echter dan ik me zou kunnen bedenken. En desondanks is alles er pas dan wanneer ik me iets heb gewenst.'

'Dat komt doordat u AURYN draagt, de Glans,' zei de leeuw.

'Wat ik niet begrijp is wat anders,' probeerde Bastiaan te verduidelijken. 'Is alles er dan pas wanneer ik me iets gewenst heb? Of was het er al van te voren en heb ik het alleen maar op de een of andere manier geraden?'

'Alle twee,' zei Graógramán.

'Maar hoe kan dat dan?' riep Bastiaan haast ongeduldig uit. 'Jij bent toch al wie weet hoe lang hier in de Kleurenwoestijn Goab. De kamer in je paleis heeft al sinds oudsher op mij gewacht. Het zwaard Sikánda was sedert onheuglijke tijden voor mij bestemd – dat heb je toch allemaal zelf gezegd!'

'Zo is het ook, heer.'

'Maar ik ben toch pas sinds gisterennacht in Fantásië! Dan is dit alles er toch niet pas sinds ik hier ben!'

'Heer,' antwoordde de leeuw in alle rust, 'weet u niet dat Fantásië het Rijk van de Verhalen is? Een verhaal kan nieuw zijn en toch vertellen over oeroude tijden. Het verleden ontstaat met het verhaal.'

'Dan moet ook Perelien altijd al hebben bestaan,' dacht Bastiaan helemaal van streek.

'Vanaf het moment dat u het zijn naam gaf, heer,' antwoordde Graógramán, 'heeft het van oudsher bestaan.'

'Wil je daarmee zeggen dat ik het in het leven heb geroepen?'

De leeuw zweeg even voor hij antwoordde: 'Dat kan alleen de Kleine Keizerin u vertellen. Van haar hebt u alles gekregen.'

Hij richtte zich op.

'Het wordt tijd, heer, dat we teruggaan naar mijn paleis. De zon zakt al en het is nog een lange weg.'

Deze avond bleef Bastiaan bij Graógramán, die weer op het zwarte rotsblok was gaan zitten. Zij praatten niet meer met elkaar. Bastiaan haalde voor zichzelf eten en drinken uit het slaapvertrek waar het lage tafeltje, weer als door een onbekende hand toebereid, klaarstond. Hij gebruikte zijn maaltijd zittend op de treden die naar het rotsblok leidden.

Toen het licht in de lampen zwakker werd en als een steeds langzamer wordende hartslag begon te haperen, stond hij op en legde zwijgend zijn armen om de hals van de leeuw. De manen waren hard en leken op gestolde lava. En toen was er weer dat verschrikkelijke geluid, maar Bastiaan was nu niet bang meer. Wat hem echter opnieuw de tranen in de ogen deed springen was zijn verdriet over de onveranderlijkheid van Graógramáns lijden.

Later in de nacht ging hij weer op de tast naar buiten en keek hij lange tijd naar het geluidloze groeien van de lichtgevende nachtplan-

207

ten. Daarna keerde hij terug naar de grot en legde zich tussen de voorpoten van de versteende leeuw te slapen.

Vier dagen en nachten bleef hij bij de Bonte Dood te gast en er groeide een vriendschap tussen hen. Ze brachten heel wat uren in de woestijn door met woeste spelletjes. Bastiaan verstopte zich tussen de zandduinen, maar Graógramán vond hem steeds. Zij liepen om het hardst, maar de leeuw was wel duizend keer sneller. Zij vochten zelfs voor de grap met elkaar, ze worstelden en stoeiden – en hier was Bastiaan zijn gelijke. Hoewel het natuurlijk maar spel was, moest Graógramán zich echt inspannen om de jongen aan te kunnen. Geen van beiden kon de ander verslaan.

Op een keer, nadat zij zo intens bezig waren geweest, ging Bastiaan buiten adem zitten en vroeg: 'Kan ik niet voor altijd bij je blijven?'

De leeuw schudde zijn manen.

'Nee, heer.'

'Waarom niet?'

'Hier hebt u alleen maar leven en dood, alleen Perelien en Goab, maar geen verhaal. U moet uw verhaal beleven. U mag hier niet blijven.'

'Maar ik kan toch niet weg,' zei Bastiaan. 'De woestijn is veel te groot dan dat er iemand uit weg zou kunnen. En jij kunt me niet brengen omdat je de woestijn met je meedraagt.'

'De wegen van Fantásië kunt u alleen door uw wensen vinden,' zei Graógramán. En u kunt steeds slechts van de ene wens naar de andere gaan. Wat u zich niet wenst is onbereikbaar voor u. Dat is hier de betekenis van de woorden "dichtbij" en "ver". En het is ook niet genoeg enkel van een plaats weg te willen. U moet echt streven naar een andere. U moet zich laten leiden door uw verlangens.'

'Maar ik wens helemaal niet weg te gaan,' antwoordde Bastiaan.

'U zult uw volgende wens moeten vinden,' antwoordde Graógramán bijna streng.

'En als ik die vind,' vroeg Bastiaan, 'hoe zal ik dan hier vandaan kunnen gaan?'

'Luister, heer,' zei Graógramán zachtjes. 'Er is in Fantásië een plek die overal heen leidt en die overal vandaan kan worden bereikt. Dat oord heet de Tempel met de Duizend Deuren. Niemand heeft hem ooit van buiten gezien, want hij heeft geen buitenkant. Zijn binnenste bestaat echter uit een doolhof van deuren. Wie hem wil leren kennen moet naar binnen durven gaan.'

'Hoe zou dat kunnen als je hem van buiten af niet eens naderen kunt?'

'Elke deur,' ging de leeuw verder, 'elke deur in heel Fantásië, zelfs een heel gewone stal- of keukendeur, ja zelfs een kastdeur, kan op een bepaald moment de toegangspoort worden van de Tempel met de Duizend Deuren. Is dat moment voorbij, dan is hij weer wat hij daarvoor was. Daarom kan niemand voor de tweede keer door dezelfde deur gaan. En geen van de duizend deuren leidt weer terug naar waar men vandaan kwam. Er is geen terugkeer mogelijk.'

'Maar als je eenmaal binnen bent,' vroeg Bastiaan, 'kun je er dan ergens weer uit?'

'Ja,' antwoordde de leeuw, 'maar het is bij lange na niet zo simpel als bij gewone gebouwen. Want door de doolhof van de duizend deuren kun je alleen geleid worden door een echte wens. Wie die niet heeft moet er zo lang in rondlopen tot hij weet wat hij wenst. En dat duurt soms erg lang.'

'En hoe kan iemand de toegangspoort vinden?'

'Die moet men zich wensen.'

Bastiaan dacht lang na en zei toen: 'Gek toch dat je niet eenvoudig wensen kunt wat je wilt. Waar komen de wensen die we hebben eigenlijk vandaan? En wat is dat eigenlijk: een wens?'

Graógramán keek de jongen met grote ogen aan, maar antwoordde niet.

Weer een paar dagen later hadden ze nog één maal een heel belangrijk gesprek.

Bastiaan had de leeuw de inscriptie aan de achterzijde van het Kleinood laten zien. 'Wat zou dit betekenen?' vroeg hij. 'DOE WAT JE WILT betekent toch dat ik alles doen mag waar ik zin in heb, denk je ook niet?'

Graógramán keek opeens verschrikkelijk ernstig en zijn ogen begonnen te gloeien.

'Nee,' zei hij met dat diepe brullende stemgeluid, 'het betekent dat u doen moet wat u wezenlijk wilt. En niets is moeilijker.'

'Wat ik wezenlijk wil?' herhaalde Bastiaan onder de indruk. 'Wat is dat dan?'

'Het is uw eigen diepste geheim, dat u zelf niet kent.'

'Hoe kan ik daar dan achter komen?'
'Door de weg van de wensen te gaan, van de een naar de andere, tot aan de laatste. Die zal u brengen naar wat u wezenlijk wilt.'
'Dat lijkt me toch eigenlijk niet zo moeilijk,' meende Bastiaan.
'Toch is het de gevaarlijkste van alle wegen,' zei de leeuw.
'Waarom?' vroeg Bastiaan. 'Ik ben niet bang.'
'Daar gaat het niet om,' bromde Graógramán. 'Die weg vereist de grootste oprechtheid en aandacht, want op geen andere weg is het zo gemakkelijk om zich grondig te vergissen.'
'Bedoel je dat het misschien niet altijd goede wensen zijn die een mens heeft?' informeerde Bastiaan.

De leeuw sloeg met zijn staart tegen het zand waarin hij lag. Hij legde zijn oren plat tegen zijn kop en trok zijn neus op. Zijn ogen spuwden vuur. Bastiaan deinsde onwillekeurig terug toen Graógramán met een stem die de grond deed trillen zei: 'Wat weet u nu van wensen! Wat weet u nu van wat goed is?'

In de daarop volgende dagen dacht Bastiaan veel na over wat de Bonte Dood had gezegd. Maar er zijn dingen die je niet doorgronden kunt door er over na te denken; je moet ze meemaken. En daarom kon het gebeuren dat hij pas veel later, nadat hij heel veel beleefd had, aan Graógramáns woorden terugdacht en ze begon te begrijpen.

Gedurende deze periode had er weer een verandering in Bastiaan plaatsgevonden. Bij alle geschenken die hij sinds zijn ontmoeting met Maankind had gekregen was nu ook nog de moed gekomen. En zoals steeds was hem ook dit keer daarvoor iets ontnomen, namelijk de herinnering aan zijn vroegere bangelijkheid.

En omdat er nu niets meer was waarvoor hij bang was, begon – aanvankelijk onmerkbaar, maar toen steeds duidelijker – een nieuwe wens in hem op te komen. Hij wilde niet langer meer alleen zijn. Ook met de Bonte Dood was hij immers in zekere zin toch alleen. Hij wilde anderen laten zien wat hij zoal kon; hij wilde bewonderd worden en roem verwerven.

En op een nacht, toen hij weer de groei van Perelien volgde, voelde hij opeens dat dit de laatste keer was en dat hij van de pracht van het lichtgevende Nachtbos afscheid moest nemen. Een stem in zijn binnenste riep hem weg.

Nog een laatste blik wierp hij op de gloeiende kleurenpracht, daarna liep hij naar beneden, Graógramáns rotsgraf binnen, en ging in het donker op de treden zitten. Hij zou niet hebben kunnen zeggen waarop hij wachtte, maar hij wist dat hij zich deze nacht niet te slapen hoefde te leggen.

Hij was zo zittend waarschijnlijk toch een beetje ingedommeld, want plotseling schrok hij op alsof iemand hem bij zijn naam had geroepen.

De deur die toegang gaf tot het slaapvertrek was opengesprongen. Door de kier viel een lange streep rood licht de donkere grot binnen.

Bastiaan ging staan. Was de deur voor dit moment veranderd in de toegang tot de Tempel met de Duizend Deuren? Onzeker liep hij naar de kier en trachtte naar binnen te turen. Hij kon niets onderscheiden. Daarop begon de kier zich weer langzaam te sluiten. Zo meteen zou de enige gelegenheid om weg te komen voorbij zijn!

Nog een keer draaide hij zich om naar Graógramán die onbeweeglijk en met dode stenen ogen op zijn sokkel zat. De lichtstreep die uit de deur kwam viel juist op hem.

'Vaarwel, Graógramán en nog bedankt voor alles!' zei hij zachtjes. 'Ik kom terug, ik kom vast en zeker terug!'

Toen glipte hij door de kier, die zich onmiddellijk achter hem sloot.

Bastiaan wist niet dat hij zijn belofte niet zou houden. Pas heel veel later zou er namens hem iemand komen die hem alsnog zou inlossen.

Maar dat is een ander verhaal en moet een andere keer maar eens worden verteld.

[P]

Amargánth,
de Zilveren Stad

PURPER licht bewoog zich in trage golven over de vloer en de muren van het vertrek. Het was een zeshoekige kamer, in de vorm van een cel in een honingraat. Om de andere muur had een deur. De overige drie muren, die daar tussen lagen, waren met zonderlinge voorstellingen beschilderd. Het waren sprookjeslandschappen en wezens die half plant, half dier leken te zijn.

Door een van de deuren was Bastiaan binnengekomen, de twee andere bevonden zich rechts en links van hem. Naar vorm waren zij precies gelijk, maar de linker was zwart en de rechter wit. Bastiaan koos voor de witte.

In het volgende vertrek hing een geelachtig licht. Ook hier waren weer zes muren en drie deuren. De voorstellingen toonden hier allerlei gereedschappen waaruit Bastiaan geen wijs kon worden. Waren het werktuigen of wapens? De beide deuren links en rechts van hem hadden dezelfde kleur. Zij waren geel, maar de linker was hoog en smal, de rechter daarentegen laag en breed. Bastiaan nam de linker.

De kamer waar hij nu binnenkwam was net als de beide voorgaande zeshoekig, maar het licht was er blauw. De voorstellingen op de muren waren in elkaar verstrengelde ornamenten of schrifttekens van een onbekend alfabet. Hier waren de deuren gelijk van vorm maar van verschillend materiaal, de ene van hout, de andere van metaal. Bastiaan koos voor de houten deur.

Het is onmogelijk alle deuren en kamers te beschrijven waar Bastiaan op zijn zwerftocht door de Tempel met de Duizend Deuren doorheenging. Er waren deuren die er uitzagen als grote sleutelgaten en andere die op de ingang van een grot leken; er waren gouden en verroeste deuren, deuren die met stof waren bekleed of met spijkers beslagen, papierdunne deuren en deuren die zo dik waren als die van een brandkast. Er was er een die er uitzag als de mond van een reus en een andere die als een ophaalbrug geopend moest worden; een leek er op een groot oor en een andere bestond uit een peperkoek; ook was er een deur in de vorm van de klep van een kachel en een die moest worden opengeknoopt. Steeds hadden de beide deuren die toegang gaven tot een volgend vertrek iets met elkaar gemeen – de vorm, het materiaal, de grootte of de kleur – maar er was ook altijd iets dat ze wezenlijk van elkaar deed verschillen.

Al heel wat keren was Bastiaan van het ene zeshoekige vertrek in het andere gelopen. Elke beslissing die hij nam stelde hem steeds voor een nieuwe beslissing, die op zijn beurt wéér een beslissing noodzakelijk maakte. Maar deze beslissingen veranderden niets aan het feit dat hij nog steeds in de Tempel van de Duizend Deuren was – en er ook blijven zou. Terwijl hij almaar verderging begon hij erover na te denken waar dit aan lag. Zijn wens had weliswaar tot gevolg gehad dat hij zich in de doolhof bevond, maar hij was klaarblijkelijk niet nauwkeurig genoeg geweest om hem ook de weg naar buiten te wijzen. Hij had gewenst met anderen in contact te komen. Maar het werd hem nu duidelijk dat hij zich daarbij niet iets bepaalds had voorgesteld. En het beslissen of hij nu een deur van glas of een van vlechtwerk kiezen moest, maakte totaal niets uit. Tot nu toe had hij zijn keus voor de vuist weg gedaan, zonder er echt over na te denken. Eigenlijk had hij elke keer evengoed de andere deur kunnen nemen. Maar zo zou hij er nooit uitkomen.

Hij stond nu in een vertrek waar het licht groen was. Drie van de zes muren waren beschilderd met afbeeldingen van wolken. De deur links van hem was van blank parelmoer, die aan zijn rechterhand van zwart ebbehout. En opeens wist hij wat hij zou willen: Atréjoe!

De parelmoeren deur herinnerde hem aan Foechoer, de Geluksdraak, wiens schubben glinsterden als wit parelmoer. En dus koos hij voor deze deur.

In de volgende kamer waren er twee deuren waarvan de ene van gevlochten gras was en de andere uit ijzeren tralies bestond. Bastiaan koos die van gras omdat hij aan het Grazige Meer, Atréjoe's vaderland, dacht.

In het daarop volgende vertrek bevond hij zich voor twee deuren die enkel daarin verschilden dat de ene van leer was en de andere van vilt. Natuurlijk ging Bastiaan door die van leer.

En weer stond hij voor twee deuren. En hier moest hij toch nog goed nadenken. De ene was purperrood en de andere olijfgroen. Atréjoe was een Groenhuid en hij droeg een mantel van de huid van een purperbuffel. Op de olijfgroene deur waren met witte verf een paar eenvoudige tekens geschilderd, zoals Atréjoe op zijn voorhoofd en wangen gehad had toen de oude Caíron bij hem was gekomen. Diezelfde tekens stonden echter ook op de purperrode deur. Bastiaan kon zich niet herinneren dat dergelijke tekens ook op Atréjoe's mantel hadden gestaan. Dus moest achter die deur een weg liggen die naar iemand anders, en niet naar Atréjoe leidde.

Bastiaan opende de olijfgroene deur – en stond buiten!

Tot zijn verwondering echter was hij niet ergens in het Grazige Meer aangeland, maar in een licht voorjaarsbos. Zonnestralen drongen door het jonge loof en de licht- en schaduwplekjes dansten over de mosgrond. Het rook er naar aarde en paddestoelen en de koele lucht was vol van het getsjilp van de vogels.

Bastiaan draaide zich om en zag dat hij daarnet uit een boskapelletje gekomen was. Voor dit ene moment was dat poortje dus de uitgang van de Tempel met de Duizend Deuren geweest. Bastiaan deed het nog eens open, maar hij zag alleen de kleine kapelruimte voor zich. Het dak bestond enkel nog uit wat vermolmde balken die in de lucht staken en de muren waren met mos bedekt.

Bastiaan ging op weg zonder aanvankelijk te weten waarheen. Hij twijfelde er niet aan of hij zou vroeg of laat Atréjoe ontmoeten. En hij verheugde zich er mateloos op. Hij floot naar de vogels, die hem antwoord gaven, en hij zong luid en uitgelaten wat er maar bij hem opkwam.

Toen hij een eindje gelopen had, zag hij op een open plek een groepje figuren die zich daar hadden neergevlijd. Toen hij dichterbij kwam ontdekte hij dat het een stel mannen in prachtige kleren waren. Ook was er een beeldschone dame bij hen. Zij zat in het gras en tokkelde op een luit. Achter hen stonden enkele paarden, die rijk gezadeld en getuigd waren. Voor de mannen die in het gras lagen te keuvelen was een witte doek uitgespreid waarop allerhande spijzen en drinkbekers stonden.

Bastiaan liep op het groepje toe, maar eerst verborg hij de amulet van de Kleine Keizerin onder zijn hemd, want hij had zin om eerst eens zonder herkend te worden en zonder opzien te baren met het

215

gezelschap kennis te maken.

Toen zij hem zagen naderen stonden de mannen op en groetten hem met een hoffelijke buiging. Zij hielden hem kennelijk voor een oosterse prins of zo iets. Ook de beeldschone dame boog glimlachend haar hoofd voor hem en tokkelde toen verder op haar instrument. Onder de mannen was er een die bijzonder groot was en buitengewoon fraai gekleed. Hij was nog jong en had blond haar dat van zijn schouders omlaag viel.

'Ik ben de held Huunreck,' zei hij. 'Deze dame is prinses Oglamár, de dochter van de koning van Loenn. Deze heren zijn mijn vrienden Huukrion, Huusbald en Huudorn. En hoe luidt uw naam, jonge vriend?'

'Ik mag mijn naam niet noemen – nog niet,' antwoordde Bastiaan.

'Een gelofte?' vroeg prinses Oglamár ietwat spottend. 'Zo jong en nu al een gelofte?'

'U komt zeker van ver?' wilde de held Huunreck weten.

'Ja, van heel ver,' antwoordde Bastiaan.

'Bent u een prins?' informeerde de prinses en bekeek hem minzaam.

'Dat zeg ik niet,' antwoordde Bastiaan.

'Wel, in ieder geval welkom bij onze tafelronde!' riep de held Huunreck. 'Wilt u ons de eer aandoen bij ons plaats te nemen en met ons te tafelen, jonge heer?'

Bastiaan nam de uitnodiging dankbaar aan, ging zitten en tastte toe.

Uit het gesprek dat de dame en de vier heren met elkaar voerden, werd hem duidelijk dat vlak in de buurt de grote en prachtige Zilveren Stad Amargánth lag. Er zou daar een soort wedstrijd plaatsvinden. Van heinde en ver kwamen de vermetelste helden, de beste jagers, de dapperste krijgers, maar ook allerlei avonturiers en roekeloze kerels, om aan het gebeuren deel te nemen. Alleen de drie moedigsten en besten die alle anderen verslagen hadden zou de eer te beurt vallen deel te nemen aan een speurtocht. Het zou daarbij gaan om een waarschijnlijk erg lange en avontuurlijke reis, met het doel een bepaald iemand te vinden die zich in een van de talloze gewesten van Fantásië ophield en die enkel als 'de redder' werd aangeduid. Niemand kende zijn naam nog. In ieder geval dankte het Fantásische rijk het aan hem dat het weer, of nog steeds, bestond. Eens, tijden

216

geleden, had er namelijk een verschrikkelijke ramp in Fantásië plaatsgevonden, waardoor het maar heel weinig gescheeld had of het was
totaal vernietigd. De 'redder' had dit op het laatste moment voorkomen doordat hij de Kleine Keizerin de naam Maankind gegeven had,
en onder die naam was zij nu bij ieder wezen in Fantásië bekend.
Sindsdien dwaalde hij echter zonder herkend te worden door het rijk
en het zou de taak van de expeditie zijn hem op te sporen en hem dan
zogezegd als lijfwacht te begeleiden, zodat hem niets overkomen zou.
Daartoe werden echter alleen de moedigste en flinkste mannen uitverkoren, want het zou kunnen zijn dat ze daarbij onvoorstelbare
avonturen moesten doorstaan.

De wedstrijd waarbij deze uitverkiezing plaats zou vinden was weliswaar georganiseerd door de zilveren grijsaard Quérquobad – in de
stad Amargánth regeerde altijd de oudste man of de oudste vrouw en
Quérquobad was honderdzeven jaar oud – maar niet hij zou de keuze
uit de deelnemers maken doch een jonge natuurmens die Atréjoe
heette, een knaap uit het volk van de Groenhuiden, die de gast van de
zilveren grijsaard Quérquobad was. Deze Atréjoe zou later ook de
expeditie leiden. Hij was namelijk de enige die de 'redder' herkennen
kon, omdat hij hem eens in een toverspiegel had gezien.

Bastiaan zei niets, luisterde alleen. Dit viel hem niet gemakkelijk
want hij had al heel gauw begrepen dat die 'redder' niemand anders
was dan hij. En toen bovendien nog Atréjoe's naam viel was hij geweldig blij en had hij de grootste moeite zich niet te verraden. Maar hij
was vastbesloten voorlopig zijn geheim te bewaren.

Overigens ging het de held Huunreck bij de hele zaak niet zo zeer
om de speurtocht als wel om het veroveren van het hart van prinses
Oglamár. Bastiaan had al dadelijk gemerkt dat de held Huunreck tot
over zijn oren verliefd op de jongedame was. Hij zuchtte af en toe op
momenten dat er helemaal niets te zuchten viel, en keek zijn aangebedene voortdurend met een droeve blik aan. Maar zij deed of ze er
niets van merkte, want ze had ooit eens de gelofte afgelegd alleen met
de allergrootste held te zullen trouwen, met degeen die alle anderen
kon verslaan. En met minder was zij niet tevreden. Dit was het probleem van de held Huunreck, want hoe moest hij bewijzen dat hij de
grootste was. Tenslotte kon hij niet zomaar iemand doodslaan die
hem niets had gedaan. En oorlogen waren er al een hele tijd niet meer
geweest. Hij zou wat graag tegen monsters en demonen gevochten

hebben; hij zou, als hij zijn zin had gekregen, elke morgen een bloederige drakestaart voor haar op de ontbijttafel hebben gelegd – maar er waren in geen velden of wegen meer monsters en draken te vinden. Toen de bode van de zilveren grijsaard Quérquobad bij hem gekomen was met de uitnodiging voor de wedstrijd had hij die natuurlijk meteen aanvaard. Prinses Oglamár had er echter op gestaan om mee te komen, want zij wilde er zich met eigen ogen van overtuigen wat hij kon.

'Verhalen van helden,' zei ze glimlachend tegen Bastiaan, 'kunt u, dat is bekend, niet vertrouwen. Ze hebben allemaal de neiging het mooier voor te stellen.'

'Mooier voorgesteld of niet,' protesteerde de held Huunreck, 'ik ben toch altijd honderd maal meer waard dan de ongelooflijke redder.'

'Hoe kunt u dat nou weten?' vroeg Bastiaan.

'Wel,' vond de held Huunreck, 'als die jongeman maar half zoveel fut in zijn lijf zou hebben als ik, had hij geen lijfwacht nodig die hem beschermen moet en bemoederen als een klein kind. 't Lijkt me een nogal armzalig persoontje te zijn, die redder.'

'Hoe kunt u zo iets zeggen!' riep Oglamár ontsteld uit. 'Hij heeft tenslotte Fantásië voor de ondergang bewaard!'

'En al is dat zo!' antwoordde de held Huunreck minachtend. 'Daarvoor zal waarschijnlijk geen uitzonderlijke heldendaad nodig geweest zijn.'

Bastiaan nam zich voor hem dit betaald te zetten zodra de gelegenheid zich voordeed.

De drie andere heren hadden het paar pas onderweg toevallig getroffen en zich bij hen aangesloten. Huukrion, die een ruige zwarte snor had, beweerde de sterkste en verschrikkelijkste ijzervreter van Fantásië te zijn. Huusbald, die rood haar had en vergeleken met de anderen een zwakke indruk maakte, beweerde dat niemand behendiger en vlugger met de degen was dan hij. En Huudorn tenslotte was er van overtuigd dat niemand zich in de strijd met hem kon meten in taaiheid en uithoudingsvermogen. Zijn uiterlijk rechtvaardigde deze bewering want hij was lang en mager en scheen enkel uit pezen en knoken te bestaan.

Toen iedereen klaar was met eten werd er opgebroken. Servies, laken en proviand werden in de zadeltassen van een lastdier gestopt.

Prinses Oglamár besteeg haar witte telganger en reed weg zonder zich om de anderen te bekommeren. De held Huunreck sprong op zijn pikzwarte hengst en galoppeerde haar achterna. De drie overige heren stelden Bastiaan voor op het lastdier tussen de proviandtassen plaats te nemen. Hij sprong er op terwijl de heren eveneens hun fraai getuigde paarden bestegen en toen ging het in draf, met Bastiaan als laatste, het bos door. Het lastdier, een nogal oude muilezelin, bleef steeds meer achter en Bastiaan begon haar aan te sporen. Maar in plaats van vlugger te lopen bleef de ezelin staan, draaide haar kop om en zei: 'Geen reden om me aan te sporen, want ik ben met opzet achtergebleven, heer.'

'Waarom?' wilde Bastiaan weten.

'Ik weet wie u bent, heer.'

'Hoe zou je dat kunnen weten?'

'Als je maar een halve ezel bent zoals ik, dan voel je zo iets. Zelfs de paarden hebben iets gemerkt. U hoeft me niets te zeggen, heer. Ik zou mijn kinderen en kleinkinderen graag vertellen dat ik de redder op mijn rug heb gehad, maar helaas hebben dieren als wij geen kinderen.'

'Hoe heet je?' vroeg Bastiaan.

'Jicha, heer.'

'Luister eens goed, Jicha, bederf mijn plezier nu niet en houd voorlopig voor je wat je weet. Wil je dat?'

'O graag, heer.'

Daarop zette de muilezel zich in draf om de anderen weer in te halen.

Het groepje wachtte aan de rand van het bos. Allen keken bewonderend neer op de stad Amargánth die daar stralend in het zonlicht lag. Ze stonden op een heuvel vanwaar je een weids uitzicht had over een groot, bijna viooltjesblauw meer, dat aan alle kanten door zulke beboste heuvels omgeven was. En midden in dit meer bevond zich de Zilveren Stad Amargánth.

Alle huizen waren op schepen gebouwd; de grote paleizen op brede aken, de kleinere op barken en schuiten. En elk huis en elke boot was van zilver, fijn geciseleerd en kunstzinnig versierd. De ramen en deuren van de kleine en grote paleizen, de torentjes en balkons waren van een zilverfiligrain dat zo prachtig was dat het in heel Fantásië zijn weerga niet vond. Overal op het meer waren er scheepjes en sloepen te zien die de bezoekers van de oevers naar de stad brachten. Vandaar dat nu ook de held Huunreck en zijn gezelschap zich haastten om het strand te bereiken, waar een zilveren veerboot met een schitterend gewelfde boeg lag te wachten. Het hele gezelschap, de paarden en de muilezel incluis, vond er een plaatsje op.

Onderweg hoorde Bastiaan van de veerman, die ook al een gewaad van zilverweefsel droeg, dat het viooltjesblauwe water van het meer zo zout en bitter was dat op den duur niets de vernielende werking ervan kon weerstaan – niets, behalve zilver. Het meer heette Moerhoe of ook wel het Tranenmeer. In lang vervlogen tijden zou men de stad Amargánth naar het midden van het meer hebben gevaren om zich tegen overvallen te beschermen, want wie er ook op houten schepen of ijzeren schuiten geprobeerd zou hebben de stad te bereiken, zou zijn ondergegaan en verloren geweest zijn omdat het water schip en bemanning al heel snel zou hebben opgelost. Maar nu was er een andere reden om Amargánth op het water te laten blijven. De bewoners vonden het namelijk prettig hun huizen af en toe opnieuw te groeperen en straten en pleinen opnieuw aan te leggen. Als bijvoorbeeld twee gezinnen die aan tegenovergestelde randen van de stad woonden, bevriend met elkaar raakten en familie van elkaar werden omdat hun kinderen met elkaar trouwden, dan verlieten zij de plaats die zij tot dan toe hadden ingenomen en legden hun zilveren schepen simpelweg naast elkaar waardoor zij buren werden. Het zilver, tussen haakjes, was van een bijzonder soort en even uniek als zijn onvergelijkbaar fraaie bewerking.

Bastiaan zou er graag nog meer over hebben gehoord, maar de veerpont was aangekomen in de stad en hij moest met zijn reisgenoten van boord.

Eerst zochten zij nu naar een herberg om voor zichzelf en hun dieren onderdak te vinden. Dat was niet zo eenvoudig omdat Amargánth letterlijk bezet was door reizigers die van heinde en ver op de wedstrijden waren afgekomen. Maar tenslotte vonden ze toch nog plaats in een eethuis.

Toen Bastiaan de muilezelin naar de stal bracht fluisterde hij haar in het oor: 'Niet vergeten wat je belooft hebt, Jicha. We zien elkaar gauw terug.'

Jicha knikte.

Daarna maakte Bastiaan zijn reisgenoten duidelijk dat hij hun niet langer tot last wilde zijn, maar graag op eigen gelegenheid de stad bekijken wilde. Hij bedankte hen voor hun vriendelijkheid en nam afscheid. In werkelijkheid was hij er natuurlijk op gebrand om Atréjoe te vinden.

De grote en kleine schepen waren onderling verbonden door vlonders. Over sommige, die smal en sierlijk waren, kon maar één persoon tegelijk lopen, maar op andere, breed en weids als straten, verdrong zich een hele menigte. Er waren ook boogbruggen met daken erboven en in de grachten tussen de paleisschepen voeren honderden kleine zilveren kano's af en aan. Maar waar je ook liep of stond steeds voelde je onder je voeten een zwak op- en neergaan van de ondergrond dat eraan herinnerde dat de hele stad op het water dreef.

Het grote aantal toeristen waarvan de stad scheen over te lopen was zo veelkleurig en afwisselend dat alleen een beschrijving hiervan al een boek zou kunnen vullen. De Amargánthers waren gemakkelijk te herkennen want allemaal droegen zij kleding van zilver, die haast zo mooi was als Bastiaans mantel. Ook hun haren waren van zilver. Zij waren groot en goed gebouwd en hadden ogen die net zo viooltjesblauw waren als Moerhoe, het Tranenmeer. Het merendeel van de toeristen was lang niet zo mooi. Er waren overdadig gespierde reuzen onder met hoofden die tussen hun schouders zo klein leken als appels. Er liepen duistere en vervaarlijk uitziende vechtersbazen rond; zij waren alleen en je kon aan hen zien dat je ze beter niet in het donker kon tegenkomen. Je zag er verdachte figuren met rappe ogen en rappe handen en krachtpatsers die wijdbeens aan kwamen stappen, en uit wier mond en neus rook kwam. Ook dansten er potsenmakers rond als levende tollen en saters sjokten op knoestige benen voorbij, met dikke knotsen op hun schouders. Een keer zag Bastiaan zelfs een rotsbijter wiens tanden als stalen beitels uit zijn mond staken. De zilveren vlonder boog onder zijn gewicht terwijl hij bonkend zijn weg erover zocht. Maar voor Bastiaan hem kon vragen of hij misschien Pjeurnragzark heette was hij in de menigte verdwenen.

Uiteindelijk bereikte Bastiaan het centrum. En hier vonden de wedstrijden plaats. Zij waren al in volle gang. Op een groot, rond plein dat op een reusachtige circusarena leek, maten honderden deelnemers hun krachten en lieten zien wat ze konden. Rond deze weidse ruimte verdrong zich een menigte toeschouwers die de deelnemers met kreten aanmoedigde. Ook de ramen en balkons van de omliggende drijvende paleizen puilden uit van de toeschouwers en menigeen was het gelukt op de met zilverfiligrain versierde daken te klimmen. Aanvankelijk was Bastiaan echter niet zo zeer geïnteresseerd in het schouwspel dat de vechtenden boden. Hij wilde Atréjoe zien te vinden, die stellig ergens naar de spelen stond te kijken. En toen zag hij dat de mensenmassa steeds weer vol verwachting naar een bepaald paleis keek – vooral wanneer het een van de spelers gelukt was een indrukwekkend staaltje van zijn kunst te tonen. Bastiaan moest zich echter eerst over een boogbrug heen worstelen en vervolgens in een soort lantaarnpaal klauteren voor hij een blik op het paleis kon werpen.

Op een breed balkon stonden twee hoge stoelen van zilver. Op de ene zat een heel oude man wiens zilveren baard en hoofdhaar golvend tot aan zijn middel reikte. Dit moest Quérquobad, de zilveren grijsaard zijn. Naast hem zat een jongen van ongeveer Bastiaans leeftijd. Hij droeg een lange broek van soepel leer en zijn bovenlichaam was naakt zodat je zijn olijfgroene huid goed kon zien. De uitdrukking op het smalle gezicht was ernstig, ja bijna streng. Zijn lange blauwzwarte haar werd op zijn achterhoofd met een leren koordje bijeen gehouden. Om zijn schouders droeg hij een purperrode mantel. Hij keek rustig en toch merkwaardig gespannen naar het strijdperk beneden hem. Niets scheen zijn donkere ogen te ontgaan.

Atréjoe.

Op dit moment verscheen er in de open balkondeur achter Atréjoe nog een ander, bijzonder groot gelaat dat leek op dat van een leeuw, behalve dat het in plaats van een vel witparelmoeren schubben had en dat aan zijn muil lange, witte baarden hingen. Zijn ogen waren robijnrood en fonkelden en toen zijn kop boven Atréjoe's hoofd omhoogging zag je dat die op een lange, soepele en eveneens met parelmoeren schubben bedekte hals rustte, waarvan de manen als een wit vuur omlaagvielen. Het was Foechoer, de geluksdraak. En hij scheen Atréjoe iets met zijn ogen te beduiden, want deze knikte.

Bastiaan liet zich weer van de lantaarnpaal omlaagglijden. Hij had genoeg gezien. Nu richtte hij zijn aandacht op de wedstrijden.

In wezen ging het daarbij niet zozeer om echte, gemeende gevechten, maar meer om een soort circusvoorstelling in het groot. Weliswaar was er juist een worsteling gaande tussen twee reuzen wier lichamen tot één enorme knoop verstrengeld waren en waren er hier en daar gelijksoortige of heel verschillende paren die hun behendigheid in het zwaardvechten of in het hanteren van de knots of de lans demonstreerden, maar natuurlijk gingen zij elkaar daarbij niet in alle ernst op leven en dood te lijf. Het behoorde trouwens ook tot de regels van het spel dat ieder moest tonen hoe eerlijk en correct hij vocht en hoe goed hij zich beheersen kon. Een deelnemer die zich uit kwaadheid of eerzucht zou hebben laten verleiden zijn tegenstander ernstig te kwetsen, zou onmiddellijk ongeschikt verklaard worden. De meesten waren doende hun behendigheid in het boogschieten te laten zien of hun kracht te tonen door enorme gewichten te heffen; anderen demonstreerden hun kwaliteiten door acrobatische hoogstandjes te verrichten of allerlei proeven van hun moed af te leggen. Zo verschillend als de mededingers waren, zo veelsoortig waren hun prestaties.

Steeds weer moesten enkele deelnemers die verslagen waren het plein verlaten, en zo werden het er geleidelijk aan steeds minder. En toen zag Bastiaan dat Huukrion, de sterke, Huusbald, de rappe en Huudorn, de taaie, het plein betraden. De held Huunreck en zijn aangebedene, prinses Oglamár, waren er niet bij.

Op dit moment bevonden zich nog ongeveer honderd deelnemers op het plein. Omdat de zwakkere mededingers al afgevallen waren, viel het Huukrion, Huusbald en Huudorn niet zo gemakkelijk als zij misschien hadden gedacht om tegen hun opponenten stand te houden. Het duurde de hele middag voor bewezen was dat Huukrion de sterkste onder de sterken, Huusbald de vlugste onder de vluggen en Huudorn de taaiste onder de taaien was. De toeschouwers juichten en klapten geestdriftig in de handen en het drietal maakte een buiging in de richting van het balkon, waar de zilveren grijsaard Quérquobad en Atréjoe zaten. Atréjoe ging al staan om wat te zeggen toen opeens nog een deelnemer het strijdtoneel betrad. Het was Huunreck. Een verwachtingsvolle stilte verspreidde zich rond het plein en Atréjoe ging weer zitten. Omdat slechts drie mannen hem begeleiden mochten was er daar beneden nu één te veel. Een van hen zou zich moeten terugtrekken.

'Mijne heren,' zei Huunreck met luide stem zodat iedereen hem horen kon, 'ik neem niet aan dat de kleine demonstratie van uw kunnen die u reeds achter de rug hebt, uw krachten te zeer heeft aangesproken. Nochtans zou het mijn eer niet waardig zijn u onder deze omstandigheden afzonderlijk tot een tweekamp uit te dagen. Omdat

223

ik tot nu toe nog geen enkele mij passende tegenstander onder al deze deelnemers heb gezien, heb ik nog niet meegedaan. Ik ben dus nog fris. Als een van u zich al te vermoeid mocht voelen, dan moet hij zich vrijwillig terugtrekken. Zo niet, dan ben ik bereid het tegen u alle drie tegelijk op te nemen. Hebt u daar iets op tegen?'

'Nee,' antwoordden de drie als uit één mond.

En toen ontstond er een strijd dat de vonken eraf vlogen. Huukrions slagen hadden nog niets van hun kracht ingeboet, maar de held Huunreck was sterker. Huusbald vloog als een bliksemschicht van alle kanten op hem af, maar de held Huunreck was sneller. Huudorn trachtte hem af te matten, maar de held Huunreck had toch meer uithoudingsvermogen. Het hele gevecht had nauwelijks tien minuten geduurd toen alle drie de heren ontwapend waren en zich gewonnen gaven. Trots keek de held Huunreck om zich heen. Het was duidelijk dat hij de bewonderende blik van zijn dame zocht, die waarschijnlijk ergens tussen de mensen stond. Gejuich en applaus van de omstanders daverden over het plein. Best mogelijk dat het nog op de verste oevers van het Tranenmeer Moerhoe te horen was.

Toen het stil werd ging de zilveren grijsaard Quérquobad staan en vroeg met luide stem: 'Is er nog iemand die tegen de held Huunreck in het krijt durft te treden?'

En in de alom heersende stilte hoorde men een jongensstem antwoorden: 'Ja, ik!'

Het was Bastiaan geweest.

Alle gezichten keerden zich naar hem toe. De mensen maakten ruim baan en hij stapte het plein op. Er klonken uitroepen van verbazing en van bezorgdheid. 'Kijk eens hoe mooi hij is!'–'Toch wel jammer voor hem!'–'Zo iets mag toch niet!'

'Wie ben jij?' vroeg de zilveren grijsaard Quérquobad.

'Mijn naam,' antwoordde Bastiaan, 'wil ik pas na afloop zeggen.'

Hij zag dat Atréjoe zijn ogen half dichtkneep en hem onderzoekend en enigszins onzeker aankeek.

'Jonge vriend,' zei de held Huunreck, 'wij hebben samen gegeten en gedronken. Waarom wilt u nu dat ik u te schande maak? Ik vraag u oprecht: neem uw woorden terug en ga heen.'

'Nee,' antwoordde Bastiaan, 'ik blijf bij mijn woord.'

Even aarzelde de held Huunreck, toen kwam hij met een voorstel. 'Het zou niet juist van mij zijn als ik me in het tweegevecht met u meet. We zullen eerst eens zien wie van ons een pijl het hoogst de lucht in kan schieten.'

'Akkoord!' antwoordde Bastiaan.

Er werd hun elk een sterke boog en een pijl aangereikt. Huunreck spande het koord en schoot de pijl de hemel in – hoger dan met het oog nog te volgen was. Haast op hetzelfde ogenblik spande Bastiaan zijn boog en stuurde zijn pijl er achteraan.

Het duurde even voor beide pijlen terugkwamen en tussen de beide schutters op de grond vielen. En nu bleek dat Bastiaans pijl, een met rode veren, die van de held Huunreck, met blauwe veren, kennelijk op het hoogste punt met zo'n geweld had geraakt, dat hij hem van achteren gespleten had.

De held Huunreck keek met grote ogen naar de in elkaar stekende pijlen. Hij was wat bleek geworden; alleen op zijn wangen vertoonden zich rode vlekken.

'Dat kan alleen maar toeval zijn,' mompelde hij. 'We zullen eens kijken wie er behendiger is op de floret.'

Hij vroeg om twee schermdegens en twee spel kaarten. Ze werden hem gebracht. Zorgvuldig schudde hij beide spellen.

Nu wierp hij één kaartspel hoog in de lucht, trok bliksemsnel zijn degen en stak toe. Toen de resterende kaarten op de grond gevallen waren werd duidelijk dat hij hartenaas geraakt had, precies midden in het enige hart dat op de kaart was te zien. Weer ging zijn blik, terwijl hij de floret met de kaart aan de omstanders toonde, op zoek naar zijn dame.

Daarop gooide Bastiaan het andere spel kaarten omhoog en liet zijn degen door de lucht suizen. Geen enkele kaart viel op de grond. Hij had alle tweeëndertig kaarten van het spel aan zijn degen geregen, precies in het midden, en bovendien nog in de juiste volgorde – hoewel de held Huunreck ze toch heel goed geschud had.

Held Huunreck keek ontzet. Hij zei niets meer, maar zijn lippen trilden een beetje.

'In kracht zult u mij echter niet overtreffen,' zei hij tenslotte met een ietwat schorre stem.

Hij pakte het zwaarste van de gewichten die nog op het plein verspreid lagen en drukte het langzaam omhoog. Maar voor hij het weer neer kon zetten had Bastiaan hem al vastgepakt en samen met het gewicht opgetild. De held Huunreck trok zo'n ongelukkig gezicht dat een paar toeschouwers hun lachen niet konden verbergen.

'Tot nu toe,' zei Bastiaan, 'hebt ú bepaald waarin wij ons meten zullen. Gaat u er mee akkoord dat ik nu iets voorstel?'

De held Huunreck knikte zwijgend.

'Het is een proeve van moed,' vervolgde Bastiaan.

Nog één maal vermande de held Huunreck zich.

'Er bestaat niets waar mijn moed voor terug zou deinzen!'

'Dan stel ik voor,' antwoordde Bastiaan, 'dat wij om het hardst het Tranenmeer overzwemmen. Wie het eerst de oever bereikt, heeft gewonnen.'

Op het plein heerste een ademloze stilte.

De held Huunreck werd om beurten rood en bleek.

'Dat is geen proeve van moed,' riep hij uit, 'dat is waanzin!'

'Ik,' antwoordde Bastiaan, 'ben er toe bereid. Kom dus mee!'

Nu verloor Huunreck zijn zelfbeheersing.

'Nee!' schreeuwde hij, op de grond stampend. 'U weet evengoed als ik dat het water van Moerhoe alles oplost. Dit betekent dat wij een gewisse dood tegemoetgaan.'

'Ik ben niet bang,' antwoordde Bastiaan in alle rust. 'Ik ben de Woestijn van de Kleuren doorgetrokken en heb van het vuur van de Bonte Dood gegeten en gedronken en mij daarin gebaad. Ik ben voor dit water niet bang meer.'

'Dat liegt u!' brulde de held Huunreck vuurrood van kwaadheid. 'Niemand in Fantásië is bij machte de Bonte Dood te overleven – dat weet toch een kind!'

'Held Huunreck,' zei Bastiaan langzaam, 'in plaats van mij van leugens te betichten moest u maar toegeven dat u gewoon bang bent.'

Dit was te veel voor de held Huunreck. Buiten zichzelf van woede trok hij zijn grote zwaard uit de schede en kwam op Bastiaan af. Deze deinsde terug en wilde hem nog waarschuwen, maar zover liet de held Huunreck hem niet meer komen. Hij ging Bastiaan te lijf en het was hem bloedige ernst. Op hetzelfde moment schoot het zwaard Sikánda als een bliksemschicht uit zijn verroeste schede, in Bastiaans hand en begon te dansen.

Wat nu gebeurde was zo onvoorstelbaar dat geen van de toeschouwers het ooit in zijn leven meer vergat. Gelukkig kon Bastiaan het gevest in zijn hand niet loslaten en dus moest hij iedere beweging volgen die Sikánda op eigen kracht volvoerde. Eerst sneed het zwaard

226

de schitterende kleren van de held Huunreck aan stukken. De flarden vlogen naar alle kanten, maar zijn huid kreeg zelfs geen schrammetje. Huunreck verweerde zich wanhopig en maaide om zich heen als een krankzinnige. Maar Sikánda's bliksemschichten flitsten om hem heen als een warreling van vuur en verblindden hem zodanig dat geen van zijn houwen raak was. Toen hij tenslotte in zijn ondergoed stond en nog altijd niet ophield op Bastiaan in te slaan, hieuw Sikánda zijn zwaard letterlijk in kleine plakjes, zo snel dat het zwaard nog even als een geheel in de lucht zweefde voor het rinkelend als een handvol munten op de grond viel. Met opengesperde ogen keek de held Huunreck naar het nutteloze gevest dat in zijn hand was achtergebleven. Hij liet het vallen en boog zijn hoofd. Het zwaard Sikánda keerde in zijn roestige schede terug en Bastiaan kon het loslaten.

Een plotselinge kreet van geestdrift en bewondering verhief zich duizendstemmig uit de menigte toeschouwers. Zij stormden het plein op, pakten Bastiaan op, tilden hem omhoog en droegen hem in triomf in het rond. Aan het gejuich scheen geen einde te komen. Vanuit de hoogte keek Bastiaan uit naar de held Huunreck om hem iets verzoenends toe te roepen, want eigenlijk had hij met de arme man te doen; het was helemaal zijn bedoeling niet geweest hem zo te schande te maken. Maar de held Huunreck was nergens meer te zien.

En toen werd het opeens stil. De mensenmassa week uiteen en maakte plaats. Daar stond Atréjoe en keek lachend naar Bastiaan omhoog. Ook Bastiaan moest glimlachen. Hij werd van de schouders weer op de grond gezet en nu stonden de beide knapen tegenover elkaar en keken elkaar lange tijd zwijgend aan. Tenslotte nam Atréjoe het woord.

'Als ik nog een metgezel nodig had om op zoek naar de redder van Fantásië te gaan, dan zou ik heel tevreden zijn met deze hier, want hij is meer waard dan honderd anderen te zamen. Maar ik heb geen metgezel meer nodig, want de speurtocht zal niet meer plaatsvinden.'

Er was een gemurmel van verwondering en teleurstelling te horen.

'De redder van Fantásië heeft onze bescherming niet nodig,' vervolgde Atréjoe met stemverheffing, 'want hij is in staat zichzelf beter te beschermen dan wij hier allemaal samen zouden kunnen. En wij hoeven *hem* ook niet meer te zoeken, want hij heeft *ons* al gevonden. Ik heb hem niet meteen herkend, want toen ik in de Toverspiegel in het Zuidelijk Orakel keek zag hij er anders uit dan nu – heel anders.

Maar de blik in zijn ogen heb ik niet vergeten. Het is dezelfde die mij nu ontmoet. Ik kan mij niet vergissen.'

Bastiaan schudde glimlachend zijn hoofd en zei: 'Je vergist je niet, Atréjoe. Jij was het die mij bij de Kleine Keizerin heeft gebracht om haar een nieuwe naam te geven. En daar ben ik je dankbaar voor.'

Een eerbiedig gefluister ging als een windvlaag door de menigte toeschouwers.

'Je hebt beloofd,' antwoordde Atréjoe, 'ons nu ook *jouw* naam te vertellen, die behalve de Goudogige Meesteres van de Verlangens nog niemand in Fantásië kent. Wil je dat nu doen?'

'Ik heet Bastiaan Balthazar Boeckx.'

Nu konden de toeschouwers zich niet langer meer inhouden. Ze barstten los in een duizendvoudig hoerageroep. Velen begonnen van pure geestdrift te dansen, zodat de vlonders en bruggen, ja zelfs het hele plein ging schommelen.

Atréjoe stak Bastiaan lachend zijn hand toe. Bastiaan sloeg de zijne er in en zo – hand in hand – liepen zij het paleis binnen, waar op het bordes de zilveren grijsaard Quérquobad en Foechoer, de geluks-draak, op hen wachtten.

Die avond vierde Amargánth het mooiste feest dat het ooit had gevierd. Alles wat benen had, korte of lange, kromme of rechte dan-ste, en alles wat een stem had, een mooie of een lelijke, een zware of een hoge, zong en lachte.

Toen het donker werd ontstaken de Amargánthers duizenden veel-kleurige lampjes aan hun zilveren schepen en paleizen. En om mid-dernacht werd er een vuurwerk afgestoken zoals men zelfs in Fantásië nog nooit had gezien. Bastiaan stond met Atréjoe op het balkon, links en rechts van hen stonden Foechoer en de zilveren grijsaard Quér-quobad. Ze keken toe hoe de kleurige boeketten van vuur aan de hemel en de duizenden lampjes van de Zilveren Stad zich in het donkere water van het Tranenmeer Moerhoe spiegelden.

[Q]

Een Draak voor
de held Huunreck

QUÉRQUOBAD, de zilveren grijsaard, was in zijn stoel in slaap gevallen, want het was al laat in de nacht. En zo miste hij het grootste en mooiste gebeuren dat hij in zijn honderdenzevenjarig leven had kunnen meemaken.

Niet anders verging het vele anderen in Amargánth, inwoners en gasten, die zich, moe van het feest, ter ruste hadden gelegd. Nog maar weinigen waren wakker en deze weinigen kregen iets te horen dat aan schoonheid alles overtrof wat zij ooit te horen hadden gekregen of nog zouden horen.

Foechoer, de witte geluksdraak, zong.

Hoog aan de nachtelijke hemel trok hij boven de Zilveren Stad en het Tranenmeer zijn rondjes en liet zijn klokkestem klinken. Het was een lied zonder woorden, de grote, eenvoudige melodie van het zuivere geluk. En wie dit hoorde opende er wijd zijn hart voor.

Zo verging het ook Bastiaan en Atréjoe die naast elkaar op het brede balkon van Quérquobads paleis zaten. Voor beiden was het de eerste keer dat zij een geluksdraak hoorden zingen. Ze hadden zonder het te merken elkaars hand gepakt en luisterden in zwijgende verrukking. Elk van hen wist dat de ander hetzelfde voelde als hijzelf: het geluk een vriend te hebben gevonden. En zij wachtten zich er wel voor dit door praten te verstoren.

Het grote ogenblik ging voorbij. Foechoers gezang werd steeds zachter en stierf uiteindelijk weg.

Toen het helemaal stil was werd Quérquobad wakker. Hij kwam overeind en zei verontschuldigend: 'Zilveren grijsaards als ik hebben nu eenmaal hun slaap nodig. Bij jullie jongelui is dat anders. Neem me niet kwalijk, maar ik moet nu naar mijn bed.'

Zij wensten hem goedenacht en Quérquobad vertrok.

Weer zaten de beide vrienden lange tijd zwijgend naast elkaar, opkijkend naar de nachtelijke hemel waar de geluksdraak nog steeds met langzame, rustige golfbewegingen rondvloog. Af en toe zweefde hij als een witte wolkenstreep voor de maan langs.

'Gaat Foechoer niet slapen?' vroeg Bastiaan tenslotte.

'Hij slaapt al,' zei Atréjoe zachtjes.

'Al vliegend?'

'Ja. Hij is niet graag in huizen, zelfs niet als ze zo groot zijn als Quérquobads paleis. Hij krijgt het benauwd en voelt zich opgesloten en moet steeds zijn best doen zich zo voorzichtig mogelijk te bewegen, om niets te laten vallen of om te stoten. Hij is gewoon te groot. Daarom slaapt hij meestal hoog in de lucht.'

'Denk je dat hij mij ook eens op zijn rug wil laten rijden?'

'Vast en zeker,' zei Atréjoe, 'maar het is bepaald niet makkelijk. Je moet er wel eerst aan wennen.'

'Ik heb op Graógramán gereden,' bracht Bastiaan hem in herinnering.

Atréjoe knikte en keek hem bewonderend aan.

'Je hebt het de held Huunreck verteld tijdens de proeve van moed. Hoe heb je de Bonte Dood bedwongen?'

'Ik heb AURYN,' zei Bastiaan.

'O ja?' zei Atréjoe. Hij leek erg verrast, maar zei verder niets.

Bastiaan haalde het Teken van de Kleine Keizerin onder zijn hemd vandaan en liet het Atréjoe zien.

Atréjoe bekeek het even en mompelde toen: 'Dus *jij* draagt nu de Glans.'

Zijn blik had iets afwijzends en daarom haastte Bastiaan zich te zeggen: 'Wil jij hem nog eens om hebben?'

Hij maakte aanstalten de ketting af te doen.

'Nee!'

Atréjoe's stem had bijna scherp geklonken en verbouwereerd hield Bastiaan op. Atréjoe glimlachte verontschuldigend en herhaalde zacht: 'Nee, Bastiaan, ik heb hem lang genoeg gedragen.'

'Zoals je wilt,' zei Bastiaan. Daarop draaide hij het Teken om.

'Kijk eens! Heb jij ook de inscriptie gezien?'

'Gezien wel,' antwoordde Atréjoe, 'maar ik weet niet wat er staat.'

'Hoe dat zo?'

'Wij Groenhuiden kunnen sporen lezen, maar geen letters.'

Dit keer was het Bastiaan die 'o ja?' zei.

'Hoe luidt de inscriptie?' informeerde Atréjoe.

232

'"DOE WAT JE WILT",' las Bastiaan voor.

Atréjoe bekeek het Teken aandachtig.

'Dat staat er dus?' mompelde hij. Zijn gezicht verried geen enkele emotie.

Bastiaan kon niet bevroeden wat hij dacht. Daarom vroeg hij: 'Als je dit geweten had, zou er dan iets voor jou anders geweest zijn?'

'Nee,' antwoordde Atréjoe, 'ik heb gedaan wat ik wilde.'

'Dat is zo, ja,' vond ook Bastiaan en knikte.

Weer zwegen zij een poosje.

'Ik moet je nog wat vragen, Atréjoe,' hervatte Bastiaan tenslotte het gesprek weer. 'Je hebt gezegd dat ik er anders uitzie dan toen je mij in de Toverspiegel Poort zag.'

'Ja, heel anders.'

'Hoe dan?'

'Je was heel dik en bleek en je had heel andere kleren aan.'

'Dik en bleek?' vroeg Bastiaan en lachte ongelovig. 'Ben je er echt zeker van dat ik het was?'

'Was jij het dan niet?'

Bastiaan dacht na.

'Jij hebt mij gezien, dat weet ik. Maar ik was altijd zo als nu.'

'Echt?'

'Ik zou het me toch moeten herinneren!' riep Bastiaan uit.

'Ja,' zei Atréjoe en keek hem peinzend aan, 'dat zou je moeten.'

'Misschien was het wel een lachspiegel.'

Atréjoe schudde van nee.

'Dat geloof ik niet.'

'Hoe verklaar je dan dat je mij zo gezien hebt?'

'Dat weet ik niet,' moest Atréjoe toegeven. 'Ik weet alleen dat ik mij niet vergist heb.'

Daarna zwegen ze weer lange tijd en tenslotte gingen ze naar bed.

Toen Bastiaan in zijn bed lag, waarvan het hoofd- en voeteneinde natuurlijk uit het fijnste zilverfiligrain bestond, kon hij het gesprek met Atréjoe maar niet van zich afzetten. Op de een of andere manier had hij het idee dat zijn overwinning op de held Huunreck en zelfs zijn verblijf bij Graógramán op Atréjoe minder indruk maakten sinds hij wist dat·Bastiaan de Glans droeg. Misschien vond hij dat het onder deze omstandigheden niets bijzonders was. Maar Bastiaan wilde dat Atréjoe een grenzeloze eerbied voor hem zou voelen.

Lang lag hij na te denken. Er moest iets zijn waartoe niemand in Fantásië in staat was, ook niet met het Teken. Iets dat alleen hij, Bastiaan, kon doen.

En eindelijk schoot het hem te binnen: verhalen verzinnen!

Steeds opnieuw was er toch gezegd dat niemand in Fantásië iets nieuws kon scheppen. Zelfs de stem van Oeyoelála had daarover gesproken. En dit was nu net waar hij erg goed in was.

Atréjoe zou zien dat hij, Bastiaan, een groot verteller was!

Hij hoopte dat er zich heel gauw een gelegenheid zou voordoen om het zijn vriend te bewijzen. Misschien morgen al. Er zou bijvoorbeeld een voordrachtsfeest in Amargánth kunnen komen waarbij Bastiaan iedereen in de schaduw zou stellen met zijn invallen!

Maar het zou nog beter zijn als alles wat hij vertellen wilde werkelijkheid werd! Had Graógramán niet gezegd dat Fantásië het land van de verhalen was en dat daarom zelfs wat allang verleden was nieuw kon ontstaan als het in een verhaal voorkwam?

Atréjoe zou ervan opkijken!

En terwijl Bastiaan zich Atréjoe's verbaasde bewondering voorstelde, sliep hij in.

Toen zij de volgende morgen in de pronkzaal van het paleis aan een overvloedig ontbijt zaten, zei de zilveren grijsaard Quérquobad: 'Wij hebben besloten voor onze gast, de redder van Fantásië, en zijn vriend, die hem bij ons bracht, vandaag een heel bijzonder feest te organiseren. Misschien weet jij, Bastiaan Balthazar Boeckx, niet dat wij Amargánthers naar een oeroude traditie *de* liederenzangers en verhalenvertellers van Fantásië zijn. Onze kinderen worden al van jongsaf in deze kunst onderwezen. Wanneer zij groter worden moeten zij vele jaren door alle gewesten reizen en dit beroep tot nut en voordeel van eenieder uitoefenen. Daarom worden wij overal met respect en vreugde ontvangen. Doch één ding verdriet ons: onze voorraad aan liederen en verhalen is – eerlijk gezegd – niet erg groot. En velen van ons moeten dit weinige delen. Er is echter een sage – maar ik weet niet of het juist is – dat jij er in jouw wereld om bekend staat verhalen te kunnen bedenken. Is dat zo?'

'Ja,' zei Bastiaan. 'Ik ben er zelfs om uitgelachen.'

Verbaasd trok de zilveren grijsaard Quérquobad zijn wenkbrauwen op.

'Uitgelachen omdat je verhalen kunt vertellen die nog nooit iemand heeft gehoord? Hoe is dat mogelijk? Bij ons is niemand daartoe in staat en wij allemaal, ik en mijn medeburgers, zouden je onuitsprekelijk dankbaar zijn als jij ons een paar nieuwe verhalen wilde geven. Wil je ons helpen met je grote gave?'

'Met genoegen!' antwoordde Bastiaan.

Na het ontbijt gingen zij naar het bordes van Quérquobads paleis, waar Foechoer al op hen wachtte.

Op het plein had zich inmiddels een grote menigte verzameld, maar dit keer waren daaronder nog maar weinig gasten die voor de wedstrijden naar de stad gekomen waren. Voor het merendeel bestond de menigte uit Amargánthers, mannen, vrouwen en kinderen, die allen fraai gebouwd waren en gekleed in hun sierlijke zilveren dracht. De meesten hadden zilveren snaarinstrumenten bij zich, harpen, lieren, gitaren of luiten, waarop zij hun voordracht wilden begeleiden. Want ieder van hen hoopte er op met zijn kunst voor Bastiaan en Atréjoe te mogen optreden.

Weer waren er stoelen klaargezet. Bastiaan nam plaats tussen Quérquobad en Atréjoe in. Foechoer ging achter hen staan.

Quérquobad klapte in de handen en toen het steeds stiller werd zei hij: 'De grote verteller wil aan ons verzoek gevolg geven. Hij zal ons nieuwe verhalen schenken. Doet daarom jullie best, vrienden, om hem in de stemming te brengen!'

Alle Amargánthers op het plein bogen diep zonder een woord te zeggen.

Daarop kwam de eerste naar voren en begon met zijn voordracht. Na hem kwamen anderen en steeds weer anderen. Allen hadden zij mooie welluidende stemmen, en allen droegen zij heel goed voor.

De verhalen, gedichten en liederen die zij voordroegen waren spannend, vrolijk of ook wel droevig, maar zij zouden hier te veel ruimte vergen. Ze moeten een andere keer maar eens worden verteld. Alles bij elkaar waren het ongeveer honderd verschillende bijdragen. Daarna vervielen de Amargánthers in herhalingen. Degenen die nu naar voren kwamen konden niets anders voordragen dan wat hun voorgangers al ten gehore hadden gebracht.

Niettemin raakte Bastiaan steeds opgewondener, want hij wachtte op het moment dat hij zelf aan bod zou komen. Zijn wens van de voorgaande avond was precies zo vervuld. Hij kon nauwelijks het ogenblik afwachten dat ook al het andere in vervulling zou gaan. Hij keek Atréjoe van opzij aan, maar deze zat met een uitdrukkingsloos gezicht te luisteren. Hij toonde geen enkele emotie.

Uiteindelijk gebood de zilveren grijsaard Quérquobad zijn medeburgers om er maar mee te stoppen. Met een zucht wendde hij zich tot Bastiaan en zei: 'Ik heb je gezegd, Bastiaan Balthazar Boeckx, dat onze voorraad jammer genoeg maar erg klein is. Onze schuld is het niet dat er niet meer verhalen zijn. Zoals je ziet doen.we wat we kunnen. Wil je ons nu een van de jouwe schenken?'

'Ik zal jullie alle verhalen geven die ik bedacht heb,' zei Bastiaan royaal, 'want ik kan immers net zoveel nieuwe verzinnen als ik wil. Vele ervan heb ik verteld aan een klein meisje dat Kris Ta heet, maar de meeste alleen aan mijzelf. Niemand anders kent ze dus nog. Maar het zou weken en maanden duren om die allemaal een voor een te vertellen en zolang kunnen wij niet bij jullie blijven. Daarom wil ik jullie een verhaal vertellen waarin alle andere samengevat zijn. Het heet "Het Verhaal van de Bibliotheek van Amargánth" en is heel kort.' Hij dacht even na en begon toen op goed geluk.

'In het grijze verleden woonde er in Amargánth een zilveren oude vrouw die Quana heette en die over de stad regeerde. In die lang vervlogen tijden bestond het Tranenmeer Moerhoe nog niet, en Amargánth was ook nog niet van dat bijzondere zilver dat het water van Moerhoe weerstaat. Het was nog een heel gewone stad met huizen van steen en hout. En hij lag in een dal tussen beboste heuvels.

Quana had een zoon die Quin heette en die een groot jager was. Op een dag zag Quin in de bossen een eenhoorn die een lichtgevende steen op de punt van zijn hoorn droeg. Hij doodde het dier en nam de steen mee naar huis. Maar hiermee had hij een groot onheil over de stad gebracht. De inwoners kregen steeds minder kinderen. Als er geen redding kwam, zouden zij gedoemd zijn uit te sterven. Maar de eenhoorn kon niet weer tot leven gewekt worden en goede raad was duur.

Toen stuurde de zilveren oude vrouw Quana een afgezant naar het Zuidelijk Orakel, dat toen nog bestond, om van Oeyoelála te weten te komen wat men moest doen. Het Zuidelijk Orakel was echter heel ver weg. De afgezant was als een jongeman op weg gegaan maar hoogbejaard toen hij terugkwam. De zilveren oude vrouw Quana was allang gestorven en haar zoon Quin had inmiddels haar plaats ingenomen. Ook hij was natuurlijk al oeroud, net als alle andere Amargánthers. Er was nog maar één paar kinderen, een jongen en een meisje. Hij heette Aquil en zij Moequa.

De afgezant vertelde nu wat de stem van Oeyoelála hem geopenbaard had: Amargánth zou alleen dan kunnen voortbestaan als het tot de mooiste stad van Fantásië werd gemaakt. Op deze manier slechts was Quins vergrijp weer goed te maken. Maar de Amargánthers konden dit alleen gedaan krijgen met behulp van de Acharai, die de meest afstotelijke wezens van Fantásië zijn. Ze worden ook wel de "Altijd-Huilenden" genoemd, omdat zij van verdriet over hun afstotelijkheid zonder ophouden huilen. Maar uitgerekend met deze tranenstroom wassen zij dit bijzondere zilver uit de diepten der aarde en zij verstaan de kunst daaruit het prachtigste filigrain te maken.

En dus gingen alle Amargánthers op zoek naar de Acharai. Maar geen slaagde erin hen te vinden, omdat ze diep in de aarde wonen. Tenslotte waren alleen nog Aquil en Moequa over. Alle anderen waren gestorven en zij zelf waren inmiddels volwassen. En deze twee samen lukte het de Acharai te vinden en hen over te halen van Amargánth de mooiste stad van Fantásië te maken.

De Acharai bouwden eerst een zilveren aak met daarop een klein filigrainpaleis en plaatsten die op het marktplein van de uitgestorven stad. Vervolgens leidden zij hun tranenstroom onder de grond door zodat deze als bron in het dal tussen de beboste heuvels ontsprong. Het dal vulde zich met het bittere water en werd het Tranenmeer Moerhoe, waarop het eerste zilveren paleis dreef. En daarin woonden Aquil en Moequa.

De Acharai hadden echter een voorwaarde aan het jonge paar gesteld en die luidde dat zij en al hun nakomelingen zich zouden wijden aan het zingen van liederen en het vertellen van verhalen. En zo lang zij dit deden wilden de Acharai hen helpen omdat zij er op die manier bij betrokken zouden zijn en hun afstotelijkheid daardoor zou bijdragen aan iets moois.

Aquil en Moequa stichtten een bibliotheek – de vermaarde bibliotheek van Amargánth – waarin zij al mijn verhalen bijeenbrachten. Zij begonnen met degene die jullie juist hebt gehoord, maar geleidelijk kwamen alle andere die ik ooit verteld heb erbij, en zo werden het er tenslotte zo veel dat noch die twee, noch hun talrijke nakomelingen die vandaag de stad bevolken, ze ooit allemaal zullen kunnen lezen.

Dat Amargánth, de mooiste stad van Fantásië, vandaag nog bestaat komt doordat de Acharai en de Amargánthers over en weer hun beloften gehouden hebben – hoewel ze niets meer van elkaar weten. Alleen de naam van het Tranenmeer Moerhoe herinnert nog aan die betrokkenheid in vroeger tijden.'

Toen Bastiaan was uitverteld verhief de zilveren grijsaard Quérquobad zich langzaam uit zijn stoel. Zijn gezicht vertoonde een verheerlijkte glimlach.

'Bastiaan Balthazar Boeckx,' sprak hij, 'je hebt ons meer dan een verhaal geschonken en meer dan alle verhalen. Je hebt ons onze eigen afkomst geschonken. Nu weten wij waar Moerhoe vandaan komt, en onze zilveren schepen en paleizen die gedragen worden door het meer. Nu weten wij waarom wij van oudsher een volk van liederenzangers en verhalenvertellers zijn. En bovenal weten wij nu wat dat grote ronde gebouw in onze stad bevat, dat nog niemand van ons ooit betreden heeft omdat het sinds mensenheugenis gesloten is. Het bevat onze grootste schat en wij wisten er tot nu toe niets van. Het bevat de bibliotheek van Amargánth!'

Bastiaan stond verbluft dat alles wat hij zojuist had verteld werkelijkheid was geworden (of al steeds was geweest? Graógramán zou waarschijnlijk gezegd hebben: beide!). In ieder geval wilde hij zich daar met eigen ogen van overtuigen.

'Waar staat dat gebouw dan?' vroeg hij.

'Ik zal het je laten zien,' antwoordde Quérquobad en zich tot de menigte richtend, riep hij: 'Komt allemaal mee! Misschien vallen ons vandaag nog meer wonderen ten deel!'

Een lange optocht, met aan het hoofd de zilveren grijsaard, Atréjoe en Bastiaan, bewoog zich over de vlonders die de zilveren schepen met elkaar verbonden, en bleef tenslotte staan voor een erg groot gebouw dat op een cirkelrond schip stond en de vorm van een reusachtig zilveren conservenblik had. De buitenmuren waren glad en zonder enige versiering. Ze hadden geen ramen, er was slechts een enkele grote deur, maar die zat op slot.

In het midden van de gladde, zilveren deur zat een steen in een cirkelronde zetting; hij zag er uit als een stuk helder glas. Daarboven stond het volgende opschrift:

'Aan de hoorn van de eenhoorn ontnomen, ben ik gedoofd.
Ik houd de deur gesloten tot hij mijn licht
ontwaken doet, die mij bij name noemt.

238

Voor hem zal ik honderd jaar schijnen,
hem voerend in de duistere diepten
van Yors Minroud.
Maar zegt hij mijn naam nog een tweede maal
van eind tot begin,
dan zal ik mijn schijnsel voor honderd jaar uitstralen
in één ogenblik.'
'Niemand van ons,' zei Quérquobad, 'is in staat dit opschrift te verklaren. Niemand van ons weet wat de woorden Yors Minroud betekenen. Niemand heeft tot nu toe de naam van de steen gevonden, ofschoon wij het allemaal steeds weer geprobeerd hebben. Maar wij kunnen enkel namen gebruiken die er al zijn in Fantásië. En omdat het de namen van andere dingen zijn heeft niemand de steen doen oplichten en daarmee de deur geopend. Kun jij hem misschien vinden, Bastiaan Balthazar Boeckx?'

Er ontstond een diepe, afwachtende stilte. Alle Amargánthers en niet-Amargánthers hielden de adem in.

'Al'Tsahir!' riep Bastiaan.

Op het zelfde moment lichtte de steen fel op en sprong uit zijn zetting rechtstreeks in Bastiaans hand. De deur opende zich.

Een oh! van verbazing ontsnapte aan duizend kelen.

Met de stralende steen in de hand ging Bastiaan, gevolgd door Atréjoe en Quérquobad, naar binnen. Achter hen drongen de mensen naar voren.

De grote ronde ruimte was donker en Bastiaan hield de steen omhoog. Zijn licht was weliswaar helder, maar toch niet sterk genoeg om de ruimte geheel te verlichten. Je kon alleen zien dat langs de muren, verscheidene verdiepingen hoog, boeken en nog eens boeken stonden.

Er werden lampen gehaald en weldra was de grote ruimte geheel verlicht. Nu zag je dat de boekenwand rondom in veel verschillende afdelingen verdeeld was, die allemaal een opschrift hadden. 'Vrolijke Verhalen' stond er bijvoorbeeld, of 'Spannende Verhalen', of 'Korte Verhalen' en zo maar door.

In het midden van de ronde zaal was op de vloer een grote inscriptie aangebracht, die je niet gemakkelijk over het hoofd zou zien:

BIBLIOTHEEK
VAN DE VERZAMELDE WERKEN
VAN BASTIAAN BALTHAZAR BOECKX

239

Atréjoe stond met grote ogen om zich heen te kijken. Hij was zo overweldigd door verbazing en bewondering dat zijn emotie overduidelijk te zien was. Bastiaan was daar erg blij mee.

'Zijn dit,' vroeg Atréjoe en wees om zich heen, 'zijn dit allemaal verhalen die jij verzonnen hebt?'

'Ja,' zei Bastiaan en stopte Al'Tsahir in zijn zak.

Verbouwereerd keek Atréjoe hem aan.

'Dit,' moest hij toegeven, 'gaat mijn verstand te boven.'

Natuurlijk hadden de Amargánthers zich enthousiast op de boeken geworpen. Ze bladerden erin, lazen elkaar voor en sommigen gingen gewoon op de grond zitten en begonnen al bepaalde passages uit hun hoofd te leren.

De mare van het grote gebeuren had zich vanzelfsprekend als een lopend vuurtje door de stad verspreid, zowel onder de inwoners als onder de gasten.

Bastiaan en Atréjoe stapten juist de bibliotheek uit toen zij de heren Huukrion, Huusbald en Huudorn tegen het lijf liepen.

'Heer Bastiaan,' zei de roodharige Huusbald, die kennelijk niet alleen op de degen maar ook met de mond de vlugste was, 'wij hebben gehoord wat voor onvergelijkbare talenten u aan de dag hebt gelegd. Daarom willen wij u vragen of u ons in uw dienst wilt nemen en ons wilt toestaan u op uw verdere reis te vergezellen. Ieder van ons zou dolgraag een eigen verhaal krijgen. En ook al hebt u stellig onze bescherming niet nodig, toch zou het misschien voor u van nut kunnen zijn drie dappere en bekwame ridders als wij in uw dienst te hebben. Zoudt u dat willen?'

'O, heel graag,' antwoordde Bastiaan, 'op zulke metgezellen zou iedereen trots zijn.'

De drie heren wilden nu beslist ter plaatse hun eed van trouw op Bastiaans zwaard afleggen, maar daar weerhield hij hen van.

'Sikánda,' maakte hij hun duidelijk, 'is een toverzwaard. Niemand kan het zonder gevaar voor lijf en leven aanraken als hij niet van het vuur van de Bonte Dood gegeten en gedronken heeft en zich daarin heeft gebaad.'

Ze moesten zich tevreden stellen met een vriendschappelijke handdruk.

'En hoe gaat het met de held Huunreck?' vroeg Bastiaan.

'Hij is totaal gebroken,' antwoordde Huukrion.

240

'Vanwege zijn dame,' voegde Huudorn eraan toe.

'U moet hem maar eens opzoeken,' besloot Huusbald.

En dus gingen zij-nu met zijn vijven-op weg naar het eethuis waar het gezelschap in het begin ingetrokken was en waar Bastiaan ook de oude Jicha gestald had.

Toen zij de gelagkamer binnengingen was daar maar één man. Hij zat over de tafel gebogen met zijn handen in zijn blonde haar. Het was de held Huunreck.

Kennelijk had hij kleren in zijn bagage gehad want hij droeg nu een wat eenvoudiger uitvoering van de kleding die hij de vorige dag had gedragen en die tijdens de wedstrijd met Bastiaan aan flarden was gegaan.

Toen Bastiaan hem groette schoot hij overeind en staarde de beide jongens aan. Zijn ogen waren rood van het huilen.

Bastiaan vroeg of ze bij hem mochten komen zitten. De held Huunreck trok zijn schouders op, knikte en ging weer zitten. Voor hem op tafel lag een vel papier dat er uitzag of het meer dan eens verfrommeld was en daarna weer gladgestreken.

'Ik zou graag weten hoe het u gaat,' begon Bastiaan. 'Het spijt me als ik u gegriefd mocht hebben.'

De held Huunreck schudde zijn hoofd.

'Met mij is het afgelopen,' zei hij met hese stem. 'Hier, lees zelf maar!'

Hij schoof het vel papier naar Bastiaan, die las: 'Ik wil alleen de grootste en dat zijt ge niet. Daarom, vaarwel!'

'Van prinses Oglamár?' vroeg Bastiaan.

De held Huunreck knikte.

'Zij heeft zich met haar telganger meteen na onze wedstrijd naar de overkant laten brengen. Wie zal zeggen waar ze nu is. Ik zal haar niet meer terugzien. Wat moet ik dan nog op de wereld?'

'Kon u haar niet inhalen?'

'Waarom zou ik dat doen?'

'Om haar misschien nog van gedachten te doen veranderen.'

De held Huunreck lachte bitter.

'Dan kent u prinses Oglamár niet. Meer dan tien jaar heb ik geoefend om te kunnen wat ik allemaal kan. Ik heb afgezien van alles wat mijn lichamelijke conditie benadeeld zou hebben. Met ijzeren discipline heb ik bij de grootste meesters schermen geleerd, bij de sterkste worstelaars alle soorten worstelen tot ik hen allen versloeg. Ik kan sneller lopen dan een paard, hoger springen dan een hert; ik kan alles het best, of beter – ik kon het, tot gisteren. Daarvóór had zij mij nooit een blik waardig gekeurd, maar toen, geleidelijk aan, groeide mèt mijn vermogens haar belangstelling in mij. Ik koesterde al de hoop door haar uitverkoren te worden – en nu is alles voor altijd tevergeefs. Hoe kan ik leven zonder hoop?'

'Misschien,' meende Bastiaan, 'moet u zich gewoon niet zo veel gelegen laten liggen aan prinses Oglamár. Er zijn toch zeker nog anderen, die u evengoed zouden bevallen.'

'Nee,' antwoordde de held Huunreck. 'Ik houd immers juist van prinses Oglamár omdat zij alleen met de grootste genoegen wil nemen.'

'Ja, ja,' zei Bastiaan, die het nu ook niet meer wist, 'dat is natuurlijk moeilijk. Dan valt er weinig aan te doen. En als u het eens op een andere manier bij haar probeert? Als zanger bijvoorbeeld, of als verteller?'

'Ik ben nu eenmaal een held,' antwoordde Huunreck, ietwat geprikkeld. 'Ik kan en wil geen ander beroep. Ik ben wie ik ben.'

'Ja,' zei Bastiaan, 'dat begrijp ik.'

Er viel een stilte. De drie heren keken de held Huunreck medelijdend aan. Zij konden voelen wat er in hem omging.

Uiteindelijk schraapte Huusbald zijn keel en zei, zich tot Bastiaan wendend, zachtjes: 'Voor u, heer Bastiaan, zou het eigenlijk niet erg moeilijk moeten zijn om hem te helpen.'

Bastiaan keek naar Atréjoe, maar die had weer dezelfde ondoorgrondelijke uitdrukking op zijn gezicht.

'Voor iemand als de held Huunreck,' voegde nu Huudorn er aan toe, 'is het echt heel erg als er in geen velden of wegen monsters zijn. Begrijpt u?'

Bastiaan begreep het nog steeds niet.

'Monsters,' zei Huukrion en streek over zijn kolossale zwarte baard, 'zijn nu eenmaal een noodzaak voor een held om een held te zijn.' En daarbij gaf hij Bastiaan een knipoog.

Nu had Bastiaan het eindelijk begrepen.

'Luister eens, held Huunreck,' zei hij, 'ik heb met mijn voorstel om een andere dame uw hart te schenken enkel uw standvastigheid op de proef gesteld. In werkelijkheid namelijk heeft prinses Oglamár reeds nu uw hulp nodig en niemand behalve u kan haar redden.'

De held Huunreck spitste zijn oren.

'Spreekt u in ernst, heer Bastiaan?'

'In volle ernst en u zult zich daar meteen van kunnen overtuigen. Prinses Oglamár is namelijk een paar minuten geleden overvallen en ontvoerd.'

'Door wie?'

'Door een van de verschrikkelijkste monsters die ooit in Fantásië bestaan hebben. Het gaat hier om de draak Smerg. Zij reed juist over een open plek in het bos toen het gedrocht haar ontwaarde, zich uit de lucht op haar wierp, haar van de rug van haar paard tilde en er met haar vandoorging.'

Huunreck sprong overeind. Zijn ogen begonnen te fonkelen en zijn wangen te gloeien. Van vreugde klapte hij in zijn handen. Maar toen doofde de glans in zijn ogen weer en hij ging zitten.

'Jammer, maar dat kan niet,' zei hij bezorgd. 'Wijd en zijd zijn er geen draken meer.'

'U vergeet, held Huunreck,' liet Bastiaan weten, 'dat ik van erg ver kom – van veel verder dan u ooit geweest bent.'

'Dat is waar,' bevestigde Atréjoe, die zich voor het eerst in het gesprek mengde.

'En is zij echt door dit monster ontvoerd?' riep de held Huunreck uit. Daarop drukte hij zijn beide handen op zijn hart en zuchtte: 'O, mijn beminde Oglamár, wat moet dit vreselijk voor je zijn! Maar vrees niet, je ridder komt er aan, hij is al onderweg! Spreek, wat moet ik doen? Waar moet ik heen? Waar gaat het om?'

'Heel ver van hier,' begon Bastiaan, 'is een land, dat de naam draagt van Morgoel, of het Land van het Koude Vuur, omdat daar de vlammen kouder zijn dan ijs. Hoe u dit land kunt vinden kan ik u niet zeggen, dat moet u zelf uitzoeken. Midden in dat land ligt een versteend bos dat Wodgabay heet. En weer midden in dit versteende bos staat de loden burcht Ragar. Deze wordt omringd door drie grachten. In de eerste stroomt groen gif, in de tweede rokend salpeterzuur en in de derde wemelt het van schorpioenen die zo groot zijn als uw voeten. Er overheen liggen geen bruggen of vlonders, want de heer die in de loden burcht Ragar de scepter zwaait is dat gevleugelde monster Smerg. Zijn vleugels zijn van een slijmig vlies en hebben een spanwijdte van tweeëndertig meter. Wanneer hij niet vliegt staat hij rechtop als een reuzenkangoeroe. Zijn lijf lijkt op een schurftige rat, maar zijn staart is die van een schorpioen. Zelfs de geringste aanraking van zijn giftangel is absoluut dodelijk. Zijn achterpoten zijn die van een reuzensprinkhaan, maar zijn voorpoten, die er klein en onontwikkeld uitzien, lijken op de handjes van een klein kind. Maar u moet u er niet door laten misleiden, want juist in deze handjes huist een verschrikkelijke kracht. Zijn lange nek kan hij intrekken zoals een slak zijn hoorntjes, en op die nek zitten drie koppen. Een ervan is groot en lijkt op de kop van een krokodil. Uit die muil kan hij ijskoud vuur spuwen. Maar daar waar bij de krokodil de ogen zitten heeft hij twee uitstulpingen die ook weer koppen zijn. De rechter lijkt op die van een oude man. Daarmee kan hij horen en zien. Om te spreken heeft hij de linker, die er uitziet als het rimpelige gezicht van een oude vrouw.'

Tijdens deze beschrijving was de held Huunreck wit weggetrokken.

'Hoe was zijn naam ook weer?'

'Smerg,' herhaalde Bastiaan nog eens. 'Hij waart al duizend jaar rond, want zo oud is hij. Steeds opnieuw rooft hij een mooie jonge vrouw die dan zijn huishouding moet doen tot zij sterft. Wanneer zij dood is rooft hij een nieuwe.'

'Waarom heb ik daar nooit van gehoord?'

'Smerg kan onvoorstelbaar ver en snel vliegen. Tot dusver heeft hij steeds andere gewesten van Fantásië voor zijn rooftochten uitgezocht. En bovendien komt het ook maar om de vijftig jaar voor.'

'En niemand heeft tot nu toe ooit een gevangene bevrijd?'

'Nee, daar is een heel uitzonderlijke held voor nodig.'

Bij deze woorden kregen de wangen van de held Huunreck weer een rode kleur.

'Heeft Smerg een kwetsbare plek?' vroeg hij vakkundig.

'O!' antwoordde Bastiaan. 'Het belangrijkste had ik bijna vergeten. In de diepste kelder van de burcht Ragar ligt een loden bijl. U kunt zich wel voorstellen dat Smerg deze bijl bewaakt als zijn oogappel als ik u zeg dat dat het enige wapen is waarmee iemand hem doden kan. Men moet hem daarmee de beide kleinere koppen afhakken.'

'Hoe weet u dat allemaal?' vroeg de held Huunreck.

Bastiaan hoefde geen antwoord te geven want op hetzelfde ogenblik klonken er angstige kreten op straat.

'Een draak!–Een monster!–Kijk toch! Daar hoog in de lucht!–

Afschuwelijk, hij komt op de stad af! – Zorg dat je weǵkomt! – Nee, nee, hij heeft al een slachtoffer!'

De held Huunreck rende de straat op en alle anderen gingen achter hem aan – Atréjoe en Bastiaan als laatsten.

In de lucht vloog iets dat op een reusachtige vleermuis leek. Toen het dichterbij kwam leek het of zich even een koude schaduw over de Zilveren Stad legde. Het was Smerg en hij zag er precies zo uit als Bastiaan hem daarnet had verzonnen. En in zijn onontwikkelde, maar oh zo gevaarlijke handjes had hij een jonge vrouw, die luid schreeuwde en zich uit alle macht verweerde.

'Huunreck!' klonk het van steeds verder weg. 'Huunreck, help me! Red me, mijn held!'

En toen was alles voorbij.

Huunreck had inmiddels zijn zwarte hengst uit de stal gehaald en stond op een van de zilveren veerponten die naar het vasteland voeren.

'Sneller!' hoorde je hem de veerman toeroepen. 'Je krijgt wat je maar hebben wilt, als je maar sneller vooruitkomt!'

Bastiaan keek hem na en mompelde: 'Ik hoop maar dat ik het hem niet te moeilijk gemaakt heb.'

Atréjoe keek hem van terzijde aan en zei toen zacht: 'Misschien kunnen wij beter ook op weg gaan.'

'Waarheen?'

'Door mijn toedoen ben je in Fantásië gekomen,' zei Atréjoe. 'Het lijkt me dat ik je nu ook moet helpen de weg terug te vinden. Je wilt toch zeker ook wel weer eens in de wereld terugkeren, niet waar?'

'Oh,' zei Bastiaan, 'daaraan heb ik nog helemaal niet gedacht. Maar je hebt gelijk, Atréjoe. Ja, natuurlijk, je hebt volkomen gelijk.'

'Jij hebt Fantásië gered,' ging Atréjoe verder, 'en het lijkt me dat je daarvoor veel teruggekregen hebt. Ik kan me voorstellen dat je nu naar huis wilt om daarmee jouw wereld gezond te maken. Of is er nog iets dat je tegenhoudt?'

En Bastiaan, die vergeten had dat hij niet altijd sterk, mooi, moedig en machtig was geweest, antwoordde: 'Nee, ik zou het niet weten.'

Atréjoe keek zijn vriend opnieuw peinzend aan en voegde eraan toe: 'En misschien is het wel een lange en moeilijke weg, wie zal het zeggen?'

'Ja, wie zal het zeggen?' zei Bastiaan instemmend. 'Als je wilt laten

245

we dan maar meteen op weg gaan.'

Daarna was er nog een korte, vriendschappelijke ruzie tussen de drie heren, die het er niet over eens konden worden wie van hen Bastiaan zijn paard ter beschikking mocht stellen. Maar Bastiaan maakte er een eind aan door te vragen hem Jicha, de muilezel, te geven. Zij vonden wel dat een dergelijk rijdier beneden Bastiaans waardigheid was, maar omdat hij erop stond gaven zij uiteindelijk toe.

Terwijl de heren alles voor het vertrek in gereedheid brachten, gingen Bastiaan en Atréjoe terug naar het paleis van Quérquobad om de zilveren grijsaard te danken voor zijn gastvrijheid en afscheid te nemen. Voor het paleis werden zij opgewacht door Foechoer, de geluksdraak. Het verheugde hem te horen dat ze wilden vertrekken. Steden hadden nu niet direct zijn voorkeur, zelfs niet als ze zo mooi waren als Amargánth.

De zilveren grijsaard Quérquobad was verdiept in een boek dat hij meegenomen had uit de Bastiaan Balthazar Boeckx Bibliotheek.

'Graag had ik jullie nog lange tijd te gast gehad,' zei hij wat verstrooid. 'Een zo grote verteller heb je niet altijd te logeren. Maar nu hebben we zijn werken tot troost.'

Ze namen afscheid en gingen naar buiten.

Toen Atréjoe op Foechoer plaatsnam vroeg hij aan Bastiaan: 'Wil je niet ook op Foechoer rijden?'

'Later,' antwoordde Bastiaan. 'Nu wacht Jicha op me en ik heb het haar beloofd.'

'Dan zien we elkaar op het vasteland,' riep Atréjoe nog. De geluksdraak verhief zich in de lucht en was het volgende moment al uit het oog verdwenen.

Toen Bastiaan bij de herberg terugkwam, stonden de drie heren reeds met de paarden en de ezelin op een van de veerponten, klaar om af te reizen. Ze hadden Jicha van haar pakzadel ontdaan en dit vervangen door een fraai versierd rijzadel. De reden hoorde zij pas toen Bastiaan naar haar toe ging en haar in het oor fluisterde: 'Je bent nu van mij, Jicha.'

En terwijl de boot afvoer en zich van de Zilveren Stad verwijderde, klonk nog lang de vreugderoep van de oude muilezelin over het bittere water van het Tranenmeer Moerhoe.

En wat de held Huunreck betreft: die slaagde er inderdaad in om Morgoel, het Land van het Koude Vuur, te bereiken. Ook drong hij door in het versteende bos Wodgabay en werd hij de drie grachten rond de burcht Ragar de baas. Hij vond de loden bijl en versloeg Smerg, de draak. Vervolgens bracht hij Oglamár terug naar haar vader, hoewel zij nu van harte bereid was geweest om met hem te trouwen. Nu wilde híj echter niet meer. Maar dat is een ander verhaal en moet een andere keer maar eens worden verteld.

 [R]

De Acharai

REGEN viel dicht en zwaar uit donkere wolken die zo laag hingen dat ze de hoofden van de ruiters haast raakten. Vervolgens begon het met grote, natte vlokken te sneeuwen en tenslotte sneeuwde en regende het tegelijk. De stormwind was zo sterk dat zelfs de paarden zich er schrap tegen moesten zetten. De mantels van de ruiters waren zwaar van het vocht en klapperden kletsend tegen de ruggen van de dieren.

Heel wat dagen waren zij nu al onderweg en de laatste drie waren zij deze hoogvlakte over gereden. Het weer was met de dag slechter geworden en de grond was een mengsel van modder en scherpe brokken steen geworden, wat hun voortgang steeds meer bemoeilijkte. Hier en daar groeide wat kreupelhout of stonden kleine scheef gewaaide struikjes, maar verder was er weinig afwisseling.

Bastiaan, die op Jicha voorop reed, was met zijn glimmende mantel eigenlijk nog het beste af. Het bleek dat deze hem, hoewel hij licht en dun was, uitstekend verwarmde en dat het water er afliep. De gedrongen gestalte van Huukrion, de sterke, ging bijna geheel schuil in een dikke blauwe mantel van wol. De tenger gebouwde Huusbald had de grote kap van zijn bruine loden cape over zijn rode haren getrokken. En Huudorns grijze cape van zeildoek plakte tegen zijn pezige armen.

Niettemin waren de drie heren op hun ietwat ruwe manier welgemoed. Ze hadden niet verwacht dat de avontuurlijke tocht met heer Bastiaan een soort zondagswandelingetje zou worden. Zo nu en dan zongen zij, meer ferm dan fraai, luidkeels tegen de storm in – nu eens afzonderlijk en dan weer in koor. Het was blijkbaar hun lievelingslied en begon met de woorden:
> 'Toen ik nog een klein jochie was,
> hopsasa, in regen en wind…'

Het lied stamde, vertelden ze, van een bezoeker aan Fantásië uit lang vervlogen dagen, die *Sjeexpier* of zo iets geheten had.

De enige in het groepje op wie de nattigheid noch de kou enige indruk scheen te maken was Atréjoe. Zoals hij sinds het begin van de tocht had gedaan, ijlde hij op Foechoers rug tussen en boven de wolkenflarden voort. Hij joeg ver vooruit om het land te verkennen en keerde dan weer terug om verslag te doen.

Elk van hen, zelfs de geluksdraak, leefde in de veronderstelling dat zij op zoek waren naar de weg die Bastiaan terug zou brengen naar zijn wereld. Ook Bastiaan dacht het. Hij was zich er niet van bewust dat hij eigenlijk alleen uit vriendschap en goede wil met Atréjoe's voorstel had ingestemd en dat hij in werkelijkheid helemaal niet terug wilde. Maar de landkaart van Fantásië werd door wensen bepaald, of iemand die zich nu bewust was of niet. En het kwam doordat het Bastiaan was die moest beslissen in welke richting zij verdertrokken, dat hun route steeds dieper Fantásië in leidde – en dat wilde zeggen: naar het middelpunt toe dat werd gevormd door de Ivoren Toren. Wat dit voor hem betekende zou hem pas later duidelijk worden. Voorlopig echter vermoedde hij noch zijn metgezellen daar iets van.

Bastiaans gedachten waren met iets anders bezig.

Reeds de tweede dag na hun vertrek uit Amargánth hadden zij in de bossen die Moerhoe omringden een duidelijk spoor van de draak Smerg gevonden. Sommige van de bomen die hier stonden waren versteend. Kennelijk was het monster hier gedaald en had het ijskoude vuur uit zijn muil de bomen geraakt. De indrukken van zijn reusachtige sprinkhanepoten waren gemakkelijk te onderscheiden geweest. Atréjoe, die verstand had van spoorzoeken, had nog meer sporen gevonden, namelijk die van de held Huunreck. Huunreck zat de draak dus op de hielen.

'Erg leuk kan ik dit niet vinden,' had Foechoer half schertsend gezegd, terwijl hij met zijn robijnrode ogen rolde, 'want of Smerg nu een gedrocht is of niet, hij is toch altijd nog – hoe ver dan ook – familie van me.'

Zij waren de held Huunreck niet gevolgd, maar een andere richting ingeslagen. Want hun doel was immers voor Bastiaan de weg naar huis te zoeken.

Sindsdien had hij erover nagedacht wat hij eigenlijk gedaan had toen hij voor de held Huunreck een draak verzon. Toegegeven, Huunreck had iets nodig waarmee hij kon bewijzen wat hij waard was en waartegen hij ten strijde kon trekken. Maar het was nog helemaal niet gezegd dat hij ook de overwinning zou behalen. Als Smerg hem nu eens doodde? En bovendien was nu ook prinses Oglamár in een afschuwelijke situatie. Goed, zij was nogal hoogmoedig geweest, maar had Bastiaan daarom het recht haar op zo'n manier in het ongeluk te storten? En nog afgezien van alles, wie kon zeggen wat Smerg verder nog in Fantásië zou aanrichten? Bastiaan had, zonder er goed bij na te denken, een onvoorstelbaar gevaar geschapen, dat zonder hem zou voortbestaan en misschien onzegbaar onheil over vele onschuldigen brengen zou. Maankind, dat wist hij, maakte in haar rijk geen onderscheid tussen goed en kwaad, tussen mooi en lelijk. Voor haar was ieder wezen in Fantásië even belangrijk, had ieder dezelfde rechten. Maar mocht hij, Bastiaan, zich dan net zo gedragen als zij? En vooral, wilde hij dat eigenlijk wel?

Nee, zei Bastiaan tegen zichzelf. Hij wilde beslist niet als de schepper van monsters en gedrochten de geschiedenis van Fantásië ingaan. Hét zou veel mooier zijn als hij door zijn goedheid en opofferingsgezindheid vermaard zou worden, als hij voor allen het lichtende voorbeeld was, als ze hem 'de goede mens' zouden noemen of wanneer hij als 'de grote weldoener' zou worden vereerd. Ja, dat was het wat hij wilde.

Het landschap was inmiddels rotsachtig geworden en Atréjoe, die op Foechoer terugkwam van een verkenningsvlucht, meldde dat hij een paar kilometer verderop een klein dal had ontdekt, dat een tamelijk goede bescherming tegen de wind bood. En als hij het goed gezien had dan waren er zelfs een paar grotten waarin zij voor de regen en de sneeuw konden schuilen.

Het was al laat in de middag en het werd de hoogste tijd een geschikt bivak voor de nacht te zoeken. Vandaar dat iedereen blij was met Atréjoe's nieuws. Zij spoorden hun dieren aan. De weg voerde over de bodem van een door steeds hogere rotsen omgeven dal – mogelijk een uitgedroogde rivierbedding. Na ongeveer twee uur waren ze op het diepste punt gekomen en inderdaad bevonden zich daar aan weerszijden in de wanden verscheidene grotten. Ze kozen de ruimste uit en maakten het er zich zo behaaglijk mogelijk. De drie heren zochten in de omgeving dor hout en door de wind afgewaaide takken bijeen en weldra brandde er een schitterend vuur in de grot. De natte mantels werden uitgespreid om te drogen, de paarden en de muilezelin naar binnen gehaald en afgezadeld en zelfs Foechoer, die er anders de voorkeur aan gaf in de open lucht te overnachten, rolde zich achter in de grot in elkaar. Het was er eigenlijk helemaal niet ongezellig.

Terwijl Huudorn, de taaie, een groot stuk vlees uit hun proviand aan zijn lange zwaard boven het vuur probeerde te roosteren en iedereen vol verwachting toekeek, keerde Atréjoe zich tot Bastiaan en vroeg: 'Vertel ons eens wat meer over Kris Ta!'

'Over wie?' vroeg Bastiaan, niet-begrijpend.

'Over je vriendin Kris Ta, het kleine meisje aan wie je je verhalen verteld hebt.'

'Ik ken geen klein meisje dat zo heet,' antwoordde Bastiaan, 'en hoe kom je er bij dat ik haar verhalen verteld heb?'

Weer keek Atréjoe hem met die peinzende blik aan.

'In jouw wereld,' zei hij langzaam, 'heb je toch veel verhalen verteld – aan haar en aan jezelf?'

'Waarom wil je dat weten, Atréjoe?'

'Je hebt het zelf gezegd. In Amargánth. En je hebt ook verteld dat je er vaak om uitgelachen bent.'

Bastiaan staarde in het vuur.

'Dat klopt, ja,' mompelde hij, 'dat heb ik verteld. Maar ik weet niet waarom. Ik kan het me niet herinneren.'

Het kwam hem zelf vreemd voor.

Atréjoe wisselde een blik met Foechoer en knikte ernstig alsof die twee iets hadden besproken dat nu bevestigd werd. Maar hij zei verder niets. Kennelijk wilde hij er in het bijzijn van de drie heren niet over praten.

'Het vlees is klaar!' liet Huudorn weten.

Met een mes sneed hij voor iedereen een stuk af. Dat het echt klaar was, kon je met de beste wil van de wereld niet beweren – aan de buitenkant was het vlees een beetje verbrand en van binnen was het nog rauw – maar in deze omstandigheden zou het misplaatst zijn geweest om kieskeurig te zijn.

Lange tijd zaten ze allemaal te kauwen en toen vroeg Atréjoe nog eens: 'Vertel ons eens hoe je bij ons bent gekomen!'

'Dat weet je toch,' antwoordde Bastiaan. 'Jij hebt me toch bij de Kleine Keizerin gebracht.'

'Ik bedoel, daarvoor,' zei Atréjoe. 'In jouw wereld. Waar was je daar en hoe is alles zo gebeurd?'

252

En nu vertelde Bastiaan hoe hij bij meneer Koriander het boek had gestolen, hoe hij daarmee naar de zolder van de school was gevlucht en daar was beginnen te lezen. Toen hij over het Grote Zoeken van Atréjoe wilde gaan vertellen, maakte deze een afwijzend gebaar. Het scheen hem niet te interesseren wat Bastiaan over hem gelezen had. Maar hij wilde wel dolgraag meer bijzonderheden horen over het hoe en waarom van Bastiaans bezoek aan de winkel van meneer Koriander en over zijn vlucht naar de zolder van de school.

Bastiaan dacht diep na, maar hij vond er niets meer van in zijn geheugen terug. Alles wat ermee samenhing – dat hij bang was geweest, dat hij dik en zwak en gevoelig was geweest – was hij vergeten. Hij herinnerde zich kleine stukjes, en die waren zo ver en onduidelijk dat het net leek of het over een ander ging en niet over hemzelf.

Atréjoe vroeg hem naar andere herinneringen en Bastiaan vertelde over de tijd dat zijn moeder nog leefde, over zijn vader, over thuis, over zijn school en de stad – voor zover hij dat nog wist.

De drie heren waren al in slaap gevallen toen Bastiaan nog altijd aan het vertellen was. Hij verwonderde zich erover dat Atréjoe juist voor de alledaagse dingen zo'n grote belangstelling had. Misschien lag het aan de manier waarop Atréjoe luisterde dat die gewone en alledaagse dingen ook hemzelf geleidelijk aan helemaal niet meer zo alledaags voorkwamen; ze leken allemaal een geheim te verbergen dat hem altijd ontgaan was.

Tenslotte wist hij niets meer, niets kon hij meer bedenken wat hij nog zou kunnen vertellen. Het was al diep in de nacht. Het vuur was bijna uitgebrand. De drie heren snurkten zachtjes. Atréjoe zat met een star gezicht en scheen diep na te denken.

Bastiaan rekte zich uit, trok de zilveren mantel om zich heen en stond op het punt in slaap te vallen toen Atréjoe zachtjes zei: 'Het komt door AURYN.'

Bastiaan steunde zijn kin op zijn hand en keek zijn vriend slaapdronken aan.

'Wat bedoel je daarmee?'

'De Glans,' ging Atréjoe verder, als praatte hij tegen zichzelf, 'werkt bij ons soort wezens anders dan bij een mensenkind.'

'Hoe kom je op dat idee?'

'Het Teken geeft je een grote macht, het vervult al je verlangens, maar tegelijk ontneemt het je ook iets: de herinnering aan je wereld.'

253

Bastiaan dacht na. Hij had niet het gevoel dat hij iets miste. 'Graógramán heeft tegen me gezegd dat ik de weg van de wensen moet gaan als ik vinden wil wat ik echt verlang. En dat is óok de betekenis van de inscriptie op AURYN. Maar dan moet ik wel van de ene wens naar de andere gaan. Ik kan er geen overslaan. Op een andere manier kan ik in Fantásië geen stap verderkomen, heeft hij gezegd. Daar heb ik het Kleinood voor nodig.'

'Ja,' zei Atréjoe, 'het geeft je de weg aan en ontneemt je tegelijkertijd het doel.'

'Nou,' vond Bastiaan, die zich kennelijk weinig zorgen maakte, 'Maankind zal best geweten hebben wat zij deed toen ze mij het Teken gaf. Je maakt je zorgen om niets, Atréjoe. AURYN is vast en zeker geen valstrik.'

'Nee,' mompelde Atréjoe, 'dat geloof ik ook niet.'

En even later voegde hij er aan toe: 'In elk geval is het goed dat we al op zoek zijn naar de wég die jou thuisbrengt. Want dat zijn we toch?'

'Ja-ja,' antwoordde Bastiaan al half in slaap.

Midden in de nacht werd hij wakker van een vreemdsoortig geluid. Hij kon niet zeggen wat het was. Het vuur was gedoofd en het was volslagen donker om hem heen. En toen voelde hij Atréjoe's hand op zijn schouder en hoorde hem fluisteren: 'Wat is dat?'

'Weet ik ook niet,' fluisterde hij terug.

Ze kropen naar de ingang van de grot waar het geluid vandaan kwam en luisterden aandachtiger.

Het klonk als ingehouden snikken en huilen uit ontelbare kelen. Maar het had niets menselijks en leek zelfs niet op het janken van dieren. Het was als een vaag geruis dat soms aanzwol tot een gezucht, net als een aanrollende golf en daarna weer wegebde om na enige tijd opnieuw aan te zwellen. Bastiaan vond het het klaaglijkste geluid dat hij ooit gehoord had.

'Konden we maar wat zien!' fluisterde Atréjoe.

'Wacht!' antwoordde Bastiaan, 'ik heb Al'Tsahir toch!'

Hij haalde de lichtgevende steen uit zijn zak en hield die omhoog. Het was een zacht schijnsel als van een kaars en wierp maar weinig licht in het dal. Maar toch was dit schijnsel voldoende om de beide vrienden een schouwspel te tonen dat ze van afschuw de rillingen over het lijf deed lopen.

Het hele dal wemelde van armlange, wanstaltige wormen met een huid die er uitzag of zij in smerige, gescheurde lompen en lappen gewikkeld waren. Tussen de plooien ervan konden zij iets als slijmige ledematen uitsteken, die op de vangarmen van een poliep leken. Aan één uiteinde van hun lijf keken vanonder de lappen soms twee ogen naar buiten, ogen zonder leden, waaruit voortdurend tranen liepen. Zijzelf en ook het hele dal waren er nat van.

Op hetzelfde moment waarop zij door het licht van Al'Tsahir geraakt werden, verstarden zij en daardoor was te zien waarmee ze juist bezig waren geweest. Midden tussen hen in verhief zich een toren van het fijnste filigrain – mooier en kostbaarder dan alle gebouwen die Bastiaan in Amargánth had gezien. Een aantal van de wormachtige wezens waren blijkbaar juist doende geweest op deze toren rond te klauteren en hem uit losse delen in elkaar te zetten. Maar nu zaten zij allemaal onbeweeglijk en staarden in het licht van Al'Tsahir.

'Wee, o wee!' klonk het als een ontzet gefluister door het dal. 'Nu is onze afstotelijkheid bekend geworden! Wee, o wee! Wiens ogen hebben ons gezien? Wee, o wee, dat wij nu onszelf moeten zien! Wie u ook zijn mag, wreedaardige indringer, wees genadig en heb erbarmen en haal dit licht weer van ons weg!'

Bastiaan ging rechtop staan.

'Ik ben Bastiaan Balthazar Boeckx,' zei hij, 'en wie zijn jullie?'

'Wij zijn de Acharai,' galmde het hem tegemoet, 'de Acharai, de Acharai! De ongelukkigste wezens van Fantásië zijn wij!'

Bastiaan zweeg en keek ontzet naar Atréjoe, die nu ook opstond en naast hem kwam staan.

'Dan zijn jullie het dus,' vroeg hij, 'die de mooiste stad van Fantásië, Amargánth gebouwd hebben?'

'Zo is het, ach ja,' riepen de wezens. 'Maar neem dit licht van ons weg en kijk ons niet aan. Wees barmhartig!'

'En jullie hebben het Tranenmeer Moerhoe gehuild?'

'Heer,' steunden de Acharai, 'het is zoals u zegt. Maar wij zullen van schaamte en afschuw voor onszelf sterven als u ons nog langer dwingt in uw licht te zijn. Waarom vergroot u ons lijden zo wreed? Ach, wij hebben u niets aangedaan en niemand heeft zich ooit aan onze aanblik kunnen storen.'

Bastiaan stak de steen Al'Tsahir weer in zijn zak en het werd aardedonker.

'Dank, dank!' riepen de snikkende stemmen. 'Dank voor uw genade en erbarmen, heer!'

'Ik wil met jullie 'praten,' zei Bastiaan. 'Ik wil jullie helpen.'

Hij voelde zich haast ziek van afschuw en medelijden met deze schepsels van de wanhoop. Hij besefte dat het de wezens waren over wie hij in zijn verhaal over het ontstaan van Amargánth gesproken had, maar zoals iedere keer was hij er ook ditmaal niet zeker van of zij er altijd al geweest waren of pas door hem in het leven waren geroepen. In het laatste geval zou hij dus op de een of andere manier verantwoordelijk zijn voor al dit leed.

Maar hoe het ook precies in elkaar zat, hij was vastbesloten aan dit verschrikkelijke lijden een einde te maken.

'Ach,' jammerden de klagende stemmen, 'wie kan ons helpen?'

'Ik,' riep Bastiaan, 'want ik heb AURYN om mijn hals.'

Nu werd het opeens stil. Het gehuil ebde volledig weg.

'Waar komen jullie zo plotseling vandaan?' vroeg Bastiaan in het donker.

'Wij wonen in de lichtloze diepten der aarde,' fluisterde een veelstemmig koor terug, 'om onze aanblik voor de zon te verbergen. Daar huilen wij altijd maar door over ons bestaan en wassen met onze tranen het onverwoestbare zilver uit het oergesteente, waaruit wij dan het filigrain weven dat u gezien hebt. Alleen in de donkerste nachten durven wij aan de oppervlakte te komen en deze grotten hier zijn onze uitgang. Hier boven zetten wij dan in elkaar wat wij beneden hebben voorbereid. En juist deze nacht was donker genoeg om ons onze eigen aanblik te besparen. Daarom zijn wij hier. Wij proberen onze afstotelijkheid aan de wereld weer goed te maken door ons werk en wij vinden daarin een beetje troost.'

'Maar jullie kunnen er toch niets aan doen dat jullie zo zijn!' vond Bastiaan.

'Ach, er bestaat velerlei schuld,' antwoordden de Acharai, 'schuld door de daad, schuld door gedachten – onze schuld is die van ons bestaan.'

'Hoe kan ik jullie helpen?' vroeg Bastiaan die haast huilde van medelijden.

'Ach, grote weldoener,' riepen de Acharai, 'die AURYN draagt en de macht heeft om ons te verlossen – wij vragen u maar één ding: geef ons een ander uiterlijk!'

256

'Dat zal ik doen. Weest maar gerust, arme wormen!' zei Bastiaan. 'Ik wil dat jullie nu gaan slapen en wanneer jullie morgenvroeg wakker worden dan kruipen jullie uit jullie omhulsels en zijn vlinders geworden. Jullie zullen veelkleurig en vrolijk zijn en enkel nog lachen en plezier hebben! Vanaf morgen heten jullie niet meer Acharai, de Altijd-Huilenden, maar Sjlamoefen, de Altijd-Lachenden!'

Bastiaan luisterde in het duister, maar er was niets meer te horen.

'Ze zijn al in slaap gevallen,' fluisterde Atréjoe.

De twee vrienden gingen terug in de grot. De heren Huusbald, Huudorn en Huukrion snurkten nog altijd zachtjes en hadden van het hele voorval niets gemerkt.

Bastiaan ging liggen.

Hij was erg tevreden over zichzelf. Weldra zou heel Fantásië horen over de goede daad die hij daarnet had verricht. En die daad was immers echt onbaatzuchtig geweest, want niemand kon beweren dat hij hierbij iets voor zichzelf had gewenst. De roep van zijn goedheid zou een helder licht uitstralen.

'Wat denk jij hierover, Atréjoe?' fluisterde hij.

Even zweeg Atréjoe voor hij antwoordde: 'En wat heeft het je gekost?'

Pas een poosje later, toen Atréjoe al sliep, begreep Bastiaan dat zijn vriend daarmee op het vergeten gedoeld had en niet op bijvoorbeeld Bastiaans zelfverloochening. Maar hij dacht er verder niet over na en sliep met een verheugd gevoel in.

De volgende morgen werd hij gewekt door luide uitingen van verwondering van de drie ridders.

'Moet je nou toch eens kijken! – Mijn oude knol moet er zelfs van giechelen!'

Bastiaan zag hen in de ingang van de grot staan en Atréjoe was bij hen. Hij was de enige die niet lachte.

Bastiaan stond op en liep naar hen toe.

In het hele dal wemelde het van klauterende, buitelende, fladderende wezentjes: de meest komieke figuurtjes die hij ooit had gezien. Allemaal hadden zij bontgekleurde mottevleugels op de rug en zij waren gekleed in allerhande kleren met ruitjes, streepjes, rondjes of stippeltjes, maar elk kledingstuk scheen te nauw of te wijd te zijn, te groot of te klein, en op goed geluk in elkaar genaaid. Niets paste en alles, zelfs de vleugels, waren met lapjes versteld. Geen van de wezens leek op een ander. Hun gezichten hadden allerlei kleuren als bij clowns. Zij hadden ronde, rode neuzen of lachwekkende tanden en overdreven monden. Sommige hadden hoge hoeden in bonte kleuren op, andere puntmutsen. Bij een paar stonden alleen drie knalrode toefjes haar omhoog en enkele hadden kale hoofden, die glommen als een spiegel. De meeste zaten en hingen in de fraaie toren van kostbaar filigrain; ze deden gymnastische toeren, dansten erop in het rond en waren hard bezig hem kapot te maken.

Bastiaan rende naar buiten.

'Hé daar!' schreeuwde hij hard. 'Hou daar onmiddellijk mee op! Dat kun je toch niet doen!'

De wezens hielden op en keken allemaal naar hem omlaag.

Een die helemaal bovenaan zat vroeg: 'Wat zeidie?'

En een ander riep naar boven: 'Dinges zegt dat we dit niet doen kunnen.'

'Waarom zegt hij dat we het niet doen kunnen?' vroeg een derde.

'Omdat jullie dit niet mogen doen!' riep Bastiaan. 'Jullie kunnen alles toch niet zomaar kapot maken!'

'Dinges zegt dat we niet alles kapot kunnen maken,' liet de eerste clown-mot de anderen weten.

'Jawel, dat kunnen we best,' antwoordde een andere en trok een groot stuk uit de toren.

De eerste danste als een gek in het rond en riep weer naar Bastiaan: 'Jawel, dat kunnen we best!'

De toren zwaaide heen en weer en begon bedenkelijk te kraken.

'Wat doen jullie nou!' riep Bastiaan. Hij was kwaad en geschrokken, maar hij wist niet wat voor houding hij moest aannemen want deze wezens waren werkelijk erg komiek.

'Dinges vraagt,' zei de eerste mot en richtte zich weer tot zijn kameraden, 'wat we doen.'

'Wat doen we eigenlijk?' wilde een ander weten.

'We doen gek,' liet een derde horen.

Daarop begonnen alle wezentjes in de buurt ontzettend te giechelen en te proesten.

'We doen gek!' riep de eerste mot naar Bastiaan en verslikte zich haast van het lachen.

'Maar de toren zal in elkaar storten als jullie niet ophouden!' schreeuwde Bastiaan.

'Dinges denkt,' zei de eerste mot tegen de anderen, 'dat de toren in zal storten.'

'Nou en?' merkte een ander op.

En de eerste riep naar beneden: 'Nou en?'

Bastiaan was sprakeloos en voordat hij nog een passend antwoord gevonden had begonnen alle clown-motten die aan de toren hingen opeens aan een soort reidans in de lucht, waarbij zij niet elkaars handen vasthielden maar soms elkaars benen en soms elkaars nek. Sommigen wervelden rond en allemaal joelden en lachten ze.

Wat de gevleugelde kereltjes daar uitvoerden zag er zo komiek en vrolijk uit dat Bastiaan mee moest lachen, of hij wilde of niet.

'Maar dat mogen jullie niet!' riep hij. 'Het is het werk van de Acharai!'

'Dinges,' richtte de eerste clown-mot zich weer tot zijn makkers, 'zegt dat we dit niet mogen.'

'Wij mogen alles,' schreeuwde een ander terwijl hij kopjeduikelde in de lucht, 'wij mogen alles wat ons niet verboden is. En wie verbiedt ons wat? Wij zijn de Sjlamoefen!'

'Wie verbiedt ons wat?' riepen alle clown-motten in koor. 'Wij zijn de Sjlamoefen!'

'Ik!' antwoordde Bastiaan.

'Dinges zegt "ik",' zei de eerste mot tegen de anderen.

'Waarom jij?' vroegen de anderen. 'Jij hebt niets over ons te vertellen.'

'Nee, ik niet!' verduidelijkte de eerste. 'Dinges zegt "hij".'

'Waarom zegt Dinges "hij"?' wilden de anderen weten, 'en tegen wie zegt hij eigenlijk "hij"?'

'Tegen wie zeg jij "hij"?' riep de eerste mot naar beneden.

'Ik heb niet "hij" gezegd,' schreeuwde Bastiaan half boos, half lachend terug. 'Ik zeg dat ik jullie verbied de toren te vernielen.'

'Hij verbiedt ons,' liet de eerste mot de anderen weten, 'de toren te vernielen.'

'Wie?' vroeg een nieuwaangekomene.

'Dinges,' antwoordden de anderen.

En de nieuwaangekomene zei: 'Ik ken die Dinges niet. Wie is dat eigenlijk?'

De eerste riep: 'Hé, Dinges, wie ben jij eigenlijk?'

'Ik ben geen Dinges!' schreeuwde Bastiaan nu toch behoorlijk kwaad. 'Ik ben Bastiaan Balthazar Boeckx en heb van jullie Sjlamoe-fen gemaakt zodat jullie niet meer huilen en jammeren. Vannacht waren jullie nog ongelukkige Acharai. Jullie zouden je weldoener best met wat meer respect kunnen antwoorden!'

Alle clown-motten waren gelijktijdig opgehouden met huppelen en dansen en keken naar Bastiaan. Opeens heerste er een ademloze stilte.

'Wat heeft Dinges gezegd?' fluisterde een mot die wat verder weg zat, maar de mot die naast hem zat gaf hem een klap op zijn hoed zodat die over zijn ogen en oren zakte. Alle anderen riepen: 'Sssst!'

'Zou je dat alsjeblieft nog eens heel langzaam en nadrukkelijk wil-len zeggen,' vroeg de eerste mot met nadrukkelijke hoffelijkheid.

'Ik ben jullie weldoener!' riep Bastiaan.

Hierop ontstond een ronduit belachelijke opwinding onder de clown-motten. De een vertelde het verder aan de ander en tenslotte buitelden en fladderden al die talloze figuurtjes, die zich tot dan over het hele dal verspreid hadden, in één kluwen om Bastiaan heen en schreeuwden elkaar daarbij over en weer in de oren: 'Hebben jullie het gehoord? Hebben jullie het begrepen? Hij is onze delwoener! Hij heet Nastibaan Balteboeckx! Nee, hij heet Boeckxiaan Doelwenner. Onzin. Hij heet Sarabal Boeckxewel. Nee, Baldriaan Hix! Sjloeks! Babbeltraan Donweller! Nix! Flax! Trix!'

De hele groep scheen buiten zichzelf van enthousiasme. Zij schud-den elkaar de hand, namen hun hoeden af en sloegen elkaar op de schouders en buiken waardoor er grote stofwolken opstegen.

'Wat zijn wij een geluksvogels!' riepen ze uit. 'Lange leve Boeckx-doener Sansibaar Bastelwel!'

En nog steeds schreeuwend en lachend stoven ze in een reusachtige zwerm de lucht in, die almaar rondtollend verdween. Het lawaai stierf weg in de verte.

En daar stond Bastiaan en wist bijna niet meer hoe hij nu echt heette.

Hij was er niet meer zo zeker van of hij werkelijk iets goeds had verricht.

[S]

De Reisgenoten

SCHUIN vielen de zonnestralen door het donkere wolkendek toen zij 's morgens op weg gingen. Eindelijk
had het opgehouden te regenen en te waaien. Nog een keer
of twee, drie kwamen de ruiters in de loop van de ochtend
in een korte, hevige bui terecht, maar daarna verbeterde
het weer zienderogen. Het werd ook merkbaar warmer.

De drie ridders waren in een bepaald uitgelaten stemming. Ze maakten grapjes en lachten en haalden grappen met elkaar uit. Maar Bastiaan reed op zijn muilezelin stil en in zichzelf gekeerd voor hen uit en
de drie heren hadden natuurlijk te veel eerbied voor hem om hem in
zijn gedachten te storen.

Het landschap waar zij doorheen trokken was nog steeds die rotsige
hoogvlakte waar geen einde aan scheen te komen. Alleen het opgaand
hout werd geleidelijk dichter en hoger.

Atréjoe, die gewoontegetrouw op Foechoer ver vooruit vloog en de
streek naar alle zijden verkende, had Bastiaans tobberige stemming al
meteen bij het vertrek bemerkt. Hij vroeg de geluksdraak wat er zou
kunnen worden gedaan om zijn vriend op te vrolijken.

Foechoer rolde met zijn robijnrode ogen en zei: 'Dat is nogal eenvoudig – wilde hij altijd al niet eens op mijn rug rijden?'

Toen het kleine reisgezelschap korte tijd later om een rots heen ging
werd het daar opgewacht door Atréjoe en de geluksdraak. Ze hadden
zich allebei behaaglijk uitgestrekt in de zon en zagen met knipperende
ogen de anderen aankomen.

Bastiaan stopte en keek ze eens aan.

'Zijn jullie moe?' vroeg hij.

''n Klein beetje,' antwoordde Atréjoe. 'Maar ik wilde je vragen of
je me een poosje op Jicha wilt laten rijden. Ik heb nog nooit op een
muilezel gezeten. Het moet wel fantastisch zijn want jij kunt er zo te
zien niet genoeg van krijgen. Je zou me dat plezier best eens kunnen

doen, Bastiaan. Dan kun jij intussen van mij mijn oude Foechoer lenen.'

Bastiaan kreeg een kleur van plezier.

'Is dat zo, Foechoer,' vroeg hij, 'mag ik op je rug zitten?'

'Met plezier, grootmachtige sultan!' galmde de geluksdraak knipogend. 'Stijg maar op en houd je vast!'

Bastiaan sprong van zijn ezel en zat met één sprong op Foechoers rug. Hij pakte de zilverwitte manen beet en daar ging Foechoer de lucht in.

Bastiaan herinnerde zich nog duidelijk de rit op Graógramán door de Woestijn van de Kleuren. Maar op een witte geluksdraak rijden was nog wel iets anders. Als het voortrazen op de enorme vuurleeuw op een roes en een kreet had geleken, dan leek dit soepele wiegen van het lenige drakenlijf op een lied, dat nu eens zacht en teder was en dan weer machtig en stralend. Vooral wanneer Foechoer zijn bliksemsnelle loopings uitvoerde waarbij zijn manen, de baarden aan weerszijden van zijn muil en de lange franjes aan zijn poten lekten als witte vlammen – dan leek zijn vlucht op hemels gezang. Bastiaans zilveren mantel wapperde in de wind achter hem aan en schitterde in het zonlicht als een spoor van duizend vonken.

Tegen de middag landden zij bij de anderen, die inmiddels op een zonovergoten rotsplateau, waar ruisend een beekje doorheen stroomde, het kamp hadden opgeslagen. Boven een groot vuur dampte reeds een ketel soep en ze aten er ongerezen brood bij. De paarden en de muilezelin liepen op enige afstand op een stuk weide te grazen.

Na het eten besloten de drie heren op jacht te gaan. De proviand raakte langzamerhand op, vooral het vlees. Onderweg hadden zij in het struikgewas fazanten gehoord. En er schenen ook hazen te zijn. Zij vroegen Atréjoe of hij niet mee wilde komen, omdat hij als Groenhuid toch een hartstochtelijk jager moest zijn. Atréjoe bedankte hen voor het aanbod, maar wees de uitnodiging van de hand. En dus pakten de drie heren hun krachtige bogen, hingen de pijlenkokers over hun rug en verdwenen in het bosje niet ver af.

Atréjoe, Bastiaan en Foechoer bleven alleen achter.

Nadat het een poosje stil was geweest stelde Atréjoe voor: 'Wat zou je ervan denken, Bastiaan, als je ons weer eens wat over je wereld vertelde?'

'Wat zou jullie dan interesseren?' vroeg Bastiaan.

'Wat denk jij, Foechoer?' vroeg Atréjoe zich tot de geluksdraak richtend.

'Ik zou wel iets over de kinderen op je school willen horen,' antwoordde hij.

'Welke kinderen?' Bastiaan was stomverbaasd.

'De kinderen die met jou de draak hebben gestoken,' verduidelijkte Foechoer.

'Kinderen die met mij de draak hebben gestoken?' herhaalde Bastiaan nog meer verbaasd. 'Ik weet niets van kinderen – en vast en zeker zou niemand het lef hebben gehad om met mij de draak te steken.'

'Maar dat je naar school gegaan bent,' mengde Atréjoe zich in het gesprek, 'dat weet je toch nog wel?'

'Ja,' zei Bastiaan peinzend, 'een school kan ik me herinneren – dat klopt.'

Atréjoe en Foechoer wisselden een blik van verstandhouding.

'Daar was ik al bang voor,' mompelde Atréjoe.

'Waar voor?'

'Je hebt alweer een stuk van je herinnering verloren,' antwoordde Atréjoe in alle ernst. 'Dit keer houdt het verband met de verandering van de Acharai in de Sjlamoefen. Je had dat niet moeten doen.'

'Bastiaan Balthazar Boeckx,' liet de geluksdraak zich nu horen en het klonk haast plechtig, 'als jij van mij een raad wilt aannemen, maak dan van nu af aan geen gebruik meer van de macht die AURYN je geeft. Anders loop je het gevaar ook nog je laatste herinneringen te verliezen – en hoe zul je er dan nog in slagen om terug te keren naar waar je vandaan bent gekomen?'

'Eigenlijk,' gaf Bastiaan na enig nadenken toe, 'wil ik daar helemaal niet naar terug.'

'Maar dat moet je!' riep Atréjoe geschrokken. 'Je moet terug om te proberen in jouw wereld orde te scheppen, opdat de mensen weer naar ons in Fantásië komen. Anders gaat Fantásië vroeger of later opnieuw te gronde en is alles voor niets geweest!'

'Per slot van rekening ben ik nog hier,' zei Bastiaan een beetje gegriefd, 'en ik heb Maankind nog maar kort geleden haar nieuwe naam gegeven.'

Atréjoe antwoordde niet.

'In elk geval,' mengde Foechoer zich nu weer in het gesprek, 'is het

265

nu duidelijk waarom wij tot nu toe geen enkele aanwijzing hebben gevonden hoe Bastiaan kan terugkeren. Als hij het helemaal niet wil…!'

'Bastiaan,' zei Atréjoe bijna smekend, 'is er dan niets dat je naar huis trekt? Is er daar niets dat je lief is? Denk je dan niet aan je vader, die zeker op je wacht en zich zorgen over je maakt?'

Bastiaan schudde zijn hoofd.

'Nee, dat denk ik niet. Misschien is hij wel blij dat hij van me af is.'

Ontsteld keek Atréjoe zijn vriend aan.

'Als ik jullie zo hoor praten,' zei Bastiaan bitter, 'dan zou ik haast gaan geloven dat jullie me kwijt willen.'

'Hoe bedoel je dat?' vroeg Atréjoe met doffe stem.

'Nou,' antwoordde Bastiaan, 'jullie twee hebben, schijnt het, maar één zorg: hoe ik zo gauw mogelijk weer uit Fantásië kan verdwijnen.'

Atréjoe keek Bastiaan aan en schudde langzaam zijn hoofd. Lange tijd bewaarden ze alle drie het stilzwijgen. Bastiaan begon al spijt te krijgen over wat hij de anderen verweten had. Hij wist zelf dat het niet waar was.

'Ik dacht,' zei Atréjoe na een poosje zachtjes, 'dat wij vrienden waren.'

'Ja,' riep Bastiaan, 'dat zijn wij ook en dat zullen we altijd blijven. Vergeef me dat ik onzinnige dingen gezegd heb.'

Atréjoe glimlachte. 'En jij moet ons vergeven als we je gegriefd hebben. Dat hebben we niet opzettelijk gedaan.'

'Hoe het ook zij,' zei Bastiaan verzoenend, 'ik zal jullie raad opvolgen.'

Later kwamen de drie heren weer terug. Zij hadden wat patrijzen, een fazant en een haas geschoten. Het kamp werd opgebroken en de reis voortgezet. Bastiaan reed nu weer op Jicha.

's Middags kwamen zij in een bos dat slechts uit kaarsrechte, heel hoge stammen bestond. Het waren naaldbomen die op grote hoogte een zo dicht groen dak vormden dat nauwelijks een lichtstraal de grond bereikte. Misschien was er daarom ook geen struikgewas.

Het was prettig op deze zachte, effen grond te rijden. Foechoer had met tegenzin besloten om te voet met het reisgezelschap mee te gaan, want als hij met Atréjoe over de toppen van de bomen zou zijn gevlogen dan zou hij de anderen onvermijdelijk uit het oog hebben verloren.

De hele middag trokken zij in het donkergroene schemerlicht tussen de hoge stammen door. Tegen de avond vonden zij op een heuvel de ruïne van een burcht en ontdekten ze tussen de ingestorte torens, muren, bruggen en vertrekken een gewelf dat nog tamelijk goed intact was gebleven. Hier richtten zij hun kamp in voor de nacht. Dit keer was het de roodharige Huusbalds beurt om te koken en het bleek al gauw dat hij de kunst heel wat beter verstond. De fazant die hij boven het vuur roosterde smaakte uitstekend.

De volgende morgen trokken zij verder. De hele dag ging het nog door het bos, dat er in alle richtingen eender uitzag. Pas toen het avond werd ontdekten ze dat zij blijkbaar in een grote kring hadden gereden, want weer kwamen ze bij de burchtruïne terecht vanwaar zij vertrokken waren. Alleen kwamen zij nu van een andere kant.

'Dit heb ik nog nooit meegemaakt!' zei Huukrion en streek langs zijn zwarte snor.

'Ik kan mijn ogen niet geloven!' liet Huusbald weten en schudde zijn rode hoofd.

'Dit *kan* helemaal niet!' gromde Huudorn, terwijl hij op zijn lange, stakerige benen met grote stappen de ruïne binnenging.

Maar toch was het zo: de etensresten van de vorige dag bewezen het.

Ook Atréjoe en Foechoer hadden er geen verklaring voor hoe zij zich zo hadden kunnen vergissen. Maar zij zeiden niets.

Tijdens de avondmaaltijd – dit keer was het een geroosterde haas die door Huukrion enigszins eetbaar gemaakt was – vroegen de drie ridders of Bastiaan geen zin had iets te vertellen uit zijn schat aan herinneringen aan de wereld waar hij vandaan kwam. Maar Bastiaan verontschuldigde zich door te zeggen dat hij pijn in zijn nek had. Omdat hij de hele dag erg zwijgzaam was geweest, namen de ridders deze uitvlucht voor waar aan. Zij raadden hem een paar dingen aan die misschien zouden helpen en gingen toen slapen.

Alleen Atréjoe en Foechoer vermoedden wat er in Bastiaan omging.

Weer vertrokken zij vroeg in de morgen en trokken de hele dag door het bos, er nauwkeurig op lettend een bepaalde windrichting aan te houden. En toen de avond kwam stonden zij weer voor de ruïne.

'Wel heb ik jou daar!' begon Huukrion uit te varen.

'Hier word ik stapel van!' kreunde Huusbald.

'We moeten ons beroep maar opgeven, beste vrienden,' zei Huudorn droogjes. 'Wij deugen niet voor dolende ridders.'

De eerste avond al had Bastiaan voor Jicha een eigen hoekje gevonden omdat zij het prettig vond af en toe eens helemaal op zichzelf te zijn en wat te kunnen nadenken. De drie paarden die onderling over niets anders praatten dan over hun voorname afkomst en hun edele stambomen, stoorden haar daarbij. Toen Bastiaan de muilezelin deze avond naar haar plekje bracht zei ze: 'Heer, ik weet waarom wij niet verder meer komen.'

'Hoe zou je dat nu weten, Jicha?'

'Omdat ik u draag heer. Als je maar een halve ezel bent dan voel je daarbij van alles.'

'En wat is de reden dan volgens jou?'

'U wenst uzelf niet verder meer, heer. U bent ermee opgehouden u nog iets te wensen.'

Verrast keek Bastiaan haar aan.

'Je bent echt een heel wijs dier, Jicha.'

Verlegen wipte de muilezelin met haar lange oren.

'Weet u eigenlijk wel in welke richting wij ons tot dusver bewogen hebben?'

'Nee,' zei Bastiaan, 'weet jij het?'

Jicha knikte.

'Tot dusver zijn wij steeds naar het midden van Fantásië gegaan. Dat was onze richting.'

'In de richting van de Ivoren Toren?'

'Ja, heer. En wij zijn behoorlijk opgeschoten zolang wij die aanhielden.'

'Dat kan toch niet,' twijfelde Bastiaan. 'Atréjoe zou het gemerkt hebben en Foechoer heel zeker. Maar geen van tweeën weet er iets van.'

'Wij muilezels,' zei Jicha, 'zijn simpele wezens en kunnen ons in de verste verte niet met geluksdraken vergelijken. Maar er zijn een paar dingen, heer, die wij weten. En daartoe behoort ons richtingsgevoel. Dat is ons aangeboren. Wij vergissen ons nooit. Daarom was ik er zeker van dat u naar de Kleine Keizerin wilde.'

'Naar Maankind…' mompelde Bastiaan. 'Ja, ik zou haar graag willen terugzien. Zij zal me zeggen wat ik moet doen.'

Daarop streelde hij de zachte snuít van de muilezelin en fluisterde: 'Dank je, Jicha, dank je wel!'

De volgende ochtend trok Atréjoe Bastiaan terzijde.

'Je moet eens luisteren, Bastiaan. Foechoer en ik willen onze excuses aanbieden. De raad die we jou gegeven hebben was welgemeend – maar dom. Sinds jij die opgevolgd hebt, gaat onze reis niet verder meer. Wij hebben er vannacht lang over gepraat, Foechoer en ik. Jij zult hier niet meer vandaan komen, en wij evenmin, zolang jij je niet weer iets wenst. Het is weliswaar onvermijdelijk dat je daardoor nog meer zult vergeten, maar er zit niets anders op. We kunnen alleen maar hopen dat jij nog op tijd de terugweg vindt. Als we hier blijven, ben jij daar ook niet mee geholpen. Je moet van de macht van AURYN gebruik maken en je volgende wens zien te vinden.'

'Ja,' zei Bastiaan, 'Jicha heeft mij hetzelfde verteld. En ik ken ook mijn volgende wens al. Kom mee, want ik wil dat iedereen hem hoort.'

Zij liepen terug naar de anderen.

'Vrienden,' zei Bastiaan met luide stem, 'wij hebben tot dusver tevergeefs naar de weg gezocht die mij terug kan brengen in mijn wereld. Ik vrees dat wij hem als we zo doorgaan nooit zullen vinden. Daarom heb ik besloten een bezoek te brengen aan de enige die mij daarover meer kan vertellen. En dat is de Kleine Keizerin. Van nu af aan is het doel van onze reis de Ivoren Toren.'

'Hoera!' riepen de drie heren in koor.

Maar Foechoers bronzen stem galmde daartussendoor: 'Zie daarvan af, Bastiaan Balthazar Boeckx! Wat jij wilt is onmogelijk! Weet je dan niet dat men de Goudogige Meesteres van de Verlangens maar één keer ontmoet? Nooit zul je haar terugzien!'

Bastiaan hief zijn hoofd hoog op.

'Maankind is aan mij zeer veel dank verschuldigd!' zei hij geprikkeld. 'Ik kan mij niet voorstellen dat zij zou weigeren mij te ontvangen.'

'Je zult nog wel leren,' antwoordde Foechoer, 'dat haar besluiten soms heel moeilijk te doorgronden zijn.'

'Jij en Atréjoe,' hernam Bastiaan, en hij voelde dat hij een kleur van kwaadheid kreeg, 'willen mij voortdurend adviezen geven. Jullie zien zelf waartoe het ons geleid heeft dat ik jullie raad heb opgevolgd. Nu beslis ik zelf. Mijn besluit is al genomen en daar blijft het bij.'

Hij haalde diep adem en vervolgde wat kalmer: 'Bovendien gaan jullie steeds van jezelf uit. Maar jullie zijn wezens van Fantásië en ik ben een mens. Hoe kunnen jullie weten of voor mij hetzelfde geldt als voor jullie? Toen Atréjoe AURYN droeg was het anders voor hem dan het voor mij is. En wie moet Maankind het Kleinood dan teruggeven als ik het niet ben? Je ontmoet haar niet voor de tweede keer, zeg je? Maar ik heb haar al twee maal ontmoet. De eerste keer hebben wij elkaar maar heel even gezien, toen Atréjoe bij haar binnenkwam, en de tweede keer was toen het ei ontplofte. Voor mij is alles anders dan voor jullie. Ik zal haar ook voor de derde keer zien.'

Allen zwegen. De heren omdat zij niet begrepen waar het gesprek over ging en Atréjoe en Foechoer omdat zij echt onzeker waren geworden.

'Tja,' zei Atréjoe tenslotte met zachte stem, 'misschien is het wel zoals je zegt, Bastiaan. Wij kunnen niet weten hoe de Kleine Keizerin zich ten aanzien van jou zal gedragen.'

Daarna gingen zij op weg en na een paar uur al, nog voor de middag, hadden zij de rand van het bos bereikt.

Voor hen lag nu een weids heuvelachtig weidelandschap waar zich een rivier doorheen slingerde. Toen zij die bereikt hadden, volgden zij zijn loop.

Zoals al eerder vloog Atréjoe weer op Foechoer voor de groep ruiters uit en cirkelde in wijde bogen door de lucht om de weg te verkennen. Maar ze waren allebei bezorgd en het vliegen ging minder gemakkelijk dan anders.

Toen zij een keer heel hoog geklommen waren en ver vooruit vlogen zagen zij dat het land in de verte leek te zijn afgehakt. Een berghelling liep naar een dieper gelegen vlakte die, zover het oog reikte, dicht bebost was. Met een imposante waterval stortte de rivier zich daar naar beneden. Maar die plek was voor de ruiters op zijn vroegst de volgende dag pas te bereiken.

Ze vlogen terug.

'Denk je, Foechoer,' vroeg Atréjoe, 'dat het de Kleine Keizerin onverschillig laat wat er van Bastiaan terechtkomt?'

'Wie zal het zeggen,' antwoordde Foechoer, 'zij maakt nu eenmaal geen onderscheid.'

'Maar dan,' ging Atréjoe verder, 'is zij een...'

270

'Zeg het niet!' onderbrak hem Foechoer. 'Ik weet wat je denkt, maar spreek het niet uit!'

Atréjoe zweeg even voor hij zei: 'Hij is mijn vriend, Foechoer. Wij moeten hem helpen. Ook tegen de wil van de Kleine Keizerin in, als het moet. Maar hoe?'

'Met geluk,' antwoordde de draak en voor het eerst klonk het of er in de bronzen klok van zijn stem een barst zat.

Die avond kozen ze een leegstaande blokhut, die aan de oever van de rivier stond, als onderkomen voor de nacht. Voor Foechoer was hij natuurlijk te klein en daarom gaf die er de voorkeur aan om, zoals zo vaak, hoog in de lucht te slapen. Ook de paarden en Jicha moesten buiten blijven.

Tijdens het avondeten vertelde Atréjoe over de waterval en de merkwaardige verlaging in het landschap, die hij had gezien. En toen zei hij als terloops: 'Er zijn ons overigens achtervolgers op het spoor.'

De drie heren keken elkaar aan.

'Hoera,' riep Huukrion en draaide vol ondernemingslust aan zijn grote snor. 'Hoeveel?'

'Achter ons heb ik er zeven geteld,' antwoordde Atréjoe, 'maar voor morgen vroeg kunnen zij niet hier zijn, aangenomen dat zij vannacht doorrijden.'

'Zijn ze gewapend?' wilde Huusbald weten.

'Dat kon ik niet zien,' zei Atréjoe. 'Maar er komen er nog meer uit andere richtingen. Ik heb er zes in het westen gezien, negen in het oosten en een stuk of twaalf, dertien komen ons tegemoet.'

'We zullen afwachten wat zij van ons willen,' vond Huudorn. 'Vijfendertig of zesendertig lieden zijn voor ons niet eens gevaarlijk, en dus voor heer Bastiaan en Atréjoe al helemaal niet.'

Die nacht deed Bastiaan het zwaard Sikánda niet af zoals hij tot dusver meestal gedaan had. Hij sliep met het gevest in de hand. In zijn droom zag hij het gezicht van Maankind voor zich. Zij lachte hem veelbelovend toe. Meer herinnerde hij zich bij het wakker worden niet meer, maar de droom versterkte zijn hoop haar ooit terug te zien.

Toen hij bij de deur van de blokhut naar buiten keek zag hij in de ochtendnevel die opgestegen was uit de rivier, vaag zeven figuren staan. Twee van hen waren te voet, de anderen zaten op verschillende soorten rijdieren. Zachtjes wekte Bastiaan zijn metgezellen.

271

De heren gordden zich de zwaarden om en liepen toen alle drie tegelijk de hut uit. Toen de buiten wachtende figuren Bastiaan opmerkten, stegen de ruiters af en lieten zich alle zeven tegelijk op de linkerknie vallen. Zij bogen hun hoofd en riepen: 'Wees gegroet, redder van Fantásië, Bastiaan Balthazar Boeckx!'

De nieuwaangekomenen zagen er heel merkwaardig uit. Een van de twee die onbereden waren had een ongewoon lange hals, waarop een hoofd rustte met vier gezichten, naar elke kant één. Het eerste gezicht had een vrolijke uitdrukking, het tweede een kwade, het derde een droeve en het vierde een slaperige. Elk gezicht was star en onveranderlijk, maar telkens kon dat gezicht naar voren worden gedraaid dat overeenstemde met de gemoedstoestand van het moment. Het ging hier om een vierkwarttrol, op sommige plaatsen ook wel gemoedskop geheten.

De andere, die te voet ging, was wat men in Fantásië een cefalopode of koppoter noemt, een wezen dat enkel een hoofd bezit, dat door zeer lange, dunne benen gedragen wordt, maar geen romp of handen heeft. Koppoters zijn voortdurend aan het zwerven en hebben geen vaste woon- of verblijfplaats. Meestal trekken zij in groepen van vele honderden rond, slechts zelden treft men er één afzonderlijk. Zij voeden zich met planten. Degeen die hier nu voor Bastiaan knielde zag er jong uit en had rode wangen. Drie andere figuren, op paarden nauwelijks groter dan geiten, waren een gnoom, een schaduwschalk en een bosvrouwtje. De gnoom had een gouden diadeem rond zijn hoofd en was kennelijk een vorst. De schaduwschalk was moeilijk te onderscheiden want hij bestond eigenlijk alleen uit een schaduw die nergens vandaan kwam. Het bosvrouwtje had een katachtig gezicht en lange, goudblonde lokken die haar als een mantel omhulden. Haar hele lichaam was met ruig, eveneens goudblond haar bedekt. Zij was niet groter dan een kind van vijf jaar.

Een andere bezoeker, die op een os reed, kwam uit het land van de Sassafraniërs, die oud geboren worden en sterven wanneer zij zuigelingen zijn. Deze hier had een lange witte baard, een kaal hoofd en een gezicht vol rimpels. Hij was dus – te oordelen naar Sassafranische maatstaven – erg jong, van Bastiaans leeftijd ongeveer.

Een blauwe djinn was op een kameel gekomen. Hij was lang en mager en droeg een reusachtige tulband. Hij had een menselijk uiterlijk, ook al zag zijn blote, gespierde bovenlichaam er uit alsof het van glanzend blauw metaal was. In plaats van een neus en een mond had hij een enorme, kromme adelaarssnavel.

'Wie zijn jullie en wat willen jullie?' vroeg Huukrion ietwat bars. Ondanks de ceremoniële begroeting scheen hij er niet helemaal van overtuigd te zijn dat deze bezoekers ongevaarlijk waren, en hij had als enige het gevest van zijn zwaard nog niet losgelaten.

De vierkwarttrol die tot dusver zijn slaperig gezicht getoond had, draaide nu zijn vrolijke naar voren en zei, zich tot Bastiaan richtend, en Huukrion totaal negerend: 'Heer, wij zijn vorsten uit zeer verschillende streken van Fantásië. Ieder van ons is op reis gegaan om u te begroeten en uw hulp in te roepen. Het nieuws van uw aanwezigheid heeft zich over alle gewesten verbreid. De wind en de wolken noemen uw naam, de golven van de zeeën verkondigen met hun ruisen uw roem en elk beekje verhaalt over uw macht.'

Bastiaan keek Atréjoe vluchtig aan, maar deze keek de trol ernstig en bijna streng aan. Er speelde zelfs geen lachje om zijn mond.

'Het is ons bekend,' nam nu de blauwe djinn het woord, en zijn stem klonk als de felle schreeuw van een adelaar, 'dat u het Nachtbos Perelien geschapen hebt en Goab, de Woestijn van de Kleuren. Het is ons bekend dat u van het vuur van de Bonte Dood hebt gegeten en gedronken en dat u erin gebaad hebt, iets waarbij niemand anders in Fantásië er het leven afgebracht zou hebben. Het is ons bekend dat u de Tempel met de Duizend Deuren bent doorgekomen en ook weten we wat er in de Zilveren Stad Amargánth is gebeurd. Het is ons bekend, heer, dat u alles kunt. U hoeft maar één woord te spreken en dat wat u wenst, is er. Wij nodigen u daarom uit naar ons toe te komen en ons de genade van een eigen verhaal deelachtig te doen worden. Want geen van allen hebben wij er nog een.'

Bastiaan dacht erover na en schudde toen zijn hoofd. 'Wat jullie van mij verwachten kan ik nu nog niet doen. Later zal ik jullie allemaal helpen. Maar eerst moet ik de Kleine Keizerin weer ontmoeten. Help me daarom de Ivoren Toren te vinden!'

De wezens schenen niet in het minst teleurgesteld. Na een kort, onderling overleg verklaarden zij buitengewoon blij te zijn met Bastiaans voorstel om hem te vergezellen. En kort daarna had de stoet, die nu al op een kleine karavaan leek, zich in beweging gezet.

De hele verdere dag sloten zich nieuwe vreemdelingen bij hen aan. Niet alleen de door Atréjoe aangekondigde boden doken van alle

273

kanten op, maar nog veel meer. Je zag faunen met bokkepoten, reusachtige nachtalfen, elfen en kobolden, torrerijders en driebeners, een haan zo groot als een mens, die kaplaarzen droeg, en een op de achterpoten lopend hert met een gouden gewei, dat een soort rokkostuum aan had. Er waren bij de nieuwaangekomenen een groot aantal wezens die geen enkele gelijkenis met het menselijke uiterlijk vertoonden. Zo waren er bijvoorbeeld koperkleurige mieren met helmen, bizar gevormde dwaalkeien, fluitdiertjes die op hun lange snavels muziek maakten en ook drie zogeheten poelders, die zich op werkelijk verbazingwekkende wijze voortbewogen door – als je dit zo zeggen kunt – bij elke stap te vervloeien tot een poel en hun gedaante een stuk verder weer tot een nieuw geheel samen te trekken. Het merkwaardigste van de wezens die zich bij hen gevoegd hadden, was misschien wel een dubbel, wiens voor- en achterdeel onafhankelijk van elkaar rond konden lopen. Hij leek heel in de verte wel wat op een nijlpaard, maar hij was rood en wit gestreept.

Alles bijeen waren het er intussen tegen de honderd. En ze waren allemaal gekomen om Bastiaan, de redder van Fantásië, te begroeten en hem om een eigen verhaal te vragen. Maar de eerste zeven hadden degenen die na hen kwamen uitgelegd dat deze reis eerst naar de Ivoren Toren ging en iedereen was bereid mee te trekken.

Huukrion, Huusbald en Huudorn reden met Bastiaan aan het hoofd van de nu al behoorlijk lange stoet.

Tegen de avond bereikten zij de waterval. En bij het invallen van de duisternis had de karavaan de hoger gelegen vlakte verlaten, was langs een kronkelend bergpad naar beneden getrokken en bevond zich nu in een bos dat bestond uit orchideeën die wel zo groot als bomen waren. Het waren gevlekte en een beetje beangstigende reuzenbloemen. Daarom werd er, toen men het kamp opsloeg, besloten om 's nachts – je wist immers maar nooit – wachtposten uit te zetten.

Bastiaan en Atréjoe hadden mos verzameld, dat overal rijkelijk voorhanden was, en daaruit voor zichzelf een zacht bed gemaakt. Foechoer legde zich in een ring om de beide vrienden heen, met zijn kop naar binnen gekeerd, zodat zij afgezonderd en beschermd waren als in een groot zandkasteel. De lucht was warm en vol van een merkwaardige geur die van de orchideeën kwam en niet bepaald aangenaam was. Er zat iets in dat naderend onheil aankondigde.

[T]

De Ziende Hand

TERE dauwdruppels fonkelden op de bloemen en bladeren van de orchideeën in de eerste morgenzon toen de karavaan zich opnieuw in beweging zette. Gedurende de nacht waren er geen moeilijkheden geweest, behalve dat er zich nog weer nieuwe afgezanten bij de reeds aanwezige hadden gevoegd zodat de groep nu al driehonderd wezens telde. Die stoet van zo uiteenlopende wezens was werkelijk een bezienswaardig schouwspel.

Hoe dieper zij in het orchideeënbos doordrongen des te ongelooflijker vormen en kleuren de bloemen aannamen. En weldra stelden de heren Huukrion, Huusbald en Huudorn vast dat het verontrustende vermoeden dat voor hen aanleiding was geweest om wachtposten uit te zetten niet geheel ongegrond geweest was. Veel van deze gewassen waren namelijk vleesetende planten, die groot genoeg waren om een heel kalf te verslinden. Ze vielen weliswaar niet uit zichzelf aan – in zoverre waren de wachtposten overbodig – maar als je ze aanraakte klapten ze dicht als een bereklem. En enkele keren moesten de heren met hun zwaard de hele bloem afhakken en in stukken snijden om een arm of een voet van een reisgenoot of zijn rijdier te bevrijden.

Bastiaan, die op Jicha reed, was voortdurend dicht omringd door alle mogelijke wezens uit Fantásië die zijn aandacht probeerden te trekken of althans een blik op hem wilden werpen. Maar Bastiaan reed zwijgend en met een strak gezicht verder. Er was een nieuwe wens bij hem opgekomen en voor het eerst was het er een die hem onbegrijpelijk, ja zelfs duister voorkwam.

Wat hij het vervelendste vond aan het gedrag van Atréjoe en Foechoer, ook al hadden zij het weer goed gemaakt, was het onloochenbare feit dat zij hem behandelden als een onzelfstandig kind voor wie zij zich verantwoordelijk voelden en dat aan de leiband moest lopen. Wanneer hij er goed over nadacht was dat al sinds het begin van hun samenzijn zo geweest. Hoe kwamen zij daar eigenlijk toe? Kennelijk voelden ze zich om de een of andere reden zijn meerderen – al meenden ze het dan ook goed met hem. Atréjoe en Foechoer beschouwden hem kennelijk als een onschuldig klein jongetje dat bescherming nodig had. En dat beviel hem niet, nee, dat beviel hem helemaal niet! Hij was niet ongevaarlijk! Dat zouden ze nog wel merken! Hij wilde juist gevaarlijk zijn, gevaarlijk en gevreesd! Iemand voor wie iedereen op zijn hoede moest zijn – ook Foechoer en Atréjoe.

De blauwe djinn – die overigens Illoeán heette – baande zich een weg door het gedrang rond Bastiaan en maakte een buiging met voor de borst gekruiste armen.

Bastiaan bracht Jicha tot staan.

'Wat is er, Illoeán? Vertel maar op!'

'Heer,' zei de djinn met zijn adelaarsstem, 'ik heb zo hier en daar eens mijn oor te luisteren gelegd onder de reisgenoten die er nieuw bijgekomen zijn. Enkelen onder hen beweren deze streek te kennen en te weten waarheen wij op weg zijn. Ze bibberen allemaal van angst, heer.'

'Waarom? Wat is het voor een gebied?'

'Dit bos van vleesetende orchideeën, heer, heet de Tuin van Oglai en hoort bij het toverslot Hórok, dat ook wel de Ziende Hand wordt genoemd. Daar woont de machtigste en meest kwaadaardige tovenares van Fantásië. Haar naam is Xayiede.'

'Prima,' antwoordde Bastiaan. 'Zeg maar tegen degenen die bang zijn dat ze gerust kunnen zijn. Ik ben bij hen.'

Illoeán boog opnieuw en verwijderde zich.

Even later landden Foechoer en Atréjoe, die ver vooruit waren gevlogen, naast Bastiaan. De grote stoet hield juist een middagpauze.

'Ik weet niet wat ik ervan denken moet,' begon Atréjoe. 'Een uur of drie, vier gaans van hier hebben we midden in het orchideeënbos een gebouw zien staan, dat er uitziet als een grote hand die opsteekt uit de grond. Het maakt een nogal onheilspellende indruk. Als we deze route aanhouden lopen we er recht op af.'

Bastiaan vertelde wat hij inmiddels van Illoeán te weten was gekomen.

'In dat geval,' vond Atréjoe, 'zou het verstandiger zijn van richting te veranderen, denk je ook niet?'

'Nee,' zei Bastiaan.

'Maar er is toch geen dwingende reden om Xayiede te ontmoeten?

Het zou beter zijn als we haar vermeden.'

'Er is wel een reden,' zei Bastiaan.

'Welke dan?'

'Dat ik het graag wil,' zei Bastiaan.

Atréjoe antwoordde niet, maar keek hem met grote ogen aan. Omdat zich aan alle kanten weer Fantásiërs verdrongen om een glimp van Bastiaan op te vangen, zetten zij hun gesprek niet voort.

Maar na het middageten kwam Atréjoe terug en stelde Bastiaan schijnbaar onbekommerd voor: 'Zou je geen zin hebben om samen met mij op Foechoer te vliegen?'

Bastiaan begreep dat Atréjoe iets op zijn hart had. Ze klommen op de rug van de geluksdraak – Atréjoe voorop en Bastiaan daar achter – en stegen op. Het was de eerste keer dat zij samen vlogen.

Ze waren nog maar nauwelijks buiten gehoorsafstand toen Atréjoe zei: 'Het is op het ogenblik moeilijk om je alleen te spreken. Maar we moeten beslist met elkaar praten, Bastiaan.'

'Dat dacht ik al,' antwoordde Bastiaan lachend. 'Wat is er aan de hand?'

'Waar we terecht zijn gekomen,' begon Atréjoe aarzelend, 'en waarheen wij op weg zijn – staat dat in verband met een wens van jou?'

'Vermoedelijk,' antwoordde Bastiaan wat terughoudend.

'Ja,' vervolgde Atréjoe, 'dat dachten we al – Foechoer en ik. En wat is dat dan wel voor een wens?'

Bastiaan antwoordde niet.

'Je moet me goed begrijpen,' voegde Atréjoe eraan toe, 'het gaat er niet om dat wij bang voor het een of ander zijn, maar we zijn je vrienden en we maken ons zorgen over jou.'

'Dat lijkt me onnodig,' zei Bastiaan, nog afstandelijker.

Een hele poos zei Atréjoe niets meer. Uiteindelijk draaide Foechoer zijn kop naar hen om en zei: 'Atréjoe heeft je een heel verstandig voorstel te doen en daar moet je naār luisteren, Bastiaan Balthazar Boeckx.'

'Hebben jullie weer een goed advies?' vroeg Bastiaan, schamper lachend.

'Nee, geen advies, Bastiaan,' antwoordde Atréjoe, 'maar een voorstel dat je misschien op het eerste gezicht niet erg bevallen zal. Maar je moet er over nadenken voor je het afwijst. De hele tijd hebben wij ons er het hoofd over gebroken hoe we je helpen kunnen. Alles heeft te maken met de werking die het Teken van de Kleine Keizerin op je heeft. Zonder AURYNS macht kun je geen verdere wensen doen, maar met AURYNS macht verlies je jezelf en herinner je je steeds minder waar je eigenlijk heen wilt. Als wij niets doen komt er een keer een ogenblik waarop je het helemaal niet meer weet.'

'Daar hebben we het al eens over gehad,' zei Bastiaan. 'Wat nog meer?'

'Toen ik indertijd het Kleinood droeg,' vervolgde Atréjoe, 'was alles anders. Het heeft me geleid en me niets ontnomen. Misschien omdat ik geen mens ben en daarom geen herinnering aan de mensenwereld te verliezen heb. Ik wil maar zeggen: ik heb er geen schade door geleden – integendeel zelfs. En daarom wilde ik je voorstellen dat je AURYN aan mij geeft en je eenvoudig aan mijn leiding toevertrouwt. Ik zal je weg dan voor je zoeken. Wat vind je daarvan?'

'Afgewezen!' zei Bastiaan koeltjes.

Foechoer keek weer achterom.

'Wil je er tenminste niet even over nadenken?'

'Nee,' antwoordde Bastiaan. 'Waarom?'

Nu werd Atréjoe voor de eerste keer boos.

'Bastiaan, wees verstandig! Je moet toch inzien dat je zo niet door kunt gaan! Merk je niet dat je helemaal veranderd bent? Wat heb jij nu nog met jezelf te maken? En wat moet er nog van je terecht komen?'

'Veel dank,' zei Bastiaan, 'heel veel dank dat jullie je voortdurend met mijn zaken bemoeien! Maar eerlijk gezegd zou het me heel wat liever zijn als ik daar eindelijk eens van verschoond kon blijven. Ik ben – als jullie dat soms vergeten zijn – *ik* ben namelijk degene die Fantásië gered heeft en ik ben degene aan wie Maankind haar macht heeft toevertrouwd. En daar moet ze wel een reden voor gehad hebben want anders had ze AURYN wel bij jou kunnen laten, Atréjoe. Maar ze heeft jou het Teken afgenomen en het aan mij gegeven! Ik ben veranderd, zeg je? Ja, mijn beste Atréjoe, daarin kun je gelijk hebben! Ik ben niet langer de ongevaarlijke, niets vermoedende domme hals die jullie in mij zien. Zal ik je eens zeggen waarom je AURYN eigenlijk van me wilt hebben? Omdat jullie doodeenvoudig jaloers op me zijn, gewoon jaloers. Jullie kennen me nog niet, maar als jullie op deze manier doorgaan – ik zeg het jullie nog een keer in

alle vriendschap – dan zullen jullie me leren kennen!'
Atréjoe gaf geen antwoord. Foechoers vlucht had plotseling alle kracht verloren. Moeizaam sleepte hij zich door de lucht en zakte steeds lager als een aangeschoten vogel.

'Bastiaan,' zei Atréjoe tenslotte met moeite, 'wat jij daarnet gezegd hebt, kun je niet in alle ernst menen. We zullen het proberen te vergeten. Het is nooit gezegd.'

'Nou, goed,' antwoordde Bastiaan, 'zoals je wilt. Ik ben er niet mee begonnen. Maar wat mij betreft is hiermee de kous af.'

Enige tijd zeiden ze geen van drieën iets.

Voor hen doemde in de verte het slot Hórok uit het Orchideeënbos op. Het leek inderdaad op een reusachtige hand met vijf recht omhoogstekende vingers.

'Maar één ding wil ik nog voor alle duidelijkheid zeggen,' zei Bastiaan opeens. 'Ik heb besloten helemaal niet terug te gaan. Ik blijf voor altijd in Fantásië. Het bevalt me hier goed, en daarom kan ik heel gemakkelijk afstand doen van mijn herinneringen. En wat de toekomst van Fantásië betreft: ik kan de Kleine Keizerin wel duizend nieuwe namen geven. Wij hebben de mensenwereld helemaal niet meer nodig!'

Plotseling maakte Foechoer een scherpe draai en vloog terug.

'Hé!' riep Bastiaan. 'Wat doe je nou? Vlieg verder! Ik wil Hórok van dichtbij zien!'

'Ik kan niet meer,' antwoordde Foechoer met gebarsten stem, 'ik kan echt niet meer.'

Toen ze later weer bij de karavaan aan de grond kwamen, troffen ze de reisgenoten in grote opwinding aan. Het bleek dat de stoet overvallen was en wel door een bende van ongeveer vijftig kolossale kerels die gekleed waren in zwarte, insektenachtige pantsers of harnassen. Veel van de reisgenoten waren gevlucht en keerden nu pas afzonderlijk of in groepjes terug, andere hadden zich dapper geweerd zonder echter ook maar het geringste te bereiken. Deze gepantserde reuzen hadden elk verzet gebroken, alsof het kinderspel was. De drie heren Huukrion, Huusbald en Huudorn hadden zich heldhaftig gedragen zonder evenwel ook maar één tegenstander te verslaan. Tenslotte waren ze door de overmacht overweldigd, ontwapend, in ketenen geslagen en weggesleept. Een van de zwarte geharnaste kerels had met een merkwaardige blikken stem geroepen: 'Aldus luidt de boodschap van Xayiede, de meesteres op slot Hórok, aan Bastiaan Balthazar Boeckx. Zij eist dat de redder zich onvoorwaardelijk onderwerpt en zweert dat hij haar met alles wat hij is, wat hij heeft en wat hij kan als trouwe slaaf zal dienen. Is hij hiertoe niet bereid en zou hij de een of andere list bedenken om de wil van Xayiede te dwarsbomen, dan zullen zijn drie vrienden Huukrion, Huusbald en Huudorn een langzame, smadelijke en wrede dood sterven. Hij moet dus maar snel beslissen, want de termijn loopt morgen bij zonsopgang af. Zo luidt de boodschap van Xayiede, de meesteres op slot Hórok, aan Bastiaan Balthazar Boeckx. Hierbij is hij overgebracht.'

Bastiaan beet zich op de lippen. Atréjoe en Foechoer keken strak voor zich uit, maar Bastiaan wist precies wat die twee dachten. En juist omdat zij niets lieten merken werd hij nog kwader. Maar het was nu niet het geschikte moment om ze ter verantwoording te roepen. Er zou zich later wel een passende gelegenheid voordoen.

'Ik laat me niet maar zo door Xayiede chanteren, dat is wel duidelijk,' zei hij luid tegen de omstanders. 'We zullen onmiddellijk een plan moeten maken hoe we de drie gevangenen kunnen bevrijden.'

'Dat zal niet zo gemakkelijk zijn,' was de mening van Illoeán, de blauwe djinn met de adelaarssnavel. 'Met zijn allen kunnen wij die zwarte lui niet de baas worden, dat is wel bewezen. En zelfs als u, heer, en Atréjoe en zijn geluksdraak aan het hoofd vechten zal het te lang duren voor wij Hórok hebben ingenomen. Het leven van de drie heren ligt in de handen van Xayiede en zodra zij merkt dat wij de aanval inzetten, zal ze hen doden. Dat lijkt me vrij zeker.'

'Nou, dan moet ze het niet merken,' liet Bastiaan weten. 'We moeten haar verrassen.'

'Hoe zouden we dat kunnen?' vroeg de vierkwarttrol, die nu zijn boze gezicht naar voren had gedraaid, wat er nogal afschrikwekkend uitzag. 'Xayiede is erg slim en zal op alles voorbereid zijn.'

'Daar ben ik ook bang voor,' zei de vorst van de gnomen. 'We zijn met zovelen dat ze ons zeker zal zien wanneer we op weg naar slot Hórok gaan. Een dergelijke troepenmacht is niet te verbergen, zelfs 's nachts niet. Ze heeft beslist verspieders uitgezonden.'

'Nou,' zei Bastiaan, 'dan kunnen wij daar juist gebruik van maken om haar te misleiden.'

'Hoe bedoelt u dat, heer?'

'Jullie moeten met de hele karavaan in een andere richting verder trekken zodat het erop lijkt alsof jullie op de vlucht zijn, alsof wij er van afgezien hadden de drie gevangenen te bevrijden.'

'En wat staat de gevangenen dan te wachten?'

'Laat dat maar aan Atréjoe en Foechoer en mij over.'

'Alleen jullie drieën?'

'Ja,' zei Bastiaan. 'Maar natuurlijk alleen als Atréjoe en Foechoer met me meedoen. Anders doe ik het helemaal alleen.'

Bewonderende blikken gingen in zijn richting. Fluisterend vertelden de omstanders het aan de anderen die het niet hadden kunnen horen.

'Dit, heer,' riep tenslotte de blauwe djinn, 'zal de geschiedenis van Fantásië ingaan, ongeacht of u nu overwint of verslagen wordt.'

'Komen jullie mee?' vroeg Bastiaan, zich tot Atréjoe en Foechoer richtend, 'of hebben jullie weer een van jullie voorstellen?'

'Nee,' zei Atréjoe, 'we gaan met je mee.'

'Dan moet de stoet zich nu in beweging zetten – zolang het nog licht is,' gebood Bastiaan. 'Jullie moeten de indruk wekken dat jullie op de vlucht zijn geslagen, loop dus hard! Wij zullen hier wachten tot het donker is. Morgenvroeg treffen we jullie weer met de drie heren – of nooit meer. Gaat nu!'

De reisgenoten maakten zwijgend een buiging voor Bastiaan en gingen toen op weg. Bastiaan, Atréjoe en Foechoer verstopten zich tussen de struiken en wachtten onbeweeglijk en zonder een woord te zeggen tot het donker zou worden.

Toen het begon te schemeren hoorden ze plotseling een zacht gerinkel en zagen ze vijf enorme zwarte kerels het verlaten kampement betreden. Zij bewogen zich op een merkwaardige mechanische wijze en alle vijf precies gelijk. Alles aan hen scheen van zwart metaal te zijn, zelfs de gezichten leken op ijzeren maskers. Ze bleven allemaal tegelijk staan, draaiden zich in de richting waarin de karavaan verdwenen was en volgden toen, zonder een woord met elkaar gewisseld te hebben, in gelijke pas het spoor. Daarop werd het weer stil.

'Het plan schijnt te werken,' fluisterde Bastiaan.

'Het waren er maar vijf,' antwoordde Atréjoe. 'Waar zijn de anderen?'

'O, die vijf zullen hen vast op de een of andere manier roepen,' dacht Bastiaan.

Toen het tenslotte helemaal donker was geworden, kropen ze voorzichtig uit hun schuilplaats en geruisloos steeg Foechoer met zijn beide ruiters op. Hij vloog zo laag mogelijk over de kruinen van het orchideeënbos om niet ontdekt te worden. In het begin was de richting bekend: dezelfde als hij die middag was ingeslagen. Maar toen zij ongeveer een kwartier snel voortgegleden waren, deed zich de vraag voor of en hoe ze nu het slot Hórok zouden vinden. Ze konden geen hand voor ogen zien. Toch zagen ze een paar minuten later het slot voor zich opdoemen. De duizend ramen waren helder verlicht. Xayiede scheen het belangrijk te vinden dat het gezien werd. En dat was niet moeilijk te begrijpen, want ze wachtte immers op Bastiaans bezoek – al verwachtte ze ook een ander soort bezoek.

Voorzichtigheidshalve liet Foechoer zich tussen de orchideeën op de grond glijden, want zijn parelmoerwitte schubbenkleed blonk en weerkaatste het licht. En voorlopig mochten ze nog niet gezien worden.

Onder dekking van de planten naderden ze het slot. Voor de grote toegangspoort stonden tien geharnaste reuzen op wacht. En in elk van de helderverlichte ramen stond er eveneens een, zwart en onbeweeglijk als een dreigende schaduw.

Het slot Hórok lag op een kleine heuvel, waarop geen enkele orchidee groeide. De vorm van het bouwwerk was inderdaad die van een reusachtige hand die opstak uit de aarde. Elk van de vingers was een toren en de duim een uitbouw waar ook weer een toren op stond. Het geheel was vele verdiepingen hoog, elk vingerkootje vormde er een en de ramen hadden de vorm van lichtgevende ogen die naar alle kanten om zich heen tuurden. Met recht heette het de Ziende Hand.

'We moeten er achter zien te komen waar de gevangenen zich bevinden,' fluisterde Bastiaan Atréjoe in het oor.

Atréjoe knikte en beduidde Bastiaan stil te zijn en bij Foechoer te blijven. Daarop kroop hij, zonder het geringste geluid te maken, op zijn buik verder. Het duurde lang voor hij terugkwam.

'Ik ben om het hele slot heengeslopen,' fluisterde hij. 'Dit is de enige ingang, maar die wordt goed bewaakt. Alleen helemaal daar boven aan de top van de middelvinger heb ik een dakraam kunnen ontdekken waar geen pantserreus bij schijnt te staan. Maar als we met Foechoer daarheen vliegen zullen ze ons vast en zeker zien. De gevangenen zitten waarschijnlijk in de kelder, ik heb tenminste van heel diep een lang aanhoudende kreet van pijn gehoord.'

Ingespannen dacht Bastiaan na. Toen fluisterde hij: 'Ik zal proberen dat dakraam te bereiken. Intussen moeten Foechoer en jij de schildwachten afleiden. Doe maar iets waardoor ze het idee krijgen dat wij de toegangspoort aanvallen. Jullie moeten ze allemaal hierheen lokken. Maar alleen lokken, begrijp me goed! Ga niet vechten! Intussen zal ik dan proberen aan de achterkant van de hand naar boven te klimmen. Houd die kerels zo lang mogelijk bezig. Maar neem geen enkel risico! Geef me een paar minuten voor je begint.'

Atréjoe knikte en gaf hem een hand. Daarop deed Bastiaan zijn zilveren mantel af en sloop weg door het duister. In een grote halve kring sloop hij om het slot heen. Hij was net aan de achterkant gekomen, toen hij Atréjoe heel hard hoorde roepen: 'Hé daar! Kennen jullie Bastiaan Balthazar Boeckx, de redder van Fantásië? Hij is hier, maar niet om Xayiede om genade te vragen, maar om haar nog één kans te geven de gevangenen vrijwillig vrij te laten. Alleen op die voorwaarde zal zij haar schandelijk leven kunnen behouden!'

Bastiaan kon vanuit het struikgewas nog net om de hoek van het slot kijken. Atréjoe had de zilveren mantel om zijn schouders gelegd en zijn blauwzwarte haren om zijn hoofd gewonden als een tulband. Iemand die hen geen van beiden goed kende zou Atréjoe inderdaad voor Bastiaan kunnen aanzien.

Even schenen de zwarte pantserkolossen niet te weten wat ze moesten doen, maar dat duurde slechts kort. Toen kwamen ze op Atréjoe af – je hoorde het metalen gestamp van hun voetstappen. Ook de schaduwen voor de ramen kwamen nu in beweging. Ze verlieten hun post om te zien wat er aan de hand was. Anderen kwamen massaal de toegangspoort uit. Toen de eersten Atréjoe bijna bereikt hadden ontweek hij hen zo snel als een wezel en het volgende moment dook hij boven hun hoofden op, zittend op Foechoer. De pantserreuzen zwaaiden met hun zwaarden in de lucht en sprongen omhoog, maar ze konden niet bij hem komen.

Bastiaan glipte vliegensvlug op het slot af en begon de gevel te beklimmen. Hier en daar kwamen de vensterbanken en uitstekende muurgedeelten hem te hulp, maar meestentijds kon hij zich alleen nog met de topjes van zijn vingers vasthouden. Hij klauterde hoger en hoger. Een keer brokkelde een stukje muur af waar zijn voet op steunde en hing hij secondenlang slechts aan één hand. Maar hij trok zich op, kon houvast vinden voor zijn andere hand en klom weer verder. Toen hij tenslotte de torens bereikt had ging het vlugger, want ze stonden zo dicht bij elkaar, dat hij zich daartussen omhoog kon drukken. Uiteindelijk had hij het dakraam bereikt en hij glipte naar binnen. En inderdaad, in deze torenkamer bevond zich geen wachtpost, om wat voor reden dan ook. Hij deed de deur open en zag een nauwe wenteltrap voor zich. Geruisloos begon hij die af te gaan. Toen hij een verdieping lager kwam, zag hij hoe twee zwarte schildwachten zwijgend bij een raam stonden te kijken naar wat zich daar in de diepte afspeelde. Het lukte hem om achter hen om te sluipen, zonder dat zij het merkten.

Via andere trappen, overlopen en gangen sloop hij verder. Eén ding was zeker: deze pantserreuzen mochten als vechters dan onoverwinnelijk zijn, als schildwachten stelden ze niet veel voor.

Eindelijk kwam hij in de kelderverdieping. Hij merkte het onmiddellijk aan de benauwde, muffe lucht en de kou die hem tegemoetkwamen. Gelukkig waren de bewakers hier kennelijk allemaal naar boven gehold om de vermeende Bastiaan Balthazar Boeckx te vangen. In elk geval was er niet één te zien. Er waren fakkels in de muren gestoken die de weg voor hem verlichtten. Steeds verder ging het naar beneden. Het kwam Bastiaan voor alsof er evenveel verdiepingen onder de grond als daarboven waren. Eindelijk had hij de laagste bereikt en daar zag hij ook al de kerker waarin Huukrion, Huusbald en Huudorn wegkwijnden. En wat hij zag was ten hemel schreiend.

Vastgebonden aan hun polsen hingen zij aan lange, ijzeren kettingen boven een put, die een zwart, bodemloos gat scheen te zijn. De kettingen liepen over katrollen aan de zoldering van de kerker naar een windas, maar deze was vergrendeld door een groot, stalen hangslot waar geen beweging in te krijgen was. Bastiaan stond er met de handen in het haar bij.

De drie gevangenen hadden hun ogen dicht, alsof ze bewusteloos waren. Huudorn, de taaie, opende zijn linkeroog en mompelde toen met droge lippen: 'Hé, vrienden, kijk eens wie we hier hebben!'

De beide anderen sloegen nu ook moeizaam hun ogen op en er gleed, toen ze Bastiaan zagen, een lachje over hun lippen.

'We wisten dat u ons niet in de steek zou laten, heer,' kreunde Huukrion.

'Hoe kan ik jullie omlaaghalen?' vroeg Bastiaan. 'De windas zit op slot.'

'Pak uw zwaard toch,' opperde Huusbald, 'en hak gewoon de kettingen door.'

'Zodat we in de afgrond vallen?' vroeg Huukrion. 'Dat lijkt me geen bijzonder goed plan.'

'Ik kan mijn zwaard niet trekken,' zei Bastiaan, 'want Sikánda moet mij uit zichzelf in de hand vliegen.'

'Hmmm,' gromde Huudorn, 'dat is nu zo lastig met toverzwaarden. Wanneer je ze nodig hebt zijn ze eigenwijs.'

'Hé!' fluisterde Huusbald opeens. 'Er was toch een sleutel voor die windas. Waar zouden ze die verstopt hebben?'

'Er lag ergens een losse, platte steen,' zei Huukrion. 'Ik kon het niet zo goed zien toen ze me omhoog hesen.'

Bastiaan keek aandachtig om zich heen. Het licht was zwak en flakkerde. Maar toen hij hier en daar eens rondgekeken had ontdekte hij op de grond een platte steen die een beetje scheef lag. Hij tilde hem voorzichtig op en ja hoor, daar lag de sleutel.

Nu kon hij het grote slot aan de windas openmaken en eraf halen. Langzaam begon hij te draaien, maar dat bracht zo'n luid gekraak en geknars met zich mee dat het zeker in de erboven liggende kelderverdiepingen nog te horen moest zijn. Als de pantserreuzen niet volslagen doof waren moesten ze nu gealarmeerd zijn. Maar het had nu ook geen zin meer ermee op te houden. Bastiaan draaide verder tot de drie heren ter hoogte van de rand van het gat zweefden. Ze begonnen heen en weer te zwaaien en bereikten uiteindelijk met hun voeten de vaste grond. Toen dit gebeurd was liet Bastiaan de kettingen helemaal vieren. Uitgeput zakten ze in elkaar en bleven liggen waar ze terecht gekomen waren. En nog steeds zaten de dikke kettingen om hun polsen.

Bastiaan had nu niet veel tijd meer voor overleg, want nu waren er metalen, stampende voetstappen te horen die de stenen keldertreden afkwamen, eerst een paar, en vervolgens meer, almaar meer. De wachten kwamen er aan. Hun harnassen glommen in het fakkellicht als de pantsers van reusachtige insekten. Ze trokken hun zwaarden, allen met dezelfde beweging en kwamen op Bastiaan af, die achter de smalle ingang van de kerker was blijven staan.

En nu, eindelijk, schoot Sikánda uit zijn roestige schede en legde zich in zijn hand. Als een bliksemschicht vloog het lichte zwaard op de eerste pantserreus af en voor Bastiaan zelf goed en wel begrepen had wat er gebeurde was de reus in stukken gehouwen. En nu bleek wat er met deze knapen aan de hand was: ze waren hol, ze bestonden alleen uit pantsers die uit zichzelf bewogen. Binnenin hadden ze niets, waren ze leeg.

Bastiaan was in een uitstekende positie, want doordat de toegang tot de kerker zo smal was konden ze slechts één voor één dichterbij komen en de een na de ander werd door Sikánda aan mootjes gehakt. Weldra lagen ze in hopen op de vloer, als de zwarte eierschalen van een reusachtige vogel. Nadat er zo'n twintig van hen vermorzeld waren, schenen de anderen hun strategie te veranderen. Ze trokken zich terug, kennelijk om Bastiaan op een voor hun gunstiger plek op te wachten.

Bastiaan maakte van de gelegenheid gebruik om vlug de kettingen om de polsen van de drie heren met Sikánda door te zagen. Moeizaam kwamen Huukrion en Huudorn overeind en probeerden hun eigen zwaarden, die hun wonderlijk genoeg niet waren afgenomen, te trekken om Bastiaan bij te staan, maar hun handen waren door het lange hangen gevoelloos geworden en wilden niet meer gehoorzamen. Huusbald, de tengerste van de drie, was nog niet eens in staat op eigen kracht op te staan. Zijn beide metgezellen moesten hem steunen.

'Wees maar niet bezorgd,' zei Bastiaan, 'Sikánda heeft geen hulp nodig. Blijf achter mij en bezorg me geen extra moeilijkheden door te proberen mij te helpen.'

Ze liepen de kerker uit. Langzaam gingen ze de trap op, kwamen in een grote, zaalachtige ruimte – en hier doofden opeens alle fakkels. Maar Sikánda straalde een helder licht uit.

Weer hoorden zij de metalen, stampende voetstappen van vele pantserkolossen dichterbijkomen.

'Vlug!' zei Bastiaan. 'Terug de trap op! Ik verdedig me hier!'

Hij kon niet zien of de drie zijn bevel opvolgden en hij had ook niet de tijd om zich ervan te overtuigen, want het zwaard Sikánda begon alweer te dansen in zijn hand. En het felle, witte licht dat het uitstraalde, verlichtte de hal alsof het daglicht was. Hoewel de aanvallers hem van de ingang terugdrongen naar de trap, zodat zij hem van alle kanten konden belagen, werd Bastiaan door geen van hun geweldige houwen geraakt. Het zwaard Sikánda draaide zo snel om hem heen, dat het op wel honderden zwaarden leek die je niet meer van elkaar onderscheiden kon. En tenslotte stond hij tussen de puinhopen van kapotgeslagen zwarte harnassen. Niets bewoog zich meer.

'Kom mee!' riep Bastiaan naar zijn metgezellen.

De drie heren kwamen uit de trapopening en keken stomverbaasd.

'Zo iets,' zei Huukrion en zijn grote snor trilde, 'heb ik nog nooit gezien! Goeie genade!'

'Ik zal er mijn kleinkinderen nog over vertellen,' stamelde Huusbald.

'En die zullen het helaas niet willen geloven,' voegde Huudorn er spijtig aan toe.

Weifelend stond Bastiaan met het zwaard in zijn hand, maar plotseling schoot het terug in de schede.

'Het gevaar schijnt voorbij te zijn,' zei hij.

'Het gevaar dat met het zwaard te overwinnen is in elk geval wel,' was Huudorns mening. 'En wat doen we nu?'

'Nu,' antwoordde Bastiaan, 'zou ik Xayiede persoonlijk willen leren kennen. Ik zou haar wel eens wat willen zeggen.'

Met zijn vieren gingen ze nu de trappen van de kelderverdiepingen op tot ze op de begane grond kwamen. Hier stonden, in een soort vestibule, Atréjoe en Foechoer hen op te wachten.

'Prima gedaan, jullie!' zei Bastiaan en klopte Atréjoe op de schouder.

'Hoe zat dat nu met die pantserreuzen?' wilde Atréjoe weten.

'Lege notedoppen!' antwoordde Bastiaan achteloos. 'Waar is Xayiede?'

'Boven in de toverzaal,' antwoordde Atréjoe.

'Kom mee!' zei Bastiaan. Hij deed de zilveren mantel weer om, die Atréjoe voor hem ophield. Daarna gingen ze allemaal samen de brede stenen trap naar de hogere verdiepingen op. Zelfs Foechoer ging mee.

Toen Bastiaan met zijn gevolg de grote toverzaal binnenstapte, verhief Xayiede zich van een troon die gemaakt was van rood koraal. Ze was veel groter dan Bastiaan en erg mooi. Ze droeg een lang kleed van violette zijde en haar haren waren vuurrood en hoog opgemaakt tot een hoogst merkwaardig kapsel van vlechten en knotjes. Haar gezicht was wit als marmer, evenals haar lange, smalle handen. Ze had een vreemde, verwarrende blik in haar ogen en het duurde even voor Bastiaan zag waardoor dat kwam. Het bleek dat ze twee verschillende ogen had, een groen en een rood. Ze scheen bang te zijn voor Bastiaan, want ze beefde. Bastiaan trotseerde haar blik en ze sloeg haar lange wimpers neer.

Het vertrek stond vol met allerlei eigenaardige voorwerpen, waarvan het doel slechts te raden was: grote globes met plaatjes erop, sterrenklokken en slingertoestellen die aan de zoldering hingen. Daartussen stonden kostbare schalen, waaruit dichte wolken rook in verschillende kleuren opwelden, die als een nevel over de vloer kropen.

Tot nu toe had Bastiaan nog geen woord gezegd. En dit scheen Xayiede van haar stuk te brengen, want plotseling liep ze op hem toe en wierp zich voor hem op de grond. Vervolgens pakte ze een van zijn voeten en plaatste die zelf op haar nek.

'Mijn heer en mijn meester,' zei ze met een stem die diep en fluweelzacht en op een eigenaardige manier versluierd klonk, 'u kan niemand in Fantásië weerstaan. U bent machtiger dan alle machtigen en gevaarlijker dan alle demonen. Als het u zint wraak op mij te nemen omdat ik dwaas genoeg was om uw grootheid niet te kennen, dan mag u mij met uw voet vertrappen. Ik heb uw toorn verdiend. Indien u echter de grootmoedigheid waarom u befaamd bent, ook ten aanzien van mij, onwaardige, wilt bewijzen, sta dan toe dat ik mij als gehoorzame slavin aan u onderwerp en dat ik zweer u met alles wat ik ben, wat ik heb en wat ik kan, te dienen. Leer mij te doen wat u voor wenselijk houdt en ik wil uw deemoedige leerling zijn en elke wenk van uw ogen gehoorzamen. Ik heb berouw over wat ik u aan wilde doen en smeek u genadig te zijn.'

'Sta op, Xayiede!' zei Bastiaan. Hij was woedend op haar geweest, maar de toespraak van de tovenares was bij hem in goede aarde gevallen. Als ze werkelijk enkel zo gehandeld had omdat ze hem niet kende en als het haar inderdaad zo bitter berouwde, dan was het toch beneden zijn waardigheid haar nu nog te bestraffen. En omdat ze immers zelfs bereid was van hem te leren wat hij voor wenselijk hield, was er eigenlijk helemaal geen reden om haar verzoek af te wijzen.

Xayiede was weer overeind gekomen en stond met gebogen hoofd voor hem.

'Wil je mij onvoorwaardelijk gehoorzamen,' vroeg hij, 'ook al valt het je nog zo moeilijk wat ik van je vraag – zonder tegenspraak en zonder morren?'

'Dat wil ik, heer en meester,' antwoordde Xayiede, 'en u zult zien dat we alles kunnen als we mijn kunst met uw macht verenigen.'

'Goed,' antwoordde Bastiaan, 'dan neem ik je in dienst. Je zult dit slot verlaten en met mij naar de Ivoren Toren reizen, waar ik Maankind hoop te ontmoeten.'

Gedurende een onderdeel van een seconde lichtten de ogen van Xayiede rood en groen op, maar onmiddellijk liet ze haar lange wimpers weer zakken en zei: 'Ik gehoorzaam, heer en meester.'

Allemaal gingen ze naar beneden en liepen het slot uit.

'We moeten nu eerst onze andere reisgenoten terugvinden,' besloot Bastiaan. 'Maar wie weet waar ze nu zijn.'

'Niet erg ver hier vandaan,' zei Xayiede, 'ik heb ze een beetje op een dwaalspoor gebracht.'

'Dat was dan voor het laatst,' zei Bastiaan.

'Voor het laatst, heer,' herhaalde zij. 'Maar hoe moeten we daar komen? Moet ik te voet gaan? 's Nachts en door dit bos?'

'Foechoer neemt ons op zijn rug,' gebood Bastiaan. 'Hij is sterk genoeg om ons allemaal te dragen.'

Foechoer hief zijn kop op en keek Bastiaan aan. Zijn robijnrode ogen fonkelden.

'Heus, ik ben sterk genoeg, Bastiaan Balthazar Boeckx,' galmde zijn bronzen stem, 'maar dit vrouwspersoon wil ik niet dragen.'

'En toch zul je het doen,' zei Bastiaan, 'omdat ik het gebied!'

De geluksdraak keek Atréjoe aan en deze knikte hem heimelijk toe. Maar Bastiaan had het toch gezien.

Allen namen plaats op de rug van Foechoer, die meteen opsteeg.

'Waarheen?' vroeg hij.

'Gewoon rechtuit!' zei Xayiede.

'Waarheen?' vroeg Foechoer nog eens, alsof hij niets gehoord had.

'Rechtuit!' riep Bastiaan. 'Je hebt het best gehoord!'

'Doe het nou maar!' zei Atréjoe zachtjes. En Foechoer deed het.

Een halfuur later – de dageraad begon reeds te gloren – zagen ze onder zich een massa kampvuren en de geluksdraak maakte een landing. Inmiddels waren er nieuwe Fantásiërs bijgekomen en veel van hen hadden tenten meegebracht. Het kamp leek helemaal op een tentendorp, zoals het zich daar aan de rand van het orchideeënbos op een ruim, met bloemen bedekt stuk grasland uitstrekte.

'Hoeveel zijn het er nu al bij elkaar?' wilde Bastiaan weten en

Illoeán, de blauwe djinn, die in de tussentijd de stoet had aangevoerd en nu naar voren kwam om hen te begroeten, deelde mee dat men de deelnemers nog niet precies had kunnen tellen, maar dat het er zeker tegen de duizend waren. En voorts was er nog iets anders, iets nogal vreemds: kort nadat zij het kamp hadden opgezet, dus nog voor middernacht, waren vijf van die pantserkolossen verschenen. Ze hadden zich echter vreedzaam gedragen. Natuurlijk had niemand het gewaagd dichtbij hen te komen. En ze hadden een grote draagstoel van rood koraal met zich meegedragen, die echter leeg was.

'Dat zijn mijn dragers,' zei Xayiede op smekende toon tegen Bastiaan. 'Ik heb ze gisterenavond vooruitgestuurd. Het is de prettigste manier van reizen. Als u het mij toestaat, heer.'

'Dat bevalt me niet,' viel Atréjoe haar nu in de rede.

'Waarom niet?' vroeg Bastiaan. 'Wat heb je er tegen?'

'Ze mag reizen zoals ze wil,' antwoordde Atréjoe fel, 'maar dat ze de draagstoel gisterenavond al op pad gestuurd heeft, duidt erop dat ze van te voren wist dat ze hier zou komen. Ze heeft het allemaal van te voren zo opgezet, Bastiaan. Je overwinning is in werkelijkheid een nederlaag. Ze heeft je opzettelijk laten overwinnen om jou op haar manier voor zichzelf te winnen.'

'Houd op!' schreeuwde Bastiaan rood van kwaadheid. 'Ik heb jou niet om je mening gevraagd! Die eeuwige bemoeizucht van jou, daar word ik nog eens ziek van! Nu wil je me ook nog mijn overwinning betwisten en mijn grootmoedigheid belachelijk maken!'

Atréjoe wilde hierop antwoorden, maar Bastiaan voer tegen hem uit: 'Houd je mond en laat me met rust! Als het jullie tweeën niet bevalt wat ik doe en hoe ik ben, ga dan toch je eigen weg! Ik zal jullie niet tegenhouden! Ga waarheen je wilt! Ik heb genoeg van jullie!'

Bastiaan kruiste de armen voor de borst en draaide Atréjoe zijn rug toe. De mensenmenigte om hen heen hield de adem in. Even bleef Atréjoe rechtop en zwijgend staan. Tot nu toe had Bastiaan hem nog nooit in het bijzijn van anderen terechtgewezen. Zijn keel zat zo dichtgeknepen dat hij maar met moeite adem kon halen. Even wachtte hij nog, maar omdat Bastiaan zich niet meer naar hem omdraaide, keerde hij zich langzaam af en liep weg. Foechoer volgde hem.

Xayiede lachte. Het was geen prettig lachje.

In Bastiaan was echter op dit moment de herinnering uitgewist dat hij in zijn wereld een kind was geweest.

[U]

Het Sterrenklooster

U IT alle streken van Fantásië sloten zich zonder onderbreking nieuwe afgezanten aan bij de massa wezens die Bastiaan op zijn tocht naar de Ivoren Toren begeleidde. Tellingen bleken van geen nut, want nauwelijks was men er mee klaar of er waren alweer nieuwe bijgekomen. Een leger van vele duizenden zette zich iedere morgen in beweging en wanneer er gepauzeerd werd was het kampement het meest uitzonderlijke tentendorp dat men zich kan indenken.

Omdat Bastiaans reisgenoten niet alleen in uiterlijk, maar ook in grootte van elkaar verschilden, waren er tenten met de afmetingen van een circustent, en ook tenten die niet groter waren dan een vingerhoed. Ook de karren en voertuigen waarmee de afgezanten reisden waren veel uiteenlopender dan te beschrijven valt, variërend van heel gewone huifkarren en rijtuigen tot de uiterst vreemde rollende tonnen, dansende kogels of zelfstandig voortkruipende kisten op poten.

Voor Bastiaan had men intussen ook een tent laten aanrukken en die was de fraaiste van allemaal. Hij had de vorm van een huisje, was gemaakt van glanzende, kleurrijke zijde en om en om met gouden en zilveren voorstellingen bestikt. Op het dak woei een standaard met als wapen een zevenarmige kandelaar. Het interieur was zacht bekleed met tapijten en kussens. Waar het legerkamp ook opgezet werd, steeds stond deze tent in het midden. En de blauwe djinn, die inmiddels zo iets als Bastiaans kamerdienaar en lijfwacht was geworden, stond op wacht bij de ingang.

Atréjoe en Foechoer bevonden zich nog onder degenen die Bastiaan begeleidden, maar sinds de openlijke berisping had hij geen woord meer met ze gewisseld. Heimelijk wachtte Bastiaan erop dat Atréjoe toe zou geven en om vergeving vragen. Maar Atréjoe deed niets van dit alles. Ook Foechoer scheen niet bereid te zijn Bastiaan te respecteren. En dat, vond Bastiaan, moesten ze nu maar eens leren!

Wanneer het erop aankwam wie het zo het langst kon uithouden, dan zouden die twee uiteindelijk moeten inzien dat zijn wil onbuigzaam was. Maar als zij het hoofd zouden buigen zou hij hen met open armen tegemoet treden. Wanneer Atréjoe voor hem neerknielde, zou hij hem doen opstaan en zeggen: je moet niet voor mij knielen, Atréjoe, want je bent en blijft mijn vriend...

Maar vooralsnog trokken die beiden als laatsten met de stoet mee. Foechoer scheen het vliegen verleerd te hebben en ging te voet en Atréjoe liep naast hem, meestal met gebogen hoofd. Vroeger zouden zij de stoet als voorhoede door de lucht zijn vooruitgesneld om de omgeving te verkennen, maar nu marcheerden ze in de achterhoede. Bastiaan was daar niet blij mee, maar hij kon er niets aan veranderen.

Als het leger onderweg was reed Bastiaan meestal aan het hoofd op de muilezelin Jicha. Steeds vaker kwam het echter voor dat hij daar geen zin in had en in plaats daarvan Xayiede opzocht in haar draagstoel. Zij ontving hem steeds met het grootste respect, liet hem de beste plaats en zette zich aan zijn voeten. Steeds had ze weer een interessant onderwerp van gesprek, en ze vermeed het hem over zijn verleden in de mensenwereld te vragen toen ze merkte dat hij het onprettig vond daarover te praten. Bijna voortdurend rookte zij uit een oosterse waterpijp, die naast haar stond. De slang die eraan zat leek op een smaragdgroene adder en het mondstuk dat ze tussen haar lange marmerwitte vingers hield was net een slangekop. Wanneer ze eraan trok was het alsof ze hem kuste. De rookwolkjes die ze genotzuchtig uit mond en neus blies hadden bij elke trek een andere kleur, soms blauw, soms geel, dan weer roze, groen of lila.

'Ik wilde je al lang eens wat vragen, Xayiede,' zei Bastiaan tijdens een van zijn bezoeken, en hij keek daarbij peinzend naar de kolossen in hun zwarte insektenpantsers die in een volkomen gelijke stap de draagstoel droegen.

'Uw slavin luistert,' antwoordde Xayiede.

'Toen ik met je pantserreuzen vocht,' zei Bastiaan, 'merkte ik dat ze slechts uit harnassen bestaan en van binnen hol zijn. Hoe kunnen ze zich eigenlijk bewegen?'

'Door mijn wil,' antwoordde Xayiede lachend. 'Juist omdat ze hol zijn gehoorzamen ze mijn wil. Alles wat leeg is kan door mijn wil bestuurd worden.'

Met haar tweekleurige ogen nam zij Bastiaan op.

Bastiaan voelde zich vaag verontrust door haar blik, maar ze had haar wimpers al weer neergeslagen.

'Zou ik ze ook met mijn wil kunnen besturen?' vroeg hij.

'Zeer zeker, mijn heer en meester,' luidde haar antwoord, 'en honderd maal beter dan ik, die met u vergeleken niets ben. Wilt u het eens proberen?'

'Nu niet,' antwoordde Bastiaan, die het een nogal onbehaaglijke situatie vond. 'Misschien een andere keer.'

'Vindt u het echt fijner,' ging Xayiede verder, 'om op een oude muilezelin te rijden dan gedragen te worden door schepsels die zich door uw wil voortbewegen?'

'Jicha heeft me graag op haar rug,' zei Bastiaan wat wrevelig. 'Ze is blij dat zij me dragen mag.'

'Dan doet u het dus om haar?'

'Waarom niet?' antwoordde Bastiaan. 'Wat is daar verkeerd aan?'

Xayiede blies groene rook uit haar mond.

'O, niets, heer. Hoe zou iets dat u doet verkeerd kunnen zijn?'

'Waar doel je op, Xayiede?'

Ze boog het hoofd met het vuurrode haar.

'U denkt veel te veel aan anderen, heer en meester,' fluisterde ze. 'Maar niemand is het waard uw aandacht van uw eigen belangrijke ontwikkeling af te leiden. Als u niet kwaad op me wordt, o heer, dan waag ik het u een raad te geven: denk meer aan uw volmaaktheid!'

'Wat heeft dat met de oude Jicha te maken?'

'Niet veel, heer, bijna helemaal niets. Alleen – zij is geen waardig rijdier voor iemand als u. Het doet me pijn u op de rug van een zo – gewoon dier te zien. Al uw reisgenoten verwonderen zich daarover. Alleen u, heer en meester, weet als enige niet wat u aan uzelf verplicht bent.'

Bastiaan antwoordde niet, maar de woorden van Xayiede hadden indruk op hem gemaakt.

Toen het leger met Bastiaan en Jicha voorop de volgende dag door een schitterend weidelandschap trok dat af en toe onderbroken werd door kleine bosjes geurende vlier, maakte hij van de middagpauze gebruik om het voorstel van Xayiede uit te voeren.

'Luister eens, Jicha,' zei hij, en aaide de muilezelin de hals, 'het moment is gekomen dat wij uit elkaar moeten gaan.'

Jicha uitte een smartelijke kreet.

'Waarom, heer?' vroeg zij klagend. 'Heb ik mijn werk dan zo slecht gedaan?' Uit de hoeken van haar donkere ogen liepen tranen.

'Welnee,' haastte Bastiaan zich haar te troosten. 'Integendeel, jij hebt me deze hele, lange weg zo zacht gedragen en je was zo geduldig en gewillig, dat ik je nu als dank belonen wil.'

'Ik wil geen ander loon,' antwoordde Jicha, 'ik wil u verder dragen. Kan ik me iets grootsers wensen?'

'Zei je niet dat je er verdrietig over bent,' vervolgde Bastiaan, 'dat dieren als jullie geen kinderen kunnen krijgen?'

'Ja,' antwoordde Jicha bedroefd, 'omdat ik ze graag als ik erg oud geworden ben over deze tijd zou willen vertellen.'

'Wel,' zei Bastiaan, 'dan zal ik je nu een verhaal vertellen dat waar gaat worden. En ik wil het alleen aan jou, aan jou alleen vertellen, want het is van jou.'

Daarop pakte hij Jicha's lange oor en fluisterde daarin: 'Niet ver van hier, in een vlierbosje, wacht de vader van je zoon op jou. Het is een witte hengst met vleugels van zwaneveren. Zijn manen en zijn staart zijn zo lang dat ze de grond raken. Al dagen is hij ons in het geheim gevolgd omdat hij onsterfelijk verliefd op je is.'

'Op mij?' riep Jicha uit, haast geschrokken. 'Maar ik ben toch maar een muilezelin en jong ben ik ook niet meer!'

'Voor hem,' zei Bastiaan zacht, 'ben jij het mooiste wezen in Fantásië, juist omdat je bent zoals je bent. En misschien ook omdat je mij gedragen hebt. Maar hij is erg schuw en mist de moed je hier met al deze wezens erbij te benaderen. Je moet naar hem toe gaan, anders sterft hij nog van verlangen.'

'Ach, mijn hemeltje!' zei Jicha, niet wetend wat te doen. 'Is het zo erg?'

'Ja,' fluisterde Bastiaan haar in het oor. 'En nu, vaarwel, Jicha! Ga naar hem toe, je zult hem vinden.'

Jicha deed een paar stappen, maar draaide zich nog een keer naar Bastiaan om.

'Om eerlijk te zijn,' zei ze, 'ben ik wel een beetje bang.'

'Niet nodig!' zei Bastiaan lachend. 'En vergeet niet je kinderen en kleinkinderen over mij te vertellen.'

'Dank, heer!' antwoordde Jicha op haar simpele wijze en liep toen van hem vandaan.

Lang bleef Bastiaan haar staan nakijken terwijl ze verder sjokte en hij voelde zich niet echt blij dat hij haar had weggestuurd. Hij stapte zijn fraaie tent binnen, ging op de zachte kussens liggen en tuurde naar het plafond. Steeds weer zei hij tegen zichzelf dat hij Jicha's grootste wens vervuld had. Maar dat deed zijn sombere stemming niet verdwijnen. Het is immers heel belangrijk wanneer en waarom men iemand een plezier doet.

Dit was echter alleen voor Bastiaan van belang, want Jicha vond inderdaad de sneeuwwitte, gevleugelde hengst en vierde bruiloft met hem. En later kreeg ze een zoon, die een witte, gevleugelde muilezel was en Pataplán werd genoemd. Hij deed nog veel van zich horen in Fantásië, maar dat is een ander verhaal en moet een andere keer maar eens verteld worden.

Vanaf die dag reisde Bastiaan in de draagstoel van Xayiede verder. Ze had hem zelfs aangeboden uit te stappen en er naast te gaan lopen om hem alle denkbare gemak te verschaffen, maar dat had Bastiaan niet willen aannemen. En dus zaten zij nu samen in de ruime koralen draagstoel die aan het hoofd van de stoet ging.

Bastiaan was nog steeds wat ontstemd, ook tegenover Xayiede die hem immers aangeraden had zich van de muilezelin te ontdoen. En Xayiede had dit heel vlug door.

Om hem op te vrolijken zei ze opgewekt: 'Ik zou u iets ten geschenke willen geven, mijn heer en meester, als u zo genadig wilt zijn het van mij aan te nemen.'

Vanonder het zitkussen haalde zij een uiterst fraai versierd kistje te voorschijn. Vol verwachting ging Bastiaan rechtop zitten. Zij deed het kistje open en pakte er een smalle gordel uit die uit bewegende schakels bestond. Elke schakel en ook de sluiting waren van doorzichtig glas.

'Wat is dit?' wilde Bastiaan weten.

De gordel tinkelde in haar hand.

'Dit is een gordel die onzichtbaar kan maken. Maar u, heer, moet hem zijn naam geven, opdat hij van u is.'

Bastiaan bekeek hem aandachtig en zei toen: 'Gordel Gemmal.'

Xayiede knikte lachend. 'Nu is hij van u.'

Bastiaan nam de gordel van haar aan en hield hem wat weifelend in de hand.

'Wilt u hem niet meteen proberen om u ervan te overtuigen dat hij werkt?' vroeg ze.

Bastiaan deed de gordel om en voelde dat hij als gegoten zat. Hij voelde het alleen want hij kon zichzelf niet meer zien, zijn lichaam niet, zijn voeten niet, zijn handen niet. Het was een hoogst onprettig gevoel en hij probeerde het slot meteen weer open te maken. Maar omdat hij noch de gordel noch zijn handen kon zien, lukte het hem niet.

'Help!' riep hij met verstikte stem. Plotseling was hij bang de gordel nooit meer af te kunnen doen en voor altijd onzichtbaar te moeten blijven.

'U moet eerst leren ermee om te gaan,' zei Xayiede, 'mij is het ook zo vergaan, mijn heer en gebieder. Laat mij u helpen!'

Ze greep in de lucht en in een oogwenk had ze de gordel Gemmal losgemaakt en kon Bastiaan zichzelf weer zien. Hij slaakte een zucht van verlichting. Toen schoot hij in de lach en ook Xayiede moest lachen terwijl ze aan het slangemondstuk van haar waterpijp zoog.

In elk geval had ze zijn gedachten afgeleid.

'Nu bent u beter beschermd tegen kwaadwilligheid,' zei ze zacht. 'En dat betekent meer voor me dan ik u zeggen kan, heer.'

'Kwaadwilligheid?' informeerde Bastiaan, nog steeds wat confuus. 'Wat voor kwaadwilligheid dan wel?'

'O, niemand is tegen u opgewassen,' fluisterde Xayiede, 'althans niet als u wijs bent. Het gevaar huist in uzelf en daarom is het moeilijk u ertegen te beschermen.'

'Wat bedoel je daarmee – in mijzelf?' wilde Bastiaan weten.

'Wijs is het boven de dingen te staan, niemand te haten en niemand lief te hebben. Maar u, heer, stelt nog steeds prijs op vriendschap. Uw hart is niet koel en onverschillig als een besneeuwde bergtop – en daarom kan iemand u schade berokkenen.'

'En wie zou dat dan zijn?'

'Hij, die u in weerwil van al zijn arrogantie nog steeds bent toegedaan, heer.'

'Wees duidelijker!'

'Die brutale en oneerbiedige kleine wilde uit de stam van de Groenhuiden, heer.'

'Atréjoe?'

'Ja, en met hem die onbeschaamde Foechoer.'

'En die twee zouden mij kwaad willen doen?' Bastiaan moest er haast om lachen.

Xayiede had haar hoofd gebogen.

'Dat geloof ik nooit en te nimmer,' vervolgde Bastiaan. 'Ik wil daar niets meer over horen.'

Xayiede gaf geen antwoord en boog haar hoofd nog dieper.

Toen er lange tijd gezwegen was vroeg Bastiaan: 'En wat zou dat dan moeten zijn wat Atréjoe tegen mij in zijn schild voert?'

'Heer,' fluisterde Xayiede, 'ik wou dat ik maar niets gezegd had.'

'Zeg dan nu ook maar alles!' riep Bastiaan, 'en maak niet steeds toespelingen! Wat weet je?'

'Ik beef voor uw toorn, heer,' stamelde Xayiede en inderdaad trilde zij over haar hele lichaam, 'maar ook al betekent dit mijn dood, ik wil het u toch zeggen: Atréjoe is van zins het Teken van de Kleine Keizerin van u te stelen – heimelijk, of met geweld.'

Even kon Bastiaan van schrik geen woord meer uitbrengen.

'Kun je dat bewijzen?' vroeg hij met doffe stem.

Xayiede schudde haar hoofd en mompelde: 'Mijn vorm van weten, heer, is er niet een die zich bewijzen laat.'

'Houd het dan voor je!' zei Bastiaan en hij werd rood van kwaadheid. 'En spreek geen kwaad van de eerlijkste en dapperste jongen die er in heel Fantásië bestaat!'

Daarop sprong hij uit de draagstoel en liep weg.

Peinzend speelde Xayiede met de slangekop en haar groen-rode ogen glansden. Na een poosje glimlachte ze weer en terwijl ze violette rook uit haar mond liet komen, fluisterde ze: 'U zult het zien, mijn heer en meester. De gordel zal het u bewijzen.'

Toen het kamp voor de nacht werd opgezet, ging Bastiaan naar zijn tent. Hij gaf Illoeán, de blauwe djinn, de opdracht niemand binnen te laten en in geen geval Xayiede. Hij wilde alleen zijn en nadenken.

Wat de tovenares over Atréjoe verteld had vond hij nauwelijks het overwegen waard. Maar iets anders hield zijn gedachten bezig: die paar woorden die zij over het wijs zijn had laten vallen.

Hij had al heel veel beleefd, angsten en vreugden, verdriet en triomf, van de ene vervulde wens had hij zich naar de volgende gehaast en geen moment was hij tot rust gekomen. Niets had hem onbezorgd en tevreden gemaakt. Maar wijs zijn, dat wilde zeggen verheven zijn boven vreugde en verdriet, boven angst en medelijden, boven eerzucht en gekrenkt worden. Wijs zijn betekende dat je boven alle dingen stond, dat je niets en niemand haatte of liefhad, maar ook dat je je er niets van aantrok of je werd afgewezen of bemind door anderen. Wie echt wijs was, liet alles onverschillig. Die was onbereikbaar en niets kon hem meer deren. Ja, zo te zijn, dat was iets dat je je wensen zou! Bastiaan was ervan overtuigd hiermee bij zijn laatste wens te zijn gekomen, die laatste wens die hem zou brengen bij wat hij wezenlijk wilde, zoals Graógramán had gezegd. Nu meende hij begrepen te hebben wat daarmee bedoeld was. Hij wilde een grote wijze zijn, de wijste wijze in heel Fantásië!

Korte tijd later liep hij zijn tent uit.

De maan verlichtte een landschap waaraan hij daarvóór nauwelijks enige aandacht had geschonken. Het tentendorp strekte zich uit in een dal dat in een wijde boog omgeven was door vreemd gevormde bergen. Er heerste een volkomen stilte. In het dal waren nog wat bosjes en struikgewas, meer omhoog tegen de berghellingen werd de begroeiing spaarzamer en nog hoger hield die helemaal op. De rotsen die zich daarboven verhieven vormden allerlei figuren en gaven de indruk door de hand van een reuzenbeeldhouwer opzettelijk zo gevormd te zijn. Het was windstil en er was geen wolkje aan de hemel. Alle sterren glinsterden en leken dichterbij dan anders.

Helemaal in de hoogte, op een van de hoogste bergtoppen, ontdekte Bastiaan iets dat er uitzag als een koepelvormig gebouw. Het was kennelijk bewoond, want het straalde een zwak lichtschijnsel uit.

'Het is mij ook opgevallen, heer,' zei Illoeán met zijn krassende stem. Hij stond op zijn post naast de tent. 'Wat zou het zijn?'

Hij was nog maar nauwelijks uitgesproken toen er heel in de verte een merkwaardige roep te horen was. Het klonk als het langgerekte 'Oehoehoehoe!' van een uil, maar zwaarder en sterker. Daarna klonk de roep een tweede en een derde keer, maar nu meerstemmig.

Het waren inderdaad uilen, een zestal, zoals Bastiaan weldra kon vaststellen. Ze kwamen uit de richting van de bergtop met de koepel erop. Met haast roerloze vleugels kwamen ze aanzeilen. En naarmate ze dichterbij kwamen, waren hun verbazingwekkende afmetingen steeds duidelijker te onderkennen. Ze vlogen met een ongelooflijke snelheid. Hun ogen lichtten fel op en op hun kop hadden ze rechtopstaande oren met donspluimen erop. Hun vlucht was volstrekt geruisloos en toen ze voor Bastiaan neerstreken was het zachte suizen van de slagpennen nauwelijks te horen.

Daar zaten ze nu op de grond, stuk voor stuk groter dan Bastiaan, en draaiden hun koppen met de grote, ronde ogen in alle richtingen. Bastiaan liep naar ze toe.

'Wie zijn jullie en wat willen jullie?'

'We worden gestuurd door Oesjtoe, de Moeder van het Vermoeden,' antwoordde een van de uilen. 'Wij zijn gevleugelde boden van het Sterrenklooster Gigam.'

'Wat is dat voor een klooster?' vroeg Bastiaan.

'Het is het Oord van de Wijsheid,' antwoordde een andere uil, 'waar de Monniken van de Kennis wonen.'

'En wie is Oesjtoe?' vroeg Bastiaan verder.

'Een van de drie Diep Denkenden, die het klooster leiden en de Monniken van de Kennis onderwijzen,' verduidelijkte een derde uil. 'Wij zijn de boden van de Nacht en behoren haar toe.'

'Als het dag was geweest,' voegde een vierde uil eraan toe, 'dan had Sjirkrie, de Vader van het Schouwen, zijn boden gezonden. Dat zijn adelaars. En in het uur van de schemering tussen dag en nacht stuurt Jisipoe, de Zoon van het Verstand, de zijne en dat zijn vossen.'

'Wie zijn Sjirkrie en Jisipoe?'

'De andere twee Diep Denkenden, onze oversten.'

'En wat zoeken jullie hier?'

'We zoeken de Grote Wetende,' zei de zesde uil. 'Het is de drie Diep Denkenden bekend dat hij zich in dit tentendorp bevindt en zij vragen hem om inzicht.'

'De Grote Wetende?' vroeg Bastiaan. 'Wie is dat?'

'Hij heet,' antwoordden de zes uilen allemaal tegelijk, 'Bastiaan Balthazar Boeckx.'

'Dan hebben jullie hem gevonden, want dat ben ik,' antwoordde hij.

Met schokkende bewegingen maakten de uilen een diepe buiging, hetgeen ondanks hun schrikwekkende afmetingen bijna potsierlijk aandeed.

'De drie Diep Denkenden,' zei de eerste uil, 'verzoeken deemoedig en eerbiedig of ge hen wilt komen bezoeken, opdat ge een probleem oplost dat zij in heel hun lange leven niet hebben kunnen oplossen.'

Peinzend wreef Bastiaan over zijn kin.

'Goed,' zei hij uiteindelijk, 'maar dan wil ik wel mijn beide leerlingen meenemen.'

'Wij zijn met zijn zessen,' antwoordde de uil, 'met twee van ons kunnen we een van u dragen.'

Bastiaan keerde zich tot de blauwe djinn.

'Illoeán, ga Atréjoe en Xayiede halen!'

De djinn ging meteen op weg.

'Wat is de vraag die ik beantwoorden moet?' wilde Bastiaan weten.

'Grote Wetende,' zei een van de uilen, 'wij zijn maar arme boden en horen niet eens tot de rang van de Monniken van de Kennis. Hoe zouden wij u de vraag kunnen vertellen die de drie Diep Denkenden in heel hun lange leven niet hebben kunnen beantwoorden?'

Na enkele minuten kwam Illoeán terug met Atréjoe en Xayiede. Onderweg had hij ze vlug duidelijk gemaakt waarom het ging.

Toen Atréjoe voor Bastiaan stond, vroeg hij zachtjes: 'Waarom ik?'

'Ja,' informeerde ook Xayiede, 'waarom ik?'

'Dat wordt jullie nog wel duidelijk,' antwoordde Bastiaan.

Het bleek dat de uilen bij wijze van voorzorg drie trapezes hadden meegebracht. Telkens twee van hen pakten nu met hun klauwen een touw waaraan deze trapezes hingen. Bastiaan, Atréjoe en Xayiede gingen op de stangen zitten en de grote nachtvogels verhieven zich met hen in de lucht.

Toen ze bij het Sterrenklooster Gigam kwamen, bleek dat de grote koepel slechts het bovenste deel was van een heel uitgestrekt gebouw, dat uit vele kubusachtige vleugels bestond. Het had talloze raampjes en stond met de hoge buitenmuren loodrecht boven een afgrond. Voor ongewenste bezoekers was het nauwelijks of niet toegankelijk.

In de kubusachtige vleugels bevonden zich de cellen voor de Monniken van de Kennis, de bibliotheken, de huishoudelijke ruimten en de onderkomens van de boden. Onder de grote koepel lag het auditorium, waarin de drie Diep Denkenden hun colleges gaven.

De Monniken van de Kennis waren Fantásiërs van zeer verschillende gedaante en oorsprong. Maar wilden zij in dit klooster intreden, dan dienden zij ieder contact met hun streek en familie te verbreken. Het leven van deze monniken was streng en vol zelfverloochening en enkel en alleen gewijd aan de wijsheid en de kennis. Lang niet iedereen die dit wilde werd in de gemeenschap opgenomen. Er moesten strenge proeven worden afgelegd en de drie Diep Denkenden waren onverbiddelijk. Zo kon het gebeuren dat hier bijna nooit meer dan driehonderd monniken woonden, maar daardoor vormden die wel een keur van de allerwijsten in Fantásië. Er waren perioden geweest dat de broeder- en zustergemeenschap tot nog maar zeven leden was teruggelopen. Maar dit had aan de strenge toelatingseisen niets veranderd. Op dit moment lag het aantal monniken en nonnen iets boven de tweehonderd.

Toen Bastiaan, gevolgd door Atréjoe en Xayiede, in het grote auditorium werd binnengeleid, zag hij een bonte mengeling van alle mogelijke Fantásische wezens voor zich, die zich enkel van zijn eigen metgezellen onderscheidden doordat zij allemaal, ongeacht hun vorm, gehuld waren in zwartbruine pijen. Je kunt je voorstellen hoe dit er bijvoorbeeld bij de al eerder vermelde zwerfkei of de minuscuul uitzag.

De drie oversten, de Diep Denkenden, hadden echter het lichaam van een mens. Niet menselijk daarentegen waren hun hoofden. Oesjtoe, de Moeder van het Vermoeden, had een uilegezicht. Sjirkrie, de Vader van het Schouwen, had een adelaarskop. En Jisipoe, de Zoon van het Verstand, had de kop van een vos. Zij zaten op hooggeplaatste stenen stoelen en leken daardoor erg groot. Atréjoe en zelfs Xayiede schenen door hun aanblik door schroom bevangen te worden. Maar Bastiaan liep rustig op hen toe. Er hing een diepe stilte in de grote zaal.

Sjirkrie, die kennelijk de oudste van de drie was en in het midden zat, wees met een langzaam handgebaar naar een lege troon, die tegenover hen stond. Bastiaan ging erop zitten.

Nadat er geruime tijd gezwegen was, begon Sjirkrie te spreken. Hij praatte zacht en zijn stem klonk verrassend diep en vol.

'Sinds onheuglijke tijden denken wij na over het raadsel van onze wereld. Jisipoe denkt er anders over dan Oesjtoe vermoedt en het vermoeden van Oesjtoe leert anders dan ik schouw en ik schouw weer anders dan Jisipoe denkt. Zo mag het niet langer blijven. Daarom hebben wij u, de Grote Wetende, gevraagd tot ons te komen en ons te onderwijzen. Wilt u aan ons verzoek voldoen?'

'Ja, dat wil ik,' zei Bastiaan.

'Dan luister, Grote Wetende, naar onze vraag: wat is Fantásië?'

Even bleef Bastiaan zwijgen en antwoordde toen: 'Fantásië is het Oneindige Verhaal.'

'Vergun ons tijd om uw antwoord te begrijpen,' zei Sjirkrie. 'Wij zullen elkaar morgen op hetzelfde uur hier weer ontmoeten.'

Zwijgend ging iedereen staan, de drie Diep Denkenden en ook alle Monniken van de Kennis, en verliet de zaal.

Bastiaan, Atréjoe en Xayiede werden naar gastencellen gebracht, waar voor ieder een eenvoudig maal wachtte. De bedden waren eenvoudige, houten britsen met een grove wollen deken. Voor Bastiaan en Atréjoe maakte dit natuurlijk niets uit, alleen Xayiede had graag voor zichzelf een geriefelijker bed getoverd, maar zij moest vaststellen dat haar magische krachten het in dit klooster lieten afweten.

De volgende nacht verzamelden alle monniken en de drie Diep Denkenden zich op de afgesproken tijd weer in de grote koepelzaal. Bastiaan ging weer op de troon zitten, met Xayiede en Atréjoe links en rechts van hem.

Dit keer was het Oesjtoe, de Moeder van het Vermoeden die Bastiaan met haar grote uileogen aankeek en sprak: 'Wij hebben over uw geleerde woorden nagedacht, Grote Wetende. Maar daardoor is bij ons een nieuwe vraag opgekomen. Als Fantásië het Oneindige Verhaal is, zoals u zegt, waar staat dat Oneindige Verhaal dan beschreven?'

Weer antwoordde Bastiaan niet dadelijk, maar toen zei hij: 'In een boek, dat in koperrode stof gebonden is.'

'Vergun ons de tijd uw woorden te begrijpen,' zei Oesjtoe. 'Wij zullen elkaar hier morgen op hetzelfde uur weer ontmoeten.'

Alles verliep net zo als in de voorafgaande nacht. En in de daarop volgende, toen zij zich allemaal weer in het auditorium verzameld hadden, nam Jisipoe, de Zoon van het Verstand, het woord.

'Ook dit keer hebben wij over uw geleerde woorden nagedacht, Grote Wetende. En weer weten wij geen antwoord op weer een nieuwe vraag. Als onze wereld Fantásië een Oneindig Verhaal is en als dit Oneindige Verhaal in een koperrood boek staat – waar bevindt zich dan dit boek?'

En na een kort zwijgen antwoordde Bastiaan: 'Op de zolder van een schoolgebouw.'

'Grote Wetende,' antwoordde Jisipoe met de vossekop, 'wij twijfelen niet aan de waarheid van hetgeen u ons vertelt. En toch willen wij u vragen ons die waarheid te laten zien. Kunt u dat?'

Bastiaan dacht na en zei toen: 'Ik denk dat ik het kan.'

Verrast keek Atréjoe naar Bastiaan op. Ook Xayiede had een vragende blik in haar tweekleurige ogen.

'Wij zullen elkaar morgennacht op hetzelfde uur weer ontmoeten,' zei Bastiaan. 'Niet hier in het auditorium, maar buiten op de daken van het Sterrenklooster Gigam. En jullie moeten dan aandachtig en zonder ophouden naar de hemel kijken.'

De volgende nacht – die net zo helder was als de drie voorgaande – stonden alle leden van de broederschap, alsmede de drie Diep Denkenden, op het vastgestelde uur op de daken van het klooster en keken met achterover gebogen hoofden naar de nachtelijke hemel. Ook Atréjoe en Xayiede, die geen van beiden wisten wat Bastiaan van plan was, waren erbij.

Bastiaan echter klom naar het hoogste punt van de grote koepel. Toen hij boven stond keek hij ver om zich heen – en op dat moment zag hij voor het eerst, ver, heel ver aan de horizon en sprookjesachtig glanzend in het maanlicht de Ivoren Toren.

Hij haalde uit zijn zak de steen Al'Tsahir, die een zacht licht uitstraalde. Bastiaan riep in zijn geheugen de woorden terug die op de deur van de bibliotheek in Amargánth gestaan hadden:

'…Maar zegt hij mijn naam nog een tweede maal
van eind tot begin,
dan zal ik mijn schijnsel voor honderd jaar uitstralen
in één ogenblik.'

Hij hield de steen omhoog en riep: 'Rihast'la!'

Op hetzelfde ogenblik was er een zo heldere bliksemflits dat de sterrenhemel verbleekte en de aardse ruimte daarachter werd verlicht. En deze ruimte was de zolder van de school met zijn kolossale, door ouderdom zwart geworden balken. En toen was het voorbij. Het licht van honderd jaar was uitgestraald. Al'Tsahir was er niet meer.

Allen, ook Bastiaan, hadden eerst wat tijd nodig voor hun ogen weer aan het zwakke licht van de maan en de sterren waren gewend.

Verpletterd door het visioen kwam iedereen – zwijgend – weer bijeen in de grote zaal. Als laatste kwam Bastiaan binnen. De Monniken van de Kennis en de drie Diep Denkenden gingen staan en maakten een diepe en langdurige buiging voor hem.

'Woorden ontbreken,' zei Sjirkrie, 'waarmee ik u voor het licht van het inzicht zou kunnen danken, Grote Wetende. Want ik heb op die geheimzinnige zolder een wezen van mijn soort gezien, een adelaar.'

'Je vergist je, Sjirkrie,' sprak Oesjtoe met het uilegezicht hem met

307

een mild lachje tegen. 'Ik heb heel goed gezien dat het een uil was.'
'Jullie hebben het allebei mis,' kwam Jisipoe met felle ogen tussenbeide. 'Het wezen daar is met mij verwant. Het is een vos.'

Sjirkrie stak afwerend zijn handen op.

'We zijn weer net zover als we voordien waren,' zei hij. 'Alleen u
kunt ook die vraag voor ons beantwoorden, Grote Wetende. Wie van
ons drieën heeft gelijk?'

Bastiaan glimlachte koeltjes en zei: 'Alle drie.'

'Vergun ons de tijd uw antwoorden te begrijpen,' smeekte Oesjtoe.

'Ja,' antwoordde Bastiaan, 'zoveel tijd als jullie maar willen. Want
wij gaan jullie nu verlaten.'

Diepe teleurstelling lag op de gezichten van de Monniken van de
Kennis en op die van hun drie oversten, maar Bastiaan wees hun
dringend verzoek om lang, of nog beter, voor altijd bij hen te blijven,
beheerst van de hand.

En toen deed men hem en zijn beide leerlingen uitgeleide en brachten de gevleugelde boden hen weer terug in het tentendorp.

Die nacht begon overigens in het Sterrenklooster Gigam het eerste, principiële meningsverschil tussen de drie Diep Denkenden, dat
er vele jaren later toe leidde dat de broederschap werd opgeheven en
dat Oesjtoe, de Moeder van het Vermoeden, Sjirkrie, de Vader van
het Schouwen, en Jisipoe, de Zoon van het Verstand, op een gegeven
ogenblik ieder een eigen klooster stichtten. Maar dat is een ander
verhaal en moet een andere keer maar eens worden verteld.

Vanaf die nacht had Bastiaan iedere herinnering dat hij ooit naar
school gegaan was, verloren. Ook de zolder en zelfs het gestolen boek
met zijn koperrode band waren uit zijn geheugen verdwenen. En hij
vroeg zich niet meer af hoe hij ooit naar Fantásië was gekomen.

[V]

De strijd om
de Ivoren Toren

VOORUIT gestuurde verkenners keerden in het kamp
terug en meldden dat zij de Ivoren Toren nu heel dicht
waren genaderd. In twee, hoogstens drie versnelde dag-
marsen konden ze hem bereiken.

Maar Bastiaan scheen te weifelen. Vaker dan anders liet hij rust houden om dan weer plotseling overhaast te vertrekken. Niemand in de
stoet van zijn metgezellen begreep de reden, maar niemand durfde
hem er rechtstreeks naar te vragen. Sinds zijn grootse prestatie in het
Sterrenklooster was hij ongenaakbaar geworden, zelfs voor Xayiede.
In het kamp deden allerlei geruchten de ronde, maar de meeste reisgenoten voegden zich gewillig naar zijn tegenstrijdige bevelen. Grote
wijzen – meenden zij – worden door normale wezens vaak onbereken-
baar gevonden. Ook Atréjoe en Foechoer konden Bastiaans gedrag
niet meer verklaren. Wat er in het Sterrenklooster was gebeurd ging
hun beider verstand te boven. Maar dit vergrootte hun bezorgdheid
om hem.

Twee tegenstrijdige gevoelens streden in Bastiaan om de voorrang
en geen van beide kon hij tot zwijgen brengen. Hij verlangde ernaar
Maankind weer te ontmoeten. Hij was nu in heel Fantásië vermaard
en werd bewonderd en hij kon haar als een gelijke tegemoet treden.
Maar tegelijkertijd maakte hij zich ernstig zorgen dat ze AURYN van
hem terug zou willen hebben. En wat dan? Zou ze proberen hem naar
de wereld terug te sturen waar hij nu nauwelijks meer iets van wist?
Hij wilde niet terug! En hij wilde het Kleinood behouden! – Maar
dan bedacht hij zich weer dat het helemaal niet zeker was dat zij het
terug wilde hebben. Misschien liet zij het hem wel behouden zolang
hij wilde. Misschien had ze het hem echt gegeven en behoorde het
hem voor altijd toe. Op zulke momenten kon hij het weerzien met
haar nauwelijks afwachten. Hij spoorde de stoet tot grotere snelheid
aan om vlugger bij haar te zijn. Maar dan begon hij weer te twijfelen

en liet hij halt houden en pauzeren om zich duidelijk voor ogen te stellen waarmee hij rekening zou moeten houden.

Op deze wijze, met afwisselend snelle, overhaaste marsen en urenlange vertragingen, hadden zij tenslotte de rand van het vermaarde Labyrint bereikt – die wijde vlakte die één bloementuin vol kronkelende paden en lanen was. Aan de horizon lichtte in sprookjesachtig wit tegen de goudglanzende avondhemel de Ivoren Toren op.

De hele menigte Fantásische wezens stond samen met Bastiaan in aandachtig zwijgen verzonken te genieten van het onbeschrijfelijk schone schouwspel. Zelfs op het gezicht van Xayiede lag een uitdrukking van verwondering, die het nog nooit eerder getoond had en die dan ook al gauw weer verdween. Atréjoe en Foechoer, die helemaal achteraan stonden, herinnerden zich hoe anders het Labyrint er uitgezien had toen ze de laatste keer hier waren: aangevreten door de dodelijke ziekte van het Niets. Nu scheen het bloeiender en mooier en stralender dan ooit tevoren.

Bastiaan besloot deze dag niet verder te trekken en dus werd voor de nacht kwartier gemaakt. Hij stuurde een paar boodschappers vooruit die Maankind zijn groeten moesten overbrengen en haar aankondigen dat hij van plan was de volgende dag de Ivoren Toren binnen te trekken. Daarna legde hij zich in zijn tent ter ruste en probeerde te slapen. Doch hij draaide zich maar om en om op zijn kussens en zijn zorgelijke gevoelens maakten dat hij niet tot rust kwam. Hij had geen enkel vermoeden dat deze nacht om nog heel andere redenen de ergste van zijn bestaan tot nu toe in Fantásië zou worden.

Tegen middernacht was hij eindelijk in een lichte, onrustige slaap toen een opgewonden gefluister voor de ingang van zijn tent hem deed wakker schrikken. Hij stond op en liep naar buiten.

'Wat is er aan de hand?' vroeg hij streng.

'Deze bode hier,' antwoordde Illoeán, de blauwe djinn, 'zegt dat hij u iets moet berichten dat zo belangrijk is dat hij niet tot morgen durft te wachten.'

De bode, die Illoeán aan zijn nek omhoog hield, was een kleine rap, een wezen dat enige gelijkenis met een konijntje vertoonde, maar dat in plaats van een pels een fel bontgekleurd verenkleed had. Rappen behoren tot de snelste lopers in Fantásië en kunnen geweldige afstanden afleggen met zo'n snelheid dat je ze eigenlijk niet ziet, maar slechts aan een spoor van opwarrelende stofwolken merkt dat ze voorbijflitsen. Juist om die bekwaamheid was deze rap boodschapper gemaakt. Hij had de hele afstand naar de Ivoren Toren en weer terug afgelegd en stond ademloos te hijgen toen de djinn hem bij Bastiaan bracht.

'Vergeef me, heer,' zei hij hijgend en maakte enkele malen een diepe buiging, 'vergeef me, als ik het waag uw rust te verstoren, maar u zou met recht ontevreden over me zijn als ik het niet had gedaan. De Kleine Keizerin bevindt zich niet in de Ivoren Toren, al sedert onheuglijke tijden niet meer en niemand weet waar zij zich ophoudt.'

Plotseling voelde Bastiaan zich leeg en koud van binnen. 'Je moet je vergissen. Dat kan niet waar zijn.'

'De andere boden zullen het u bevestigen, wanneer zij aangekomen zijn, heer.'

Even reageerde Bastiaan niet en toen zei hij toonloos: 'Het is goed, dank je wel.'

Hij draaide zich om en liep de tent in.

Daar ging hij op zijn bed zitten en steunde zijn hoofd in zijn handen. Het was absoluut onmogelijk dat Maankind niet vernomen had hoe lang hij al naar haar onderweg was. Wilde ze hem niet terugzien? Of was haar iets overkomen? Nee, het was volslagen ondenkbaar dat haar in haar eigen rijk iets overkomen kon, haar, de Kleine Keizerin.

Maar ze was er niet, en dat betekende dat hij haar AURYN niet terug hoefde te geven. Aan de andere kant voelde hij bittere teleurstelling bij de gedachte dat hij haar niet terug zou zien. Wat voor reden ze ook voor dit gedrag kon hebben, hij vond het onbegrijpelijk – nee, het was kwetsend!

En toen schoot hem de door Atréjoe en Foechoer vaak herhaalde opmerking te binnen dat iedereen de Kleine Keizerin maar één keer ontmoet.

Het verdriet dat hij hierover had, deed hem plotseling naar Atréjoe en Foechoer verlangen. Hij wilde bij iemand zijn hart luchten, praten met een vriend.

Hij zou de gordel Gemmal omdoen en onzichtbaar naar hen toe gaan. Zo kon hij bij hen zijn en steun vinden in hun troostende aanwezigheid, zonder zijn aanzien te verspelen.

Vlug maakte hij het fraai versierde kistje open, haalde de gordel eruit en deed hem om zijn middel. Weer ervoer hij dat onprettige gevoel, net als de eerste keer, toen hij zichzelf niet meer zien kon. Hij wachtte even tot hij eraan gewend was, ging toen naar buiten en begon in het tentendorp rond te lopen op zoek naar Atréjoe en Foechoer.

Overal was er een opgewonden gefluister en gemompel te horen, duistere gedaanten slopen tussen de tenten rond, hier en daar zaten er verscheidenen bij elkaar en beraadslaagden zachtjes. Inmiddels waren ook de andere boodschappers teruggekomen en het nieuws dat Maankind niet in de Ivoren Toren was had zich als een lopend vuurtje in het kamp van de reisgenoten verbreid. Bastiaan liep tussen de tenten door, maar kon de twee die hij zocht aanvankelijk niet vinden.

Atréjoe en Foechoer hadden helemaal aan de rand van het kampement onder een bloeiende rozemarijnstruik een plekje gevonden. Atréjoe zat met gekruiste benen, de armen over elkaar geslagen voor de borst en keek met een starre blik in de richting van de Ivoren Toren. De geluksdraak lag naast hem met zijn grote kop bij zijn voeten op de grond.

'Het was mijn laatste hoop dat ze voor hem een uitzondering zou maken en hem het Teken weer zou ontnemen,' zei Atréjoe, 'maar nu is alle hoop verloren.'

'Zij zal heus wel weten wat ze doet,' antwoordde Foechoer.

Op dat moment had Bastiaan hen gevonden en liep onzichtbaar naar hen toe.

'Weet ze het echt?' mompelde Atréjoe. 'Hij mag AURYN niet langer houden!'

'Wat zou je willen doen?' vroeg Foechoer. 'Vrijwillig zal hij het heus niet afstaan.'

'Ik moet het hem afpakken,' antwoordde Atréjoe.

Bij deze woorden had Bastiaan het gevoel dat hij door de grond ging.

'Hoe wil je dat doen?' hoorde hij Foechoer vragen. 'Ja, als je het eenmaal te pakken hebt zou hij je niet meer kunnen dwingen het hem terug te geven.'

'O, dat weet ik nog niet,' meende Atréjoe. 'Hij heeft immers nog altijd zijn macht en zijn toverzwaard.'

'Maar het Teken zou jou beschermen,' wierp Foechoer tegen, 'zelfs tegen hem.'

'Nee,' zei Atréjoe, 'dat denk ik niet. Niet tegen hem. Niet zó.'

'En bovendien,' ging Foechoer met een zacht grimmig lachje verder, 'heeft hij het je zelf aangeboden tijdens onze eerste avond in Amargánth. En toen heb jij het geweigerd.'

Atréjoe knikte.

'Toen wist ik nog niet wat er allemaal gebeuren zou.'

'Wat blijft er dan nog over?' vroeg Foechoer. 'Wat kun je doen om het Teken van hem weg te nemen?'

'Ik zal het van hem moeten stelen,' antwoordde Atréjoe.

Foechoers kop kwam met een ruk omhoog. Zijn robijnrode ogen staarden Atréjoe aan, die zijn ogen neersloeg en zachtjes herhaalde: 'Ik zal het van hem moeten stelen. Er is geen andere mogelijkheid.'

Na een angstige stilte vroeg Foechoer: 'En wanneer?'

'Vannacht nog,' antwoordde Atréjoe, 'want morgen kan het al te laat zijn.'

Bastiaan wilde niets meer horen. Langzaam liep hij weg. Hij voelde alleen nog een koude, eindeloze leegte. Nu was alles hem onverschillig – zoals Xayiede gezegd had.

Hij ging terug naar zijn tent en deed de gordel Gemmal af. Daarna liet hij Illoeán de drie heren Huusbald, Huukrion en Huudorn roepen. Terwijl hij in afwachting van hun komst op en neer liep, bedacht hij dat Xayiede dit alles had voorspeld. Hij had het niet willen geloven, maar nu moest hij wel. Xayiede had het goed met hem voor, dat zag hij nu in. Alleen zij was hem werkelijk toegewijd. Maar het was nog niet gezegd dat Atréjoe zijn plan ook inderdaad zou uitvoeren. Misschien was het zomaar een idee geweest, waarvoor hij zich nu al schaamde. In dat geval wilde Bastiaan er geen woord meer aan vuil maken – hoewel vriendschap voor hem nu niets meer betekende. Dat was voorgoed voorbij.

Toen de drie heren arriveerden, deelde hij ze mee dat hij redenen had te veronderstellen dat er nog deze nacht een dief zijn tent binnen zou komen. Hij verzocht de heren daarom in de tent de wacht te houden en de dief, wie dit dan ook mocht zijn, onverwijld gevangen te nemen. Huusbald, Huudorn en Huukrion gingen akkoord en maakten het zich gemakkelijk. Bastiaan vertrok.

Hij ging naar de koralen draagstoel van Xayiede. Zij was diep in slaap. Alleen de vijf kolossen in hun zwarte insektenpantsers stonden rechtop en onbeweeglijk om haar heen. In het donker zagen zij er uit als vijf rotsblokken.

'Ik wil dat jullie mij gehoorzamen,' zei Bastiaan zachtjes.

Onmiddellijk draaiden ze alle vijf hun ijzeren gezichten in zijn richting.

'Beveel ons, heer van onze meesteres,' antwoordde een van hen met een blikken stemgeluid.

'Denken jullie dat je de geluksdraak Foechoer aankunt?' informeerde Bastiaan.

'Dat hangt af van de wil die ons leidt,' antwoordde de blikken stem.

'Het is mijn wil,' zei Bastiaan.

'Dan kunnen wij alles aan,' was het antwoord.

'Uitstekend! Loop dan nu naar hem toe!' Met zijn hand wees hij hun de richting. 'Zodra Atréjoe bij hem weggaat, nemen jullie hem gevangen! Maar blijf met hem daar. Ik zal jullie laten roepen als jullie hem hier moeten brengen.'

'Dat zullen we graag doen, heer van onze meesteres,' antwoordde de blikken stem.

De vijf zwarte figuren zetten zich geluidloos en in dezelfde pas in beweging. Xayiede glimlachte in haar slaap.

Bastiaan ging terug naar zijn tent, maar toen hij die zag aarzelde hij. Als Atréjoe werkelijk de diefstal probeerde te plegen, wilde hij er niet bij zijn wanneer ze hem gevangen namen.

De dageraad begon al aan de hemel te gloren. Bastiaan ging niet ver van zijn tent onder een boom zitten en wachtte af, zijn zilveren mantel om zich heen. De tijd ging eindeloos langzaam voorbij, een grauwe morgen brak aan, het werd lichter en Bastiaan begon al te hopen dat Atréjoe zijn plan had opgegeven, toen er plotseling lawaai en geluid van stemmen uit de prachtige tent naar buiten drong. Het duurde maar heel even en toen werd Atréjoe met de armen op de rug gebonden door Huukrion de tent uitgebracht. De beide andere heren volgden.

Met moeite kwam Bastiaan overeind en bleef tegen de boom geleund staan.

'Dus toch!' mompelde hij.

Vervolgens liep hij naar zijn tent. Hij wilde niet naar Atréjoe kijken en ook deze hield zijn hoofd gebogen.

'Illoeán!' zei Bastiaan tegen de blauwe djinn bij de ingang van de tent, 'maak het hele kamp wakker. Iedereen moet zich hier verzamelen. En de zwarte pantserreuzen moeten Foechoer hier brengen.'

De djinn uitte een rauwe adelaarsschreeuw en holde weg. Overal

316

waar hij langsrende, kwam er leven in de grote en kleine tenten en de andere onderkomens.

'Hij heeft geen enkel verzet geboden,' bromde Huukrion en gebaarde met zijn hoofd naar Atréjoe, die roerloos en met gebogen hoofd afwachtte. Bastiaan wendde zich af en ging op een steen zitten.

Toen de vijf zwarte reuzen Foechoer brachten, had zich al een grote menigte rond de tent verzameld. Bij het naderbijkomen van de stampende, metalen passen weken de toeschouwers uiteen en maakten de weg vrij. Foechoer was niet geboeid en ook raakten de gepantserde reuzen hem niet aan. Met getrokken zwaarden liepen ze aan weerszijden van hem.

'Hij heeft geen enkel verzet geboden, heer van onze meesteres,' zei een van de blikken stemmen tegen Bastiaan toen de groep halt hield.

Foechoer ging voor Atréjoe op de grond liggen en sloot zijn ogen.

Lange tijd bleef het stil. De laatste achterblijvers uit het kampement kwamen aangehold en rekten hun halzen om te zien wat er aan de hand was. De enige die niet aanwezig was, was Xayiede. Het gefluister en zachte gemompel verstomde meer en meer. Alle ogen gingen van Atréjoe naar Bastiaan en omgekeerd. In het grijze morgenlicht leken hun roerloze gestalten op een tafereel dat voor altijd was verstard, zonder één enkele kleur.

Eindelijk ging Bastiaan staan.

'Atréjoe,' zei hij, 'je wilde mij het Teken van de Kleine Keizerin ontstelen om het jezelf toe te eigenen. En jij, Foechoer, hebt dit geweten en met hem samengespannen. Jullie hebben daarmee niet alleen de vriendschap bezoedeld die eens tussen ons bestond, maar jullie hebben je ook schuldig gemaakt aan het ergste vergrijp tegen de wil van Maankind die mij het Kleinood gegeven heeft. Bekennen jullie schuld?'

Lang keek Atréjoe Bastiaan aan en knikte toen.

Zijn stem liet Bastiaan in de steek en tweemaal moest hij opnieuw beginnen voor hij verder kon spreken.

'Ik herinner me, Atréjoe, dat jij het was die mij bij de Kleine Keizerin bracht. En ik herinner me Foechoers gezang in Amargánth. Daarom schenk ik jullie je leven, het leven van een dief en van zijn maat. Doe ermee wat je goeddunkt. Maar ga van me weg zo ver je kunt en waag het niet me ooit nog onder ogen te komen. Ik verban jullie voor eeuwig. Ik heb jullie nooit gekend!'

317

Hij gaf Huukrion met zijn hoofd een teken om Atréjoe van zijn boeien te ontdoen. Daarna wendde hij zich af en ging weer zitten. Lang bleef Atréjoe staan zonder zich te bewegen. Toen keek hij Bastiaan aan. Hij scheen iets te willen zeggen, maar zag daar toch maar van af. Hij boog zich voorover naar Foechoer en fluisterde hem iets in het oor. De geluksdraak deed zijn ogen open en richtte zich op. Atréjoe sprong op zijn rug en Foechoer steeg op. Hij vloog rechtuit de steeds lichter wordende ochtendhemel tegemoet en hoewel zijn bewegingen zwaar en moeizaam waren, was hij toch in een paar tellen verdwenen.

Bastiaan stond op en liep zijn tent in. Hij liet zich op zijn bed vallen.

'Nu hebt u de ware grootheid bereikt,' zei zachtjes een fluisterende, versluierde stem. 'Nu kan niets u meer schelen en niets kan u meer deren.'

Bastiaan ging rechtop zitten. Het was Xayiede, die gehurkt in het donkerste hoekje van de tent zat.

'Jij?' vroeg Bastiaan. 'Hoe ben je hier binnengekomen?'

Xayiede liet een lachje horen.

'Voor mij, heer en meester, bestaan er geen schildwachten die mij kunnen tegenhouden. Dat kan alleen uw bevel. Stuurt u me weg?'

Bastiaan ging achterover liggen en deed zijn ogen weer dicht. Na een poosje mompelde hij: 'Het is mij om het even. Je kunt gaan of blijven.'

Vanonder haar halfgesloten oogleden keek ze hem lange tijd aan. Toen vroeg ze: 'Waaraan denkt u, heer en meester?'

Bastiaan wendde zich af en gaf geen antwoord.

Xayiede begreep dat ze hem nu in geen geval aan zichzelf mocht overlaten. Het scheelde nu maar weinig of hij zou haar ontglippen. Ze moest hem troosten en op vrolijken – maar wel op haar manier. Ze moest hem ertoe brengen de weg te vervolgen die zij voor hem – en voor zichzelf – op het oog had. En dit keer zou de zaak niet met een tovergeschenk of een simpel toverkunstje te klaren zijn. Ze moest nu met krachtiger middelen komen. Het krachtigste waarover ze kon beschikken, voor Bastiaans meest verborgen wensen. Ze ging naast hem zitten en fluisterde hem in het oor: 'Wanneer wilt u, mijn heer en meester, naar de Ivoren Toren trekken?'

'Ik weet het niet,' zei Bastiaan met zijn gezicht in het kussen. 'Wat moet ik daar nog doen wanneer Maankind er niet is? Trouwens, ik weet helemaal niet meer wat ik nu nog moet.'

'U zou er heen kunnen gaan om de Kleine Keizerin daar op te wachten.'

Bastiaan draaide zich naar Xayiede om.

'Denk je dan dat ze terug zal komen?'

Hij moest zijn vraag nog een keer en met meer nadruk herhalen voordat Xayiede aarzelend antwoordde: 'Ik denk het niet. Ik denk dat ze Fantásië voor altijd heeft verlaten en dat u haar opvolger bent, heer en meester.'

Langzaam ging Bastiaan rechtop zitten. Hij keek in Xayiedes tweekleurige ogen en het duurde even voor geheel tot hem was doorgedrongen wat ze daar zei.

'Ik?' riep hij uit. Er kwamen rode vlekken op zijn wangen.

'Maakt die gedachte u zo bang?' fluisterde Xayiede. 'Zij heeft aan u het teken van haar volmacht gegeven. Ze heeft haar rijk overgegeven. U zult nu de Kleine Keizer zijn, mijn heer en meester. En het is uw goed recht. U hebt Fantásië niet alleen gered door hierheen te komen, maar u hebt het nog wel eerst geschapen! Wij allen – ook ikzelf – zijn uw schepselen! U bent de Grote Wetende, waarom schrikt u er nu voor terug om ook de hoogste macht te grijpen, die u toch zeker toekomt?'

En terwijl Bastiaans ogen steeds meer van een koude koorts begonnen te glanzen, vertelde Xayiede hem over een nieuw Fantásië, over een wereld die tot in de kleinste bijzonderheden naar Bastiaans zin kon worden gevormd, waarin hij naar willekeur scheppen en vernietigen kon, waarin geen hinderpalen en voorwaarden meer bestonden, waarin ieder wezen, goed of slecht, mooi of lelijk, dwaas of wijs, enkel het produkt was van zijn wil en hij verheven en raadselachtig troonde over alles en het lot bestuurde in een eeuwig spel.

'Pas dan,' zei ze tot slot, 'bent u waarachtig vrij, vrij van alles wat u benauwt en vrij te doen wat u wilt. En wilde u niet uw diepste verlangen vinden? Wel, dat is het!'

Diezelfde morgen nog werd het tentenkamp afgebroken, en de stoet van vele duizenden, voorafgegaan door Bastiaan en Xayiede in de koralen draagstoel, ging op weg naar de Ivoren Toren. Een schier eindeloze colonne trok langs de kronkelende lanen van het Labyrint.

En toen de kop tegen de avond de Ivoren Toren bereikte, passeerden de laatsten pas de buitenste grens van de bloementuin.

De ontvangst die Bastiaan ten deel viel was zo feestelijk als hij zich maar kon wensen. Iedereen die tot het hof van de Kleine Keizerin behoorde was op de been. Op alle kantelen en daken stonden Ivoren Wachters met glimmende trompetten die ze zo luid mogelijk lieten schallen. De goochelaars vertoonden hun kunsten, de sterrenwichelaars verkondigden Bastiaans fortuin en grootheid en de bakkers bakten taarten zo hoog als bergen. Maar de ministers en hofdignitarissen liepen naast de koralen draagstoel en begeleidden hem door het gewoel van de menigte door de hoofdstraat die in een steeds nauwer wordende spiraal om de kegelvormige Ivoren Toren liep tot waar de grote poort toegang gaf tot het binnenste gedeelte van het eigenlijke paleis. Gevolgd door Xayiede en alle hoogwaardigheidsbekleders ging Bastiaan de sneeuwwitte treden van de brede trap op, liep vervolgens door alle zalen en gangen, door de tweede poort, almaar hoger door de tuin, waarin zich dieren, bloemen en bomen van ivoor bevonden, over de boogbruggen en toen de laatste poort door. Hij wilde het paviljoen in dat de top van de reusachtige toren vormde en dat de vorm van een magnoliabloem had. Maar het bleek dat de bloem gesloten was en dat het laatste stukje van het pad dat daarheen omhoog voerde zo glad en steil was dat niemand er tegenop kon komen.

Bastiaan herinnerde zich dat indertijd ook de zwaargewonde Atréjoe niet boven had kunnen komen, in elk geval niet op eigen kracht — want niemand die ooit daar boven aangekomen is weet hoe het hem gelukt is. Het moet je geschonken worden. Maar Bastiaan was geen Atréjoe. Als iemand van nu af aan dit laatste stukje van de weg genadiglijk te vergeven had, dan was hij dat. En hij was niet van plan zich nu nog op zijn weg te laten dwarsbomen.

'Laat ambachtslieden komen!' gebood hij. 'Zij moeten voor mij treden in het gladde oppervlak hakken of een ladder in elkaar zetten, of iets anders bedenken. Want ik wil daar boven mijn intrek nemen.'

'Heer,' durfde een van de oudste raadslieden op te merken, 'daar boven woont onze Goudogige Meesteres van de Verlangens, wanneer zij bij ons vertoeft.'

'Doe wat ik jullie beveel!' viel Bastiaan tegen hem uit.

De dignitarissen werden bleek en deinsden terug. Maar ze gehoorzaamden. Ambachtslieden werden opgetrommeld die met zware hamers en beitels aan het werk gingen. Maar hoe ze zich ook inspannen, ze slaagden er niet in om ook maar het kleinste stukje uit de bergtop los te hakken. De beitels sprongen hun uit de hand en er was zelfs geen krasje op het gladde oppervlak te vinden.

'Verzin iets anders,' zei Bastiaan en draaide zich kwaad om, 'want ik wil naar boven! Maar bedenk wel dat mijn geduld niet eeuwig duurt.'

Daarop liep hij terug en nam voorlopig met zijn hofhouding, waartoe met name Xayiede, de drie heren Huusbald, Huukrion en Huudorn, en ook Illoeán, de blauwe djinn, behoorden, bezit van de overige vertrekken in het paleiscomplex.

Diezelfde nacht nog riep hij alle hoogwaardigheidsbekleders, ministers en raadslieden die tot dan toe Maankind gediend hadden, bijeen voor een vergadering in die grote, ronde zaal waar eens het artsencongres had plaatsgevonden. Hij deelde hun mee dat de Goudogige Meesteres hem, Bastiaan Balthazar Boeckx, alle macht over het onbegrensde Fantásische rijk had toevertrouwd en dat hij van nu af aan haar plaats innam. Hij riep hen op te beloven zich volledig aan zijn wil te onderwerpen.

'Ook en juist dan,' voegde hij eraan toe, 'als mijn beslissingen jullie soms onbegrijpelijk zullen voorkomen. Want ik ben niet met jullie te vergelijken.'

Daarop stelde hij vast dat hij zichzelf precies zevenenzeventig dagen later tot Kleine Keizer van Fantásië wilde kronen. Het zou een plechtigheid zijn van een pracht als zelfs in Fantásië nog nooit was voorgekomen. Onmiddellijk dienden naar alle streken boden uitgestuurd te worden want het was zijn wens dat ieder volk in het Fantásische rijk een afgezant naar de kroningsfeesten zou zenden.

Daarop trok Bastiaan zich terug en liet de raadslieden en dignitarissen radeloos achter.

Zij wisten niet wat voor houding zij moesten aannemen. Alles wat ze gehoord hadden klonk in hun oren zo monsterachtig, dat ze aanvankelijk lange tijd zwijgend en met opgetrokken schouders bleven staan. Toen begonnen ze zacht met elkaar te overleggen. En na urenlange beraadslagingen kwamen ze overeen dat ze Bastiaans aanwijzingen dienden op te volgen, want hij droeg immers het Teken van de Kleine Keizerin en dat verplichtte hen tot gehoorzaamheid – waarbij in het midden werd gelaten of Maankind werkelijk alle macht aan

321

Bastiaan had afgestaan of dat deze hele kwestie weer een van haar onbegrijpelijke besluiten was. En dus werden de boden uitgezonden en ook anderszins werd aan alles gevolg gegeven wat Bastiaan had verordineerd.

Hij zelf bemoeide zich er overigens niet meer mee. Alle bijzonderheden voor de voorbereiding van de kroningsplechtigheid liet hij aan Xayiede over. En zij verstond de kunst de hofhouding in de Ivoren Toren aan het werk te zetten–en wel zo erg dat nauwelijks nog iemand ertoe kwam na te denken.

Gedurende de volgende dagen en weken zat Bastiaan zelf meestal roerloos in het vertrek dat hij voor zichzelf had uitgekozen. Hij staarde maar voor zich uit en deed niets. Graag zou hij iets gewenst hebben of een verhaal hebben verzonnen dat hem bezighield, maar er schoot hem niets meer te binnen. Hij voelde zich leeg en hol.

En zo kwam hij tenslotte op het idee dat hij Maankind te voorschijn kon wensen. En als hij nu inderdaad almachtig was, als al zijn wensen werkelijkheid werden, dan moest ook zij hem gehoorzamen. Halve nachten zat hij voor zich uit te fluisteren: 'Maankind, kom! Je moet komen. Ik gebied je te komen.' En hij moest aan haar blik denken die als een stralende schat in zijn hart had gelegen. Maar zij kwam niet. En hoe vaker hij probeerde haar te dwingen te komen, des te meer verdween de herinnering aan dit stralen in zijn hart–tot het helemaal donker bij hem was.

Hij praatte zich aan dat hij alles terug zou vinden zodra hij maar eerst in het Magnoliapaviljoen zat. Steeds weer liep hij naar de werklui en spoorde hen aan–nu eens met dreigementen, dan weer met beloften, maar alles wat zij deden bleek volkomen nutteloos. De ladders braken, de stalen spijkers bogen krom en de beitels sprongen weg.

De heren Huukrion, Huusbald en Huudorn, met wie Bastiaan af en toe eens graag gepraat of een of ander spel gedaan zou hebben, waren nu nog maar zelden ergens goed voor. Ze hadden in de laagste verdiepingen van de Ivoren Toren een wijnkelder ontdekt. Daar zaten ze nu dag en nacht te drinken, te dobbelen, onnozele liedjes te brullen of ruzie te maken, waarbij ze niet zelden zelfs tegen elkaar hun zwaarden trokken. Meer dan eens zwierven zij ook waggelend door de hoofdstraat en vielen dan feeën, elfen, bosvrouwtjes en andere vrouwelijke wezens in de toren lastig.

322

'Wat wilt u, heer,' zeiden ze toen Bastiaan hen tot de orde riep, 'u moet ons wat te doen geven.'

Maar Bastiaan kon niets bedenken en hij deed hun mooie beloften voor na zijn kroning, hoewel hij zelf niet wist wat er daardoor zou veranderen.

Geleidelijk aan werd ook het weer steeds mistroostiger. Zonsondergangen die er uitzagen als vloeibaar goud, waren er steeds minder. De lucht was doorgaans grijs en bedekt en de atmosfeer bedompt. Wind was er niet meer.

En zo kwam langzaam de kroningsdag naderbij.

De uitgezonden boden keerden terug. Velen van hen brachten afgezanten uit de verschillende streken van Fantásië met zich mee. Meer dan een kwam ook onverrichter zake terug en berichtte dat de inwoners naar wie zij gestuurd waren botweg geweigerd hadden aan de ceremonie deel te nemen. Op verscheidene plaatsen zou er sprake zijn van heimelijke of heel openlijke rebellie.

Roerloos zat Bastiaan voor zich uit te staren.

'Daarmee,' opperde Xayiede, 'zult u grondig afrekenen wanneer u keizer van Fantásië bent.'

'Ik wil dat zij willen wat ik wil,' zei Bastiaan.

Maar Xayiede was alweer weggelopen om nieuwe regelingen te treffen.

En toen kwam de dag van de kroning, die niet zou plaatsvinden, maar als de dag van de bloedige strijd om de Ivoren Toren de geschiedenis van Fantásië inging.

's Morgens al was de hemel bedekt met een dik, loodgrijs wolkendek, dat verhinderde dat het helemaal dag werd. Een angstige schemering lag over alles heen. De lucht was volkomen roerloos en zo zwaar en drukkend dat je nauwelijks kon ademen.

Xayiede had te zamen met de veertien ceremoniemeesters van de Ivoren Toren een buitengewoon veelomvattend feestprogramma voorbereid, dat aan pracht en praal alles overtreffen moest wat er ooit in Fantásië was gezien.

Van de vroegste morgenuren af werd er op alle straten en pleinen al muziek gemaakt. Maar het was een muziek zoals men die tot die dag nog nooit in de Ivoren Toren gehoord had: woest, schreeuwerig en toch monotoon. Ieder die het hoorde begon trekkende bewegingen met de voeten te maken en moest of hij wilde of niet dansen en

323

huppelen. Niemand kende de muzikanten, die zwarte maskers droegen, en niemand wist waar Xayiede ze vandaan gehaald had.

Alle gebouwen en gevels van de huizen waren versierd met felgekleurde vlaggen en vaantjes die uiteraard, omdat er geen wind was, slap omlaag hingen. Langs de hoofdstraat en rondom tegen de hoge muur van het paleiscomplex waren talloze plakkaten aangebracht, kleine en geweldig grote, die allemaal een en hetzelfde gezicht toonden, dat van Bastiaan, almaar weer.

Omdat het Magnoliapaviljoen nog steeds ontoegankelijk was, had Xayiede een andere plaats voor de troonsbestijging in orde gemaakt. Daar waar de spiraalvormige hoofdstraat eindigde voor de grote poort in de paleismuur, moest op de brede ivoren traptreden de troon worden opgesteld. Hier walmden duizenden gouden schalen met wierook. De rook, die een bedwelmende en tegelijk prikkelende geur verspreidde, zakte langzaam over de treden en het plein de hoofdstraat af en drong door tot in alle zijstraatjes, in hoeken en gaten.

Overal stonden de zwarte kolossen in hun insektenpantsers. Niemand behalve Xayiede wist hoe zij het had klaargespeeld de overgebleven vijf te verhonderdvoudigen. Maar dat niet alleen. Ongeveer vijftig van hen zaten nu op reusachtige paarden, die eveneens helemaal uit zwart metaal bestonden en zich volstrekt gelijk bewogen.

In een triomftocht begeleidden deze ruiters een troon door de hoofdstraat omhoog. Niemand wist waar hij vandaan was gekomen. Hij was zo groot als een kerkportaal en bestond helemaal uit spiegels in alle vormen en grootten. Alleen het zitkussen was van koperrode stof. Merkwaardigerwijs gleed dit spiegelende reuzengevaarte vanzelf langzaam langs de spiraalstraat omhoog, zonder dat het geschoven of getrokken werd, alsof het een heel eigen leven had.

Toen het voor de grote ivoren poort tot stilstand was gekomen, kwam Bastiaan uit het paleis te voorschijn en ging erop zitten. En toen hij daar te midden van al die glinsterende koude pracht zat, gaf hij de indruk maar een klein poppetje te zijn. De toeschouwersmassa, die door een haag van zwarte pantserreuzen op een afstand werd gehouden, begon te juichen, maar het klonk op een onverklaarbare wijze iel en schril.

Daarna nam het langdurigste en vermoeiendste deel van de plechtigheid een aanvang. Alle gezanten en afgevaardigden van het Fantásische rijk moesten zich achter elkaar in een rij opstellen en deze

rij reikte van de spiegeltroon niet alleen tot onder aan de spiraalvormige hoofdstraat, maar tot heel ver het Labyrint in en steeds
nieuwe wezens sloten zich aan het einde van de slang aan. Ieder
afzonderlijk moest zich, wanneer hij aan de beurt was, voor de troon
op de grond werpen, driemaal met het voorhoofd de grond beroeren,
Bastiaans rechtervoet kussen en zeggen: 'In naam van mijn volk en
mijn soortgenoten verzoek ik u, aan wie wij allen ons bestaan te
danken hebben, uzelf tot Kleine Keizer van Fantásië te kronen!'

Zo'n twee tot drie uur waren er op deze wijze verstreken, toen er
in de rij van wachtenden plotseling enige opwinding ontstond. Een
jonge faun kwam de straat opgerend. Je kon zien dat hij aan het eind
van zijn krachten was. Hij wankelde en viel af en toe, krabbelde dan
weer overeind en holde verder tot voor Bastiaan, waar hij zich naar
adem happend op de grond wierp. Bastiaan boog zich naar hem toe.

'Wat is er aan de hand dat je het waagt deze plechtigheid te verstoren?'

'Oorlog, o heer!' riep de faun uit. 'Atréjoe heeft vele aanvoerders
om zich heen verzameld en is met drie legers naar hier onderweg. Ze
eisen dat u AURYN afdoet en als u het niet vrijwillig doet, willen ze u
met geweld daartoe dwingen.'

Opeens viel er een doodse stilte. De opzwepende muziek en het
schrille gejuich waren plotsklaps verstomd. Star keek Bastiaan voor
zich uit. Zijn gezicht had alle kleur verloren.

Nu kwamen ook de drie heren Huusbald, Huukrion en Huudorn
aangelopen. Ze leken in een uitzonderlijk goede stemming te zijn.

'Eindelijk valt er voor ons wat te doen, heer!' riepen ze door elkaar.
'Laat dit maar aan ons over. Laat uw feeststemming er niet door
bederven! Wij zoeken wel een paar flinke kerels bij elkaar en gaan de
rebellen tegemoet. We zullen ze een lesje geven dat ze nog lang zal
heugen!'

Onder de vele duizenden daar aanwezige Fantásische wezens
waren er verscheidene die totaal ongeschikt voor het krijgsbedrijf
waren. Maar het merendeel kon toch wel met een of ander wapen
omgaan, met de knots, het zwaard, de boog, de lans, de slinger, of
eenvoudig met hun tanden en klauwen. Al deze lieden verzamelden
zich om de drie heren die het leger aanvoerden. Toen zij afmarcheer-
den bleef Bastiaan met de grote groep minder strijdbaren achter om
de plechtigheid voort te zetten. Maar van nu af aan was hij er niet

325

meer zo bij met zijn hoofd. Steeds weer ging zijn blik naar de horizon, die hij vanaf zijn plaats goed kon zien. Reusachtige stofwolken die daar verschenen lieten vermoeden met welk een legermacht Atréjoe in aantocht was.

'Maak u geen zorgen,' zei Xayiede, die naast Bastiaan was komen staan, 'mijn zwarte pantserreuzen hebben nog niet ingegrepen. Zij zullen uw Ivoren Toren verdedigen en tegen hen is niemand opgewassen – u en uw zwaard uitgezonderd.'

Een paar uur later kwamen de eerste berichten over de strijd binnen. Aan de zijde van Atréjoe vocht bijna het hele volk van de Groenhuiden, maar ook tegen de tweehonderd centauren, achthonderdvijftig rotsbijters en vijf geluksdraken die, door Foechoer aangevoerd, voortdurend vanuit de lucht in het strijdgewoel ingrepen. Bovendien was er nog een groep witte reuzenadelaars, die uit het Noodlotsgebergte waren overgevlogen en heel veel andere wezens. Zelfs waren er eenhoorns gezien.

In aantal waren ze dan wel verre de mindere van het leger dat de heren Huukrion, Huusbald en Huudorn aanvoerden, maar zij streden met zulk een vastberadenheid dat ze het leger dat voor Bastiaan vocht steeds verder naar de Ivoren Toren terugdreven.

Bastiaan wilde zelf de leiding over zijn leger nemen, maar Xayiede ried hem dit af.

'Bedenk, heer en meester,' zei ze, 'dat het bij uw nieuwe rang van keizer van Fantásië niet past om in te grijpen. Dat kunt u rustig aan uw getrouwen overlaten.'

De slag duurde de hele verdere dag. Elke voetbreed van het Tuinlabyrint werd door Bastiaans leger verbeten verdedigd en het veranderde in een kapotgetrapt, bloedig slagveld. Toen het al donker begon te worden hadden de eerste aanvoerders de voet van de Ivoren Toren bereikt.

En nu stuurde Xayiede haar zwarte pantserreuzen met en zonder paarden erop af, en die begonnen vreselijk huis te houden onder Atréjoe's getrouwen.

Een nauwkeurig verslag van de strijd om de Ivoren Toren is niet goed mogelijk en daarom moet er hier ook van afgezien worden. Tot op de dag van vandaag bestaan er in Fantásië talloze liederen en verhalen die over deze dag en nacht gaan, want iedereen die er aan heeft deelgenomen, heeft weer iets anders beleefd. Dat zijn allemaal verhalen die misschien een andere keer maar eens moeten worden verteld.

Er zijn geruchten dat er aan de zijde van Atréjoe een of zelfs verscheidene witte tovenaars zijn geweest die tegen Xayiedes toverkrachten opgewassen waren. Daar is echter niets met zekerheid over bekend. Misschien schuilt daarin de verklaring hoe Atréjoe en zijn mensen er, ondanks de zwarte pantserreuzen, in konden slagen de Ivoren Toren te veroveren. Een andere reden is echter waarschijnlijker: Atréjoe vocht niet voor zichzelf, maar voor zijn vriend – die hij wilde verslaan om hem te redden.

De nacht was allang gevallen. Het was een sterrenloze nacht vol rook en vlammen. Gevallen fakkels, omgestoten wierookschalen of verbrijzelde lampen hadden op veel plaatsen de toren in brand gestoken. In het flakkerende schijnsel holde Bastiaan heen en weer tussen de strijders, die spookachtige schaduwen om zich wierpen. Hij was omgeven door wapengekletter en strijdkreten.

'Atréjoe!' schreeuwde hij met schorre stem. 'Atréjoe, vertoon je! Wil met mij vechten! Waar zit je?'

Maar het zwaard Sikánda zat hecht in zijn schede en verroerde zich niet.

Bastiaan rende door alle vertrekken van het paleis, toen liep hij naar buiten, de grote muur op, die hier wel zo breed als een straat was. En juist toen hij over die grote buitenste poort wilde lopen, waaronder de spiegeltroon stond – nu in duizend scherven versplinterd –, zag hij dat Atréjoe hem van de andere kant tegemoet kwam. Atréjoe had een zwaard in de hand.

En toen stonden zij oog in oog tegenover elkaar. Sikánda verroerde zich niet.

Atréjoe zette Bastiaan de punt van zijn zwaard op de borst.

'Geef mij het Teken,' zei hij, 'om wille van jezelf!'

'Verrader!' schreeuwde Bastiaan terug. 'Je bent mijn schepping! Alles heb ik zijn bestaan gegeven! Ook jou! Wil jij je tegen mij keren? Kniel en vraag me om vergeving!'

'Je bent niet goed wijs!' antwoordde Atréjoe. 'Jij hebt niets geschapen. Alles heb je aan de Kleine Keizerin te danken! Geef mij AURYN!'

'Kom hem maar halen,' zei Bastiaan, 'als je kunt.'

Atréjoe aarzelde.

'Bastiaan,' zei hij, 'waarom dwing je mij je te overwinnen om je te redden?'

Bastiaan greep het gevest van zijn zwaard en met zijn kolossale kracht lukte het hem inderdaad Sikánda uit zijn schede te trekken, zonder dat het hem vanzelf in de hand schoot. Maar op het moment dat dit gebeurde was er een geluid te horen dat zo verschrikkelijk was dat ook de strijders beneden op straat voor de poort even verstard bleven staan en opkeken naar die twee daar boven. En Bastiaan herkende het geluid. Het was dat afschuwelijke kraken dat hij gehoord had toen Graógramán in steen veranderde. Het licht dat Sikánda uitstraalde doofde. Hij herinnerde zich opeens wat er volgens de voorspelling van de leeuw zou gebeuren als hij dit wapen ooit uit eigen beweging trekken zou. Maar nu kon en wilde hij het niet meer ongedaan maken.

Hij sloeg op Atréjoe in, die hem met zijn zwaard probeerde af te weren. Maar Sikánda hakte Atréjoe's wapen in tweeën en raakte zijn borst. Er gaapte een diepe wond en bloed stroomde eruit. Atréjoe wankelde achteruit en viel van de omloop van de grote poort naar beneden. Toen schoot er uit de dikke rookwolk een steekvlam door de nacht, die Atréjoe opving in zijn val en hem mee sleurde. Het was Foechoer, de witte geluksdraak geweest.

Met zijn mantel veegde Bastiaan het zweet van zijn voorhoofd. En terwijl hij dit deed, ontdekte hij dat de mantel zwart geworden was, zwart als de nacht. Met nog steeds het zwaard Sikánda in zijn vuist klom hij van de paleismuur af en stapte het lege plein op.

Met de overwinning op Atréjoe waren de krijgskansen van het ene moment op het andere gekeerd. Het rebellenleger, dat kort daarvoor nog zeker van de overwinning scheen te zijn, sloeg op de vlucht. Het was voor Bastiaan als een verschrikkelijke droom waaruit hij maar niet wakker kon worden. Zijn overwinning smaakte bitter als gal en toch ervoer hij tegelijkertijd een uitgelaten gevoel van triomf.

Gewikkeld in zijn zwarte mantel en met het bebloede zwaard in de hand liep hij langzaam de hoofdstraat van de Ivoren Toren af, die nu als een enorme fakkel in lichterlaaie stond. Maar Bastiaan liep verder, door het gebrul en geloei van de vlammen die hij nauwelijks voelde heen, tot hij aan de voet van de toren was gekomen. Daar vond hij het restant van zijn leger, dat te midden van het verwoeste Labyrint – dat nu een eindeloos slagveld vol gesneuvelde Fantásiërs was – op hem wachtte. Ook Huukrion, Huusbald en Huudorn waren daar, van wie de laatste twee zwaar gewond waren. Illoeán, de blauwe djinn, was gesneuveld. Xayiede stond bij zijn lijk. De gordel Gemmal hield zij in de hand.

'Dit, heer en meester,' zei ze, 'heeft hij voor u gered.'

Bastiaan nam de gordel, rolde hem op en stopte hem in zijn zak.

Langzaam gleed zijn blik langs de strijd- en reisgenoten om hem heen. Nog maar enkele honderden waren er over. Ze zagen er uitgeput en afgeleefd uit. In het flakkerende licht van de brand leken ze net een stel spoken.

Allemaal stonden zij met hun gezicht naar de Ivoren Toren, die als een brandstapel steeds verder in elkaar stortte. Het Magnoliapaviljoen bovenop vatte vlam, de bloembladeren gingen wijd open en zij konden zien dat het leeg was. En toen maakte het vuur zich ook daar meester van.

Met zijn zwaard wees Bastiaan naar de gloeiende puinhoop en zei met schorre stem: 'Dat is het werk van Atréjoe. En ik zal hem daarvoor tot aan het einde van de wereld vervolgen!'

Hij sprong op een van de zwartmetalen reuzenpaarden en schreeuwde: 'Volg mij!'

Het paard verzette zich steigerend, maar hij dwong het met zijn wil en joeg in gestrekte galop de nacht in.

[W]

De Stad van
de Oude Keizers

WEG raasde Bastiaan, ver weg door de inktzwarte nacht, terwijl de achtergebleven strijdgenoten pas begonnen te vertrekken. Veel van hen waren gewond, allen waren dodelijk vermoeid en geen van hen had ook maar bij benadering Bastiaans mateloze kracht en uithoudingsvermogen.

Zelfs de zwarte pantserreuzen op hun metalen paarden zetten zich moeizaam in beweging en het lukte alle anderen, die te voet gingen, maar niet om, zoals ze gewend waren, in de pas te lopen. Ook de wil van Xayiede – die hen immers bestuurde – scheen dus zijn grens bereikt te hebben. Haar koralen draagstoel was bij de brand van de Ivoren Toren aan de vlammen ten prooi gevallen. Daarom was van allerlei wagenplanken, kapotte wapens en verkoolde restanten van de toren een nieuwe draagstoel gebouwd, die eigenlijk meer weg had van een armeluishutje. De rest van het leger kwam daar hinkend en schuifelend achteraan. Ook Huukrion, Huusbald en Huudorn, die hun paarden verloren hadden, moesten elkaar over en weer steunen. Niemand zei iets, maar allen beseften dat het onmogelijk voor hen zou zijn Bastiaan ooit nog in te halen.

Deze draafde voort door het duister. De zwarte mantel fladderde woest om zijn schouders, de metalen poten van het reuzenpaard kraakten en knerpten bij iedere beweging terwijl de enorme hoeven op de grond beukten.

'Hoi!' schreeuwde Bastiaan. 'Hoei, hoei, hoei!'

Het ging hem niet vlug genoeg.

Tot iedere prijs wilde hij Atréjoe en Foechoer inhalen, al moest hij daarvoor dit metalen monster aan stukken rijden!

Hij wilde wraak! Op dit ogenblik zou hij allang aan het eind van zijn wensen zijn geweest – maar Atréjoe had dat verijdeld. Bastiaan was geen keizer van Fantásië geworden. Daar zou Atréjoe voor moeten boeten!

Bastiaan spoorde zijn metalen ros nog meedogenlozer aan. De gewrichten van het dier kraakten en knerpten steeds luider, maar het gehoorzaamde de wil van zijn ruiter en versnelde zijn razende galop nog.

Vier uur duurde deze wilde jacht, zonder dat het duister begon te wijken. Almaar zag Bastiaan in gedachten de brandende Ivoren Toren voor zich en beleefde hij opnieuw het moment waarop Atréjoe hem het punt van zijn zwaard op de borst gezet had – tot voor het eerst de vraag bij hem opkwam: waarom heeft Atréjoe geaarzeld? Waarom had hij het, na alles wat er was voorgevallen, niet over zijn hart kunnen krijgen hem te verwonden om AURYN met geweld van hem af te nemen? En nu moest Bastiaan opeens aan de wond denken die hij Atréjoe had toegebracht en aan diens laatste blik toen hij achteruit wankelde en naar beneden viel.

Bastiaan stak Sikánda, die hij nog altijd in de hand had, terug in zijn roestige schede.

De morgen brak aan en geleidelijk aan kon hij zien waar hij zich bevond. Het was een heide waar het metalen paard nu overheen raasde. De donkere omtrekken van de jeneverbesstruiken leken op roerloze groepen kolossale monniken met kappen of tovenaars met puntmutsen. Daartussen was het bezaaid met rotsblokken.

En toen viel het metalen paard midden in zijn gestrekte galop plotseling in stukken uit elkaar.

Versuft door de klap van zijn val bleef Bastiaan liggen. Toen hij eindelijk overeind krabbelde en zijn gekneusde ledematen wreef, bevond hij zich tussen lage jeneverbesstruiken. Hij kroop eruit. Buiten lagen over een groot oppervlak verspreid de op scherven lijkende brokstukken van het paard, alsof er een ruiterstandbeeld ontploft was.

Bastiaan ging staan, wierp de zwarte mantel om zijn schouders en liep zonder bestemming de lichter wordende ochtendhemel tegemoet.

Tussen de jeneverbesstruiken bleef echter een glinsterend voorwerp achter dat hij daar verloren had: de gordel Gemmal. Bastiaan merkte zijn verlies niet en dacht er ook later niet meer aan. Illoeán had de gordel helemaal voor niets uit de vlammen gered.

Een paar dagen later werd de gordel gevonden door een ekster, die er geen idee van had wat er met dit glinsterende ding aan de hand was. Zij bracht het naar haar nest en daarmee begon een ander verhaal dat een andere keer maar eens moet worden verteld.

Tegen de middag kwam Bastiaan bij een hoge aarden wal die dwars door het heidelandschap liep. Hij klauterde er op. Er achter lag een wijd dal, dat naar binnen toe steeds steiler werd en de vorm van een ondiepe krater had. En dit dal was geheel gevuld met een stad; in elk geval maakte het aantal gebouwen deze benaming aannemelijk, hoewel het de gekste stad was die Bastiaan ooit had gezien. Zomaar, zonder plan of opzet schenen alle gebouwen daar neergesmeten alsof ze zomaar uit een reusachtige zak waren geschud. Er waren geen straten en geen pleinen, noch was er enige andere herkenbare orde te zien.

Maar ook de gebouwen op zich zagen er idioot uit: ze hadden de huisdeur op het dak, en trappen op plaatsen waar je niet bij kon komen of die je alleen ondersteboven had kunnen belopen, of die zomaar in het niets eindigden. Torentjes stonden scheef en balkons hingen loodrecht aan de muren. Je had ramen op de plaats van deuren en vloeren waar muren hoorden te zijn. Er waren bruggen waarvan de bogen plotseling ergens ophielden alsof de bouwers midden in het werk waren vergeten wat het worden moest. Er waren torens die krom stonden als bananen en piramiden die op hun punt rustten. Om kort te gaan: deze hele stad had iets krankzinnigs.

En toen zag Bastiaan de inwoners. Het waren mannen, vrouwen en kinderen. Ze leken op gewone mensen, maar hun kleding zag er uit alsof ze allemaal zot waren geworden en geen onderscheid meer konden maken tussen dingen die bedoeld waren om aan te trekken en voorwerpen die voor heel andere doeleinden geschikt waren. Op hun hoofden droegen ze lampekappen, zandemmertjes, soepborden, prullenmanden, puntzakken en dozen. En om hun lichaam hingen tafellakens, vloerkleden, grote stukken zilverpapier en zelfs tonnen.

Veel lieden duwden of trokken handkarren en wagentjes waarop alle mogelijke oude rommel gestapeld was, zoals kapotte lampen, matrassen, keukengerei, lompen en prullaria. Anderen zeulden reusachtige balen met dezelfde rommel op hun rug rond.

Naarmate Bastiaan dieper in de stad afdaalde, werd het gekrioel dichter. Maar niemand scheen goed te weten waar hij heen wilde.

Meer dan eens zag Bastiaan dat iemand zijn kar die hij met moeite een bepaalde kant op had getrokken even later al weer in de tegenovergestelde richting sleurde om dan vervolgens weer opnieuw een andere kant uit te gaan. Maar allen waren koortsachtig in de weer.

Bastiaan besloot een van hen aan te spreken.

'Hoe heet deze stad?'

De aangesprokene liet zijn kar los, ging rechtop staan, wreef even over zijn voorhoofd alsof hij ingespannen nadacht en liep toen weg terwijl hij zijn kar eenvoudig liet staan. Hij scheen hem vergeten te zijn. Een paar minuten later echter pakte een vrouw het voertuig en trok het moeizaam ergens heen. Bastiaan vroeg haar of de rommel van haar was. Even stond de vrouw zwaar te piekeren, en liep toen weg zonder iets te zeggen.

Bastiaan probeerde het nog een paar keer, maar op geen van zijn vragen kwam een antwoord.

'Het heeft geen nut om hun iets te vragen,' hoorde hij plotseling achter zich een giechelende stem zeggen. 'Zij kunnen niets meer zeggen. Je zou ze de Nietszeggenden kunnen noemen.'

Bastiaan draaide zich om en zag op een uitspringend stuk muur (dat de onderkant van een erker was die verkeerd om stond) een klein grijs aapje zitten. Het dier had een professorenbaret op, waaraan een kwastje bengelde en scheen intensief bezig te zijn iets uit te rekenen op de vingers van zijn voeten. Toen grijnsde hij tegen Bastiaan en zei: 'Neem me niet kwalijk, ik heb alleen even snel iets uitgerekend.'

'Wie ben jij?' vroeg Bastiaan.

'Argax is mijn naam, zeer aangenaam!' antwoordde het aapje en nam even zijn baret af. 'En met wie heb ik de eer?'

'Ik heet Bastiaan Balthazar Boeckx.'

'Ach, kijk!' zei het aapje voldaan.

'En hoe heet deze stad?' informeerde Bastiaan.

'O, die heeft eigenlijk geen naam,' liet Argax weten. 'Maar u zou hem – laten we zeggen – de Stad van de Oude Keizers kunnen noemen.'

'De Stad van de Oude Keizers?' herhaalde Bastiaan, ietwat onzeker. 'Waarom? Ik zie hier niemand die op een oude keizer lijkt.'

'O, nee?' giechelde het aapje. 'En toch zijn alle mensen die u hier ziet in hun tijd eens keizer van Fantásië geweest – of hebben dat willen zijn.'

Bastiaan schrok.

'Hoe weet je dat, Argax?'

De aap deed zijn baret weer even af en grijnsde.

'Ik ben-laten we zeggen-de opziener over de stad.'

Bastiaan keek om zich heen. Vlak in de buurt had een oude man een gat gegraven. Nu zette hij daar een brandende kaars in en schepte het gat weer dicht.

Het aapje giechelde weer.

'Voelt u iets voor een kleine stadsbezichtiging, heer? Laten we zeggen: de eerste kennismaking met uw toekomstige woonplaats?'

'Nee,' zei Bastiaan. 'Waar heb je het over?'

Het aapje sprong op zijn schouder.

'Kom maar mee!' fluisterde het. 'Kost u niets. U hebt uw toegangsprijs al helemaal betaald.'

Bastiaan begon te lopen, hoewel hij eigenlijk het liefst was weggerend. Hij voelde zich helemaal niet op zijn gemak en dat gevoel werd met elke stap erger. Hij keek naar de mensen en het viel hem op dat zij ook onderling niet praatten. Ze trokken zich totaal niets van elkaar aan, erger: ze schenen elkaar niet eens te zien.

'Wat is er met ze aan de hand?' informeerde Bastiaan. 'Waarom gedragen ze zich zo vreemd?'

'Niet vreemd!' giechelde Argax in zijn oor. 'Het zijn uw soortgenoten, zou je kunnen zeggen, of beter: dat waren ze in hun tijd.'

'Wat bedoel je daarmee?' vroeg Bastiaan terwijl hij bleef staan. 'Wil je zeggen dat het mensen zijn?'

'Zo is het precies! Zo is het precies!'

Bastiaan zag midden op straat een vrouw zitten die met een stopnaald erwten van een bord probeerde te pikken.

'Hoe zijn ze hier gekomen? En wat doen ze hier?' vroeg Bastiaan.

'O, in alle tijden zijn er mensen geweest die de weg naar hun wereld niet teruggevonden hebben,' liet Argax weten. 'Eerst wilden ze niet meer en nu-laten we zeggen-kunnen ze niet meer.'

Bastiaan keek een klein meisje na dat met veel moeite een poppewagen met vierkante wielen voortduwde.

'Waarom kunnen ze niet meer?' vroeg hij.

'Ze moesten het wensen. Maar ze wensen niets meer. Ze hebben hun laatste wens voor iets anders gebruikt.'

'Hun laatste wens?' vroeg Bastiaan, die wit om de neus werd. 'Kun

335

je dan niet net zo lang door blijven wensen als je wilt?'

Weer giechelde Argax. Hij probeerde nu Bastiaans tulband af te doen om hem te luizen.

'Laat dat!' riep Bastiaan. Hij probeerde de aap van zich af te schudden, maar die hield zich stevig vast en giechelde van plezier.

'Nee, hoor! Nee, hoor!' blafte hij als een vos. 'Wensen·kun je alleen zolang je een herinnering aan je eigen wereld hebt. Deze hier hebben allemaal hun herinnering van zich afgezet. Daarom worden ze ook niet ouder. Kijk maar eens naar ze! Zou u het geloven dat verscheidenen van hen al duizend jaar en zelfs nog langer hier zijn? Maar ze blijven zoals ze zijn. Voor hen kan er niets meer veranderen omdat ze zelf niet meer veranderen kunnen.'

Bastiaan keek naar een man die een spiegel inzeepte en deze vervolgens begon te scheren. Wat hij eerst nog komiek had gevonden, deed hem nu de rillingen over de rug lopen.

Hij stapte vlug door en werd er zich nu pas van bewust dat hij steeds dieper in de stad doordrong. Hij wilde omkeren maar er was iets dat hem aantrok als een magneet. Hij begon hard te lopen en probeerde van de hinderlijke grijze aap af te komen, maar die zat als een klit aan hem vast en joeg hem zelfs nog op.

'Harder! Hop! Hop! Hop!'

Het werd Bastiaan duidelijk dat alles wat hij deed tevergeefs was en hij bleef staan.

'En iedereen hier,' vroeg hij buiten adem, 'is ooit keizer van Fantásië geweest, of wilde het worden?'

'Precies,' zei Argax. 'Iedereen die de weg terug niet vindt, wil vroeger of later keizer worden. Niet iedereen heeft het klaargespeeld, maar ze hebben het allemaal gewild. Daarom zijn er hier twee soorten gekken. Maar het resultaat is overigens hetzelfde, zou je kunnen zeggen.'

'Welke twee soorten? Leg het me uit! Ik moet het weten, Argax!'

'Rustig maar! Rustig maar!' giechelde de aap en nog steviger omklemde hij Bastiaans hals. 'De ene groep is zijn herinneringen geleidelijk aan kwijtgeraakt. En toen ze de laatste verloren hadden, kon AURYN ook geen wensen voor hen meer vervullen. Daarna kwamen ze – laten we maar zeggen – vanzelf hierheen. De anderen, die zichzelf keizer hadden gemaakt, verloren daarbij op slag al hun herinneringen. Daarom kon AURYN ook voor hen geen wensen meer vervullen, omdat ze er geen meer hadden. Zoals u ziet komt het op hetzelfde neer. Ook zij zijn hier en kunnen niet meer weg.'

'Wil dat zeggen dat zij allemaal eens AURYN in hun bezit hebben gehad?'

'Dat is nogal duidelijk,' antwoordde Argax. 'Maar dat zijn ze allang vergeten. Het zou ze ook niets meer helpen, de arme gekken.'

'Is het,' vroeg Bastiaan aarzelend, 'is AURYN hun afgenomen?'

'Nee,' zei Argax. 'Als iemand zichzelf keizer maakt dan verdwijnt de Amulet door zijn eigen wens. Dat is toch klaar als een klontje, zou je kunnen zeggen, omdat je de macht van de Kleine Keizerin tenslotte niet gebruiken kan om haar nu net die macht te ontnemen.'

Bastiaan voelde zich zo ellendig dat hij graag ergens was gaan zitten, maar het kleine grijze aapje liet het niet toe.

'Nee, nee, de stadsbezichtiging is nog niet afgelopen!' riep hij. 'Het belangrijkste komt nog! Loop door! Loop door!'

Bastiaan zag een jongen die met een zware hamer spijkers in kousen sloeg die voor hem lagen. Een dikke man probeerde postzegels op zeepbellen te plakken, die natuurlijk voortdurend uiteenspatten. Maar hij bleef steeds nieuwe blazen.

'Kijk!' klonk de giechelende stem van Argax en hij voelde de kleine apehandjes zijn hoofd in een bepaalde richting draaien. 'Kijk daar! Is dat niet aardig?'

Er stond een grote groep mensen, mannen en vrouwen, oude lieden en jonge, allemaal uitgedost in de wonderlijkste kledij, maar ze spraken geen woord. Ieder was helemaal op zichzelf. Op de grond lag een groot aantal grote dobbelstenen en op de zes kanten van de stenen stonden letters. Steeds weer opnieuw mengden de mensen de dobbelstenen door elkaar en staarden er dan lang naar.

'Wat doen ze daar?' fluisterde Bastiaan. 'Wat is dat voor een spel? Hoe heet het?'

'Het Toevalsspel,' antwoordde Argax. Hij zwaaide naar de spelers en riep: 'Goed zo, kinderen! Gewoon zo doorgaan! Niet opgeven!'

Daarop richtte hij zich tot Bastiaan en mompelde hem in het oor: 'Ze kunnen niets meer vertellen. Ze hebben het spraakvermogen verloren. Daarom heb ik dit spel voor ze bedacht. Het houdt ze bezig zoals u ziet. En het is heel simpel. Als u erover nadenkt dan zou u moeten toegeven dat alle verhalen in de wereld in wezen uit slechts zesentwintig letters bestaan. De letters zijn steeds dezelfde, alleen

337

hun onderlinge samenhang wisselt. Met de letters worden woorden gevormd, met de woorden zinnen, met zinnen hoofdstukken en met hoofdstukken verhalen. Kijk eens goed, wat staat daar?'

Bastiaan las:

HGIKLOPFMWEYVXQ

YXCVBNMASDFGHJKLOA

QWERTZUIOPU

ASDFGHJKLOA

MNBVCXYLKJHGFDSA

UPOIUZTREWQAS

QWERTZUIOPUASDF

YXCVBNMLKJ

QWERTZUIOPU

ASDFGHJKLOAYXC

UPOIUZTREWQ

AOLKJHGFDSAMNBV

GKHDSRZIP

QETUOUSFHKO

YCBMWRZIP

ARCGUNIKYO

QWERTZUIOPUASD

MNBVCXYASD

LKJUONGREFGHL

'Ja,' giechelde Argax, 'zo gaat het meestal. Maar als je het erg lang speelt, wel jarenlang, dan komen er soms door toeval woorden. Geen bijzonder spirituele woorden, maar tenminste woorden. "Spinazie-stuip" bijvoorbeeld, of "borstelworsten" of "kraaglak". Maar als je het honderd jaar, duizend jaar steeds doorspeelt, dan moet er naar alle waarschijnlijkheid toevallig ook eens een gedicht uitkomen. En speel je het eeuwig, dan moeten zo alle gedichten en verhalen die er maar mogelijk zijn ontstaan, plus ook alle verhalen over de verhalen en zelfs dit verhaal waarin wij nu met elkaar praten. Dat is toch logisch, niet?'

'Dat is afschuwelijk,' zei Bastiaan.

'Ach,' vond Argax, 'het hangt er maar vanaf welk standpunt je inneemt. Die daar – zou je kunnen zeggen – zijn er echt bij betrokken. En trouwens, wat zouden we in Fantásië met ze moeten beginnen?'

Lange tijd stond Bastiaan zwijgend naar de spelers te kijken. Toen vroeg hij zachtjes: 'Argax – je weet toch wie ik ben, hè?'

'Wie niet? Wie in Fantásië zou uw naam niet kennen?'

'Zeg eens, Argax, als ik gisteren keizer geworden was, was ik dan ook al hier?'

'Vandaag of morgen,' antwoordde de aap, 'of over een week. In elk geval was u gauw gekomen.'

'Dan heeft Atréjoe me gered.'

'Geen idee,' moest de aap toegeven.

'En als het hem gelukt was het Kleinood van mij af te pakken, wat was er dan gebeurd?'

De aap moest weer giechelen.

'Je zou kunnen zeggen dat u dan ook hier terechtgekomen was.'

'Waarom?'

'Omdat u AURYN nodig hebt om de terugweg te vinden. Maar eerlijk gezegd denk ik niet dat het u nog lukt.'

De aap klapte in zijn handjes, lichtte zijn baret even op en grijnsde.

'Je moet me vertellen wat ik doen moet, Argax.'

'Een wens bedenken die u naar uw wereld terugbrengt.'

Weer zei Bastiaan een hele poos niets en vroeg toen: 'Argax, kun jij me zeggen hoeveel wensen ik eigenlijk nog kan doen?'

'Niet veel meer. Volgens mij hoogstens nog een stuk of drie, vier. En daar zult u maar nauwelijks mee toe komen. U begint wel een beetje laat en de terugweg is bepaald niet gemakkelijk. U moet de Nevelzee oversteken. Dat alleen al kost u er een. Wat daarna komt weet ik niet. Niemand in Fantásië weet waar voor lieden als u de weg naar uw wereld loopt. Misschien vindt u Yors Minroud wel, die voor sommigen als u de laatste redding is. Hoewel, ik ben bang dat het voor u – laten we zeggen – te ver is. Deze keer zult u echter de Stad van de Oude Keizers nog kunnen verlaten.'

'Dank je, Argax!' zei Bastiaan.

Het kleine grijze aapje grijnsde.

'Vaarwel, Bastiaan Balthazar Boeckx!'

En met een grote sprong was Argax in een van die dolzinnige huizen verdwenen. De tulband had hij meegenomen.

Nog even bleef Bastiaan roerloos staan. Wat hij gehoord had, had hem zo in verwarring gebracht en doen schrikken dat hij geen besluit kon nemen. Alles wat hem voor ogen had gestaan, al zijn plannen tot nu toe waren op slag weggevaagd. Hij had het gevoel of alles binnen in hem op zijn kop was gezet zoals gindse piramide. De bovenkant was de onderkant geworden en de achterkant de voorkant. Wat hij gehoopt had betekende zijn ondergang en wat hij gehaat had zijn redding.

Om te beginnen was hem één ding duidelijk: hij moest uit dit gekkenhuis weg! En hij wilde hier nooit meer terugkomen!

Hij ging op weg door de wirwar van onzinnige gebouwen en al spoedig bleek dat de weg naar binnen heel wat eenvoudiger geweest was dan die naar buiten. Steeds weer moest hij vaststellen dat hij de richting was kwijtgeraakt en alweer naar het centrum van de stad liep. Hij had de hele middag nodig voor hij erin slaagde de aarden wal te bereiken. Toen holde hij de heide op en bleef doorhollen tot de nacht – al even donker als de vorige – hem dwong te stoppen. Uitgeput liet hij zich onder een jeneverbesstruik neervallen en viel meteen in een diepe slaap. En in deze slaap doofde in hem de herinnering dat hij ooit verhalen had kunnen bedenken.

De hele nacht had hij maar één enkel droombeeld dat maar niet wijken wilde en ook niet veranderde: Atréjoe die met een bloedende wond in de borst voor hem stond en hem aankeek – onbeweeglijk en zwijgend.

Wakker geschrokken door een donderslag, vloog Bastiaan overeind. Het was pikdonker om hem heen, maar alle wolkenmassa's die zich sinds dagen samengepakt hadden, schenen in wilde beroering te zijn gekomen. Zonder ophouden flitste de bliksem. De donderslagen ratelden en bulderden zo hevig, dat de grond ervan trilde. De storm gierde over de heide en drukte de jeneverbesstruiken tegen de grond. Stortregens waaiden als grijze gordijnen over het land.

Bastiaan ging staan, zijn zwarte mantel om zich heen gewikkeld. Het water liep over zijn gezicht.

Een bliksemstraal sloeg vlak voor hem in in een boom, spleet de knoestige stam en onmiddellijk gingen de takken in vlammen op. De wind blies vonken over de nachtelijke heide, die door de stromende regen direct werden gedoofd.

Door de verschrikkelijke klap was Bastiaan op zijn knieën geworpen. Met beide handen begon hij nu in de grond te graven. Toen het gat diep genoeg was maakte hij het zwaard Sikánda los en legde het erin.

'Sikánda!' zei hij zachtjes, terwijl de storm om hem heen huilde, 'voor altijd neem ik afscheid van je. Nooit meer mag er onheil worden aangericht door iemand die jou gebruikt tegen een vriend. En niemand mag je hier vinden voordat vergeten is wat er door jouw en mijn toedoen gebeurde.'

Toen gooide hij het gat weer dicht en legde tot slot mos en takken neer, opdat niemand die plek ontdekken zou.

En daar ligt Sikánda ook vandaag nog. Want pas in de verre toekomst zal er iemand komen die het zwaard zonder gevaar kan aanraken – maar dat is een ander verhaal en moet een andere keer maar eens worden verteld.

Door het duister liep Bastiaan verder.

Tegen de morgen hield het onweer op. De wind ging liggen en de regen drupte van de bomen. En toen werd het stil.

In deze nacht begon voor Bastiaan een lange, eenzame zwerftocht. Teruggaan naar zijn reis- en strijdgenoten en naar Xayiede wilde hij niet meer. Hij wilde nu de weg terug naar de wereld van de mensen zoeken – maar hoe hij daar komen moest wist hij niet. Was er soms ergens een poort, een doorwaadbare plaats, een grensovergang die hem naar de andere kant kon brengen?

Hij moest het wensen, dat wist hij. Maar daarover had hij geen macht. Hij voelde zich als een duiker die op de zeebodem naar een gezonken schip zoekt, maar steeds weer naar boven gestuwd wordt voor hij iets gevonden heeft.

Hij wist ook dat hem nog maar weinig wensen overgebleven waren en daarom lette hij er goed op geen gebruik van AURYN te maken. De paar herinneringen die nog bij hem leefden mocht hij alleen opofferen als hij daardoor dichter bij zijn wereld kwam en dan nog alleen wanneer het beslist noodzakelijk was.

Maar wensen kun je niet naar willekeur oproepen, noch wegdrukken. Net als alle opwellingen, of die nu goed of slecht zijn, komen ze uit ons diepste innerlijk. En ze ontstaan ongemerkt.

Zonder dat Bastiaan er iets van gewaar werd, vormde zich in hem een nieuwe wens die een steeds vastere vorm aannam.

De eenzaamheid waarin hij al heel wat dagen en nachten verkeerde, wekte in hem de wens om tot de een of andere gemeenschap te behoren, om opgenomen te worden in een groep – niet als heer of overwinnaar, of als een bijzonder wezen, maar slechts als een onder velen, misschien als de kleinste, of de onbelangrijkste, maar wel als iemand die er vanzelfsprekend bijhoort en aan die gemeenschap deel heeft.

341

En zo gebeurde het op een dag dat hij bij een kust aankwam. In elk geval dacht hij dit in het begin. Hij stond op een steile rots en voor zijn ogen strekte zich een zee uit van witte, verstarde golven. Pas later merkte hij dat die golven niet werkelijk onbeweeglijk waren, maar zich heel langzaam bewogen, dat er stromingen waren en kolken, die even onmerkbaar draaiden als de wijzers van een klok.

Het was de Nevelzee!

Bastiaan liep langs de steile kust verder. De lucht was warm en wat vochtig en er stond geen zuchtje wind. Het was nog vroeg in de morgen en de zon scheen op de sneeuwwitte nevel die zich uitstrekte tot aan de horizon.

Een paar uur liep Bastiaan zo door tot hij tegen de middag bij een stadje kwam dat op hoge palen een stuk van het vasteland af in de Nevelzee stond. Een lange hangbrug verbond het stadje met een uitspringend stuk van de rotskust. Hij zwaaide zachtjes heen en weer toen Bastiaan er overheen liep.

De huizen waren naar verhouding klein. De deuren, de ramen, de trappen, ze zagen er allemaal uit alsof ze voor kinderen waren gemaakt. En inderdaad, de mensen die in de straten liepen hadden allemaal de afmeting van kinderen, hoewel het toch volwassen mannen met baarden en vrouwen met opgestoken kapsels waren. Opvallend was dat je nauwelijks enig onderscheid tussen hen zag, zoveel leken ze op elkaar. Hun gezichten waren donkerbruin als natte aarde en hadden een zachte en verstilde uitdrukking. Toen ze Bastiaan ontwaarden knikten ze hem toe, maar niemand sprak hem aan. Ze schenen over het algemeen erg zwijgzaam te zijn, je hoorde in de straten en steegjes maar hoogst zelden een woord of een uitroep, ondanks de grote bedrijvigheid die er heerste. Ook zag je nooit iemand alleen. Steeds liepen ze in kleine of grotere groepjes–arm in arm of hand in hand–rond.

Toen Bastiaan de huizen nauwkeuriger opnam, stelde hij vast dat ze allemaal uit een soort vlechtwerk van biezen bestonden, sommige wat grover, andere wat fijner, ja zelfs het straatplaveisel was van biezen gemaakt. En tenslotte zag hij ook dat zelfs de kleren van de mensen, hun broeken, rokken, jakken en hoeden van hetzelfde vlechtwerk waren vervaardigd, in dit geval dan wel van een zeer fijn en fraai weefsel. Kennelijk maakte men hier zonder meer alles van hetzelfde materiaal.

Hier en daar kon Bastiaan een blik werpen in verschillende werkplaatsen van handwerkers. Al deze lieden waren bezig met het vervaardigen van gevlochten voorwerpen. Ze maakten schoenen, kruiken, lampen, kopjes en paraplu's; allemaal van hetzelfde vlechtwerk. En nooit werkte iemand alleen, want al deze voorwerpen konden alleen door samenwerking tot stand komen. Het was gewoon een genoegen om te zien hoe handig zij op elkaar inspeelden en de een steeds de activiteit van de ander aanvulde. En zij zongen daarbij meestal een eenvoudig wijsje, zonder woorden.

De stad was niet erg groot en dus had Bastiaan al gauw de rand ervan bereikt. En wat hij hier zag toonde overduidelijk aan dat dit een stad van zeelui was, want hier lagen honderden schepen van allerlei vorm en afmetingen. Toch was het een nogal ongewone havenstad want al deze schepen waren opgehangen aan reusachtige hengels en zweefden, zachtjes heen en weer zwaaiend, en de een naast de ander, boven de diepte waarin de witte nevelmassa's voortdreven. Overigens schenen ook deze schepen helemaal uit biezenvlechtwerk te bestaan en hadden ze geen zeilen en geen masten, noch roeren of helmstokken.

Bastiaan had zich over een reling gebogen en keek neer op de Nevelzee. De hoogte van de palen waar de stad op rustte kon hij van hun schaduwen aflezen die het zonlicht op het witte oppervlak onder hem wierp.

'''s Nachts,' hoorde hij een stem naast zich zeggen, 'stijgt de nevel op tot het peil van de stad. Dan kunnen we wegvaren. Overdag verdampt de nevel door de zon en daalt de zeespiegel. Dat wilde je toch weten, vreemdeling?'

Naast Bastiaan hingen drie mannen tegen de reling, die hem zachtmoedig en vriendelijk aankeken. Hij raakte met hen in gesprek en hoorde dat de stad Yskál heette, maar ook wel Biezenstad werd genoemd. De inwoners heetten Yskálnari. Dit woord betekende zo iets als 'de Samenwerkenden'. Van beroep waren de drie mannen nevelschipper. Bastiaan wilde zijn naam niet noemen om niet herkend te worden en zei dat hij Iemand heette. De drie zeelui vertelden dat ze geen aparte naam voor iedereen afzonderlijk hadden en dat ook helemaal niet nodig vonden. Ze waren allemaal Yskálnari en dat was hun genoeg.

Omdat het juist tijd voor het middageten was, nodigden ze Bastiaan uit met hen mee te gaan. Hij ging er dankbaar op in. In een eethuis niet ver daar vandaan zetten zij zich aan tafel en gedurende de maaltijd hoorde Bastiaan alles over de stad Yskál en zijn inwoners.

De Nevelzee, die bij hen Skaidan heette, was een enorme oceaan van witte damp die twee delen van Fantásië van elkaar scheidde. Niemand had ooit onderzocht hoe diep de Skaidan was en evenmin waar deze kolossale nevelmassa vandaan kwam. Wel kon je onder het oppervlak ademen en je kon vanaf de kust, waar de nevel nog betrekkelijk vlak was, een heel stuk over de zeebodem lopen, maar alleen als je aan een touw was gebonden waaraan je kon worden teruggetrokken. De nevel had namelijk de eigenschap iemand in minder dan geen tijd ieder gevoel voor oriëntatie te ontnemen. Heel wat durfals en lichtzinnigen waren in de loop der tijd al bij een poging om alleen en te voet de Skaidan over te steken omgekomen. Slechts enkelen had men kunnen redden. De enige manier waarop je aan de overkant van de Nevelzee kon komen was die van de Yskálnari.

Het biezen vlechtwerk waaruit de huizen van de stad Yskál, alle gebruiksvoorwerpen, de kleren en ook de schepen bestonden, werd namelijk van een soort biezen gemaakt dat dicht bij de kust onder het oppervlak van de Nevelzee groeide en dat – zoals uit het voorafgaande wel te begrijpen is – alleen met levensgevaar gesneden kon worden. Deze biezen, die toch buitengewoon buigzaam waren en in de open lucht zelfs slap, stonden rechtop in de nevel, omdat ze lichter waren dan de nevel en er als het ware op dreven. Daardoor bleven natuurlijk ook de schepen die ervan gemaakt waren drijven. De kleren die de Yskálnari droegen waren dus tevens een soort zwemvesten voor het geval dat iemand in de nevel terecht kwam.

Maar dat was nog niet het eigenlijke geheim van de Yskálnari en maakte nog niet duidelijk wat de reden van die merkwaardige saamhorigheid was, die al hun doen en laten bepaalde. Zoals Bastiaan al gauw merkte schenen zij het woordje 'ik' niet te kennen; in elk geval gebruikten ze het nooit, maar hadden ze het altijd over 'wij'. Waarom dat zo was ontdekte hij pas later.

Toen hij uit het gesprek met de drie nevelschippers opmaakte dat zij diezelfde nacht nog zee wilden kiezen, vroeg hij of ze hem niet als scheepsjongen konden aanmonsteren. Ze legden hem uit dat een tocht op de Skaidan aanzienlijk verschilde van iedere andere vorm van zeevaart, omdat je nooit kon weten hoe lang je onderweg was en

344

waar je uiteindelijk zou belanden. Bastiaan zei dat dit hem niets uitmaakte, en daarom stemden de zeelui er in toe hem mee aan boord te nemen.

Bij het invallen van de nacht begon de nevel zoals verwacht omhoog te komen en tegen middernacht had deze de hoogte van de Biezenstad bereikt. Nu dreven alle schepen, die daarvoor in de lucht gehangen hadden, op het witte oppervlak. De trossen van het schip waarop Bastiaan zich bevond – het was een ongeveer dertig meter lange, platte schuit – werden losgegooid en langzaam dreef het schip op het wit van de nachtelijke Nevelzee naar buiten.

Op het eerste gezicht al had Bastiaan zich afgevraagd door wat voor stuwkracht een schip als dit werd voortbewogen, omdat het geen zeil, geen roeispanen en ook geen schroef had. Zeilen zouden, zo hoorde hij, van geen enkel nut geweest zijn omdat er boven de Skaidan vrijwel altijd windstilte heerste en met roeispanen of schroeven had je al helemaal geen vat op de nevel. De kracht waarmee het schip voortbewogen werd was een volstrekt andere.

Midden op het dek bevond zich een rond, iets verhoogd platform. Dit was Bastiaan meteen al opgevallen en hij had het voor een commandobrug of iets dergelijks gehouden. Inderdaad stonden er gedurende de hele reis minstens twee nevelschippers op, en soms ook wel drie, vier, of meer. (De hele bemanning telde veertien man – buiten Bastiaan natuurlijk.) De schippers die op het ronde platform stonden hadden de armen om elkaars schouders gelegd en keken in de richting waarin gevaren werd. Als je niet heel goed oplette kon je denken dat ze daar onbeweeglijk stonden. Pas als je beter keek, zag je dat ze zich heel langzaam en volkomen gelijk wiegend bewogen, als in een dans. Ze zongen daarbij een steeds weer terugkerend, simpel wijsje, dat erg mooi en teder was.

Aanvankelijk had Bastiaan dit merkwaardige gedrag voor een bepaalde ceremonie of gewoonte gehouden waarvan de zin hem ontging. Pas de derde dag vroeg hij het aan een van zijn drie vrienden die naast hem was komen zitten. Deze vond Bastiaans verwondering nogal vreemd en legde hem uit dat de mannen het schip voortstuwden met hun verbeeldingskracht.

Bastiaan kon deze uitleg niet onmiddellijk begrijpen en vroeg of ze misschien verborgen raderen in beweging brachten.

'Nee,' antwoordde de nevelschipper. 'Als jij je benen wilt bewegen

345

is het voor jou toch ook genoeg om je dat voor te stellen – of moet je je benen door een raderwerk aandrijven?'

Het verschil tussen het eigen lichaam en een schip bestond slechts daarin dat minstens twee Yskálnari hun verbeeldingskracht volledig tot een eenheid moesten laten worden. Want pas door dit samengaan ontstond de stuwkracht. En wilden ze sneller varen, dan moesten ze met meer man samenwerken. Gewoonlijk werkten ze in ploegen van drie en dan rustten de anderen uit, want het was, al zag het er dan ook heel licht en gracieus uit, een zwaar, inspannend werk dat grote en voortdurende concentratie vereiste. Maar het was de enige manier waarop de Skaidan bevaren kon worden.

Bastiaan ging bij de nevelschippers in de leer en leerde het geheim van hun saamhorigheid: de dans en het lied zonder woorden.

Tijdens de lange overtocht werd hij steeds meer een van hen. Het gaf een uiterst merkwaardig, onbeschrijfelijk gevoel van zelfonthechting en harmonie wanneer hij tijdens de dans ervoer hoe zijn eigen verbeeldingskracht samensmolt met die van de anderen en tot een geheel werd. Hij voelde zich echt opgenomen in hun gemeenschap en een met hen – en tegelijkertijd verdween uit zijn geheugen iedere herinnering aan het feit dat er in de wereld waar hij vandaan gekomen was en waarheen hij nu de weg terug wilde zoeken, mensen waren, mensen die allemaal hun eigen ideeën en meningen hadden. Het enige dat hij zich nog heel vaag herinneren kon was zijn thuis en zijn ouders.

Maar heel diep in zijn hart leefde nog een andere wens dan het verlangen niet meer alleen te zijn. En die andere wens begon zich nu zachtjes te roeren.

Dit gebeurde op een dag waarop hij voor het eerst merkte dat de Yskálnari hun saamhorigheid niet bereikten doordat ze volslagen verschillend geaarde verbeeldingswijzen met elkaar in overeenstemming brachten, maar omdat ze zó volkomen op elkaar leken dat het hun geen inspanning kostte zich een eenheid te voelen. Integendeel, het was hun niet mogelijk onderling ruzie te maken of het met elkaar oneens te zijn, want geen van hen voelde zich een individu. Zij hoefden geen tegenstellingen te overwinnen om onderlinge harmonie te bereiken en het was nu net die moeiteloosheid die Bastiaan steeds onbevredigender begon te vinden. Hun zachtaardigheid vond hij vervelend en de nooit variërende melodie van hun liederen monotoon.

Hij had het gevoel dat hij in dit alles iets miste, dat hij naar iets anders verlangde, al kon hij nog niet zeggen wat dit was.

Dit werd hem pas duidelijk toen zij enige tijd later een reusachtige nevelkraai hoog boven zich in het oog kregen. Alle Yskálnari werden bang en verscholen zich zo vlug ze konden benedendeks. Maar één lukte dit niet meer op tijd. De kolossale vogel schoot met een schreeuw omlaag, greep de ongelukkige en voerde hem in zijn snavel mee.

Toen het gevaar voorbij was, kwamen de Yskálnari weer te voorschijn en zetten de reis met zang en dans voort alsof er niets was gebeurd. Hun harmonie was niet verstoord, ze treurden niet en klaagden niet, ze maakten er zelfs geen woorden aan vuil.

'Nee,' zei er een tegen Bastiaan toen deze hierover een vraag stelde, 'wij missen niemand. Waar moeten wij dan over klagen?'

Bij hen telde een individu niet mee. En omdat zij onderling niet verschilden was niemand onvervangbaar.

Maar Bastiaan wilde juist wel een individu zijn, een Iemand, niet enkel iemand zoals alle anderen. Hij wilde juist dat men van hem hield omdat hij was zoals hij was. In deze gemeenschap van de Yskálnari bestond er wel harmonie, maar geen liefde.

Hij wilde niet langer meer de grootste, de sterkste of de wijste zijn. Dit alles had hij achter de rug. Hij verlangde ernaar dat men van hem hield zoals hij was, goed of slecht, mooi of lelijk, wijs of dom, met al zijn fouten – of zelfs juist *om* zijn fouten.

Maar hoe was hij dan?

Hij wist het niet meer. Hij had in Fantásië zoveel gekregen en nu kon hij tussen al die talenten en krachten zichzelf niet meer terugvinden.

Vanaf dat moment deed hij niet meer mee aan de dans van de nevelschippers. Hij zat helemaal voor op de boeg en staarde over de Skaidan – elke dag en soms ook hele nachten.

En uiteindelijk werd toen de andere kust bereikt. Het nevelschip meerde af, Bastiaan dankte de Yskálnari en ging aan land.

Het was een land vol rozen, bossen vol rozen in alle kleuren. En midden door dit eindeloze rozenbos liep een slingerpad.

Bastiaan volgde het.

347

zum
Anderhaus

[X]

Vrouwe Aioeóla

XAYIEDES einde is gauw verteld, maar moeilijk te begrijpen en vol tegenspraak, zoals zo veel in Fantásië. Tot op de dag van vandaag breken de geleerden en de geschiedschrijvers zich het hoofd erover hoe het mogelijk was. Sommigen twijfelen zelfs aan de feiten en proberen ze een andere betekenis te geven. Op deze plaats moet vermeld worden wat er werkelijk is gebeurd en het staat een ieder vrij om zo goed hij kan de feiten voor zichzelf te verklaren.

Op hetzelfde moment dat Bastiaan al in de stad Yskál bij de nevelschippers arriveerde, bereikte Xayiede met haar zwarte reuzen de plaats op de heide waar het metalen paard onder Bastiaan in stukken was gevallen. Zij vermoedde toen al dat ze hem niet meer vinden zou. Toen ze enige tijd later de aarden wal ontdekte waar Bastiaans voetsporen heengingen werd dit vermoeden zekerheid. Als hij in de Stad van de Oude Keizers was aangekomen was hij voor haar plannen verloren, ongeacht of hij daar voor eeuwig blijven zou of dat hij erin geslaagd was de stad weer te ontvluchten. In het eerste geval was hij machteloos geworden zoals iedereen daar en kon hij niets meer wensen – in het andere geval waren alle wensen naar macht en grootheid in hem gedoofd. In beide gevallen was voor haar, Xayiede, het spel uit.

Zij beval haar pantserreuzen halt te houden, maar om onbegrijpelijke redenen gehoorzaamden die niet aan haar wil en marcheerden verder. Ze werd kwaad, sprong uit de draagstoel en ging met uitgestrekte armen voor hen staan. Maar de gepantserde kolossen, zowel het voetvolk als de ruiters, stampten door alsof zij niet bestond en vertrapten haar onder hun voeten en hoeven. Pas toen Xayiede haar laatste adem had uitgeblazen, bleef de hele lange stoet plotseling, als een afgelopen horloge, staan.

Toen later Huusbald, Huukrion en Huudorn met de rest van het leger arriveerden, zagen ze wat er gebeurd was. Ze konden het niet begrijpen, want het was alleen Xayiedes wil geweest die de holle kolossen in beweging bracht en dus ook over haar heen had laten marcheren. Maar omdat lang nadenken niet bepaald de grootste kracht van de drie heren was, trokken ze tenslotte hun schouders op en lieten de zaak rusten. Ze overlegden wat hun nu te doen stond en kwamen tot de slotsom dat de veldtocht klaarblijkelijk was afgelopen. En dus ontbonden ze het resterende leger en raadden iedereen aan naar huis terug te keren. Zelf besloten zij, omdat ze Bastiaan een eed van trouw hadden gezworen, die ze niet breken wilden, hem waar dan ook in Fantásië te gaan zoeken. Maar over de te nemen route konden ze het onderling niet eens worden en daarom besloten ze dat ieder van hen op eigen gelegenheid verder zou gaan. Ze namen afscheid van elkaar en gingen hinkend elk een andere kant op. Alle drie beleefden ze nog veel avonturen en er zijn in Fantásië talloze verhalen over hun zinloze zoeken. Maar dat zijn andere verhalen en moeten een andere keer maar eens worden verteld.

Sindsdien stonden de zwarte, holle metalen kolossen roerloos op de heide bij de Stad van de Oude Keizers. Regen en sneeuw daalden op ze neer. Ze verroestten en zakten geleidelijk scheef of helemaal weg in de grond. Maar nog vandaag de dag zijn er verscheidene te zien. De plek is berucht geworden en elke wandelaar gaat er met een grote boog omheen. Maar laten we nu weer naar Bastiaan terugkeren.

Terwijl hij op zijn weg door het rozenbos de lichte kronkelingen van het pad volgde, zag hij iets dat hem stomverbaasd deed zijn omdat hij op heel zijn tocht door Fantásië nog nooit zo iets gezien had: een in de vorm van een hand vervaardigde wegwijzer die een bepaalde richting aanduidde.

'Naar het Wisselhuis,' stond erop.

Bastiaan volgde de aangegeven richting zonder zich te haasten. Hij snoof de geur van de talloze rozen op en voelde zich steeds vrolijker, net alsof hem een blijde verrassing te wachten stond.

Tenslotte kwam hij in een kaarsrechte laan, tussen twee rijen kogelronde bomen die volhingen met roodwangige appels. En helemaal aan het eind van de laan doemde een huis op. Toen hij dichterbij kwam stelde Bastiaan vast dat het het gekste huis was dat hij ooit had gezien. Een hoog puntdak rustte als een slaapmuts op een bouwsel dat veel op een reuzenpompoen leek, want het was rond als een knikker en de muren hadden bijna overal bulten en uitstulpingen, dikke buiken zou je kunnen zeggen, hetgeen het huis een welgedaan en gezellig uiterlijk gaf. Er waren ook een paar ramen en een huisdeur, maar allemaal op een bepaalde manier scheef en krom, alsof deze openingen er wat onhandig waren ingezaagd.

Terwijl Bastiaan op het huis toeliep, ontdekte hij dat het voortdurend langzaam aan het veranderen was. Zo ongeveer met de rust waarmee een slak zijn voelsprieten uitsteekt, vormde zich aan de rechterkant een kleine uitwas, die geleidelijk op een zijtorentje ging lijken. Tegelijk ging aan de linkerkant een raam dicht en verdween langzamerhand. Uit het dak kwam een schoorsteen groeien en boven de huisdeur vormde zich een balkonnetje met een hekwerk.

Bastiaan was blijven staan en volgde de voortdurende wisselingen met verbazing en vermaak. Nu was het hem duidelijk waarom dit huis het 'Wisselhuis' heette. Terwijl hij daar zo stond te kijken, hoorde hij binnen een warme, mooie vrouwestem zingen:

'Honderd jaar al wachten wij
op je, lieve gast.
Daar je ons gevonden hebt,
ben jij het, dat staat vast.
Je dorst en honger worden gestild,
alles staat toebereid.
Ja, alles wat je zoekt of wilt,
zelfs ook geborgenheid –
en troost voor alle pijn.
En of je goed was of vaak slecht,
zoals je bent, zo moet je zijn.
Je was lang onderweg!'

'Ach,' dacht Bastiaan, 'wat een mooie stem! Ik zou best willen dat dit lied op mij sloeg!'

Weer begon de stem te zingen:

'Grote heer, word weer een kind!
Word weer klein en treed hier in!
Sta niet langer dralend daar:
je bent welkom! Kom nu maar!
Alles staat voor jou toebereid,
al een hele lange tijd.'

351

De stem oefende een onweerstaanbare aantrekkingskracht op Bastiaan uit. Hij was ervan overtuigd dat het een erg vriendelijk iemand was die daar zong. En dus klopte hij aan de deur en de stem riep: 'Kom binnen! Kom binnen, mijn lieve jongen!'

Hij deed de deur open en zag een gezellige, niet al te grote kamer waar de zon door de ramen naar binnen scheen. In het midden stond een ronde tafel, gedekt met allerhande schalen en manden vol veelkleurige vruchten, die Bastiaan niet kende. Aan de tafel zat een vrouw die er zelf een beetje uitzag als een appel, met die rode wangen en zo rond en zo gezond en smakelijk.

Meteen al werd Bastiaan overweldigd door het verlangen met uitgespreide armen op haar toe te lopen en 'Mamma! Mamma!' te roepen. Maar hij beheerste zich. Zijn moeder was dood en vast en zeker niet hier in Fantásië. Deze vrouw had dan wel dezelfde lieve glimlach en dezelfde vertrouwenwekkende manier van aankijken, maar de gelijkenis was hoogstens die van een zuster. Zijn moeder was klein geweest en deze vrouw hier was groot en op een bepaalde manier indrukwekkend. Ze had een grote hoed op die overladen was met bloemen en vruchten en ook haar jurk was van een prachtige gebloemde stof gemaakt. Pas nadat hij de jurk een poosje bekeken had zag hij dat die in werkelijkheid eveneens uit bladeren, bloemen en vruchten bestond.

Terwijl hij haar daar zo stond aan te kijken kreeg hij een gevoel dat hij al lang, heel lang niet meer had gehad. Hij kon zich niet herinneren wanneer en waar dat was, hij wist alleen dat hij zich soms zo gevoeld had toen hij nog klein was.

'Ga toch zitten, mijn lieve jongen!' zei de vrouw en met een uitnodigend gebaar wees ze hem een stoel. 'Je zult vast honger hebben. Eet dus eerst maar eens!'

'Neemt u me niet kwalijk,' antwoordde Bastiaan, 'maar u verwachtte toch een gast? Ik ben hier maar heel toevallig.'

'Werkelijk?' vroeg de vrouw met een ondeugend lachje. 'Nou, dat maakt niets uit, hoor! Daarom kun je toch nog wel eten, niet? Intussen zal ik je een verhaaltje vertellen. Tast toe en laat ik niet hoeven aandringen!'

Bastiaan nam zijn zwarte mantel af en hing hem over de stoel. Hij ging zitten en pakte aarzelend een vrucht. Voor hij erin beet vroeg hij: 'En u? Eet u niets? Of houdt u niet van fruit?'

352

De vrouw lachte luid en hartelijk. Bastiaan had geen idee waar ze om lachte.

'Nou, goed,' zei ze toen ze weer bijgekomen was. 'Als je erop staat zal ik je gezelschap houden en ook wat gebruiken – maar op mijn manier. Daar moet je niet van schrikken!'

Daarop pakte ze een kan die naast haar op de grond stond en begoot zichzelf.

'Lekker!' zei ze. 'Daar knap je van op!'

Nu was het Bastiaans beurt om in de lach te schieten. Toen beet hij in de vrucht en stelde meteen vast dat hij nog nooit zo iets lekkers gegeten had. Daarna at hij een andere en die was zelfs nog lekkerder.

'En – smaakt het?' vroeg de vrouw, die hem aandachtig opnam.

Bastiaan had zijn mond vol en kon niet antwoorden, maar knikte al kauwend.

'Doet me veel plezier,' zei de vrouw. 'Ik heb er heel wat moeite voor gedaan. Eet maar door, zo veel je wilt!'

Bastiaan pakte een nieuwe vrucht en die was nog eens helemaal volmaakt! Hij zuchtte van genot.

'En nu ga ik je een verhaal vertellen,' vervolgde de vrouw, 'maar laat je niet bij het eten storen.'

Het kostte Bastiaan moeite naar haar te luisteren, want elke nieuwe vrucht bracht hem nieuwe verrukking.

'Lang, heel lang geleden,' begon de in bloemen gehulde vrouw, 'was onze Kleine Keizerin doodziek, want ze had een nieuwe naam nodig en die kon alleen een mensenkind haar geven. Maar er kwamen geen mensen meer naar Fantásië en niemand wist waarom. En als zij moest sterven betekende dit tevens het einde van Fantásië. En toen kwam er op een dag, of beter gezegd, op een nacht toch weer een mens. Het was een kleine jongen en hij gaf aan de Kleine Keizerin de naam Maankind. Zij werd weer gezond en als dank beloofde ze de jongen dat al zijn wensen in haar rijk vervuld zouden worden – zo lang tot hij zijn diepste verlangen gevonden had. Vanaf dat moment maakte de kleine jongen een lange reis van de ene wens naar de andere en elke wens ging in vervulling. En elke vervulling bracht hem bij weer een nieuwe wens. En het waren niet alleen goede wensen, maar ook slechte. Maar de Kleine Keizerin maakte daar geen onderscheid tussen, voor haar heeft alles evenveel waarde en alles is even belangrijk in haar rijk. En ook toen tenslotte de Ivoren Toren daarbij ver-

353

woest werd, deed ze niets om het te verhinderen. Maar met elke vervulling van een wens verloor de kleine jongen een stuk van zijn herinnering aan de wereld waaruit hij gekomen was. Dat vond hij niet erg, want hij wilde daar toch al niet meer naar terug. Dus wenste hij maar door, maar nu had hij bijna al zijn herinneringen verloren en zonder herinnering kun je niets meer wensen. Zodoende was hij al haast geen mens meer, maar nagenoeg een Fantásiër geworden. En zijn diepste verlangen kende hij nog steeds niet. Nu bestond het gevaar dat hij ook nog zijn laatste herinneringen zou verspelen zonder erachter te komen. En dat zou betekenen dat hij nooit meer in zijn wereld kon terugkeren. Toen bracht zijn weg hem tenslotte in het Wisselhuis, opdat hij hier net zo lang blijven zou tot hij zijn diepste verlangen zou vinden. Want het Wisselhuis heet niet alleen zo omdat het zichzelf verandert, maar ook omdat het degene verandert die er in woont. En dat was van groot belang voor de kleine jongen, want tot nu toe wilde hij weliswaar steeds een ander zijn dan hij was, maar hij wilde zichzelf niet veranderen.'

Toen zij zover met haar verhaal gekomen was, hield zij op want haar gast was gestopt met kauwen. Hij hield een vrucht waaruit hij al een hap genomen had in de hand en staarde de bloemenvrouw met open mond aan.

'Als je hem niet lust,' zei ze bezorgd, 'leg hem dan gerust weg en pak maar een andere!'

'Wat?' stotterde Bastiaan. 'O nee, hij is erg lekker.'

'Dan is alles in orde,' zei de vrouw tevreden. 'Maar ik heb nog vergeten te vertellen hoe die kleine jongen heette die al zo lang in het Wisselhuis werd verwacht. Veel wezens in Fantásië noemden hem gewoon maar "de Redder", anderen "de Ridder van de Zevenarmige Kandelaar" of "de Grote Wetende", of ook wel "heer en gebieder", maar zijn echte naam was Bastiaan Balthazar Boeckx.'

Daarop keek de vrouw haar gast lachend aan. Hij slikte een paar keer en zei toen zachtjes: 'Zo heet ik.'

'Nou, kijk eens aan!' zei de vrouw en leek in 't geheel niet verbaasd.

De knoppen op haar hoed en op haar jurk gingen opeens allemaal tegelijk open en begonnen te bloeien.

'Maar ik ben toch nog lang geen honderd jaar in Fantásië,' merkte Bastiaan onzeker op.

'O, maar in werkelijkheid wachten we al veel langer op je,' ant-

354

woordde de vrouw. 'Mijn moeder en mijn grootmoeder en zelfs de grootmoeder van mijn grootmoeder hebben al op je gewacht. Zie je, nu wordt *jou* een verhaal verteld dat nieuw is en dat toch verhaalt van een oeroud verleden.'

Bastiaan herinnerde zich de woorden van Graógramán. Toen had hij nog aan het begin van zijn reis gestaan. Nu kwam het hem echt voor alsof het wel honderd jaar geleden was.

'Ik heb je overigens nog niet verteld hoe ik heet. Ik ben Vrouwe Aioeóla.'

Bastiaan herhaalde de naam en had wat moeite voor het hem lukte deze goed uit te spreken. Toen pakte hij een nieuwe vrucht. Hij beet erin en had de indruk dat iedere keer de vrucht die hij net aan het eten was de lekkerste was van allemaal. Ietwat ongerust zag hij dat hij al met de één na laatste bezig was.

'Zou je er nog meer willen?' vroeg Vrouwe Aioeóla, die zijn blik gevolgd had. Bastiaan knikte. Zij reikte naar haar hoed en jurk en plukte daar vruchten af, tot de schaal weer gevuld was.

'Groeit het fruit dan op uw hoed?' informeerde Bastiaan stomverbaasd.

'Hoe bedoel je, hoed?' Vrouwe Aioeóla keek hem niet-begrijpend aan. Toen barstte ze weer uit in een luid, hartelijk lachen. 'O, jij denkt dat dit wat ik op mijn hoofd heb mijn hoed is? Nee hoor, mijn lieve jongen, dat groeit allemaal gewoon uit mij. Zoals jij haren hebt. Daaraan kun je zien hoe blij ik ben dat je er eindelijk bent. Daarom bloei ik op. Als ik verdrietig zou zijn, zou alles verwelken. Maar ga alsjeblieft door met eten!'

'Ik begrijp het niet,' zei Bastiaan verlegen, 'je kunt toch niet opeten wat er uit iemand komt?'

'Waarom niet?' vroeg Vrouwe Aioeóla. 'Kleine kinderen krijgen toch ook de melk van hun moeder. Dat is toch prachtig.'

'Jawel,' vond Bastiaan en bloosde een beetje, 'maar toch alleen zolang ze heel klein zijn.'

'Dan,' zei Vrouwe Aioeóla stralend, 'zul je nu weer heel klein worden, mijn lieve jongen.'

Bastiaan pakte een nieuwe vrucht en hapte erin. En Vrouwe Aioeóla vond dat heerlijk en bloeide nog mooier.

Toen ze een poosje gezwegen hadden, zei ze: 'Het lijkt me dat het nu graag wil dat wij naar de zijkamer gaan. Waarschijnlijk heeft het

355

iets voor je in petto.'

'Wie?' vroeg Bastiaan en keek om zich heen.

'Het Wisselhuis,' antwoordde Vrouwe Aioeóla, alsof dat vanzelf-sprekend was.

Er was inderdaad iets merkwaardigs gebeurd. De kamer was ver-anderd zonder dat Bastiaan er iets van gemerkt had. Het plafond was ver omhooggeschoven, terwijl drie van de muren dichter naar de tafel waren opgerukt. Voor de vierde muur was nog ruimte, en in die muur bevond zich een deur, die openstond.

Vrouwe Aioeóla stond op – nu was te zien hoe groot zij was – en stelde voor: 'Laten we gaan! Het ligt weer dwars. En het heeft geen enkele zin je te verzetten wanneer het een verrassing heeft bedacht. Laten we maar doen wat het wil! Het bedoelt het bovendien meestal goed.'

Ze liep door de deur naar het zijvertrek. Bastiaan volgde haar, maar nam uit voorzorg de schaal met vruchten mee.

Het vertrek was wel zo groot als een zaal en toch was het een eetkamer, die Bastiaan om de een of andere reden bekend voor kwam. Vreemd was alleen dat alle meubels die hier stonden, ook de tafel en de stoelen, kolossaal groot waren, zo groot dat Bastiaan er niet op kon klimmen.

'Moet je nu toch eens kijken!' zei Vrouwe Aioeóla geestdriftig. 'Het Wisselhuis bedenkt elke keer weer wat nieuws. Het heeft voor jou nu een kamer gemaakt zoals een klein kind die zou zien.'

'Hoezo?' vroeg Bastiaan. 'Was deze zaal er dan eerst niet?'

'Natuurlijk niet,' antwoordde ze. 'Weet je, het Wisselhuis is erg levendig. Op zijn manier doet het graag mee met wat wij bepraten. Ik denk dat het je hiermee iets wil zeggen.'

Zij ging nu op een stoel aan tafel zitten, maar vergeefs probeerde Bastiaan op de andere stoel te klimmen. Vrouwe Aioeóla moest hem helpen en hem optillen en ook toen kwam hij nog maar net met zijn neus boven het tafelblad uit. Hij was blij dat hij de schaal met fruit had meegenomen en hield die op zijn knieën. Als die op tafel had gestaan dan had hij er nooit bij gekund.

'Moet u vaak zo van kamer veranderen?' vroeg hij.

'Niet vaak,' antwoordde Vrouwe Aioeóla, 'hoogstens een keer of drie, vier per dag. Soms houdt het Wisselhuis je ook gewoon voor de gek. Dan zijn alle kamers opeens omgekeerd: de vloer boven en het plafond beneden, of iets dergelijks. Maar dat is pure baldadigheid en het wordt ook meteen weer verstandig wanneer ik het erover onderhoud. Eigenlijk is het een heel lief huis en ik voel me er werkelijk erg prettig in. We lachen samen heel wat af.'

'Maar is dat dan niet gevaarlijk?' wilde Bastiaan weten. 'Ik bedoel 's nachts bijvoorbeeld, wanneer u slaapt en de kamer steeds kleiner wordt?'

'Wat denk je allemaal, lieve jongen?' riep Vrouwe Aioeóla, haast verontwaardigd. 'Het houdt toch van me en van jou houdt het ook. Het is blij met je.'

'En als het iemand niet mag?'

'Geen idee!' antwoordde ze. 'Wat stel je toch een gekke vragen! Tot nu toe is hier nog nooit iemand geweest behalve jij en ik.'

'Maar,' zei Bastiaan, 'maar ben ik dan de eerste gast?'

'Natuurlijk!'

Bastiaan keek de grote ruimte rond.

'Je zou niet denken dat deze kamer helemaal in het huis past. Van buiten zag het er lang zo groot niet uit.'

'Het Wisselhuis,' legde Vrouwe Aioeóla uit, 'is van binnen groter dan van buiten.'

Het was intussen gaan schemeren en het werd steeds donkerder in de kamer. Bastiaan leunde achterover in zijn grote stoel en liet zijn hoofd rusten. Hij voelde zich vreemd slaperig.

'Waarom,' vroeg hij, 'hebt u zo lang op mij gewacht, Vrouwe Aioeóla?'

'Ik heb altijd een kind willen hebben,' antwoordde zij, 'een klein kind dat ik mag verwennen, dat behoefte heeft aan mijn tederheid, voor wie ik zorgen kan – iemand als jij, mijn lieve jongen.'

Bastiaan geeuwde. Het was alsof hij door haar warme stem onweerstaanbaar in slaap werd gezongen.

'Maar u zei toch,' antwoordde hij, 'dat ook uw moeder en uw grootmoeder al op mij gewacht hebben.'

Het gezicht van Vrouwe Aioeóla was in het schemerlicht niet goed meer te onderscheiden.

'Ja,' hoorde hij haar zeggen, 'ook mijn moeder en mijn grootmoeder hebben een kind willen hebben. Maar alleen ik heb er nu een.'

Bastiaans ogen vielen dicht. Met moeite vroeg hij nog: 'Hoe zit dat dan? Uw moeder had u toch, toen u klein was. En uw grootmoeder

357

had uw moeder. Ze hadden dus wel kinderen.'

'Nee, mijn lieve jongen,' antwoordde de zachte stem, 'bij ons gaat dat anders. Wij sterven niet en wij worden niet geboren. Wij zijn steeds dezelfde Vrouwe Aioeóla en wij zijn het toch ook weer niet. Toen mijn moeder oud werd verdorde ze, al haar bladeren vielen af, net als bij een boom in de winter, en langzaam trok ze zich helemaal in zichzelf terug. Zo bleef ze een lange tijd. Maar toen kwamen er op een dag opnieuw jonge blaadjes te voorschijn, knoppen en bloemen en tenslotte vruchten. En zo ben ik ontstaan, want die nieuwe Aioeóla was ik. En precies zo was het bij mijn grootmoeder toen ze mijn moeder ter wereld bracht. Wij, Vrouwen Aioeóla, kunnen steeds pas een kind krijgen, wanneer wij zelf eerst verwelken. Maar dan zijn we meteen ons eigen kind en kunnen geen moeder meer zijn. Daarom ben ik zo blij dat jij er nu bent, mijn lieve jongen...'

Bastiaan gaf geen antwoord meer. Hij was nu half in slaap gevallen, een slaap waarin hij haar woorden hoorde als een ver neuriën. Hij hoorde vaag dat ze opstond en naar hem toe kwam en zich over hem heenboog. Ze streek hem zachtjes over zijn haar en gaf hem een kus op zijn voorhoofd. Toen voelde hij dat ze hem optilde en in haar armen de kamer uitdroeg. Als een klein kind legde hij zijn hoofd tegen haar schouder. Steeds dieper zakte hij weg in het duister van de slaap. Hij had het gevoel dat hij werd uitgekleed en in een zacht, heerlijk ruikend bed werd gelegd. Als laatste hoorde hij nog – en het kwam van heel ver weg – hoe de lieve stem zachtjes een liedje zong.

'Slaap maar lieveling, tot j'ontwaakt!
Je hebt ook zoveel doorgemaakt!
Grote heer, wees weerom klein!
Slaap maar! Ik zal bij je zijn!'

Toen hij de volgende morgen wakker werd, voelde hij zich zo prettig en tevreden als nooit tevoren. Hij keek om zich heen en zag dat hij in een heel gezellig kamertje lag – en nog wel in een kinderbedje! Natuurlijk was het een heel groot kinderbed of beter, het was zo als een klein kind dat zag. Even leek het hem belachelijk, want hij was immers bepaald geen klein kind meer. Hij beschikte nog over alles wat Fantásië hem aan energie en gaven had geschonken. Ook het Teken van de Kleine Keizerin hing nog altijd om zijn hals. Maar een ogenblik later kon het hem niets schelen of het nu belachelijk leek of niet, dat hij hier lag. Behalve Vrouwe Aioeóla en hijzelf zou niemand er ooit iets van te weten komen en zij wisten allebei dat alles goed was en zoals het moest zijn.

Hij stond op, waste zich, kleedde zich aan en stapte zijn kamertje uit. Hij moest via een houten trap naar beneden en kwam toen in de grote eetkamer, die in de loop van de nacht een keuken was geworden. Vrouwe Aioeóla wachtte al op hem met het ontbijt. Ook zij was in de beste stemming, al haar bloemen bloeiden en ze zong en lachte en danste zelfs met hem om de keukentafel. Na het ontbijt stuurde ze hem naar buiten om wat frisse lucht op te doen.

In de uitgestrekte rozentuin die het Wisselhuis omringde scheen het altijd zomer te zijn. Bastiaan zwierf er wat in rond, keek naar de bijen die vlijtig smulden in de bloemen, luisterde naar de vogels die in alle struiken zaten te zingen, speelde met hagedissen die zo mak waren dat ze op zijn hand kropen, en met de hazen die zich door hem lieten strelen. Soms ging hij onder een struik liggen, rook de zoete geur van de rozen, keek met knipperende ogen in de zon en liet de tijd voorbij kabbelen als een beekje, zonder aan iets bepaalds te denken.

Zo gingen de dagen voorbij, en de dagen werden weken. Hij lette er niet op. Vrouwe Aioeóla was opgewekt en Bastiaan liet zich haar moederlijke zorg en tederheid van harte welgevallen. Hij had het gevoel dat hij zonder het te weten heel lang naar iets had gehunkerd dat hem nu overvloedig ten deel viel. En hij kon er bijna niet genoeg van krijgen.

Een hele poos doorsnuffelde hij het Wisselhuis van kelder tot zolder. Het was een bezigheid die je niet zo gauw verveelde omdat alle vertrekken voortdurend veranderden en er steeds weer iets nieuws te ontdekken viel. Het huis deed kennelijk alle moeite om zijn gast aangenaam bezig te houden. Het zorgde voor speelkamers, spoortreintjes, poppenkast en glijbanen, ja zelfs voor een grote draaimolen.

Soms ondernam Bastiaan ook wel zwerftochten in de omgeving, die de hele dag duurden. Maar nooit ging hij erg ver van het Wisselhuis vandaan, want het gebeurde regelmatig dat hij opeens enorme trek kreeg in Aioeóla's vruchten. Van het ene moment op het andere hield hij het nauwelijks meer uit: hij moest naar haar terug hollen en zich er naar hartelust aan te goed te doen.

's Avonds hadden ze vaak lange gesprekken. Hij vertelde haar over alles wat hij in Fantásië beleefd had, over Perelien en Graógramán,

359

over Xayiede en Atréjoe die hij zo zwaar verwond had of misschien wel gedood...

'Ik heb alles verkeerd gedaan,' zei hij. 'Ik heb alles verkeerd begrepen. Maankind heeft me zoveel gegeven en ik heb er alleen maar onheil mee aangericht, voor mezelf en voor Fantásië.'

Lang keek Vrouwe Aioeóla hem aan.

'Nee,' antwoordde ze toen, 'dat geloof ik niet. Je bent de Weg van de Wensen gegaan en dat is geen rechte weg. Je hebt een grote omweg gemaakt, maar dat was wel *jouw* weg. En weet je waarom? Jij hoort tot die mensen die pas kunnen teruggaan als ze de bron vinden waar het Water des Levens ontspringt. En dat is de allergeheimste plek van heel Fantásië. Daar bestaat geen gemakkelijke weg naar toe.'

En na even gezwegen te hebben, ging ze verder: 'Iedere weg die daarheen leidt was tenslotte de juiste.'

En toen moest Bastiaan opeens huilen. Hij wist zelf niet waarom. Hij had het gevoel dat er in zijn hart een knoop werd ontward en oploste in tranen. Hij snikte en snikte maar en kon niet ophouden. Vrouwe Aioeóla nam hem op schoot en streelde hem zachtjes en hij verborg zijn gezicht in de bloemen op haar borst en huilde tot hij helemaal uitgehuild en heel moe was.

Die avond praatten ze niet verder.

Pas de volgende dag kwam Bastiaan nog eens op het gesprek terug.

'Weet u waar ik het Water des Levens vinden kan?'

'Aan de grens van Fantásië,' zei Vrouwe Aioeóla.

'Maar Fantásië heeft geen grenzen,' antwoordde hij.

'Toch wel. Ze liggen echter niet buiten, maar binnen. Op de plaats vanwaar de Kleine Keizerin al haar macht ontvangt en waar zij zelf toch niet komen kan.'

'En die plek moet ik vinden?' vroeg Bastiaan verdrietig. 'Is het daar al niet veel te laat voor?'

'Er bestaat maar één wens waarmee je daar komt: met de laatste.'

Bastiaan schrok.

'Vrouwe Aioeóla – voor ieder van mijn wensen die door AURYN in vervulling is gegaan, heb ik iets moeten vergeten. Geldt dat hier ook?'

Ze knikte bedachtzaam.

'Maar ik merk er niets van!'

'Heb je het die andere keren dan wel gemerkt? Wat je vergeten bent, kun je niet meer weten.'

'En wat vergeet ik nu dan?'

'Ik zal het je zeggen, als het juiste ogenblik is aangebroken. Anders zou je het willen vasthouden.'

'Moet ik dan echt alles verliezen?'

'Niets gaat verloren,' zei ze. 'Maar alles verandert.'

'Maar dan moet ik me misschien wel haasten,' zei Bastiaan ongerust. 'Ik zou hier niet mogen blijven.'

Ze streelde zijn haar.

'Maak je geen zorgen. Het duurt zolang het duurt. Wanneer je laatste wens in je wakker wordt, zul je het weten – en ik ook.'

Vanaf die dag begon er inderdaad iets te veranderen, hoewel Bastiaan zelf daar nog niets van merkte. De veranderende kracht van het Wisselhuis deed zijn werk. Maar zoals alle ware veranderingen gebeurde dit even stilletjes en langzaam als het groeien van een plant.

De dagen in het Wisselhuis gingen voorbij en nog steeds duurde de zomer voort. En nog steeds vond Bastiaan het heerlijk zich als een kind door Vrouwe Aioeóla te laten verwennen. Ook haar vruchten smaakten hem nog altijd even uitstekend als in het begin, maar geleidelijk werd zijn grote honger gestild. Hij at er minder van. En zij merkte het zonder er overigens een woord over te zeggen. Ook van haar zorgen en tederheid raakte hij verzadigd. En naarmate zijn behoefte daaraan afnam, voelde hij steeds sterker een ander verlangen in zich opkomen, een verlangen dat hij nooit had gekend en dat in alle opzichten van al zijn vorige wensen verschilde: het verlangen zelf lief te kunnen hebben. Hij werd zich er van bewust dat hij dat niet kon en dat verwonderde hem en stemde hem triest. Maar het verlangen ernaar werd sterker en sterker.

En op een avond, toen zij weer bij elkaar zaten, praatte hij erover met Vrouwe Aioeóla.

Toen ze hem had aangehoord bleef ze een hele poos zwijgen. Ze keek Bastiaan aan met een blik die hij niet begreep.

'Nu heb je je laatste wens gevonden,' zei ze. 'Het is je diepste verlangen om lief te kunnen hebben.'

'Maar waarom kan ik dat niet, Vrouwe Aioeóla?'

'Dat kun je pas als je het Water des Levens gedronken hebt,' antwoordde zij. 'En je kunt niet naar je wereld terug zonder ook voor anderen dit water mee te brengen.'

361

Bastiaan, helemaal in de war, zei niets. 'Maar u,' vroeg hij toen, 'hebt u er dan niet ook van gedronken?'

'Nee,' antwoordde Vrouwe Aioeóla. 'Bij mij ligt het anders. Ik heb alleen iemand nodig die ik van mijn overvloed geven kan.'

'Was dit dan geen liefde?'

Vrouwe Aioeóla dacht even na en antwoordde toen: 'Het was waar jij naar verlangde.'

'Kunnen Fantásische wezens ook niet liefhebben – net zoals ik?' vroeg hij angstig.

'Men zegt,' antwoordde zij zachtjes, 'dat er een paar wezens in Fantásië zijn die van het Water des Levens hebben mogen drinken. Maar niemand weet wie dit zijn. En er is een belofte, waarover wij maar zelden spreken, dat er eenmaal in de verre toekomst een tijd zal komen waarin de mensen de liefde ook naar Fantásië zullen brengen. Dan zullen de twee werelden nog slechts één zijn. Maar wat dat betekent, weet ik niet.'

'Vrouwe Aioeóla,' vroeg Bastiaan even zachtjes, 'u beloofde dat u mij als het juiste ogenblik was aangebroken zou zeggen wat ik vergeten moest om mijn laatste wens te vinden. Het juiste ogenblik, is dat nu?'

Ze knikte.

'Je moest je vader en je moeder vergeten. Nu heb je niets anders meer dan je naam.'

Bastiaan dacht hierover na.

'Vader en moeder?' zei hij langzaam. Maar die woorden betekenden niets meer voor hem. Hij kon ze zich niet herinneren.

'Wat moet ik nu doen?' vroeg hij.

'Je moet mij verlaten,' antwoordde zij. 'Je tijd in het Wisselhuis is voorbij.'

'En waar moet ik naar toe?'

'Je laatste wens zal je leiden. Raak hem niet kwijt!'

'Moet ik nu meteen weg?'

'Nee, het is al laat. Morgenvroeg, als de dag aanbreekt. Je hebt nog één nacht in het Wisselhuis. Laten we nu maar gaan slapen.'

Bastiaan stond op en liep naar haar toe. Pas nu hij vlak voor haar stond zag hij dat al haar bloemen verwelkt waren.

'Maak je daar geen zorgen over,' zei ze. 'En ook morgenvroeg moet je je maar niet met mij bezighouden. Ga je eigen weg! Het is allemaal goed en juist. Slaap lekker, mijn lieve jongen.'

'Slaap lekker, Vrouwe Aioeóla,' mompelde Bastiaan.

Toen liep hij naar boven naar zijn kamertje.

Toen hij de volgende morgen beneden kwam zag hij dat Vrouwe Aioeóla nog steeds op dezelfde plaats zat. Alle bladeren, bloemen en vruchten waren van haar afgevallen. Zij had de ogen gesloten en leek nu op een zwarte, dode boom. Lang bleef Bastiaan voor haar staan en keek naar haar. Toen sprong er opeens een deur open die naar buiten voerde.

Voor hij het huis verliet draaide hij zich nog eenmaal om en zei, zonder te weten of hij Vrouwe Aioeóla of het huis bedoelde of allebei: 'Dank u wel, dank u wel voor alles!'

Toen stapte hij naar buiten. Buiten was het die nacht winter geworden. De sneeuw lag kniehoog en van de bloeiende rozentuin waren alleen de doornhagen nog over. Er was geen zuchtje wind. Het was bitter koud en heel stil.

Bastiaan wilde terug het huis ingaan om zijn zwarte mantel te halen, maar deuren en ramen waren verdwenen. Het huis had zich rondom gesloten. Rillend ging hij op weg.

[Y]

De Plaatjesmijn

Yor, de Blinde Mijnwerker, stond met gespitste oren voor zijn huisje. Voor hem strekte de wijde sneeuwvlakte zich uit. Het was zo volkomen stil dat zijn geoefend oor de sneeuw kon horen knarsen onder de stap van een wandelaar die nog heel ver weg was. Maar de stappen kwamen naar het huisje toe.

Yor was een grote, oude man, maar toch was hij baardeloos en had zijn gezicht geen rimpels. Alles aan hem, zijn jas, zijn haar, zijn gezicht was grijs als steen. Zoals hij daar zo roerloos stond leek het wel of hij uit een groot stuk lavasteen was gehouwen. Alleen zijn blinde ogen waren donker en in hun diepten glom iets als een klein vlammetje.

Toen Bastiaan – want hij was de wandelaar – hem bereikt had, zei hij: 'Goeiendag. Ik ben verdwaald. Ik ben op zoek naar een bron waar het Water des Levens ontspringt. Kunt u mij helpen?'

De mijnwerker luisterde aandachtig naar de stem.

'Je bent niet verdwaald,' fluisterde hij. 'Maar je moet heel zachtjes praten want anders gaan mijn plaatjes stuk.'

Hij wenkte Bastiaan en deze volgde hem het huisje in.

Het bestond uit een klein vertrek dat uiterst sober en zonder enige versiering was ingericht. Er stonden een houten tafel, twee stoelen, een brits om op te slapen en een stel planken waarop allerlei eetwaren en serviesgoed waren neergezet. In een open haard brandde een klein vuur, waarboven een pan hing met dampende soep.

Yor schepte voor zichzelf en Bastiaan twee borden vol, ging aan tafel zitten en nodigde zijn gast met een handbeweging uit om toe te tasten. Zonder een woord te zeggen werd er gegeten.

Daarna leunde de mijnwerker achterover en zijn ogen keken dwars door Bastiaan heen in een verre verte. Fluisterend vroeg hij: 'Wie ben jij?'

'Ik heet Bastiaan Balthazar Boeckx.'

'Ah, je naam ken je dus nog.'

'Ja. En wie bent u?'

'Ik ben Yor, ook wel de Blinde Mijnwerker genoemd. Maar ik ben alleen blind in het licht. Ondergronds in m'n mijn, waar volslagen duisternis heerst, kan ik zien.'

'Wat is dat voor mijn?'

'Hij heet de Minroud-groeve. Het is de plaatjesmijn.'

'De plaatjesmijn?' herhaalde Bastiaan verwonderd. 'Van zo iets heb ik nog nooit gehoord.'

Yor scheen voortdurend naar iets te luisteren.

'En toch,' fluisterde hij, 'is hij er voor lieden als jij. Voor mensen die de weg naar het Water des Levens niet kunnen vinden.'

'Wat voor plaatjes zijn het dan?' wilde Bastiaan weten.

Yor deed zijn ogen dicht en zei een poosje niets. Bastiaan wist niet of hij zijn vraag herhalen moest. Maar toen hoorde hij de mijnwerker heel zachtjes zeggen: 'Er gaat in de wereld niets verloren. Heb je ooit iets gedroomd dat je je toen je wakker werd niet meer herinnerde?'

'Ja,' antwoordde Bastiaan, 'vaak.'

Yor knikte peinzend. Toen stond hij op en gebaarde Bastiaan hem te volgen. Voor ze het huisje uitgingen, pakte hij hem stevig bij de schouders en fluisterde in zijn oor: 'Geen woord en geen geluid, begrepen? Wat je zien zult is mijn werk van vele jaren. Elk gerucht kan het kapot maken. Zeg daarom niets en loop op je tenen!'

Bastiaan knikte en ze verlieten het huisje. Daarachter was een houten schachttoren gebouwd, waaronder een schacht loodrecht de grond inging. Zij liepen daar langs en de wijde sneeuwvlakte op. En nu zag Bastiaan de plaatjes, die hier als in witte zijde waren neergevlijd alsof het kostbare juwelen waren.

Het waren flinterdunne plaatjes van een soort albast, doorschijnend en gekleurd en in allerlei afmetingen en vormen, rechthoekige en ronde, beschadigde en onbeschadigde, sommige zo groot als kerkramen en andere weer zo klein als miniaturen op een doosje. Ongeveer naar afmeting en vorm gerangschikt lagen ze daar in rijen die zich uitstrekten tot de horizon.

Wat die plaatjes voorstelden was een raadsel. Er waren vermomde figuren die weg schenen te zweven in een groot vogelnest, of ezels die de toga's van rechters droegen, er waren klokken die vervloeiden als smeltkaas, en ledepoppen die op hel belichte lege pleinen stonden. Er waren gezichten en hoofden die samengesteld waren uit dieren en andere die een landkaart vormden. Maar er waren ook heel gewone beelden, van mannen die een korenveld maaiden en vrouwen die op een balkon zaten. Er waren bergdorpen en zeegezichten, oorlogstaferelen en circusvoorstellingen, straten en kamers en steeds weer gezichten, oude en jonge, verstandige en simpele, narren en koningen, droevige en vrolijke. Ook waren er wrede beelden van terechtstellingen en dodendansen en vrolijke beelden van jonge vrouwen op een walrus of van een neus die rondwandelde en door alle voorbijgangers gegroet werd.

Hoe langer ze langs de plaatjes liepen, des te minder kon Bastiaan zeggen wat de betekenis ervan was. Slechts één ding was hem duidelijk: er was gewoon alles op te zien, zij het dan meestal in een merkwaardige combinatie.

Nadat Bastiaan urenlang naast Yor langs de rijen met plaatjes gelopen had, daalde de avond over de wijde sneeuwvlakte. Ze liepen terug naar het huisje. Toen ze de deur achter zich gesloten hadden, vroeg Yor zachtjes: 'Was er eentje bij die je herkende?'

'Nee,' antwoordde Bastiaan.

De mijnwerker schudde bezorgd zijn hoofd.

'Waarom?' vroeg Bastiaan. 'Wat zijn het voor plaatjes?'

'Het zijn de vergeten droombeelden uit de mensenwereld,' legde Yor uit. 'Een droom kan niet verdwijnen wanneer hij eenmaal gedroomd is. Maar wanneer de mens die hem gedroomd heeft hem niet onthoudt – waar blijft hij dan? Hier, bij ons in Fantásië, ginds diep onder de aarde. Daar zetten de vergeten dromen zich af in heel, heel dunne laagjes, de een boven de ander. Hoe dieper je graaft, des te dichter liggen ze op elkaar. Heel Fantásië is gegrondvest op vergeten dromen.'

'Zijn de mijne er ook bij?' vroeg Bastiaan met grote ogen.

Yor knikte.

'En u denkt dat ik ze vinden moet?' vroeg Bastiaan verder.

'Op zijn minst één. Eén is genoeg,' antwoordde Yor.

'Maar waarom?' wilde Bastiaan weten.

De mijnwerker draaide hem zijn gezicht toe, dat nu alleen nog door het schijnsel van het vuurtje in de haard werd verlicht. Zijn blinde ogen keken weer dwars door Bastiaan heen naar een verre verte.

'Luister, Bastiaan Balthazar Boeckx,' zei hij. 'Ik praat niet graag.

Ik houd meer van de stilte. Maar deze ene keer wil ik het je zeggen. Jij zoekt het Water des Levens. Je zou in staat willen zijn lief te hebben om de weg naar je eigen wereld terug te vinden. Liefhebben – dat lijkt zo gemakkelijk! Maar het Water des Levens zal je vragen: wie? Je kunt namelijk niet gewoon zomaar en in het algemeen liefhebben. Maar jij bent alles vergeten, behalve je naam. En als je geen antwoord kunt geven, zul je niet mogen drinken. Daarom kan alleen een vergeten droom die je terugvindt je nog helpen, een droombeeld dat je bij de bron brengt. Maar daartoe moet je het laatste vergeten wat je nog hebt: jezelf. En daar zul je hard en geduldig aan moeten werken. Onthoud mijn woorden goed, want ik zal ze nooit meer uitspreken.'

Toen ging hij op zijn houten brits liggen en sliep in. Er bleef Bastiaan niets anders over dan met de harde, koude vloer genoegen te nemen. Maar dat kon hem weinig schelen.

Toen hij de volgende morgen met verstijfde ledematen wakker werd, was Yor al vertrokken. Waarschijnlijk was hij in de Minroud-mijn afgedaald. Bastiaan nam een bord van de hete soep die hem wel verwarmde, maar hem niet erg smaakte. Het zout erin deed hem er even aan denken hoe tranen en zweet proefden.

Daarna ging hij naar buiten, liep langzaam door de sneeuw langs de ontelbare plaatjes. Het ene na het andere bekeek hij aandachtig, want hij wist nu immers wat daar voor hem van afhing. Toch kon hij er geen ontdekken die hem bijzonder aansprak. Ze deden hem allemaal niets.

Tegen de avond zag hij Yor in een kooi de mijnschacht uitkomen. Op zijn rug droeg hij in een rek een aantal albasten plaatjes van ver-schillende grootte. Zwijgend liep Bastiaan met hem op toen hij voor de zoveelste keer de verre vlakte opging en zijn nieuwe vondsten met grote omzichtigheid aan het einde van een rij in de zachte sneeuw deponeerde. Een van de plaatjes stelde een man voor wiens borst een vogelkooi was waarin twee duiven zaten. Een ander liet een stenen vrouw zien die op een grote schildpad reed. Een heel klein plaatje toonde een vlinder met op de vleugels vlekken in de vorm van letters. Er waren nog een paar plaatjes, maar geen van alle zei Bastiaan iets.

Toen hij met de mijnwerker weer in het huisje zat, vroeg hij: 'Wat gebeurt er met de plaatjes wanneer de sneeuw smelt?'

'Het is hier altijd winter,' antwoordde Yor.

En dat was alles wat ze die avond tegen elkaar zeiden.

368

De hele volgende dag zocht Bastiaan tussen de plaatjes verder naar een voorstelling die hij herkende of die tenminste iets bijzonders betekende – maar tevergeefs. 's Avonds zat hij weer bij de mijnwerker in het huisje en omdat deze er het zwijgen toe deed, wende Bastiaan zich er aan ook zijn mond te houden. Ook nam hij geleidelijk de behoedzame manier van bewegen van Yor over om ieder gerucht dat de plaatjes zou kunnen doen breken te vermijden.

'Ik heb nu alle plaatjes bekeken,' zei Bastiaan op een avond. 'Er is er niet één voor mij bij.'

'Dat is niet best,' antwoordde Yor.

'Wat moet ik nu doen?' vroeg Bastiaan. 'Moet ik op de nieuwe plaatjes wachten die u naar boven brengt?'

Even dacht Yor na, toen schudde hij zijn hoofd.

'Als ik jou was,' fluisterde hij, 'zou ik zelf de mijn Minroud ingaan en daar aan het eind van de gang gaan graven.'

'Maar ik heb uw ogen niet,' opperde Bastiaan. 'Ik kan niet zien in het donker.'

'Heeft men je dan op je lange reis geen licht gegeven?' vroeg Yor en keek weer dwars door Bastiaan heen. 'Geen lichtende steen, helemaal niets wat je nu te pas kan komen?'

'Jawel,' antwoordde Bastiaan treurig, 'maar ik heb Al'Tsahir voor iets anders gebruikt.'

'Dat is niet best,' zei Yor weer met een uitdrukkingloos gezicht.

'Wat raadt u me aan?' vroeg Bastiaan.

Lang bleef de mijnwerker zwijgen voor hij antwoordde: 'Dan moet je maar in het donker werken.'

Er liep Bastiaan een rilling over de rug. Hij bezat weliswaar nog steeds alle energie en onbevreesdheid die AURYN hem had verleend, maar bij de gedachte zo vreselijk diep in het binnenste van de aarde en in volslagen duisternis te moeten liggen, verkilde hij van binnen helemaal. Hij zei niets meer en ze legden zich beiden te rusten.

De volgende morgen schudde de mijnwerker aan zijn schouder.

Bastiaan richtte zich op.

'Eet je soep op en ga mee!' gebood Yor kortaangebonden.

Bastiaan gehoorzaamde.

Hij liep met de mijnwerker mee naar de schacht, stapte met hem in de kooi en toen daalde hij af in de mijn Minroud. Lager, steeds lager ging het. Allang was het laatste spaarzame licht dat door de opening van de schacht viel verdwenen, en nog steeds zakte de kooi verder in het donker naar beneden. En toen eindelijk liet een schok ze weten dat zij op de bodem waren aangekomen. Ze stapten uit.

Hier beneden was het heel wat warmer dan boven op de winterse vlakte en al gauw begon Bastiaan over zijn hele lichaam te zweten toen hij alle moeite deed om de mijnwerker, die snel voor hem uit liep, in het donker niet kwijt te raken. Het was een ingewikkelde tocht door tunnels, gangen en soms ook door grote holle ruimten, zoals hij uit de zachte echo van hun voetstappen op kon maken. Meer dan eens stootte Bastiaan zich pijnlijk aan uitsteeksels en steunbalken, maar Yor lette daar niet op.

Deze eerste dag en ook nog een paar dagen daarna onderwees de mijnwerker Bastiaan zwijgend, slechts door zijn handen te leiden, in de kunst de dunne, uiterst breekbare albastlagen van elkaar te scheiden en voorzichtig op te pakken. Er was gereedschap voor, dat aanvoelde als houten of benen spatels. Te zien kreeg hij ze nooit, want ze bleven op het werk liggen wanneer de dagtaak voorbij was.

Geleidelijk leerde hij daar beneden in het volslagen duister zijn weg te vinden. Hij onderkende de gangen en tunnels met een nieuw zintuig, waarvan hij niets begreep. En toen op een dag liet Yor hem zonder woorden, enkel door het aanraken van zijn handen, weten dat hij van nu af aan alleen in een lage tunnel moest werken, die je alleen kruipend in kon komen. Bastiaan gehoorzaamde. De gang was erg nauw en boven hem lag het enorme gewicht van het oergesteente.

In elkaar gerold als een ongeboren kind in het lichaam van zijn moeder lag hij in de donkere diepten van de grondvesten van Fantásië en groef geduldig naar een vergeten droom, een beeld dat hem naar het Water des Levens kon brengen.

Omdat hij niets kon zien in die eeuwige nacht in het inwendige van de aarde, kon hij ook niet kiezen en beslissen. Hij moest maar hopen dat het toeval of een barmhartige lotsbeschikking hem op een bepaald moment de goede vondst zou laten doen. Avond na avond bracht hij wat hij diep in de mijn Minroud had kunnen losmaken naar boven in het alweer afnemende daglicht. En avond na avond was zijn werk tevergeefs geweest. Maar Bastiaan klaagde niet en verzette zich niet. Alle medelijden met zichzelf had hij verloren. Hij was geduldig en stil geworden. Ofschoon zijn energie onuitputtelijk was, voelde hij zich toch vaak erg moe.

370

Hoe lang deze harde tijd duurde is niet te zeggen, want dergelijk werk laat zich niet afmeten in dagen of maanden. Maar hoe het ook zij, op een avond bracht hij een plaatje mee naar boven dat hem meteen zo sterk aansprak dat hij zich in moest houden om niet een schreeuw van verrassing te uiten en daarmee alles kapot te maken.

Op het tere albasten plaatje – het was niet zo groot, het had ongeveer het formaat van een bladzijde uit een boek – was heel duidelijk een man te zien die een witte jasschort droeg. In de ene hand hield hij een gipsen gebit. Hij stond er gewoon en zijn houding en de stille, bezorgde uitdrukking op zijn gezicht ontroerden Bastiaan diep. Maar wat hem het meest trof, was dat de man ingevroren was in een glashelder blok ijs. Van alle kanten was hij omgeven door een ondoordringbare, maar volkomen doorzichtige laag ijs.

Terwijl Bastiaan het plaatje bekeek dat voor hem in de sneeuw lag ontwaakte er in hem een sterk verlangen naar deze man, die hij niet kende. Het was een gevoel dat als uit de verte naderbijkwam, als een springvloed op zee, waaraan je in het begin nauwelijks ziet dat hij almaar dichterbij komt en die tenslotte een enorme, huizenhoge golf wordt die alles met zich mee sleurt en wegspoelt. Bastiaan verdronk er haast in en hapte naar adem. Zijn hart deed pijn, het was niet groot genoeg voor zo'n sterk verlangen. In deze vloedgolf ging alles onder wat hij nog aan herinnering aan zichzelf bezat. En hij vergat het laatste wat hij nog had: zijn eigen naam.

Toen hij later bij Yor in het huisje kwam zei hij geen woord. Ook de mijnwerker zei niets, maar hij keek hem lang aan en zijn ogen schenen weer dwars door Bastiaan heen te kijken. En toen trok er voor het eerst in al die tijd een lachje over zijn steengrijze gezicht.

Die nacht kon de jongen die nu geen naam meer had ondanks al zijn vermoeidheid niet slapen. Steeds weer zag hij dat beeld voor zich. Hij had het gevoel dat de man hem iets vragen wilde, maar het niet kon omdat hij opgesloten zat in een blok ijs. De jongen zonder naam wilde hem helpen, wilde er voor zorgen dat het ijs ging dooien. Als in een heldere droom zag hij zichzelf het ijsblok omarmen om het zo door de warmte van zijn lichaam te laten smelten. Maar alles was vergeefs.

Toen hoorde hij echter opeens wat de man hem zeggen wilde, hij hoorde het niet met zijn oren, maar diep in zijn hart.

'Help me, alsjeblieft! Laat me niet in de steek! Alleen kan ik niet meer uit dit ijs komen. Help me toch! Alleen jij kunt me hieruit bevrijden – jij alleen!'

Toen ze de volgende morgen bij het krieken van de dag opstonden, zei de jongen zonder naam tegen Yor: 'Ik ga vandaag niet meer met u de mijn in.'

'Wil je mij verlaten?'

De jongen knikte. 'Ik wil het Water des Levens gaan zoeken.'

'Het je dan het plaatje gevonden dat je de weg zal wijzen?'

'Ja.'

'Zou je het me willen laten zien?'

Weer knikte de jongen. Samen gingen ze naar buiten, de sneeuw in, waar het plaatje lag. De jongen keek ernaar, maar Yors blinde ogen richtten zich op het gezicht van de jongen, alsof hij dwars door hem heen in een verre verte keek. Lang scheen hij naar iets te luisteren. Eindelijk knikte hij.

'Neem het mee,' fluisterde hij, 'en verlies het niet. Als je het verliest of als het kapotgaat, is alles voor je afgelopen. Want in Fantásië blijft er voor jou nu niets meer over. Je weet wat dat zeggen wil.'

De jongen die geen naam meer had had zijn hoofd gebogen en gaf eerst geen antwoord. Maar toen zei hij net zo zachtjes: 'Veel dank, Yor, voor wat u me geleerd hebt.'

Ze schudden elkaar de hand.

'Je was een goede mijnwerker,' mompelde Yor, 'en je hebt vlijtig gewerkt.'

En toen draaide hij zich om en liep naar de schacht van de Minroud-groeve. Zonder zich nog om te keren stapte hij in de kooi en zakte omlaag.

De jongen zonder naam raapte het plaatje op uit de sneeuw en liep de wijde, witte vlakte op.

Heel wat uren had hij zo al gelopen. Het huisje van Yor was allang achter de horizon verdwenen en er was nu niets meer om hem heen dan de witte vlakte die zich naar alle kanten uitstrekte. Maar hij voelde hoe het plaatje dat hij voorzichtig met beide handen vasthield hem in een bepaalde richting trok.

De jongen was vastbesloten deze kracht te volgen, want die zou hem naar de juiste plek brengen, of de weg nu lang of kort mocht zijn. Niets zou hem nu nog tegenhouden. Hij wilde het Water des Levens vinden en hij was ervan overtuigd dat hij dat kon.

Opeens hoorde hij hoog boven zich een hoop lawaai. Het leek op een ver geschreeuw en gekwetter uit vele kelen. Toen hij naar de lucht keek, zag hij een donkere wolk, die op een grote zwerm vogels leek. Pas toen de zwerm dichterbij gekomen was ontdekte hij wat het in werkelijkheid was en van schrik bleef hij als aan de grond genageld staan.

Het waren de clown-motten, de Sjlamoefen!

'Goeie genade!' dacht de jongen zonder naam. 'Ik hoop maar dat ze me niet gezien hebben! Ze zullen met hun lawaai het plaatje nog kapotmaken!'

Maar ze hadden hem wel gezien!

Met een geweldig gelach en gejoel stortte de zwerm zich op de eenzame wandelaar en streek om hem heen neer in de sneeuw.

'Hoera!' kraaiden ze en ze riepen met grote gekleurde monden: 'Eindelijk hebben we hem teruggevonden, onze grote weldoener!'

En ze dansten in de sneeuw, bekogelden elkaar met sneeuwballen, maakten buitelingen en kopstandjes.

'Zachtjes! Doe alsjeblieft zachtjes!' fluisterde de jongen zonder naam vertwijfeld.

Maar het hele koor schreeuwde opgetogen: 'Wat heeft hij gezegd?' – 'Hij zei dat we te zachtjes doen!' – 'Dat heeft nog nooit iemand tegen ons gezegd!'

'Wat willen jullie van me?' vroeg de jongen. 'Waarom laten jullie me niet met rust?'

Allemaal tolden ze om hem heen en kwekten: 'Grote weldoener! Grote weldoener! Weet u nog hoe u ons bevrijd hebt toen we nog de Acharai waren? Toen waren we de ongelukkigste wezens in Fantásië, maar nu hangen we onszelf de keel uit. Wat u van ons gemaakt hebt, was in het begin best leuk, maar nu vervelen we ons dood. We fladderen maar rond en hebben nergens houvast aan. We kunnen niet eens een spel goed spelen omdat we geen regels hebben. U hebt belachelijke hansworsten van ons gemaakt met die bevrijding van u! U hebt ons voor de gek gehouden, grote weldoener!'

'Toch heb ik het goed bedoeld,' fluisterde de jongen ontzet.

'Ja, met uzelf!' schreeuwden de Sjlamoefen in koor. 'U vond uzelf maar wat geweldig. Maar wij hebben de rekening betaald voor die goedheid van u, grote weldoener!'

373

'Wat moet ik dan doen?' vroeg de jongen. 'Wat willen jullie van me?'

'We hebben u gezocht,' krijsten de Sjlamoefen met vertrokken clownsgezichten. 'We wilden u inhalen voor u de benen kon nemen. En nu hebben we u te pakken en we zullen u niet meer met rust laten voordat u onze aanvoerder bent geworden. U moet onze Opper-Sjlamoef worden, onze Hoofd-Sjlamoef, onze Generaal-Sjlamoef! Alles – zeg maar wat u wilt!'

'Maar waarom, waarom?' fluisterde de jongen smekend.

En het koor van clowns krijste terug: 'Wij willen dat u ons gebiedt, dat u ons commandeert, dat u ons tot iets dwingt, dat u ons iets verbiedt! Wij willen dat ons bestaan een bepaalde zin heeft!'

'Dat kan ik niet! Waarom kiezen jullie er niet een uit jullie midden?'

'Nee, nee! Wij willen u, grote weldoener! U hebt toch van ons gemaakt wat we nu zijn!'

'Nee!' zei de jongen hijgend. 'Ik moet hier vandaan. Ik moet terugkeren!'

'Niet zo haastig, grote weldoener!' klonk het uit de monden van de clowns. 'U ontsnapt ons niet. Dat zou u wel mooi uitkomen, hè – hem gewoon smeren uit Fantásië!'

'Maar ik kan niet meer!' bezwoer de jongen.

'En wij dan?' antwoordde het koor. 'Wat moeten wij dan?'

'Ga weg!' riep de jongen, 'ik kan me niet meer met jullie bemoeien!'

'Dan moet u ons weer terugveranderen!' antwoordden de hoge stemmen. 'Dan zijn we maar liever weer Acharai. Het Tranenmeer is opgedroogd en Amargánth ligt op het droge. En geen wezen spint meer het fijne zilverfiligrain. Wij willen weer Acharai zijn.'

'Ik kan het niet meer!' antwoordde de jongen. 'Ik heb geen macht meer in Fantásië.'

'Nou, dan,' brulde de hele zwerm en wervelde door elkaar, 'dan nemen we u met ons mee!'

Honderden kleine handjes pakten hem en probeerden hem omhoog te trekken. De jongen verzette zich met al zijn kracht en de motten vlogen alle kanten op. Maar hardnekkig als getergde wespen kwamen ze steeds weer terug.

Te midden van dit geschreeuw en gekrijs klonk er plotseling van

374

ver weg een zacht, maar toch krachtig geluid als de galm van een grote bronzen klok.

En in minder dan geen tijd sloegen de Sjlamoefen op de vlucht en verdwenen als een donkere zwerm aan de hemel.

De jongen die geen naam meer had viel op zijn knieën in de sneeuw. Voor hem lag – vervallen tot stof – het plaatje. Nu was alles verloren. Er was niets meer dat hem nog de weg naar het Water des Levens kon wijzen.

Toen hij opkeek zag hij door zijn tranen heen op enige afstand vaag twee figuren in de sneeuw staan, een grote en een kleine. Hij droogde zijn tranen en keek nog eens.

Het waren Foechoer, de witte geluksdraak, en Atréjoe.

[Z]

Het Water des Levens

ZWIJGEND stond de jongen die geen naam meer had op en liep aarzelend een paar passen in de richting van Atréjoe. Toen bleef hij staan. Atréjoe verroerde zich niet, keek hem alleen aandachtig en rustig aan. De wond in zijn borst bloedde niet meer.

Lang stonden zij tegenover elkaar en geen van beiden zei een woord. Het was zo stil dat zij elkaars ademhaling konden horen.

Langzaam pakte de jongen zonder naam de gouden ketting die hij om zijn hals had en deed AURYN af. Hij bukte zich en legde het Kleinood voorzichtig voor Atréjoe in de sneeuw. Nog één keer keek hij naar de twee slangen, de lichte en de donkere, die elkaar in de staart beten en een ovaal vormden. Toen liet hij het los.

Op hetzelfde moment werd de gouden glans van AURYN zo bovenmatig helder en stralend dat Bastiaan zijn ogen als verblind dicht moest knijpen, alsof hij in de zon had gekeken. Toen hij ze weer opendeed, zag hij dat hij in een koepelzaal stond, die wel zo groot was als het hemelgewelf. De stenen van dit bouwwerk waren van een gouden licht. Maar midden in deze onmetelijke ruimte lagen, zo hoog als een stadsmuur, de beide slangen.

Atréjoe, Foechoer en de jongen zonder naam stonden naast elkaar aan de kant van de zwarte slangekop, die in zijn bek het uiteinde van de witte slang vasthield. Het starre oog met de loodrechte pupil was op hen gericht. Vergeleken met hem waren ze maar erg klein, zelfs de geluksdraak leek maar zo klein als een rupsje.

De roerloze, reusachtige lijven van de slangen glansden als een onbekend metaal, pikzwart het ene en zilverwit het andere. En het onheil dat ze konden veroorzaken werd alleen beteugeld omdat ze elkaar gevangen hielden. Als ze elkaar ooit losleten zou de wereld vergaan, dat stond vast.

Maar doordat ze elkaar over en weer in bedwang hielden, beschermden ze tevens het Water des Levens. Want midden in de ring die zij vormden ruiste een indrukwekkende fontein, waarvan de straal op en

377

neer danste en in zijn val duizenden patronen vormde en weer oploste, en dit alles sneller dan het oog kon volgen. Het bruisende water
verstoof tot een fijne nevel waarin het gouden licht in alle kleuren van
de regenboog gebroken werd. Het was een gebruis en gejuich en
gezang en gejubel en gelach en geroep van duizend stemmen van
vreugde.

De jongen zonder naam stond als een dorstende in de woestijn naar
dit water te kijken – maar hoe kon hij er bij komen? De slangekop
bewoog zich niet.

Plotseling stak Foechoer zijn kop omhoog en zijn robijnrode ogen
begonnen te fonkelen.

'Kunnen jullie óók verstaan wat het water zegt?' vroeg hij.

'Nee,' antwoordde Atréjoe, 'ik niet.'

'Ik weet niet hoe het komt,' fluisterde Foechoer, 'maar ik versta het
heel duidelijk. Misschien omdat ik een geluksdraak ben. Alle talen
van het geluk zijn met elkaar verwant.'

'Wat zegt het water?' vroeg Atréjoe.

Foechoer luisterde aandachtig en sprak langzaam woord voor woord
mee wat hij hoorde:

'Wij zijn het Water des Levens,
de bron die uit zichzelf ontspringt
en almaar rijker vloeien zal
hoe meer je uit ons drinkt.'

Weer luisterde hij even en zei: 'Het water roept voortdurend: Drink
toch! Drink toch! Doe wat je wilt!'

'Hoe kunnen we er bij komen?' vroeg Atréjoe.

'Het vraagt naar onze naam,' legde Foechoer uit.

'Ik ben Atréjoe!' riep Atréjoe.

'Ik ben Foechoer!' zei Foechoer.

De jongen zonder naam zei niets.

Atréjoe keek hem aan, pakte zijn hand en riep: 'En dit is Bastiaan
Balthazar Boeckx!'

'Het water vraagt waarom hij dit niet zelf zegt,' vertaalde Foechoer.

'Hij kan het niet meer,' zei Atréjoe. 'Hij is alles vergeten.'

Weer luisterde Foechoer een poosje naar het ruisen en bruisen.

'Als hij zich niets herinnert, kan hij niet binnentreden. De slangen
laten hem niet door.'

'Ik heb alles voor hem onthouden,' riep Atréjoe, 'alles wat hij mij over zichzelf en over zijn wereld verteld heeft. Ik sta voor hem in.'

Foechoer luisterde.

'Het water vraagt – met welk recht je dit doet.'

'Ik ben zijn vriend,' zei Atréjoe.

Weer ging er enige tijd voorbij, terwijl Foechoer aandachtig stond te luisteren.

'Het schijnt niet zeker te zijn dat het water daarmee genoegen neemt,' fluisterde hij Atréjoe in het oor. 'Nu hebben ze het over je wond. Ze willen weten hoe je daaraan bent gekomen.'

'We hadden alle twee gelijk,' zei Atréjoe, 'en hebben ons alle twee vergist. Maar nu heeft Bastiaan AURYN vrijwillig afgedaan.'

Foechoer luisterde even en knikte toen.

'Ja,' zei hij, 'nu vindt het water het goed. Deze plaats is AURYN. Wij zijn welkom, zegt het water.'

Atréjoe keek omhoog naar de gouden koepel.

'Ieder van ons,' fluisterde hij, 'heeft het om de hals gedragen. Zelfs jij, Foechoer, een poosje.'

De geluksdraak gebaarde dat hij stil moest zijn en luisterde weer naar het gezang van het water.

Toen vertaalde hij: 'AURYN is de deur die Bastiaan zocht. Vanaf het begin heeft hij die met zich mee gedragen. Maar niets uit Fantásië – zegt het water – wordt door de slangen toegelaten. Daarom moet Bastiaan alles teruggeven wat de Kleine Keizerin hem geschonken heeft. Anders kan hij niet van het Water des Levens drinken.'

'Maar wij staan toch in haar teken,' riep Atréjoe. 'Is zijzelf dan niet hier?'

'Het water zegt dat hier de macht van Maankind eindigt. En zij is de enige die deze plaats nimmer betreden kan. Zij kan het inwendige van de Glans niet binnengaan omdat zij zichzelf niet kan afleggen.'

Atréjoe wist hier niets op te zeggen.

'Er wordt nu gevraagd,' ging Foechoer verder, 'of Bastiaan bereid is.'

'Ja,' zei Atréjoe, 'hij is bereid.'

Nu begon de reusachtige zwarte slangekop zich heel langzaam op te heffen zonder het uiteinde van de witte slang dat hij in zijn bek hield los te laten. De enorme lijven bogen zich tot zij een hoge poort vormden, waarvan de ene helft zwart en de andere wit was.

379

Atréjoe leidde Bastiaan aan de hand door deze huiveringwekkende poort naar de fontein, die nu in al zijn grootheid en pracht voor hen lag. Foechoer volgde hen. En terwijl ze daarheen liepen, vielen met elke stap de verwonderlijke Fantásische gaven de een na de ander van Bastiaan af. En de mooie, sterke en onbevreesde held werd weer de kleine, dikke en verlegen jongen. Zelfs zijn kleren, die in Yors Minroud haast lompen geworden waren, verdwenen en losten zich op in het niets. En zo stond hij uiteindelijk volkomen naakt voor de grote gouden ring waarbinnen het Water des Levens hoog als een kristallen boom opklaterde.

En op dit ogenblik, waarop hij geen van de Fantásische gaven meer bezat, maar de herinnering aan zijn wereld en zichzelf nog niet had teruggekregen, doorleefde hij een toestand van absolute onzekerheid waarin hij niet meer wist tot welke wereld hij behoorde en of hij zelf nog wel bestond.

Maar toen sprong hij zomaar in het kristalheldere water, wentelde zich er in rond, proestte en spatte en liet zich de fonkelende druppels in de mond lopen. Hij dronk en dronk tot zijn dorst gelest was. En toen vervulde hem van hoofd tot tenen vreugde, vreugde omdat hij leefde en vreugde omdat hij zichzelf was. Want nu wist hij weer wie hij was en waar hij thuis hoorde. Hij was opnieuw geboren. En het mooiste was dat hij nu alleen nog maar degeen wilde zijn die hij was. En had hij zich van alle mogelijkheden er een uit mogen zoeken, dan had hij geen andere gekozen. Want nu wist hij dat er in de wereld duizenden en nog eens duizenden vormen van vreugde bestonden, maar dat die uiteindelijk neerkwamen op die ene: de vreugde lief te kunnen hebben. Zij waren een en dezelfde.

Ook later, toen Bastiaan allang weer in zijn wereld was teruggekeerd, toen hij volwassen en tenslotte oud werd, raakte hij deze vreugde nooit meer helemaal kwijt. Ook in de moeilijkste perioden van zijn leven behield hij een innerlijke blijheid, die hem kon laten glimlachen en die andere mensen troostte.

'Atréjoe!' riep hij naar zijn vriend die met Foechoer aan de rand van de gouden ring was blijven staan, 'kom toch ook! Kom en drink! Het is ongelooflijk!'

Maar Atréjoe schudde zijn hoofd.

'Nee,' riep hij terug. 'Dit keer zijn wij hier alleen om jou te begeleiden.'

'Dit keer?' vroeg Bastiaan. 'Wat bedoel je daarmee?'

Atréjoe keek Foechoer even aan en zei toen: 'Wij tweeën zijn hier al eens geweest. We hebben de plek niet meteen herkend omdat wij indertijd slapend hierheen gebracht werden en er ook slapend weer vandaan werden gehaald. Maar nu hebben we het ons weer herinnerd.'

Bastiaan kwam uit het water.

'Ik weet nu weer wie ik ben,' zei hij opgetogen.

'Ja,' zei Atréjoe, 'ik herken je nu ook weer. Nu zie je er weer uit als toen, toen ik je in de Toverspiegel Poort zag.'

Bastiaan keek op naar het schuimende, fonkelende water.

'Ik zou het voor mijn vader willen meebrengen,' riep hij in het geraas. 'Maar hoe?'

'Ik denk niet dat zo iets mogelijk is,' antwoordde Atréjoe. 'Je kunt uit Fantásië toch niets naar de mensenwereld brengen.'

'Maar Bastiaan wel!' zei Foechoer, wiens stem nu weer zijn volle bronzen klank had. 'Hij zal het wel kunnen!'

'Jij bent toch echt een geluksdraak!' zei Bastiaan.

Foechoer gebaarde hem stil te zijn en luisterde weer naar het duizendstemmige ruisen.

Toen liet hij weten: 'Het water zegt dat je nu moet gaan en wij ook.'

'Waarheen?' vroeg Bastiaan.

'Door de andere poort naar buiten,' vertaalde Foechoer, 'daar waar de witte slangekop ligt.'

'Goed,' zei Bastiaan, 'maar hoe kom ik er dan uit? De witte kop beweegt zich niet.'

Inderdaad lag de kop van de witte slang daar onbeweeglijk. Hij had de staart van de zwarte slang in zijn bek en zijn kolossale oog staarde Bastiaan aan.

'Het water vraagt,' zei Foechoer, 'of je alle verhalen die je in Fantásië begonnen bent, ook hebt afgemaakt.'

'Nee,' zei Bastiaan, 'eigenlijk niet één.'

Foechoer stond een poosje te luisteren. Op zijn gezicht verscheen een verschrikte uitdrukking.

'Het water zegt dat de witte slang je dan niet zal doorlaten. Je moet terug naar Fantásië en alles afmaken.'

'Alle verhalen?' stamelde Bastiaan. 'Dan kan ik nooit meer terug. Dan is alles tevergeefs geweest.'

Foechoer luisterde aandachtig.

'Wat zegt het water?' vroeg Bastiaan.

'Stil!' zei Foechoer.

Na enige tijd zuchtte hij diep en liet weten: 'Het water zegt dat er niets aan te veranderen is, tenzij er iemand gevonden wordt die deze taak van je overneemt.'

'Maar het zijn ontelbare verhalen,' riep Bastiaan. 'En uit elk verhaal komen weer nieuwe voort. Zo'n taak kan niemand overnemen.'

'Jawel,' zei Atréjoe. 'Ik!'

Sprakeloos keek Bastiaan hem aan. Toen viel hij hem om de hals en stamelde: 'Atréjoe, Atréjoe! Dit zal ik nooit vergeten!'

Atréjoe glimlachte.

'Goed, Bastiaan, dan vergeet je ook Fantásië niet.'

Hij gaf hem een vriendschappelijk tikje op zijn wang, draaide zich toen vlug om en liep naar de poort met de zwarte slangekop, die nog steeds even hoog openstond als toen zij erdoor naar binnen waren gegaan.

'Foechoer,' zei Bastiaan, 'hoe willen jullie afmaken wat ik jullie nalaat?'

De witte draak kneep een van zijn robijnrode ogen even toe en antwoordde: 'Met geluk, mijn jongen! Met geluk!'

En toen volgde hij zijn meester en vriend.

Bastiaan keek hen na toen zij door de poort naar buiten gingen, terug naar Fantásië. Het tweetal draaide zich nog een keer om en zwaaide. Toen zakte de zwarte slangekop tot hij weer op de grond lag. Bastiaan kon Atréjoe en Foechoer niet meer zien.

Hij was nu alleen.

Hij keerde zich naar de andere, de witte slangekop en zag dat deze zich op hetzelfde moment had opgeheven en dat de slangelijven op dezelfde wijze een poort vormden als daarvoor aan de andere kant.

Vlug vulde hij zijn handen met het Water des Levens en rende op de poort toe. Daarachter was het duister.

Bastiaan sprong erin en viel in een leegte.

'Vader!' riep hij. 'Vader! – Ik – ben – Bastiaan – Balthazar – Boeckx!'

'Vader! Vader! – Ik – ben – Bastiaan – Balthazar – Boeckx!'

Terwijl hij dit nog riep bevond hij zich zonder overgang ineens weer op de zolder van het schoolgebouw, waarvandaan hij eens, heel lang geleden, in Fantásië terecht was gekomen. Hij herkende zijn omgeving niet meteen en was door de wonderlijke dingen die hij om zich heen zag, door de opgezette dieren, het geraamte en de schilderijen zelfs een moment onzeker of hij zich niet toch nog in Fantásië bevond. Maar toen zag hij zijn schooltas en de verroeste zevenarmige kandelaar met de gedoofde kaarsen en wist hij waar hij was.

Hoe lang zou het geleden zijn dat hij van hieruit zijn lange reis door Het oneindige verhaal begonnen was? Weken? Maanden? Jaren misschien? Hij had eens het verhaal gelezen van een man die zich slechts één uur in een tovergrot had opgehouden en toen hij terugkeerde waren honderd jaren verstreken en van alle mensen die hij gekend had, leefde er nog maar één die toen een klein kind was geweest en nu stokoud was.

Door het dakraam viel een vaal licht naar binnen, maar het was niet te zeggen of het ochtend of avond was. Het was bitter koud op de zolder, net zo koud als in de nacht dat Bastiaan hier vertrokken was.

Hij duwde de stapel stoffige paardedekens waaronder hij lag van zich af, trok zijn schoenen aan en zijn jas en stelde verrast vast dat ze nog even nat waren als op die dag dat het zo geregend had.

Hij deed de riem van zijn schooltas over zijn schouder en zocht naar het boek dat hij toen gestolen had en waarmee alles was begonnen. Hij was vastbesloten het naar die onvriendelijke meneer Koriander terug te brengen. Misschien zou hij hem voor de diefstal bestraffen of aangeven bij de politie, of nog ergere dingen doen, maar wat dan nog? Er was niet zo erg veel meer dat iemand die zulke avonturen achter de rug had als Bastiaan, nog angst inboezemde. Maar het boek was er niet.

Bastiaan zocht en zocht, keek onder alle dekens en in ieder hoekje. Maar het hielp niets. Het oneindige verhaal was weg.

'Nou,' zei Bastiaan tenslotte bij zichzelf, 'dan moet ik hem maar gaan zeggen dat het weg is. Hij zal me vast niet geloven, maar daar kan ik niets aan veranderen. Er moet maar van komen wat er van komt. Maar misschien herinnert hij het zich niet meer, na zo lang? Misschien is het hele boekwinkeltje er wel niet meer!'

Dat zou gauw blijken want eerst moest hij nu de school door. Als hij de leraren en de kinderen die hij tegen zou komen niet kende, dan wist hij genoeg.

Maar toen hij de zolderdeur opendeed en naar beneden ging, heerste daar een volslagen stilte. Er scheen zich geen mens in het gebouw te bevinden. En toch sloeg de klok op de toren van de school juist negen uur. Het was dus ochtend en de lessen hadden al lang moeten beginnen.

Bastiaan keek in een paar lokalen, maar overal heerste dezelfde leegte. Toen hij naar een raam liep en naar beneden keek in de straat zag hij daar wat mensen lopen en auto's rijden. De wereld was tenminste niet uitgestorven.

Hij liep de trap af naar de grote schooldeur en probeerde die open te maken, maar hij was op slot. Hij liep naar de deur waarachter het huis van de conciërge lag, belde en klopte, maar er verroerde zich niemand.

Bastiaan overlegde wat hij doen zou. Hij kon onmogelijk wachten tot er misschien op een zeker moment toch nog iemand zou komen. Hij wilde nu naar zijn vader. Ook al had hij dan het Water des Levens vermorst.

Zou hij een raam openmaken en maar blijven roepen tot iemand hem hoorde en er voor zorgde dat de deur werd opengemaakt? Nee, daar schaamde hij zich toch wel voor. Hij bedacht dat hij best uit een van de ramen kon klimmen. Die gingen van binnen uit open. Maar de ramen op de begane grond hadden allemaal tralies.

Toen schoot hem ineens te binnen dat hij toen hij op de eerste verdieping naar beneden op straat had gekeken een bouwstelling gezien had. Kennelijk werd aan de buitenkant van de school het pleisterwerk opgeknapt.

Bastiaan ging weer naar de eerste verdieping en liep naar het raam. Hij kon het openkrijgen en klom naar buiten.

De stelling bestond uit verticale palen waartussen op bepaalde afstanden horizontale planken lagen. De planken veerden onder Bastiaans gewicht op en neer. Even voelde hij zich duizelig worden en werd hij bang, maar beide gevoelens drukte hij weg. Voor iemand die de heer van Perelien geweest was, bestond hier toch geen probleem — ook al beschikte hij dan niet langer over die fabelachtige lichaamskracht en had hij wat hinder van het gewicht van zijn dikke lichaam. Bedachtzaam en kalm zocht hij houvast en steun voor handen en voeten en klom langs de verticale palen naar beneden. Een keer voelde hij een splinter zijn hand binnendringen, maar van zulke kleinigheden trok hij zich nu niets meer aan. Wat verhit en hijgend, maar

384

behouden kwam hij beneden op de straat aan. Niemand had hem gezien.

Bastiaan holde naar huis. In zijn schooltas klapperden de potloden en de boeken mee op de maat van zijn stappen. Hij kreeg pijn in zijn zij maar hij holde verder. Hij wilde naar zijn vader toe.

Toen hij eindelijk bij het huis kwam waar hij woonde, bleef hij toch nog even staan en keek naar boven naar het raam waarachter zijn vaders laboratorium lag. En opeens sloeg hem nu de angst om het hart, omdat hij voor het eerst op de gedachte kwam dat zijn vader er wel eens niet meer zou kunnen zijn.

Maar zijn vader was er en moest hem hebben zien aankomen, want toen Bastiaan de trap opstormde kwam hij hem tegemoet. Hij spreidde zijn armen uit en Bastiaan wierp zich erin. Zijn vader tilde hem op en droeg hem naar binnen.

'Bastiaan, mijn jongen,' zei hij steeds weer. 'Mijn lief, lief klein kereltje, waar ben je toch geweest? Wat is er met je gebeurd?'

Pas toen ze aan de keukentafel zaten en de jongen warme melk dronk en broodjes at die zijn vader zorgzaam dik met boter en honing besmeerde, merkte Bastiaan hoe bleek en mager het gezicht van zijn vader was. Zijn ogen waren rood van het huilen en hij had zich niet geschoren. Maar verder zag hij er nog net zo uit als destijds toen Bastiaan was weggegaan. En dat zei hij hem ook.

'Destijds?' vroeg zijn vader verwonderd. 'Wat bedoel je daarmee?'

'Hoe lang ben ik dan weggeweest?'

'Sinds gisteren, Bastiaan. Sinds je naar school ging. Maar toen je niet terugkwam, heb ik de school opgebeld en gehoord dat je daar helemaal niet was geweest. Ik heb je de hele dag en de hele nacht gezocht, mijn jongen. Ik heb de politie er achterheen gezet, omdat ik het ergste vreesde. O God, Bastiaan, wat is er toch gebeurd? De zorg om jou heeft me haast gek gemaakt. Waar zat je toch?'

En nu begon Bastiaan te vertellen wat hij beleefd had. Hij vertelde alles heel uitvoerig en het duurde urenlang.

Zijn vader luisterde naar hem zoals hij nog nooit geluisterd had. Hij begreep wat Bastiaan hem vertelde.

Tegen de middag onderbrak hij het verhaal een maal om de politie op te bellen en te zeggen dat zijn zoon weer thuis en alles in orde was. Daarna maakte hij voor hen beiden middageten klaar en Bastiaan ging verder met zijn verhaal. Het werd al avond toen Bastiaan met zijn verslag bij het Water des Levens was aangekomen en vertelde dat hij daar iets van voor zijn vader had willen meebrengen, maar dat hij het toch vermorst had.

Het was al bijna donker in de keuken. Zijn vader zat onbeweeglijk. Bastiaan stond op en deed het licht aan. En toen zag hij iets wat hij nog nooit eerder had gezien.

Hij zag tranen in de ogen van zijn vader.

En hij begreep dat hij hem het Water des Levens toch had kunnen brengen.

Zonder een woord trok zijn vader hem op schoot en drukte hem tegen zich aan en ze streelden elkaar.

Nadat ze heel lang zo gezeten hadden, zuchtte zijn vader diep, keek Bastiaan aan en begon te lachen. Het was het gelukkigste lachen dat Bastiaan ooit bij hem gezien had.

'Van nu af aan,' zei zijn vader met een heel andere stem, 'van nu af aan zal alles anders worden met ons, denk je ook niet?'

En Bastiaan knikte. Zijn hart was te vol om iets te kunnen zeggen.

De volgende morgen was de eerste sneeuw gevallen. Zacht en ongerept lag hij op de vensterbank van Bastiaans kamer. Alle straatgeluiden klonken nu gedempt.

'Weet je wat, Bastiaan?' zei zijn vader opgewekt aan het ontbijt, 'ik vind dat wij toch wel alle reden hebben om feest te vieren. Zo'n dag als vandaag komt maar één keer in je leven voor – en bij sommige mensen nooit. Daarom stel ik voor dat wij samen iets heel geweldigs gaan doen. Ik laat vandaag mijn werk voor wat het is en jij hoeft niet naar school. Ik zal een briefje schrijven. Wat vind je daarvan?'

'Naar school?' vroeg Bastiaan. 'Is er dan nog school? Toen ik gisteren langs de klassen liep was er geen sterveling. Zelfs de conciërge niet.'

'Gisteren?' antwoordde zijn vader. 'Maar gisteren was het toch zondag, Bastiaan.'

Peinzend roerde de jongen in zijn chocolademelk. Toen zei hij zachtjes: 'Ik denk dat het nog wel even zal duren voor ik weer helemaal gewend ben.'

'Zo is het,' zei zijn vader en knikte. 'En daarom maken wij er een feestdag van, wij met zijn tweeën. Wat zou je het liefste willen doen? We kunnen een uitstapje maken, of zullen we naar de dierentuin

386

rijden? En 's middags trakteren we onszelf op het meest uitgebreide menu dat er in de wereld bestaat. Daarna kunnen we dan gaan winke-len – zeg maar wat je wilt. En 's avonds – zullen we 's avonds naar een toneelstuk gaan?'

Bastiaans ogen schitterden. Maar toen zei hij gedecideerd: 'Maar eerst moet ik nog wat anders doen. Ik moet naar meneer Koriander en hem vertellen dat ik het boek gestolen en toen verloren heb.'

Zijn vader pakte zijn hand.

'Luister eens, Bastiaan, als je wilt dan regel ik dat wel voor je.'

Bastiaan schudde zijn hoofd.

'Nee,' zei hij, 'dit is mijn zaak. Dit wil ik zelf doen. En het beste is dat ik het maar meteen doe.'

Hij stond op en trok zijn jas aan. Zijn vader zei niets, maar de blik waarmee hij naar zijn zoon keek toonde verrassing en respect. Nog nooit had zijn jongen zich zo gedragen.

'Ik denk,' zei hij tenslotte, 'dat het ook bij mij nog wel even zal duren voor ik aan de verandering gewend ben.'

'Ik ben zo weer terug!' riep Bastiaan, die al in de vestibule stond. 'Het duurt vast niet lang. Dit keer niet.'

Toen hij voor het boekwinkeltje van meneer Koriander stond, zonk hem de moed toch nog in de schoenen. Hij keek door de ruit waarop de gekrulde letters stonden naar binnen. Meneer Koriander had juist een klant en Bastiaan wilde liever wachten tot die weg was. Hij begon voor het antiquariaat heen en weer te lopen. Het ging weer sneeuwen.

Eindelijk kwam de klant de winkel uit.

'Nu!' zei Bastiaan gebiedend tegen zichzelf.

Hij dacht eraan hoe hij Graógramán in Goab, de Woestijn van de Kleuren, tegemoetgetreden was. Vastberaden drukte hij op de klink.

Achter de muur van boeken die de schemerige ruimte aan het andere einde afsloot, was gehoest te horen. Bastiaan liep erop af en stapte toen, een beetje bleek, maar ernstig en beheerst, naar meneer Koriander toe, die weer in zijn versleten, leren stoel zat net als bij hun eerste ontmoeting.

Bastiaan zei niets. Hij had verwacht dat meneer Koriander rood van woede op hem af zou komen, dat hij tegen hem schreeuwen zou: 'Dief! Misdadiger!' of iets dergelijks.

In plaats daarvan stak de oude man omstandig zijn kromme pijp

387

aan, terwijl hij de jongen door zijn belachelijke brilletje met half toegeknepen ogen opnam. Toen de pijp eindelijk brandde, pafte hij een poosje nadrukkelijk en bromde toen: 'Nou, wat is er? Wat moet je hier nou weer?'

'Ik...,' begon Bastiaan stotterend, 'ik heb een boek van u gestolen. Ik wilde het u terugbrengen, maar dat gaat niet. Ik heb het verloren, of liever gezegd... in elk geval is het er niet meer.'

Meneer Koriander hield op met paffen en nam de pijp uit zijn mond.

'Wat voor een boek?' vroeg hij.

'Dat waarin u juist zat te lezen toen ik de vorige keer hier was. Ik heb het meegenomen. U bent naar achteren gegaan om te telefoneren en het lag op de stoel en toen heb ik het gewoon meegenomen.'

'Zo, zo,' zei meneer Koriander en schraapte zijn keel. 'Maar ik mis helemaal geen boek. Wat voor boek zou het dan geweest zijn?'

'Het heet Het oneindige verhaal,' zei Bastiaan. 'De buitenkant is van koperrode stof. Er staan twee slangen op, een lichte en een donkere, die elkaar in de staart bijten. Van binnen is het in twee kleuren gedrukt – met hele grote, mooie beginhoofdletters.'

'Een nogal vreemd geval,' zei meneer Koriander, 'want zo'n boek heb ik nooit gehad. En dus kun je het ook niet van mij gestolen hebben. Misschien heb je het ergens anders weggepikt.'

'O, zeker niet!' zei Bastiaan. 'U moet het zich toch kunnen herinneren. Het is...,' hij aarzelde, maar zei het toen toch, 'het is een toverboek. Bij het lezen ben ik in het Oneindige Verhaal terecht gekomen, maar toen ik er weer uitkwam was het boek weg.'

Meneer Koriander keek Bastiaan over zijn brilletje aan.

'Je houdt me toch niet voor de gek, hè?'

'O, nee,' antwoordde Bastiaan geschrokken, 'heus niet! Het is echt waar wat ik zeg. U moet dat toch weten!'

Meneer Koriander dacht een poosje na en schudde toen zijn hoofd.

'Je moet het me allemaal maar eens heel precies uitleggen. Ga toch zitten, mijn jongen. Ga alsjeblieft zitten!'

Met de steel van zijn pijp wees hij naar een andere stoel die tegenover de zijne stond. Bastiaan ging zitten.

'Mooi zo,' zei meneer Koriander, 'en vertel me nu maar eens wat dit allemaal te betekenen heeft. Maar langzaam en niet alles door elkaar, alsjeblieft.'

388

En Bastiaan begon te vertellen.

Hij deed het niet zo uitvoerig als bij zijn vader, maar omdat meneer Koriander grote belangstelling toonde en het steeds nog preciezer wilde horen, duurde het toch meer dan twee uur voor Bastiaan was uitverteld.

Gedurende al die tijd werden ze, vreemd genoeg, door niemand gestoord.

Toen Bastiaan zijn verslag gedaan had, bleef meneer Koriander een hele tijd rustig zitten roken. Hij scheen diep in gedachten verzonken. Tenslotte schraapte hij weer zijn keel, zette zijn brilletje recht, keek Bastiaan een poosje onderzoekend aan en zei toen: 'Eén ding staat vast: je hebt dat boek niet van me gestolen, want het behoort mij noch jou, noch iemand anders toe. Als ik me niet vergis dan kwam het zelf al uit Fantásië. Wie zal zeggen of niet misschien juist op dit moment iemand anders het in de hand heeft en erin leest.'

'Dan gelooft u me dus?' vroeg Bastiaan.

'Vanzelfsprekend,' antwoordde meneer Koriander. 'Ieder verstandig mens zou dat doen.'

'Eerlijk gezegd,' zei Bastiaan, 'had ik daar niet op gerekend.'

'Er zijn mensen die nooit in Fantásië kunnen komen,' zei meneer Koriander, 'en er zijn ook mensen die het wel kunnen, maar die daar voor altijd blijven. En dan zijn er nog een paar die naar Fantásië gaan en weer terug komen. Zoals jij. En die maken beide werelden gezond.'

'Ach,' zei Bastiaan en hij bloosde een beetje, 'maar ik kan eigenlijk niks. Het had maar een haar gescheeld of ik was niet teruggekomen. Als Atréjoe er niet was geweest, dan zat ik nu zeker voorgoed in de Stad van de Oude Keizers.'

Meneer Koriander knikte en trok peinzend aan zijn pijp.

'Tja,' bromde hij, 'jij hebt geluk gehad dat je een vriend in Fantásië had. God weet dat niet iedereen dat heeft.'

'Meneer Koriander,' vroeg Bastiaan, 'hoe weet u dit allemaal? Ik bedoel – bent u dan ook al eens in Fantásië geweest?'

'Maar natuurlijk,' zei meneer Koriander.

'Maar dan,' meende Bastiaan, 'dan moet u toch ook Maankind kennen!'

'Ja, ik ken de Kleine Keizerin,' zei meneer Koriander, 'zij het niet onder die naam. Ik heb haar anders genoemd. Maar dat is niet belangrijk.'

'Dan moet u ook het boek kennen!' riep Bastiaan uit. 'Dan heeft u toch immers het Oneindige Verhaal gelezen!'

Meneer Koriander schudde zijn hoofd.

'Elk echt verhaal is een oneindig verhaal.' Zijn blik ging naar de vele boeken die tot aan het plafond tegen de muren stonden. Hij wees er met de steel van zijn pijp naar en vervolgde: 'Er zijn een hele hoop deuren die toegang geven tot Fantásië, mijn jongen. Er zijn nog meer van zulke toverboeken. Veel mensen merken daar niets van. Het gaat er maar om wie zo'n boek in handen krijgt.'

'Dan is het Oneindige Verhaal dus voor iedereen anders?'

'Dat zou ik wel denken,' antwoordde meneer Koriander. 'Bovendien zijn er niet alleen boeken, er zijn ook andere mogelijkheden om in Fantásië te komen en weer terug. Dat zul je nog wel merken.'

'Denkt u heus?' vroeg Bastiaan hoopvol. 'Maar dan zou ik Maankind toch nog eens moeten tegenkomen en iedereen ontmoet haar toch maar één keer.'

Meneer Koriander boog zich naar voren en zei met gedempte stem: 'Laat je door een oude, ervaren Fantásiëreiziger iets vertellen, mijn jongen! Het is een geheim dat in Fantásië niemand weten kan. Als je goed nadenkt, zul je ook begrijpen waarom dat zo is. Het is niet mogelijk een tweede keer bij Maankind te komen, dat klopt – zolang zij Maankind is. Maar als je haar een nieuwe naam kunt geven, zul je haar terugzien. En zo vaak je daarin slaagt, zal het steeds weer de eerste en enige keer zijn.'

Even rustte er op het buldoggengezicht van meneer Koriander een zachte glans, waardoor het jong en bijna mooi leek.

'Bedankt, meneer Koriander!' zei Bastiaan.

'Ik moet jou bedanken, mijn jongen,' antwoordde meneer Koriander. 'Ik zou het leuk vinden als je af en toe eens bij me kwam binnenlopen, zodat we onze ervaringen kunnen uitwisselen. Er zijn niet zo veel mensen met wie je over zulke dingen kunt praten.'

Hij stak zijn hand uit. 'Afgesproken?'

'Graag,' zei Bastiaan en drukte meneer Koriander de hand. 'Maar nu moet ik gaan. Mijn vader zit te wachten. Ik kom gauw weer eens terug.'

Meneer Koriander bracht hem naar de deur. Toen zij ervoor stonden, zag Bastiaan door het spiegelschrift op de ruit dat zijn vader aan de overkant op hem stond te wachten. Zijn gezicht straalde.

Bastiaan trok de deur zo wild open dat het trosje koperen klokjes druk begon te tingelen en holde het stralende gezicht tegemoet.

Meneer Koriander deed de deur voorzichtig dicht en keek het tweetal na.

'Bastiaan Balthazar Boeckx,' bromde hij, 'als ik me niet vergis dan zul je nog vaak iemand de weg naar Fantásië wijzen, opdat hij ons het Water des Levens brengt.'

En meneer Koriander vergiste zich niet.

Maar dat is een ander verhaal en moet een andere keer maar eens worden verteld.